CULINA
CLASSICA

CULINA CLASSICA

h.f.ullmann

Inhalt

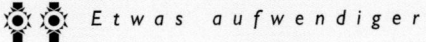 *Einfach*   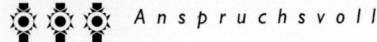 *Etwas aufwendiger*   *Anspruchsvoll*

VORSPEISEN

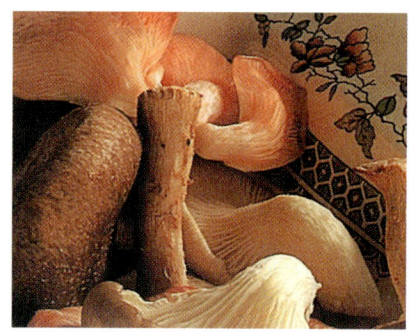

Knusprige Pilz-Kastanien-Pasteten

*Goldbraune Pilze und Kastanien mit einer leichten, cremigen Sauce in knusprigem Blätterteig.
Mit Salat eine ideale Vorspeise oder ein leichter Imbiß.*

*Vorbereitungszeit: **20 Minuten + 20 Minuten Kühlzeit***
*Back- und Kochzeit: **40 Minuten***
Für 4 Personen

400 g Blätterteig, gebrauchsfertig
1 Ei, geschlagen
470 g Wildpilzmischung (siehe Tip)
geklärte Butter (s. S. 685) oder Öl, zum Braten
2 Schalotten, feingehackt
1 Knoblauchzehe, zerdrückt
Saft von ¹/₂ Zitrone
1 ¹/₂ EL trockener Madeira
1 Dose Eßkastanien (60 g), ungesüßt, grobgehackt
30 g frische Petersilie, gehackt
Salz und Pfeffer, nach Geschmack
125 ml Crème double

1 Backofen auf 220 °C (Gasherd: Stufe 4) vorheizen. Den Teig zu einem etwa 5 mm dicken Rechteck ausrollen. Die Längsseiten begradigen, zwei 7 cm breite Streifen abschneiden. Aus jedem Streifen zwei Rauten schneiden, die in der Vertikalen 7 cm lang sind. Die vier Rauten gesondert auf ein feuchtes Blatt Backpapier legen und 20 Minuten in den Kühlschrank stellen.
2 Die Oberseiten mit geschlagenem Ei bestreichen. Die Kanten nicht bestreichen, da der Teig sonst nicht aufgeht. 15 Minuten backen, bis der Teig knusprig und goldbraun ist. Die Rauten mit einem scharfen Messer horizontal durchschneiden. Weichen Teig herausschaben und wegwerfen. Die Teigstücke warm stellen.
3 Die Pilze gründlich waschen, abtropfen lassen und in mundgerechte Stücke schneiden. Etwas geklärte Butter oder Öl in einer großen Bratpfanne erhitzen, die Pilze goldbraun anbraten. Abgießen, die Bratflüssigkeit zurückbehalten. Etwas Butter in einer anderen Pfanne erhitzen und die Schalotten 2–3 Minuten anbraten. Knoblauch, Zitronensaft, Madeira, Kastanien und Petersilie zugeben und mit Salz und Pfeffer würzen.
4 Die Pilzflüssigkeit zur Schalottenmischung geben und unabgedeckt köcheln lassen, bis die Flüssigkeit um die Hälfte reduziert ist. Die Crème double zufügen und mit Salz und Pfeffer abschmecken. Die Sauce 10 Minuten bei großer Hitze zu sirupartiger Konsistenz eindicken lassen. Die Pilze in die Sauce einrühren, die Masse auf die unteren Teighälften geben. Die Teigdeckel aufsetzen und servieren.

Tip Geeignete Pilze sind unter anderem Austern-, Shiitake- und Wolkenohrpilze. Benutzen Sie eine Sorte oder eine Mischung. Wenn Sie keine Wildpilze bekommen können, nehmen Sie Zuchtpilze, die Sie nur einmal waschen müssen.

Kleine gefüllte Gemüsehappen

*Diese handlichen und eleganten Happen verwöhnen
Auge und Gaumen gleichermaßen.*

Vorbereitungszeit: **45 Minuten**
Back- und Kochzeit: **1 Stunde**
Für 4 Personen

125 g frische Semmelbrösel
170 ml Milch
Olivenöl, zum Braten
125 g mageres Schweinehack
125 g mageres Rinderhack
3 Knoblauchzehen, feingehackt
Salz und Pfeffer, nach Geschmack
1 Eigelb, leicht geschlagen
2 EL frische Petersilie, gehackt
4 kleine weiße Rüben, etwa 5 cm dick
**1 große Zucchini, mindestens 20 cm lang, Enden
   entfernt**
2 große Kartoffeln, geschält
kochendes Wasser, zum Überbrühen
Eiswasser
Öl, zum Bestreichen

1 Den Backofen auf 200 °C (Gasherd: Stufe 3) vorheizen. Die Semmelbrösel mit der Milch in eine große Schüssel geben und zur Seite stellen. Etwas Olivenöl in einer großen Bratpfanne erhitzen, Hackfleisch und Knoblauch 5 Minuten bei mittlerer Temperatur braten. Vom Herd nehmen und mit Semmelbröseln und Milch mischen. Nach Geschmack mit Salz und Pfeffer würzen, Eigelb und Petersilie zugeben, zur Seite stellen.

2 Die Rüben schälen, Spitzen und Enden so abschneiden, daß die Hälse noch einen Durchmesser von 4–5 cm und eine Länge von ungefähr 4 cm haben. Das Fruchtfleisch so weit herauslösen, daß eine 1 cm dicke Wand übrigbleibt. Die Zucchini in etwa 4 cm lange Stücke schneiden, wie bei den Rüben das Fruchtfleisch herauslösen und wegwerfen.

3 Die Kartoffeln zunächst in 4 cm große Würfel und dann zu Zylindern schneiden. Das Innere herauslösen. Jedes Gemüse kurz in einem eigenen Topf mit kochendem Wasser überbrühen; es sollte jedoch fest bleiben. Rüben und Zucchini in eine Schüssel mit eiskaltem Wasser geben. Wenn sie vollständig abgekühlt sind, mit der Öffnung nach unten abtropfen lassen. Die gekochten Kartoffeln abtropfen lassen, bis sie kühl genug zum Anfassen sind.

4 Die Innenseiten des ausgehöhlten Gemüses mit Salz und Pfeffer würzen, die Füllung hineingeben. Die gefüllten Happen in eine leicht eingeölte feuerfeste Form legen und mit etwas Öl bestreichen. 20–30 Minuten backen, bis sie zart sind. Nach Wunsch unter dem Backofengrill bräunen. Heiß oder kalt servieren.

Gefüllte Tomaten auf provençalische Art

Die bevorzugte Verwendung von Olivenöl, Petersilie und Tomaten in der provençalischen Küche weist auf die geographische Nähe zu Italien hin.

Vorbereitungszeit: **30 Minuten + 20 Minuten Abtropfzeit**
Back- und Kochzeit: **15 Minuten**
Für 4 Personen

4 Tomaten
Salz, nach Geschmack
3 EL Olivenöl (Extra Vergine)
4 Knoblauchzehen, feingehackt
1 EL frische Thymianblätter, gehackt
2 EL frische Petersilie, gehackt
60 g frische Semmelbrösel
Salz und Pfeffer, nach Geschmack
etwas Olivenöl zusätzlich

1 Den Backofen auf 190 °C (Gasherd: Stufe 3) vorheizen. Die Tomaten von den Strunkresten befreien, so drehen, daß sich die Strunkansatzstelle unten befindet und quer halbieren. Die Tomatenkerne vorsichtig mit einem Löffel entfernen. Die Tomaten mit etwas Salz würzen und mit der Schnittseite nach unten etwa 20 Minuten auf Küchenpapier abtropfen lassen.

2 Das Olivenöl langsam erwärmen. Vom Herd nehmen und Knoblauch, Thymian, Petersilie und Semmelbrösel hineingeben. Mit Salz und Pfeffer abschmecken, gründlich mischen. Die Tomatenhälften mit Pfeffer würzen und dekorativ mit der Semmelbröselmischung füllen (siehe Abbildung). In eine eingeölte Auflaufform geben, mit ein wenig zusätzlichem Olivenöl beträufeln und 5–10 Minuten backen, bis die Füllung goldgelb ist.

Tip Für dieses Rezept kann man auch acht kleine Tomaten verwenden. Dazu den oberen Teil abschneiden, die Kerne entfernen und die ganzen Tomaten füllen.

Minze-Erbsen-Taschen

Auch wenn diese schmackhaften Häppchen etwas mehr Zeit benötigen, haben sie doch den Vorteil, daß sie im voraus zubereitet und im Backofen aufgebacken werden können. Eine gute Alternative für Vegetarier.

*Zubereitungszeit: **55 Minuten + 20 Minuten Kühlzeit***
*Back- und Garzeit: **30 Minuten***
Ergibt ca. 24 Stück

I frischer Minzezweig
180 g Erbsen
I EL Öl
I Zwiebel, feingewürfelt
2 Kartoffeln (ca. 150 g), gekocht und püriert
2 TL Koriander, gemahlen
I EL frischer Koriander, feingehackt
I EL frische Minze, feingehackt
I EL Zitronensaft, nach Geschmack
Salz und Pfeffer, nach Geschmack
etwas Butter, zerlassen
6 Platten Filoteig
60 g Butter, zerlassen

1 Minzezweig in einen Topf mit Salzwasser geben und zum Kochen bringen. Erbsen zugeben und 2 Minuten aufkochen. In einem Durchschlag abtropfen lassen, herausnehmen und Minzezweig wegwerfen.

2 Öl in einer Pfanne auf unterer Stufe erhitzen, Zwiebel zugeben und 7 Minuten glasig dünsten. Auf mittlere Stufe schalten, Erbsen und Kartoffeln zugeben und gut verrühren. In eine kleine Schüssel geben und 20 Minuten abkühlen lassen.

3 Gemahlenen und frischen Koriander, gehackte Minze und Zitronensaft einrühren und mit Salz und Pfeffer abschmecken. Backofen auf 190 °C vorheizen. Zwei Backbleche mit zerlassener Butter einfetten.

4 Die Filoteigplatten auf eine Arbeitsfläche legen und mit zerlassener Butter bestreichen. Jede Teigplatte quer in ca. 8 cm breite Streifen schneiden. Auf die Ecke jedes Streifens 2 TL Füllung geben. Ecken diagonal über die Füllung falten, so daß am Ende ein Dreieck entsteht. So weiter falten, bis der ganze Streifen zu einem Dreieck geworden ist.

5 Die Minze-Erbsen-Taschen auf die vorbereiteten Bleche setzen, mit etwas zerlassener Butter bestreichen und 15 Minuten goldbraun backen.

Tip Die Taschen können 1 Tag im voraus zubereitet und vor dem Backen im Kühlschrank aufbewahrt werden.

Mini-Frühlingsrollen

Die Kombination aus pikantem Gemüse, Sojasauce, Ingwer, Knoblauch und Sesam, umhüllt von
knusprigem, goldbraunem Blätterteig macht die kleinen Frühlingsrollen zu einem echten Geschmackserlebnis.
Sie brauchen für dieses Rezept keine Friteuse; die Frühlingsrollen werden im Backofen gebacken.

Zubereitungszeit: 40 Minuten + 15 Minuten Kühlzeit
Back- und Garzeit: 15 Minuten
Ergibt 45 Stück

etwas Butter, zerlassen
600 g gemischtes Gemüse, z. B. Porree, Karotten,
   Steckrüben, Bohnensprossen, Zuckererbsen oder
   Knollensellerie
1 EL Frühlingszwiebeln, gehackt
2¹/2 EL Sesamöl
30 g frischer Ingwer, feingehackt
1 Knoblauchzehe, feingehackt
2 EL Sesamkörner, geröstet
   (s. Tip)
1 EL Sojasauce
Salz und Pfeffer, nach Geschmack
10 Platten Filoteig
150 g Butter, zerlassen

1 Zwei Backbleche mit zerlassener Butter einfetten und beiseite stellen.

2 Geschältes Gemüse in lange, ca. 2,5 mm breite Streifen schneiden und mit Frühlingszwiebeln vermengen. Sesamöl in einem flachen Topf erhitzen, bis es zu rauchen beginnt, dann Gemüse und Frühlingszwiebeln zugeben und 2 Minuten unter ständigem Rühren köcheln lassen. Ingwer, Knoblauch, Sesamkörner und Sojasauce einrühren und 1 Minute weiter köcheln lassen. Mit Salz und Pfeffer abschmecken und Gemüsemischung auf einen Teller oder eine Servierplatte geben und vollständig abkühlen lassen.

3 Backofen auf 200 °C vorheizen. Eine Platte Filoteig gemäß den Angaben auf S. 682 auf eine Arbeitsfläche legen und von einer Seite mit zerlassener Butter bestreichen. Eine zweite Teigplatte auf die gebutterte Seite legen und ebenfalls mit zerlassener Butter bestreichen. Vorgang wiederholen, bis fünf solcher Doppel-Platten entstanden sind. Jede in neun Rechtecke (ca. 9 x 15 cm) schneiden. Auf das kürzere Ende jedes Rechtecks etwa die gleiche Menge Füllung geben; dabei ca. 1 cm Rand von jeder Seite belassen. Kanten etwas einrollen.

4 Frühlingsrollen auf die vorbereiteten Backbleche legen, mit zerlassener Butter bestreichen und 10–12 Minuten goldbraun backen. Heiß und nach Wunsch mit Soja- oder Chilisauce servieren.

Tip Die Sesamkörner werden im auf 180 °C vorgeheizten Backofen auf einem Blech oder in der Pfanne bei mittlerer Hitze goldbraun geröstet.

Zwiebelküchlein

Diese köstlichen Zwiebelküchlein sollten heiß serviert werden. Die Zwiebelfüllung kann – wie im Tip unten beschrieben – durch eine Champignonfüllung ersetzt werden. Das Rezept läßt sich auch mit Fertig-Mürbeteigböden zubereiten.

Zubereitungszeit: **45 Minuten + 35 Minuten Kühlzeit**
Back- und Garzeit: **45 Minuten**
Ergibt 24 Stück

BODEN
200 g Mehl
1/4 TL Salz
40 g Butter, gewürfelt
2 Eigelb
4 EL Wasser

ZWIEBELFÜLLUNG
30 g Butter
2 Zwiebeln, feingehackt
1 kleines Lorbeerblatt
2 frische Thymianzweige
1 Prise Salz

150 ml Crème double
4 Eier
4 Eigelb
1 Prise Muskat, gemahlen
Salz und Pfeffer, nach Geschmack

1 Zwei Bleche mit je 12 Küchleinformen einfetten.
2 Für die Böden Mehl und Salz in eine große Schüssel sieben. Gewürfelte Butter mit den Fingern unterkneten, bis eine gleichmäßig gefärbte krümelige Masse entsteht. In die Mitte eine Mulde drücken und Eigelbe und Wasser zufügen. Gut verkneten, zu einer Kugel formen und mit Klarsichtfolie abdecken. Ca. 20 Minuten kalt stellen.
3 Für die Zwiebelfüllung Butter bei mittlerer Hitze in einer Pfanne zerlassen. Zwiebeln, Lorbeerblatt, Thymian und Salz zugeben. Abdecken und 15 Minuten auf unterer Stufe köcheln lassen, bis die Zwiebeln gut gebräunt sind. Lorbeerblatt und Thymian herausnehmen und zum Abkühlen beiseite stellen.
4 Teig ca. 2 mm dick ausrollen und 5 Minuten kalt stellen. Backofen auf 180 °C vorheizen. Mit einem Teigrädchen 24 Kreise ausschneiden, die etwas größer sind als die Küchleinformen. In jede Form einen Kreis legen und leicht am Boden andrücken. 10 Minuten im Kühlschrank abkühlen lassen. Crème double, Eier, Eigelbe, Muskat, Salz und Pfeffer verrühren.
5 Zwiebelfüllung auf den Küchlein verteilen und mit der Ei-Crème-double-Mischung bestreichen. 12–15 Minuten im Backofen bräunen. Sofort aus den Formen lösen und heiß servieren.

Tip Für eine Champignonfüllung 30 g Butter in einem Topf auf mittlerer Stufe zerlassen, 3 feingehackte Schalotten zugeben und ca. 3 Minuten dünsten. 200 g feingehackte Champignons in 1 EL Zitronensaft wälzen, zu den Schalotten geben und weitere 10 Minuten köcheln lassen. Füllung zum Abkühlen beiseite stellen.

Blätterteig mit Spargel und Pilzen in Sahnesauce

Ein ideales Gericht für einen Brunch: Der knusprige Teig umhüllt eine Füllung, deren Aromen durch eine herrlich-cremige Sahnesauce abgerundet werden.

*Vorbereitungszeit: **30 Minuten + 20 Minuten Kühlzeit***
*Zubereitungszeit: **25 Minuten***
Ergibt 6 Stück

15 Spargelstangen, geschält
375 g gebrauchsfertiger Blätterteig
1 Ei, verquirlt
45 g Butter
30 g Weizenmehl
250 ml Milch
3 EL Crème fraîche oder Sahne
250 g junge Champignons oder Austernpilze,
   in dicke Scheiben geschnitten
Butter, zerlassen, zum Bestreichen

1 Einen Topf mit Salzwasser zum Sieden bringen. Den Spargel zugeben und 4 Minuten kochen lassen, bis er weich ist. Herausnehmen, in eine Schüssel mit Eiswasser tauchen, gut abtropfen lassen und beiseite stellen.

2 Den Teig auf einer bemehlten Fläche zu einem etwa 20 x 30 cm großen und 5 mm dicken Rechteck ausrollen. Die zwei langen Seiten mit einem scharfen Brotmesser begradigen; dann den Teig der Länge nach halbieren und jeden Streifen in drei Trapeze oder Quadrate schneiden. Die Teigstücke mit etwas Abstand voneinander auf ein feuchtes Backblech setzen und 20 Minuten in den Kühlschrank stellen.

3 In der Zwischenzeit den Ofen auf 200 °C (Gasherd: Stufe 3) vorheizen. Die Oberseite des Teigs mit dem verquirlten Ei bestreichen, die Seiten jedoch freilassen, da das Ei beim Backen stockt und so das Aufgehen des Teigs verhindert. Mit einem Messer vorsichtig ein Muster aus sich kreuzenden Linien in die Oberfläche ritzen. Dann die Teigstücke etwa 10 Minuten backen, bis sie gut aufgegangen, knusprig und goldgelb sind. Mit einem scharfen Messer aufschneiden und den noch weichen Teig herauskratzen.

4 30 g Butter in einem mittelgroßen Topf zerlassen, Mehl zugeben und 1 Minute bei geringer Hitze mitschwitzen lassen. Den Topf vom Herd nehmen, die Milch zugießen und mit einem Holzlöffel oder Schneebesen gründlich mischen. Die Mischung bei mäßiger Hitze unter kräftigem Schlagen aufkochen und dann köcheln lassen, dabei ständig rühren. Crème fraîche oder Sahne zugeben und eine weitere Minute rühren. Den Topf vom Herd nehmen und abdecken. Die restliche Butter in einem Topf zerlassen und die Pilze bei mittlerer Hitze etwa 2 Minuten darin wenden, bis sie gar sind. Die Spargelspitzen auf 6 cm Länge schneiden und beseite stellen. Die restlichen zarten Abschnitte der Stengel in 2 cm lange Stücke schneiden. Anschließend mit den Pilzen zur Sauce geben und mischen.

5 Die warme Sauce auf die 6 unteren Teighälften geben und die Spargelspitzen darauf legen. Diese mit etwas zerlassener Butter bestreichen und die oberen Teighälften auflegen. Vor dem Servieren bei 160 °C (Gasherd: Stufe 1) im Ofen erwärmen.

Tips Der Teig kann bereits am Vortag gebacken, halbiert und ausgekratzt werden. Vor dem Füllen im Ofen aufwärmen.

Je nach Spargelgröße bleibt nach dem Füllen des Teigs evtl. etwas von der Sauce übrig. Auf Toast ist sie ein leckerer Snack.

Spinat-Päckchen mit Fetakäse

*Die leckeren kleinen Spinat-Päckchen bestechen durch ihre cremige Füllung
verbunden mit verführerisch knuspriger Hülle.*

Zubereitungszeit: **30 Minuten + 15 Minuten Kühlzeit**
Back- und Garzeit: **20 Minuten**
Ergibt 45 Stück

75 g Butter, zerlassen
1 EL Olivenöl
250 g frischer Spinat, zerkleinert
120 g Fetakäse, mit einer Gabel zerkleinert
60 g Ricotta
Salz und Pfeffer, nach Geschmack
1 Ei, verquirlt
1 EL frische Petersilie, gehackt
1 EL frisches Basilikum, gehackt
6 Platten Filoteig

1 Zwei Backbleche mit zerlassener Butter einfetten.
2 Öl in einer Pfanne erhitzen. Spinat zugeben und
2 Minuten unter ständigem Rühren köcheln lassen.

Fetakäse und Ricotta unterrühren, bis eine weiche
Masse entsteht. Mit Salz und Pfeffer abschmecken.
Pfanne vom Herd nehmen, leicht abkühlen lassen und
Ei, Petersilie und Basilikum einrühren. Ca. 15 Minuten
beiseite stellen und vollständig abkühlen lassen.
3 Backofen auf 190 °C vorheizen. Eine Platte Filoteig
gemäß den Angaben auf S. 682 auf eine Arbeitsfläche legen und eine Seite mit Butter bestreichen. Eine zweite
Teigplatte auf die gebutterte Seite legen und ebenfalls
mit zerlassener Butter bestreichen. Vorgang wiederholen, bis zwei solcher Doppel-Platten entstanden sind.
Jede in neun Quadrate (ca. 8 cm) schneiden. Teigreste
wegwerfen. Auf jedes Quadrat ca. 1 TL Füllung geben.
Kanten über der Füllung falten. Teigrand vorsichtig über
der Füllung zusammendrücken.
4 Spinat-Päckchen auf die vorbereiteten Backbleche
setzen und mit der restlichen zerlassenen Butter beträufeln. Anschließend 15 Minuten knusprig und goldbraun
backen.

Champignons mit Käsefüllung

Die festen rohen Champignons mit ihrer köstlichen Kräuter-Frischkäsefüllung sind im Nu zubereitet.
Bei größeren Mengen empfiehlt es sich, einen Spritzbeutel zum Füllen zu verwenden.

Zubereitungszeit: **20 Minuten**
Garzeit: **5 Minuten**
Ergibt ca. **20 Stück**

200 g Champignons, möglichst von gleicher Größe
1 kleine Knoblauchzehe, halbiert
120 g Frischkäse
2 EL gemischte Kräuter (z. B. Petersilie, Schnittlauch
 und Thymian), gehackt
1 EL Zitronensaft
frischer Kerbel oder Petersilienblätter oder frischer
 Schnittknoblauch, gehackt, zum Garnieren
Salz und frisch gemahlener schwarzer Pfeffer,
 nach Geschmack

1 Champignons mit den Fingern säubern und mit einem weichen Tuch vorsichtig abwischen. Stiele entfernen und wegwerfen.

2 Knoblauchhälften in einen kleinen Topf geben und mit Wasser bedecken. Zum Kochen bringen, 3 Minuten köcheln und abtropfen lassen. Knoblauch zerdrücken und in eine kleine Schüssel geben. Frischkäse, gemischte Kräuter und Zitronensaft zugeben und glattrühren. Mit Salz und frisch gemahlenem schwarzem Pfeffer würzen.

3 Mischung in einen Spritzbeutel mit kleiner Sterntülle geben und die Champignons damit füllen. Oder die Kräuter-Frischkäsefüllung mit einem Teelöffel in die Champignons häufen.

4 Gefüllte Champignons auf einer Servierplatte anrichten, locker mit Klarsichtfolie abdecken und bis zum Servieren kalt stellen. Die Champignons mit Kerbel- oder Petersilienblättern oder mit einer Prise gehacktem Schnittknoblauch bestreuen. Wenn die Garnierung etwas farbenfroher gelingen soll, dekorieren Sie die Champignons zusätzlich mit gewürfelten Tomatenstücken.

Butterkäse-Häppchen

Für diese Häppchen eignet sich außer allen Butterkäsesorten jeder milde Hartkäse wie Stilton oder Dolcelatte. Wenn Sie Roquefort verwenden, lassen Sie das Salz aus dem Rezept weg.

Zubereitungszeit: **10 Minuten**
Garzeit: **25 Minuten**
Ergibt ca. 55 Stück

BRANDTEIG
100 g Butter
200 ml Wasser
100 g Mehl
2 Eier, verquirlt

100 g Butterkäse, gerieben
Salz und Pfeffer,
  nach Geschmack
1 Prise Senfpulver,
  nach Geschmack
Öl, zum Fritieren
frischer Schnittlauch, feingehackt,
  zum Garnieren

1 Für den Brandteig die Butter mit dem Wasser in einem großen Topf auf mittlerer Stufe erhitzen und den Teig gemäß den Angaben auf S.682 zubereiten. Käse einrühren und mit Salz, Pfeffer und nach Wunsch mit Senfpulver abschmecken.

2 Öl gemäß den Angaben auf S.682 in der Friteuse oder einem Topf erhitzen. Mit zwei leicht eingefetteten Teelöffeln ein wenig von der Mischung ins Öl geben (mit einem Teelöffel die Mischung entnehmen und mit dem anderen in das heiße Öl schaben). Portionsweise fritieren, bis die Butterkäse-Häppchen gut aufgegangen, goldbraun und knusprig sind. Mehrmals mit einem langstieligen Löffel wenden. Auf Küchenpapier abtropfen lassen.

3 Mit Schnittlauch bestreuen und heiß servieren.

Tip Der Teig für die Häppchen kann vor dem Fritieren im voraus zubereitet und in Klarsichtfolie gewickelt einige Stunden im Kühlschrank aufbewahrt werden.

Käse-Blätterteig-Schnecken

Diese würzigen Partyhappen schmecken hervorragend zu einem Cocktail oder zur Suppe.
Das Rezept läßt sich auch als Käsestangen zubereiten.

Zubereitungszeit: **30 Minuten + 45 Minuten Kühlzeit**
Garzeit: **10 Minuten**
Ergibt 40 Stück

2 Eigelb
I Ei
1/4 TL feiner Zucker
1/4 TL Salz
etwas Butter, zerlassen
80 g Parmesan, gerieben
1/2 TL Paprika
1/2 TL Salz
etwas schwarzer Pfeffer
375 g Tiefkühlblätterteig, aufgetaut

1 Eigelbe, Ei, Zucker und Salz verrühren und durch ein Sieb in eine Schüssel geben.

2 Zwei Backbleche mit zerlassener Butter einfetten und kalt stellen. Parmesan, Paprika, Salz und schwarzen Pfeffer in einer Schüssel vermengen.

3 Blätterteig in zwei Portionen teilen und jede Portion auf einer leicht bemehlten Arbeitsfläche zu einem ca. 30 x 15 cm großen, ca. 3 mm dicken Rechteck ausrollen. Mit Ei bestreichen und mit der Parmesan-Mischung bestreuen. Mit einem Nudelholz glattrollen. Vorsichtig auf Teller gleiten lassen und 15 Minuten kalt stellen.

4 Auf eine bemehlte Arbeitsfläche legen und zu ca. 30 x 15 cm großen Rechtecken schneiden. Sechs 5 cm breite, zur kurzen Seite parallel verlaufende Streifen auf dem Teig markieren. Mit etwas Wasser befeuchten.

5 Zwei äußere Teigstreifen nach innen falten. Die Unterseiten ohne Käsebelag liegen jetzt oben. Mit etwas Wasser befeuchten und bis zum nächsten markierten Streifen umfalten, erneut mit Wasser befeuchten und übereinander falten. Auf einen Teller legen und 15 Minuten kalt stellen. In 5 mm breite Scheiben schneiden und mit der Schnittseite nach unten und viel Zwischenraum auf die vorbereiteten Backbleche setzen. Leicht andrücken, wenden und 15 Minuten kalt stellen.

6 Backofen inzwischen auf 200 °C vorheizen. Käse-Blätterteig-Schnecken 8 Minuten goldbraun und knusprig backen. Auf einem Kuchengitter abkühlen lassen.

Tip Für Käsestangen verwenden Sie die gleichen Zutaten und halten sich an die Angaben von Schritt 1 bis Schritt 3. Blätterteig in 1 cm breite Streifen schneiden und ein paarmal drehen, so daß eine lange, gedrehte Stange entsteht. Auf die Backbleche legen und beide Enden fest andrücken. Ca. 15 Minuten kalt stellen und 12–15 Minuten goldbraun backen. Die Stangen sofort in 10 cm lange Stücke schneiden und auf einem Kuchengitter abkühlen lassen.

Roquefort in Chicorée

*Die Butter in diesem Rezept macht die Füllung weicher und den kräftigen Geschmack des Roquefort,
eines französischen Schafskäses, etwas milder.*

*Zubereitungszeit: **20 Minuten***
*Garzeit: **keine***
Ergibt 40–45 Stück

250 g Roquefort oder ein anderer kräftiger Käse
150 g Butter, zimmerwarm
1 EL Portwein
frisch gemahlener schwarzer Pfeffer, nach Geschmack
4 Chicorée
2 EL Walnüsse, gehackt
einige frische Petersilienzweige, zum Garnieren

1 Käse, Butter und Portwein in die Küchenmaschine geben und glattrühren. Mit frisch gemahlenem schwarzem Pfeffer und nach Wunsch etwas mehr Portwein abschmecken. In eine Schüssel geben und beiseite stellen.

2 Unansehnliche äußere Blätter des Chicorée wegwerfen. Ca. 5 mm vom unteren Ende abschneiden und alle losen Blätter vorsichtig lösen.

3 Käsemischung in einen Spritzbeutel mit mittelgroßer Sterntülle geben und jedes Chicoréeblatt mit einer kleinen Rosette davon füllen. Mit gehackten Walnüssen bestreuen und auf einer runden Servierplatte anrichten, so daß die Spitzen der Chicoréeblätter nach außen zeigen. Petersilie dekorativ in der Mitte verteilen. Sofort servieren.

Tip Die Käsefüllung kann im voraus zubereitet und mit Klarsichtfolie abgedeckt im Kühlschrank aufbewahrt werden, der Chicorée verfärbt sich aber rasch und sollte erst kurz vor dem Servieren geschnitten werden.

Brie-Säckchen mit Birnen und Mandeln

Ein raffiniertes Brunch-Gericht, zu dem gegrillte Tomaten, Brunnenkresse oder ein grüner Salat passen.
Sie können es aber auch als extravaganten ersten Gang eines Menüs servieren.

*Vorbereitungszeit: **25 Minuten + 30 Minuten Kühlzeit***
*Zubereitungszeit: **15 Minuten***
Für 4 Personen

120 g ganze Mandeln, abgezogen
Salz und Pfeffer
1 große oder 2 kleine reife Birnen, geschält, entkernt
  und in dünne Scheiben geschnitten
1 1/2 EL Balsam- oder Estragon-Essig
250 g reifer Brie
12 Blätter Phyllo-Teig
150 g Butter, zerlassen

1 Die Mandeln in einer Küchenmaschine etwa 30 Sekunden zerkleinern. Auf einem Backblech verteilen und unter dem sehr heißen Ofengrill rösten; achtgeben, daß sie nicht anbrennen. Die gerösteten Mandeln mit Salz und Pfeffer würzen.

2 Die Birnenscheiben in eine Schüssel legen, mit Essig beträufeln, darin wenden und beiseite stellen. Den Brie halbieren, so daß 2 flache Scheiben entstehen. Eine Hälfte mit der Rinde nach unten auf eine Fläche legen und mit sämtlichen Birnenscheiben vollständig bedecken, evtl. in mehreren Schichten. Mit dem restlichen Essig beträufeln,

mit Salz und Pfeffer würzen und die zweite Brie-Hälfte mit der Rinde nach oben so auflegen, daß die Ränder genau übereinanderliegen. Den Käse fest in Frischhaltefolie wickeln und mindestens 30 Minuten kalt stellen. Den abgekühlten Brie dann in 8 gleichgroße Stücke schneiden und vorsichtig in den Mandeln wenden.

3 Den Ofen auf 220 °C (Gasherd: Stufe 4) vorheizen. Ein Phyllo-Teig-Blatt mit zerlassener Butter bestreichen, ein zweites Blatt darauf legen, wieder bestreichen und ein drittes Blatt auflegen. In Quadrate von 20 cm Seitenlänge schneiden und in die Mitte eines jeden Quadrates ein Brie-Stück legen. Die Teigränder aufnehmen und zusammendrücken, so daß kleine Säckchen entstehen. Vorsichtig mit etwas Butter bestreichen. Den restlichen Teig und Brie ebenso verarbeiten; dabei sichergehen, daß der Brie kühl bleibt. Die Säckchen auf ein eingefettetes Backblech setzen und 10 Minuten backen, bis sie goldgelb sind. Sofort servieren.

Tip Statt der Birnen können Sie auch reife, gehäutete und in Scheiben geschnittene Aprikosen oder kernlose, gehäutete Weintrauben verwenden. Wenn Sie nur wenig Zeit zur Vorbereitung haben, können Sie Früchte und Essig auch weglassen und den Brie statt dessen einfach mit zwei Eßlöffeln Frucht-Chutney bestreichen.

Kleine Käse-Soufflés, doppelt gebacken

Bei diesem besonderen Soufflé-Rezept können Sie sich entspannen! Bereiten Sie die kleinen Soufflés am Vortag zu und beobachten Sie dann, wie sie erneut aufgehen und Ihre Brunch-Gäste begeistern.

*Vorbereitungszeit: **35 Minuten + Kühlzeit***
*Zubereitungszeit: **45 Minuten***

Für 8 Personen

315 ml Milch
1 kleine Prise Muskatnuß, gerieben
1 kleines Lorbeerblatt
1 kleine Schalotte, halbiert
4 ganze Pfefferkörner
30 g Butter
30 g Kartoffelmehl oder 15 g Weizenmehl,
   mit 15 g Stärke gemischt
15 g Butter, sehr fein gewürfelt
weiche Butter, zum Einfetten
3 Eier, getrennt
90 g Cheddar (ersatzweise Gouda)
1/4 TL Senfpulver
Salz und Pfeffer
1 Eiweiß
155 ml Sahne
2 EL Parmesan oder Gruyère, gerieben

1 Die Milch mit Muskatnuß, Lorbeer, der Schalotte und den Pfefferkörnern in einem kleinen Topf erhitzen. Sobald sich Bläschen am Rand bilden, den Topf vom Herd nehmen.

2 Die Butter in einem großen Topf zerlassen, vom Herd nehmen und das Kartoffel- oder Stärkemehl einrühren. Die Milch durch ein Sieb zugießen, gut unterrühren und den Topf dann wieder auf den Herd stellen. Die Mischung unter raschem Schlagen aufkochen lassen; dann vom Herd nehmen und die Butterwürfel auf der Oberfläche verteilen. Den Topf abdecken und etwas abkühlen lassen. In der Zwischenzeit den Ofen auf 180 °C (Gasherd: Stufe 2) vorheizen. 8 kleine Auflaufförmchen mit etwa 150 ml Fassungsvermögen leicht mit Butter einpinseln.

3 Den Deckel von der Sauce nehmen und die Schicht geschmolzener Butter sowie anschließend die Eigelbe, den Cheddar, das Senfpulver und Salz und Pfeffer unterrühren. Die 4 Eiweiße in einer großen Schüssel steif schlagen. Einen Eßlöffel des Eischnees zum Auflockern in die Käsemischung rühren, dann den restlichen Eischnee auf einmal zugeben und behutsam unterziehen, bis sich alles gerade verbunden hat.

4 Die Mischung auf die Förmchen verteilen; vorsichtig einfüllen, damit sie nicht an Volumen verliert. Die Förmchen in einen Schmortopf oder eine tiefe, ofenfeste Schüssel stellen und so viel warmes Wasser zugießen, daß sie zu drei Vierteln darin stehen. 25 Minuten backen, bis die Soufflés etwas aufgegangen sind und sich fest anfühlen. Die Förmchen aus dem Wasser nehmen und abkühlen lassen. Falls sie am Vorabend zubereitet werden, abdecken und über Nacht in den Kühlschrank stellen.

5 Kurz vor dem Servieren den Ofen auf 200 °C (Gasherd: Stufe 3) vorheizen. Die Förmchen wieder in die ofenfeste Schüssel oder den Schmortopf stellen, auf allen etwas Sahne gleichmäßig verteilen und leicht würzen. Mit Parmesan oder Gruyère bestreuen und die Schüssel oder den Topf wie zuvor mit Wasser füllen. Die Soufflés anschließend 10–15 Minuten backen, bis sie aufgegangen und goldbraun sind. Die Förmchen vorsichtig aus dem Wasser nehmen und jedes auf einen Teller stellen. Sofort servieren.

Quiche mit Ziegenkäse und Brunnenkresse

Das eher pfeffrige Aroma der Brunnenkresse wird durch die cremige Ziegenkäsefüllung gemildert. Diese Quiche schmeckt warm oder kalt und läßt sich auch gut in Form von kleinen Törtchen zubereiten.

Vorbereitungszeit: **30 Minuten**
Zubereitungszeit: **1 Stunde 15 Minuten**
Für 4–6 Personen

FÜLLUNG
250 g Brunnenkresse
2 l Salzwasser, zum Blanchieren
Eiswasser, zum Abschrecken
Salz und Pfeffer
weiche Butter, zum Einfetten
3 Eier
100 ml Crème double
Muskatnuß
150 g Ziegenkäse, in 1,5 cm dicke Scheiben
 geschnitten

Mürbeteig (¹/2 Menge Rezept S. 678)
1 Ei, verquirlt

1 Für die Füllung die langen Stengel der Brunnenkresse entfernen, dann die Brunnenkresse waschen und mit Küchenpapier trockentupfen. 2 Liter Wasser zum Kochen bringen, etwas Salz zugeben und die Brunnenkresse 10 Sekunden kochen lassen. Abgießen, in Eiswasser 3 Minuten abschrecken und erneut abgießen *(siehe S. 683)*. Überschüssiges Wasser herausdrücken und die Brunnenkresse grob hacken. Mit Salz und Pfeffer würzen.

2 Den Ofen auf 180 °C (Gasherd: Stufe 2) vorheizen. Eine Quicheform von 20 cm Durchmesser mit Hebeboden leicht einfetten. Den Teig auf einer leicht bemehlten Fläche 3 mm dick ausrollen und die Form damit auslegen *(siehe S. 679)*. 25 Minuten blindbacken, bis der Teig fest ist. Die Backerbsen und das Papier herausnehmen und den Teigboden mit dem verquirlten Ei einpinseln. Weitere 7 Minuten backen *(siehe S. 679)*.

3 Eier mit Crème double verquirlen und mit Muskatnuß, Salz und Pfeffer würzen. Die gehackte Brunnenkresse auf dem Tortenboden verteilen und mit Ziegenkäse belegen. Die Eiermischung zugießen und 30–40 Minuten backen, bis sie gestockt ist und ein Messer, das in die Mitte gestochen wird, sauber bleibt. Die Quiche auf einem Kuchengitter leicht abkühlen lassen, dann aus der Form lösen und bis zum Anschneiden 5 Minuten ruhen lassen.

Käsehäppchen

Diese verlockenden Käsehäppchen zergehen buchstäblich auf der Zunge. Sie können bis zu 1 Woche im voraus zubereitet und luftdicht verschlossen im Kühlschrank aufbewahrt werden.

Zubereitungszeit: **35 Minuten + 50 Minuten Kühlzeit**
Back- und Garzeit: **10 Minuten pro Blech**
Ergibt 64 Stück

etwas zerlassene Butter
100 g Mehl
1 Prise Selleriesalz
je 1 Prise Salz und Pfeffer
100 gekühlte Butter, gewürfelt
75 g Cheddar, gerieben
15 g Parmesan, gerieben
1 Eigelb
1 Ei, verquirlt
10 g Parmesan, feingerieben,
 zum Bestreuen

1 Backofen auf 190 °C vorheizen. Zwei Backbleche mit zerlassener Butter einfetten und kalt stellen.
2 Mehl, Selleriesalz und Salz und Pfeffer in eine Schüssel sieben. Butterwürfel zugeben und mit zwei stumpfen Messern rasch von der Mitte der Schüssel aus verrühren.
3 Wenn das Mehl beinahe vollständig mit der Butter vermischt ist, Cheddar und Parmesan zugeben und mit den Messern zu einer klümpchenhaltigen Masse verrühren. In die Mitte eine Vertiefung drücken und Eigelb unterrühren. Mit der Hand zu einer Kugel verkneten.
4 Teig locker in Klarsichtfolie wickeln und leicht flach drücken. Ca. 20 Minuten kalt stellen, bis er fest ist.
5 Den Teig auf eine leicht bemehlte Arbeitsfläche legen, halbieren und jede Hälfte ca. 4 mm dick zu einem Quadrat (ca. 20 x 20 cm) ausrollen. Jedes Quadrat in 15 kleine Quadrate teilen und jedes Quadrat noch einmal in Dreiecke schneiden. Vorsichtig so viele Dreiecke auf die Backbleche verteilen, wie mit reichlich Zwischenraum darauf Platz haben, und 30 Minuten kalt stellen.
6 Jedes Käsehäppchen mit verquirltem Ei bestreichen und mit einer Prise Parmesan bestreuen. Ca. 10 Minuten goldbraun backen. Auf einem Kuchengitter abkühlen lassen. Vorgang mit der restlichen Mischung wiederholen, die Backbleche dabei wieder wie in Schritt 1 beschrieben vorbereiten.

Tip Der Belag kann mit feingehackten Nüssen und Salz, mit Mohn oder mit Cayennepfeffer vermischtem geriebenem Parmesan verfeinert werden.

Parmesan-Tulpen mit Auberginen-Kaviar

Auch wenn es ein wenig Zeit erfordert: Mit dieser überzeugenden Kombination von Farb- und Geschmackseffekten als Vorspeise wird jede Mahlzeit zum Erlebnis.

*Zubereitungszeit: 25 Minuten + 30 Minuten
  Marinierzeit + 1 Stunde Kühlzeit*
Back- und Garzeit: 1 Stunde
Ergibt 10 Stück

4 rote Paprika
Salz und Pfeffer, nach Geschmack
1 TL Zitronensaft
4 EL Olivenöl
150 g Parmesan, gerieben

AUBERGINEN-KAVIAR
800 g Auberginen
Salz und Pfeffer, nach Geschmack
3 EL Olivenöl
50 g schwarze Oliven, entkernt und gehackt
1 Knoblauchzehe, zerdrückt
10 g frischer Schnittlauch, feingehackt
1/2 TL Paprika, gemahlen

1 Paprika halbieren, Kerne und alles Weiße entfernen. In eine Schüssel geben und mit Salz und Pfeffer bestreuen. Zitronensaft mit dem Olivenöl verrühren, über die Paprika gießen, abdecken und 30 Minuten bis 2 Stunden marinieren. Backofen auf 180 °C vorheizen.

2 Für den Auberginen-Kaviar Auberginen längs halbie-ren und mit Salz und Pfeffer bestreuen. Auf ein Backblech legen und ca. 25 Minuten backen. Abtropfen lassen und das Fruchtfleisch mit einem Löffel herausschaben. Fruchtfleisch grob hacken und mit Oliven, Knoblauch und Schnittlauch vermengen, dabei etwas Schnittlauch zum Garnieren übrig lassen. Mit einer Gabel in einer Schüssel verrühren, dabei die Auberginen am Schüsselrand zerdrücken. Restliches Olivenöl langsam zugeben und verrühren. Paprika zugeben und mit Salz und Pfeffer abschmecken. 1 Stunde kalt stellen.

3 Für die Parmesan-Tulpen zwei Kreise von 10 cm Ø auf einen Bogen Backpapier zeichnen und auf ein Backblech legen. Jeden Kreis mit einer dicken Schicht Parmesan bestreuen. 3–5 Minuten backen, bis die Ränder goldgelb werden. Kurz abkühlen lassen und dann mit einem Spatel oder Pfannenheber vom Papier heben. Über einem Flaschenhals zu Tulpen formen und dort fest werden lassen. Vorgang mit restlichem Parmesan wiederholen.

4 Backofen auf höchste Stufe vorheizen, Paprika mit Öl bepinseln und 5 Minuten von jeder Seite backen. Die Haut abziehen und die Paprika anschließend in Streifen schneiden. 1 gehäuften TL Auberginen-Kaviar in jede Parmesan-Tulpe geben und mit Schnittlauch bestreuen. Paprikastreifen um die Parmesan-Tulpen herum anrichten und servieren.

Eier Benedict

*Diese getoasteten englischen Muffins mit gegrilltem Speck und leicht pochierten Eiern werden
mit Sauce hollandaise übergossen und schmecken einfach fantastisch.*

*Vorbereitungszeit: **25 Minuten***
*Zubereitungszeit: **10 Minuten***
Für 4 Personen

SAUCE HOLLANDAISE
2 Eigelb
2 EL Wasser
90 g geklärte Butter, zerlassen (siehe Tip)
1/2 TL Zitronensaft

8 dünne Scheiben Frühstücksspeck, ohne Schwarte
4 englische Muffins
3 EL Essig
8 Eier
4 schwarze Oliven, entsteint und halbiert,
    oder 8 Trüffelscheiben

1 Die Sauce hollandaise entsprechend der Anleitung auf
Seite 63 zubereiten. Die Oberfläche mit Backpapier bedecken und die Sauce im Wasserbad warm halten, ohne
sie zu erhitzen.

2 Den Speck knusprig grillen. Die englischen Muffins
toasten, mit dem Speck belegen und warm halten.

3 Für die pochierten Eier Wasser in einem großen, flachen Topf aufkochen lassen. Die Hitze herunterschalten
und dann den Essig zugeben. Das Wasser sollte nur leise
köcheln.

4 Die Eier aufschlagen und einzeln in eine kleine Tasse
oder Schüssel geben. Jeweils 2 oder 3 Eier behutsam in das
köchelnde Wasser gleiten lassen. 2–3 Minuten ziehen
lassen, bis das Eiweiß fest, aber nicht hart ist. Die Eier sehr
vorsichtig mit einem Schaumlöffel herausnehmen und gut
abtropfen lassen.

5 Jedes Muffin sofort mit einem pochierten Ei belegen,
mit Sauce hollandaise übergießen, anschließend mit den
Olivenhälften oder den Trüffelscheiben garnieren und servieren.

Tip Für 90 g geklärte Butter benötigen Sie 170 g Butter.
Die Butter bei geringer Hitze langsam in einem kleinen,
schweren Topf zerlassen, ohne den Topf zu schwenken
oder die Butter zu rühren. Den Schaum von der Oberfläche abschöpfen; anschließend die klare Butter vorsichtig
in eine kleine Schüssel abgießen, so daß die weiße Abla-
gerung im Topf zurückbleibt. Die geklärte Butter kann
abgedeckt bis zu 4 Wochen im Kühlschrank aufbewahrt
werden.

Cornish Pasties

Die aus dem englischen Cornwall stammenden Cornish Pasties wurden im vorigen Jahrhundert von Berg-
arbeitern als komplette Mahlzeit mit unter Tage genommen. Die Füllung bestand an einem Ende aus Fleisch
und am anderen aus Apfelmus oder Marmelade, wobei eingeritzte Buchstaben die Abteilungen kennzeichne-
ten. Diese moderne Snack-Version kommt mit lediglich einer herzhaften Hackfleischfüllung aus.

Zubereitungszeit: **35 Minuten + 30 Minuten Kühlzeit**
Back- und Garzeit: **30 Minuten**
Ergibt ca. 48 Stück

TEIG
500 g Mehl
1 Prise Salz
200 g gekühlte Butter, gewürfelt
50 g gekühltes Schmalz, gewürfelt
6–8 EL Wasser
etwas Butter, zerlassen

FÜLLUNG
1 Kartoffel (ca. 80 g), grobgehackt
1/4 Steckrübe (ca. 100 g), grobgehackt
15 g Butter
1/2 Zwiebel, feingehackt
125 g mageres Rinderhack
50 g Nieren, feingehackt, nach Geschmack
Salz und Pfeffer, nach Geschmack

Milch, zum Bestreichen

1 Für den Teig Mehl und Salz in eine große Schüssel sieben und Butter und Schmalz zugeben. Butter und Schmalz zügig mit Daumen und Fingerspitzen unter das Mehl kneten, bis eine feinkrümelige Masse entsteht. In die Mitte eine Vertiefung drücken, 1 EL Wasser hineingießen und mit einem stumpfen Messer zu einer klümpchenhaltigen Masse verrühren. Vorgang eßlöffelweise mit dem restlichen Wasser wiederholen, dabei immer neue Vertiefungen drücken und den letzten EL Wasser nur verwenden, wenn nötig. Teig auf einer leicht bemehlten Arbeitsfläche glattkneten. In Klarsichtfolie wickeln und 20 Minuten kalt stellen. Zwei Backbleche mit zerlassener Butter einfetten und beiseite stellen.

2 Für die Füllung Kartoffel und Steckrübe in der Küchenmaschine auf der Momentstufe fein hacken (nicht pürieren). Butter in einer Pfanne zerlassen, Zwiebel zugeben und auf unterer Stufe 4 Minuten köcheln lassen. Kartoffel und Steckrübe zufügen, auf mittlere Stufe schalten und 2 Minuten unter gelegentlichem Rühren köcheln lassen. Rinderhack und nach Geschmack Nieren zugeben, auf höchste Stufe schalten und 5 Minuten unter ständigem Rühren braten. Überschüssiges Fett abtropfen lassen, mit Salz und Pfeffer würzen und abkühlen lassen.

3 Teig in zwei Portionen teilen und auf einer leicht bemehlten Arbeitsfläche 2 mm dick ausrollen. Ca. 24 Kreise von 6 cm Ø mit einem Keksförmchen oder Teigrädchen aus jeder Teigportion ausschneiden und auf eine Hälfte 1 TL Füllung geben. Die Ränder mit Wasser bestreichen und die ungefüllte Hälfte nach oben umfalten, so daß ein Halbkreis entsteht. Ränder fest andrücken. Mit einer Gabel ein dekoratives Muster in die Ränder eindrücken. Pasties mit einem spitzen Messer einmal von oben einstechen, damit der Dampf austreten kann, und auf die vorbereiteten Bleche legen. 10 Minuten kalt stellen.

4 Backofen auf 200 °C vorheizen. Pasties mit etwas Milch bestreichen und 15 Minuten goldbraun backen.

Rindfleisch-Spieße

Ein traditioneller südostasiatischer Spieß besteht aus mariniertem Fleisch, Fisch oder Geflügel, das auf Bambus- oder Holzspieße aufgesteckt, geröstet und mit einer scharf-würzigen Sauce serviert wird.

Zubereitungszeit: **35 Minuten + 3 Stunden Marinierzeit**
Garzeit: **15 Minuten**
Ergibt 20 Stück

¹/4 TL Anis, gemahlen
¹/4 TL Kreuzkümmel, gemahlen
1 TL Kurkuma, gemahlen
1 TL Koriander, gemahlen
1 Schalotte, gehackt
1 Knoblauchzehe, feingehackt
1 Stück (ca. 1,5 cm) frischer Ingwer, feingehackt
1 Zitronengraszweig (nur der weiße Teil), feingehackt
1 EL brauner Zucker
1¹/2 EL Erdnußöl
1 TL Sojasauce
200 g Rinderfilet, in 20 Streifen geschnitten

SAUCE
1 Knoblauchzehe
80 g Erdnußbutter (ohne Stückchen)
2 EL Kokosmilch
3 EL Wasser
einige Tropfen Tabasco, nach Geschmack
2 TL Honig

2 TL Zitronensaft
2 TL helle Sojasauce

1 20 Holzspieße 1 Stunde in Wasser einweichen, damit sie später nicht anbrennen. Für die Marinade Anis, Kreuzkümmel, Kurkuma und Koriander mit Schalotte, Knoblauch, Ingwer, Zitronengras und braunem Zucker in einer Schüssel vermengen. Gut verrühren und Öl und Sojasauce zufügen.
2 Gemäß den Angaben auf S.682 einen Streifen Fleisch auf jeden Spieß stecken und in eine flache Schüssel legen. Mit Marinade bedecken und 3 Stunden kalt stellen.
3 Für die Sauce Knoblauch in einen kleinen Topf geben und mit kaltem Wasser bedecken. Zum Kochen bringen und 3 Minuten köcheln lassen. Kalt abspülen, abtropfen lassen und fein hacken. Knoblauch mit Erdnußbutter, Kokosmilch und Wasser in einem Topf vermengen. Bei mittlerer Hitze 1–2 Minuten glattrühren und dann Tabasco, Honig, Zitronensaft und Sojasauce zugeben. Weiter rühren, bis alles gut vermischt ist. Wenn die Sauce nicht gut bindet, 1–2 EL Wasser einrühren. Mit Klarsichtfolie abdecken und in den Kühlschrank stellen.
4 Backofen oder Grill vorheizen. Spieße 1–2 Minuten von jeder Seite grillen, dabei mehrmals wenden. Fertige Spieße auf Serviertellern anrichten und mit der Sauce servieren.

Hähnchentörtchen mit Preiselbeersauce

Feinsahnige, schnell und leicht zubereitete Häppchen.

Zubereitungszeit: **20 Minuten**
Back- und Garzeit: **10 Minuten**
Ergibt 26 Stück

6 Platten Filoteig
150 g Butter, zerlassen
3 Hähnchenbrustfilets, ohne Haut, in ca. 1 cm große
   Würfel geschnitten
1 EL Preiselbeersauce
3 EL Crème frâiche
2 Frühlingszwiebeln, feingehackt
1/2 TL feingeriebene Zitronenschale
Salz und Pfeffer, nach Geschmack
Zitronenschale, in dünne Streifen geschnitten,
   zum Garnieren
frische Korianderblätter, zum Garnieren

1 Backofen auf 200 °C vorheizen. Eine Platte Filoteig gemäß den Angaben auf S. 682 auf eine Arbeitsfläche legen und von einer Seite mit der Butter bestreichen. Eine zweite Teigplatte auf die gebutterte Seite legen und ebenfalls mit zerlassener Butter bestreichen. Vorgang noch einmal wiederholen, so daß drei Lagen entstehen. Restlichen Teig ebenso verarbeiten.

2 Mit einem Teigrädchen Kreise von ca. 7 cm Ø aus dem Blätterteig schneiden und mit der gebutterten Seite nach unten in Törtchenformen (5 cm Ø) legen.

3 Förmchen mit kleinen Pergamentpapierkreisen bedecken, mit Trockenbohnen oder Reis bestreuen und ca. 10 Minuten blind backen. Bohnen oder Reis entfernen und die Törtchenböden in den Formen auskühlen lassen.

4 Hähnchenbrust, Johannisbeersauce, Crème frâiche, Frühlingszwiebeln, Zitronenschale und etwas Salz und Pfeffer in einer Schüssel vermengen. Auf den Törtchenböden verteilen und mit Zitronenschalenstreifen und je einem Korianderblatt garnieren.

Mais-Hühnchen-Bratlinge

*Saftige Maiskörner in Kombination mit dem unver-
wechselbaren Koriandergeschmack machen diese
Bratlinge zu einem ganz besonderen Buffet-Erlebnis.*

Zubereitungszeit: **20 Minuten + Kühlzeit**
Garzeit: **45 Minuten**
Ergibt 65 Stück

2 Eier, leicht verquirlt
2 Dosen (à 420 g) Mais, gut abgetropft
30 g Maismehl
400 g Hähnchenbrustfilet, ohne Haut, feingehackt
2 EL frischer Koriander, gehackt
1 EL feiner Zucker
1 EL Sojasauce
Öl, zum Fritieren
Salz und Pfeffer, nach Geschmack

1   Eier, Mais, Maismehl, Hähnchenbrustfilet, Koriander,
Zucker und Sojasauce in einer großen Schüssel vermengen und gründlich verrühren. Abdecken und mindestens 1 Stunde, besser noch über Nacht, kalt stellen.
2   Eine Pfanne 3 mm tief mit Öl füllen und erhitzen.
Mais mit einem Teelöffel in ca. 3 cm großen Kreisen in
die Pfanne geben. 3 Minuten goldbraun braten, dann
wenden und von der anderen Seite bräunen. Bratlinge
herausheben und auf Küchenpapier abtropfen lassen.
Vorgang mit der restlichen Mischung wiederholen.
Nach Bedarf mehr Öl zugießen. Bratlinge heiß servieren.

Tips   Zunächst nur einen sehr kleinen Bratling zubereiten, die Würze daran überprüfen und, falls nötig, Salz
und Pfeffer zugeben, bevor der restliche Teig gebraten
wird.
    Besonders lecker sind die Bratlinge mit einem Löffel
Naturjoghurt und ein wenig Chilisauce.

Hühnchen-Spieße

Wichtig in diesem Rezept ist das Marinieren der Zutaten, da die Spieße nur so den typisch kräftigen Geschmack erhalten und das Fleisch zart genug wird.

Zubereitungszeit: **25 Minuten + 1 Stunde Marinierzeit**
Garzeit: **15 Minuten**
Ergibt 20 Stück

180 ml Kalbs- oder Hühnerbrühe
2 Knoblauchzehen, zerdrückt
2 TL frischer Ingwer, gehackt
2 EL dunkle Sojasauce
2 TL Sesamöl
1 Hühnerbrustfilet, in 1 cm große Würfel geschnitten
1/2 rote Paprika, in 1 cm große Würfel geschnitten
1/2 gelbe Paprika, in 1 cm große Würfel geschnitten
2 Frühlingszwiebeln, diagonal in Scheiben geschnitten
Salz und Pfeffer, nach Geschmack
1 TL Maismehl
etwas Wasser

1 20 Holzspieße 1 Stunde in Wasser einweichen, damit sie später nicht anbrennen. Brühe köcheln lassen, bis sie um ein Drittel eingekocht ist. Mit Knoblauch, Ingwer, Sojasauce und Sesamöl in einer Schüssel verrühren. Abkühlen lassen.

2 Abwechselnd Hühnchenstücke, rote und gelbe Paprikawürfel und Frühlingszwiebelscheiben auf die Spieße stecken. Spieße in eine flache Schüssel legen und mit Salz und Pfeffer abschmecken. Die Hälfte der abgekühlten Marinade darüber gießen, mit Klarsichtfolie abdecken und mindestens 1 Stunde kalt stellen.

3 Für die Dip-Sauce die restliche Marinade in einem kleinen Topf erhitzen, Maismehl mit dem Wasser verrühren und unter die Sauce rühren, bis diese kocht und eindickt. Beiseite stellen und warm halten.

4 Backofen auf höchste Stufe vorheizen. Spieße abtropfen lassen und 3 Minuten unter dem Backofengrill rösten, bis das Fleisch gar ist. Dabei mehrmals wenden. Sofort mit der Dip-Sauce servieren.

Hühnerleberpastete

Ein einfacher Pasteten-Dip, dessen würziger Geschmack noch kräftiger wird, wenn Sie statt der Hühnerleber Entenleber verwenden.

Zubereitungszeit: **15 Minuten + 15 Minuten Kühlzeit**
Garzeit: **10 Minuten**
Für 4 Personen als Vorspeise

115 g Butter, zimmerwarm
2 Schalotten, feingehackt
2 Knoblauchzehen, feingehackt
225 g Hühnerleber, zerkleinert
1 frischer Thymianzweig
1 Lorbeerblatt
je 1 große Prise Muskat, Nelken und Zimt, gemahlen
Salz und Pfeffer, nach Geschmack
1 EL Weinbrand oder Portwein
2 EL Sahne oder Crème fraîche

1 30 g Butter in eine Pfanne geben und Schalotten und Knoblauch zufügen. Abdecken und bei mittlerer Hitze glasig dünsten.
2 Leber, Thymian, Lorbeerblatt, Gewürze und etwas Salz und Pfeffer zur Schalottenmischung geben. 3 Minuten braten, bis die Leber in der Mitte gerade noch hellrot ist. Zum Abkühlen 15 Minuten beiseite stellen.
3 Thymian und Lorbeerblatt herausnehmen und die Mischung in der Küchenmaschine zu einer glatten Masse verrühren. Nach Bedarf zusätzlich durch ein Sieb streichen. Restliche Butter mit einem Holzlöffel einrühren und Weinbrand oder Portwein zugeben. Sahne oder Crème fraîche vorsichtig unterziehen und mit Salz und Pfeffer abschmecken. In eine Servierschüssel geben und mit Toastscheiben oder -streifen servieren.

Tip Die Pastete kann im voraus zubereitet und im Kühlschrank aufbewahrt werden, sollte dann aber nicht direkt aus dem Kühlschrank serviert, sondern erst 30 Minuten bei Zimmertemperatur weich werden.

Lachspastete

Diese Abwandlung der klassischen französischen Fleischrillettes wird mit frischem und geräuchertem Lachs zubereitet.

Zubereitungszeit: **10 Minuten + 1 Stunde Kühlzeit**
Garzeit: **10 Minuten**
Für 4 Personen als Vorspeise

125 g Lachsfilet, ohne Haut und Gräten
60 g Räucherlachsscheiben, feingehackt
80 g Butter, zimmerwarm
3 EL Naturjoghurt
1 TL Zitronensaft
2 EL frischer Schnittlauch, gehackt
Salz und Pfeffer, nach Geschmack

1 Frischen Lachs 8–10 Minuten gar dünsten. Auf einem sauberen Geschirrtuch oder auf Küchenpapier abtropfen lassen.
2 Räucherlachs und Butter mit dem Schneebesen oder einer Gabel so glatt wie möglich rühren. Joghurt, Zitronensaft und Schnittlauch zugeben. Gut verrühren, nach Geschmack mit Salz und Pfeffer würzen und beiseite stellen.
3 Gedünsteten Lachs mit einer Gabel in große Stücke teilen und zur Räucherlachsmischung geben. Verrühren, bis alles gut bindet. In eine kleine Servierschüssel geben und 1 Stunde kalt stellen. Mit Toastscheiben oder Baguettebrot servieren.

Tip Diese Pastete läßt sich auch mit drei oder vier frischen Makrelenfilets ohne Haut (pro Stück ca. 125 g) statt des frischen Lachses zubereiten. Den Räucherlachs ersetzen Sie durch die gleiche Menge geräucherter Makrele und den Zitronensaft durch Limonensaft.

Hühnerleberpastete (oben) und Lachspastete

Frühlingsrollen mit Schweinefleischfüllung

Diese Rollen werden fritiert. Wenn Sie keine Friteuse besitzen, können Sie sie aber auch in einer hohen Pfanne braten. Das Ergebnis ist ebenso lecker, doch ist beim heißen Öl höchste Vorsicht geboten.

Zubereitungszeit: 40 Minuten + 30 Minuten Kühlzeit
Back- und Garzeit: 40 Minuten
Ergibt 40 Stück

2 EL Öl
250 g halb und halb gemischtes Hack
1/2 Chinakohl, fein zerkleinert
2 Frühlingszwiebeln, in Scheiben geschnitten
1 TL frischer Ingwer, gerieben
30 g Bambussprossen, feingehackt
3 Champignons, in dünne Scheiben geschnitten
1/2 TL Salbei, getrocknet
1 TL Sojasauce
2 TL Maismehl
Salz und Pfeffer, nach Geschmack
etwas Wasser
20 Platten Filoteig oder Tiefkühlblätterteig, aufgetaut, in 20 cm große Quadrate geschnitten (s. Tip)
Sojasauce, zum Servieren

1 Öl in einem großen Topf auf höchster Stufe erhitzen, Hack zugeben und 3 Minuten unter ständigem Rühren köcheln lassen. Hackfleisch zum Abkühlen in eine Schüssel geben. Dann Chinakohl, Frühlingszwiebeln, Ingwer, Bambussprossen, Champignons, Salbei, Sojasauce und 1 TL Maismehl zufügen. Gut verrühren und mit Salz und Pfeffer abschmecken.

2 Restliches Maismehl mit dem Wasser zu einer Paste verrühren und beiseite stellen. Frühlingsrollen gemäß den Angaben auf S.682 zubereiten. Mindestens 30 Minuten vor dem Fritieren kalt stellen.

3 Öl gemäß den Angaben auf S.682 in der Friteuse oder einem Topf erhitzen. Frühlingsrollen portionsweise 3–5 Minuten goldbraun fritieren. Wenn sie gar sind, steigen die Frühlingsrollen zur Oberfläche. Herausnehmen und auf Küchenpapier abtropfen lassen. Heiß mit Sojasauce servieren.

Tip Wenn Sie Blätterteig verwenden, bestreichen Sie den aufgetauten Teig mit zerlassener Butter, wickeln ihn um die Füllung und backen die Frühlingsrollen bei 200 °C 10 Minuten goldbraun und knusprig.

Melone in Parmaschinken

Eine wunderbare, immer gern gegessene Erfrischung, die mit hauchdünnem Parmaschinken oder Prosciutto am besten schmeckt.

Zubereitungszeit: **10 Minuten**
Garzeit: **keine**
Ergibt 32 Stück

1 kleine Honigmelone
11 Scheiben Parmaschinken oder Prosciutto

1 Melone längs halbieren und die Kerne mit einem Löffel herausschaben. Jede Hälfte in 8 Spalten schneiden.
2 Die Melonenschale mit einem scharfen Messer von den Spalten entfernen. Die Spalten quer halbieren.
3 Schinkenscheiben in je drei lange Streifen schneiden.
4 Um jedes Melonenstück einen Schinkenstreifen wickeln und mit einem Cocktailspieß feststecken.

Fischtoasts mit Sardellenpaste

Sardellenpaste, ein Klassiker aus der Provence, wird zubereitet, indem man schwarze Oliven, Sardellen, Kapern, Olivenöl und Zitronensaft püriert.

Zubereitungszeit: **10 Minuten + 15 Minuten Marinierzeit**
Back- und Garzeit: **10 Minuten**
Ergibt 16 Stück

2 Meerbarbenfilets (je ca. 170 g),
   ohne Haut und Gräten
1 Knoblauchzehe
2 EL Olivenöl
4 große Sandwichtoastscheiben, ohne Rinde
75 g Sardellenpaste
16 ganze rote Pfefferkörner
16 frische Dillzweige
kleine Zitronenspalten, zum Garnieren

1 Backofen auf 225 °C vorheizen. Fischfilets in je 8 Stücke schneiden. Knoblauchzehe ins Olivenöl geben, Fisch hineingeben und 15 Minuten marinieren.
2 Toast im Toaster rösten und mit einer dünnen Schicht Sardellenpaste bestreichen. Jede Scheibe diagonal in vier kleine Dreiecke schneiden und auf einem Backblech arrangieren. Marinierten Fisch auf den Toastscheiben verteilen und kurz vor dem Servieren ca. 3 Minuten backen, bis der Fisch gar ist.
3 Aus dem Ofen nehmen und auf einer Servierplatte anrichten. Ein wenig Sardellenpaste auf jedes Toaststück geben und mit je einem Pfefferkorn, einem Zweig Dill und einer Zitronenspalte garnieren.

Melone in Parmaschinken (oben) und Fischtoasts mit Sardellenpaste

Spinat-Krabben-Roulade

*Diese lockere Spinatroulade mit cremiger Krabbenfüllung eignet sich ausgezeichnet für einen Brunch,
als leichtes Mittagessen oder als erster Gang eines Menus.*

Vorbereitungszeit: **45 Minuten**
Zubereitungszeit: **40 Minuten**
Für 6 Personen

FÜLLUNG
20 g Butter
I EL Weizenmehl
200 ml Milch
**225 g weißes Krabbenfleisch, frisch, tiefgekühlt oder
  aus der Dose**
I Prise Cayennepfeffer
Salz und Pfeffer

ROULADE
I Prise Salz
**450 g frischer Spinat, Stiele entfernt,
  oder I85 g tiefgekühlter Spinat**
I5 g Butter, zerlassen
4 Eier, getrennt
I Prise Muskatnuß, gemahlen

1 Für die Füllung Butter bei mäßiger Hitze in einer gußeisernen Pfanne zerlassen. Mehl darüber streuen und etwa
1 Minute unter ständigem Rühren mit einem Holzlöffel
anschwitzen, ohne daß es sich färbt. Die Pfanne vom Herd
nehmen und langsam unter kräftigem Schlagen die Milch
zugeben. Bei geringer Hitze rasch mit einem Holzlöffel
rühren, bis die Mischung glatt ist und eindickt. Die Hitze
erhöhen und die Mischung unter kräftigem Rühren aufkochen lassen. 3–4 Minuten köcheln lassen, bis die Sauce
so dick ist, daß sie einen Löffelrücken bedeckt. Eingefettetes Pergamentpapier auf die Oberfläche drücken und
die Sauce beiseite stellen.

2 Für die Roulade eine etwa 25x 35 cm große Backform
mit Backpapier auslegen. Bei Verwendung frischen Spinats
einen großen Topf zur Hälfte mit Wasser füllen, aufkochen
lassen, dann Salz und den Spinat zugeben. Nochmals
aufkochen lassen und den Spinat 1–2 Minuten blanchieren. Abtropfen lassen, mit kaltem Wasser abspülen und
auspressen. Mit einem großen, scharfen Messer fein hakken. Tiefgekühlten Spinat auftauen, abtropfen lassen, auspressen und fein hacken. Den Spinat anschließend in eine
große Schüssel füllen und die Butter zugeben.
3 Den Ofen auf 200 °C (Gasherd: Stufe 3) vorheizen.
Die Eigelbe und Muskatnuß in den Spinat rühren und gut
würzen. Die Eiweiße in einer Schüssel steif schlagen.
Einen gehäuften Eßlöffel Eiweiß zur Auflockerung in die
Spinatmischung rühren, dann das restliche Eiweiß auf
einmal zugeben und mit einem großen Metallöffel behutsam unterheben. Die Mischung in die vorbereitete
Backform geben und bis in die Ecken streichen. Dann
etwa 10 Minuten backen, bis die Masse etwas gestockt ist
und bei leichtem Druck zurückfedert. Anschließend ein
Geschirrtuch auf einer Fläche ausbreiten und Backpapier
darüber legen.
4 Die Füllung wieder aufwärmen, dann die Krabben,
Cayennepfeffer und Salz und Pfeffer einrühren. Ganz
durchwärmen.
5 Den Spinat-Biskuit auf das Backpapier stürzen und
rasch die Krabbenfüllung darauf verteilen. Tuch und Papier an der kurzen Seite vorn aufnehmen und den Teig
vom Körper wegrollen. Die fertige Rolle auf einen Teller
heben, in dicke Scheiben schneiden und sofort servieren.

Tip Die Roulade kann allein serviert werden, sie läßt sich
jedoch mit einer Sauce hollandaise oder béarnaise noch
verfeinern.

Garnelen-Gougères

Klassische Gougères sind kleine, runde oder ringförmige Käsepasteten. In dieser Variation wird einfacher Bandteig mit einer kalten Garnelen-Mayonnaise-Mischung gefüllt.

Zubereitungszeit: **40 Minuten**
Back- und Garzeit: **25 Minuten**
Ergibt ca. 20 Stück

125 ml Wasser
50 g Butter, in kleine Stücke geschnitten
1 Prise Muskat, gemahlen
1 Prise Salz
75 g Mehl
2 Eier, leicht verquirlt
1 verquirltes Ei, zum Bestreichen
270 g Garnelen, gekocht und
  ohne Schalen (s. Tip)
125 g Mayonnaise
1 EL frischer Schnittlauch, feingehackt
Salz und Pfeffer, nach Geschmack

1 Backofen auf 180 °C vorheizen und zwei Backbleche leicht einfetten.
2 Für die Pasteten Wasser, Butterstücke, Muskat und Salz in einen Topf geben und zum Kochen bringen.

Brandteig gemäß den Angaben auf S. 682 zubereiten.
3 Brandteig in einen Spritzbeutel mit kleiner Lochtülle geben. Etwa walnußgroße Teigkugeln auf die vorbereiteten Backbleche spritzen, dabei ca. 3 cm Raum zwischen den Kugeln lassen. Kugeln leicht mit verquirltem Ei bestreichen, dabei möglichst nichts heruntertropfen lassen, da die Pasteten dann evtl. nicht gleichmäßig aufgehen. Ca. 30 Minuten goldbraun backen. Aus dem Ofen nehmen und auf einem Kuchengitter abkühlen lassen.
4 Garnelen grob hacken und in eine Schüssel geben, dann Mayonnaise und gehackten Schnittlauch zugeben und alles gut vermengen. Mit Salz und Pfeffer abschmecken. Kalt stellen.
5 Wenn die Pasteten abgekühlt sind, quer durchschneiden und den weichen Teig aus dem Innern herausschaben. Jede Pastete mit 1 TL Garnelen-Mischung füllen. Deckel wieder auflegen, auf einer Servierplatte anrichten und servieren.

Tip Wenn Sie die Garnelen mit Schale kaufen, benötigen Sie ca. 650 g.

Krebsfleisch-Bällchen mit Limonen-Joghurt-Mayonnaise

Heiße Krebsfleisch-Kräuterbällchen werden hier mit einer leicht-pikanten Sauce serviert. Limonen und Joghurt bieten einen erfrischenden Kontrast zur gehaltvollen Mayonnaise.

Zubereitungszeit: **20 Minuten**
Garzeit: **15 Minuten**
Ergibt 30 Stück

LIMONEN-JOGHURT-MAYONNAISE
2 TL abgeriebene Limonenschale
125 g Naturjoghurt
125 g Mayonnaise
frischer Limonensaft, nach Geschmack
Salz und Pfeffer, nach Geschmack

KREBSFLEISCH-BÄLLCHEN
250 g Fischfilets, z. B. Weißfisch, Seezunge oder
* Schellfisch*
1 Eiweiß
etwas Salz und Pfeffer
3 EL Crème double
250 g weißes Krebsfleisch, gekocht
2 EL gemischte frische Kräuter, z. B. Dill, Schnittlauch,
* Petersilie und Estragon*
250 g Semmelbrösel
etwas Salz

Öl, zum Fritieren

1 Für die Limonen-Joghurt-Mayonnaise die Limonenschale mit dem Joghurt verrühren. Mayonnaise und Limonensaft nach Geschmack unterrühren und mit Salz und Pfeffer abschmecken. Mit Klarsichtfolie abdecken und kalt stellen.

2 Für die Krebsfleisch-Bällchen die Fischfilets in der Küchenmaschine pürieren. Eiweiß, Salz und Pfeffer zufügen und weiter verarbeiten, bis alles gut vermischt ist. Auf die Momentstufe schalten und Crème double sehr vorsichtig unterrühren. Die Mischung in eine Schüssel geben und in eine andere, mit Eis gefüllte Schüssel stellen. Krebsfleisch und gemischte Kräuter unterziehen. Mischung mit zwei Teelöffeln zu kleinen Ovalen formen oder mit den Händen zu Bällchen von ca. 3 cm Ø rollen. Semmelbrösel auf ein Blatt Papier streuen und die Bällchen behutsam darin wälzen.

3 Bällchen 4–6 Minuten gemäß den Angaben auf S. 682 fritieren. Salzen und heiß mit der Limonen-Joghurt-Mayonnaise servieren.

Tip Die unfritierten Krebsfleisch-Bällchen können in Klarsichtfolie eingehüllt bis zu 24 Stunden im Kühlschrank aufbewahrt werden.

Pikante Garnelenbällchen

Die pikante Garnelen-Mischung wird von fritierten Sesamkörnern umhüllt, was diesem Snack den unverwechselbar kräftigen Geschmack und ein appetitliches Goldbraun verleiht.

Zubereitungszeit: **15 Minuten + 20 Minuten Kühlzeit**
Garzeit: **15 Minuten**
Ergibt 24 Stück

750 g große rohe Garnelen
1 EL Öl
2 Knoblauchzehen,
  zerdrückt
1 Stück (ca. 1 cm) Ingwer,
  feingehackt
1/4 TL Salz
2 TL Zucker
1 TL frischer Koriander,
  gehackt
1 TL Maismehl
1/2 Eiweiß
100 g Sesamkörner
Öl, zum Fritieren

1 Garnelen aus den Schalen lösen. Mit einem kleinen Messer die Rückenlinie entlang leicht einschneiden und den schwarzen Darm mit der Messerspitze herausziehen. Mit Küchenpapier trockentupfen.

2 In die Küchenmaschine geben und zu einem groben Püree verarbeiten. In eine Schüssel geben und gut mit Öl, Knoblauch, Ingwer, Salz, Zucker, Koriander und Maismehl verrühren.

3 Eiweiß verquirlen (nicht ganz steif schlagen) und so viel Eiweiß zur gewürzten Garnelen-Mischung geben, daß eine glatte, halbfeste Masse entsteht.

4 Mischung zu 24 gleich großen Kugeln formen. In den Sesamkörnern wälzen, auf ein Backblech setzen und 20 Minuten kalt stellen.

5 Öl gemäß den Angaben auf S. 682 in der Friteuse oder in einem Topf erhitzen. In drei Portionen 4–5 Minuten goldbraun fritieren, bis sie gar und außen knusprig sind. Herausnehmen und auf Küchenpapier abtropfen lassen. Auf einer Servierplatte anrichten und heiß servieren.

Knoblauchgarnelen

Ideal als Vorspeise oder leichtes sommerliches Mittagessen. Servieren Sie dieses spanisch inspirierte Gericht mit reichlich knusprigem Brot für die Zitronen-Knoblauch-Butter.

*Zubereitungszeit: **20 Min.***
*Garzeit: **10 Min.***
Für 4 Personen

125 g Endivien- oder Friséesalat
1 rote Chilischote, ohne Kerne und in sehr
  dünne Streifen geschnitten
1 EL frische Kerbelblätter
24 mittelgroße Garnelen oder Gambas,
  mit Schale
Salz und schwarzer Pfeffer,
  nach Geschmack
2 TL Pflanzen- oder Olivenöl
4 Knoblauchzehen, zerdrückt
125 g Butter, gewürfelt
feingeriebene Schale und Saft von 1 Zitrone
1 EL feingehackte frische Petersilie

1 Endivien- oder Friséesalat, Chili und Kerbelblätter mischen und großzügig auf 4 Teller verteilen.

2 Garnelen schälen und Darm und Kopf entfernen, die Schwänze jedoch ganz lassen *(siehe S. 686)*. Garnelen auf einen Teller legen und leicht mit Salz und schwarzem Pfeffer würzen. Öl in einer großen gußeisernen Pfanne erhitzen. Garnelen hineingeben und ca. 1 Minute auf jeder Seite gar braten. Aus der Pfanne nehmen und warm stellen.

3 Knoblauch in die Pfanne geben und 1 Minute dünsten. Butterwürfel zugeben und 4 Minuten bräunen. Vom Herd nehmen, dann Zitronenschale und -saft und Petersilie zugeben.

4 Die Pfanne ein- oder zweimal schnell schwenken, um alle Zutaten zu mischen, dann die Garnelen hineingeben und kurz erhitzen. Garnelen mit dem Salat auf den Tellern anrichten und mit dem Bratensatz übergießen.

Lachs-Avocado-Röllchen

Diese Röllchen gelingen rasch und mühelos. Achten Sie darauf, nur frischeste Zutaten zu verwenden.

Zubereitungszeit: **25 Minuten**
Garzeit: **keine**
Ergibt ca. **32 Stück**

300 g Räucherlachs, in Scheiben geschnitten
1/2 Avocado
1 EL Zitronensaft
16 gekochte Garnelen, ohne Schalen und Darm
Lumpfisch- oder anderer Kaviar, zum Garnieren
frischer Dill, zum Garnieren

1 Lachsscheiben in ca. 3 x 5 cm große Rechtecke schneiden. Kern aus der Avocadohälfte lösen, in zwei Teile schneiden und die Haut abziehen. Dann jedes Viertel längs in vier oder fünf Stücke schneiden und die entstehenden Scheiben noch einmal halbieren. Die Stücke in eine Schüssel legen und in Zitronensaft wälzen.

2 Je ein Stück Avocado oder eine Garnele in eine Lachsscheibe wickeln und auf einer Servierplatte anrichten. Röllchen mit etwas Kaviar und Dill garnieren.

Tip Die Röllchen können einige Stunden im voraus zubereitet werden. Bis zum Servieren in Klarsichtfolie gewickelt im Kühlschrank aufbewahren.

Räucherlachs-Pfannkuchenrollen

*Einer der großen Vorteile dieser delikaten Pfannkuchenröllchen mit Räucherlachs und Meerrettich ist,
daß die Pfannkuchen im voraus zubereitet und tiefgekühlt werden können.*

*Zubereitungszeit: **1 Stunde + 15 Minuten Ruhezeit +
1 Stunde Kühlzeit***
*Garzeit: **10 Minuten***
Ergibt 30–35 Stück

PFANNKUCHEN-TEIG
100 ml Wasser
125 g Mehl
2 TL Sesamöl

150 g Frischkäse, zimmerwarm
1 EL Meerrettichsahne
1/2 TL Zitronensaft
200 g Räucherlachsscheiben
**frischer Schnittlauch oder andere Kräuter, gehackt,
zum Garnieren**

1 Für den Pfannkuchenteig das Wasser zum Kochen
bringen und die Pfannkuchen gemäß den Angaben auf
S. 62 zubereiten. Pfannkuchen auf einen Teller schichten und mit einem feuchtem Tuch bedecken, damit sie
nicht trocken werden.

2 Frischkäse in einer kleinen Schüssel weich rühren
und mit Meerrettichsahne und Zitronensaft glattrühren.

3 Einen Pfannkuchen auf ein Arbeitsfläche legen und
das obere Drittel davon abschneiden. Mit einer dünnen
Schicht Frischkäse-Mischung bestreichen und mit einer
Schicht Lachsscheiben belegen. So fest wie möglich zusammenrollen. In Klarsichtfolie wickeln und beiseite
stellen. Vorgang mit den restlichen Pfannkuchen wiederholen. Mindestens 1 Stunde kalt stellen.

4 Enden der Rollen kurz vor dem Servieren abschneiden, in ca. 1,5 cm dicke Scheiben schneiden und einen
Partyspieß hineinstecken. Ein wenig Schnittlauch oder
andere frische Kräuter über die Räucherlachs-Pfann-
kuchenrollen streuen, auf einer Servierplatte anrichten
und servieren.

Tip Die Pfannkuchen können im voraus zubereitet und
tiefgekühlt aufbewahrt werden. Vor der weiteren Verarbeitung kurz über Dampf weich werden lassen.

Rührei-Räucherlachs-Törtchen

*Diese delikaten Törtchen sind eine raffinierte Ergänzung zu jedem Brunch. Die Eier sollten
nicht zu lange gegart werden, damit die Füllung herrlich sahnig bleibt.*

Vorbereitungszeit: **20 Minuten**
Zubereitungszeit: **20 Minuten**
Ergibt 6 Stück

weiche Butter, zum Einfetten
Mürbeteig (¹/2 Menge Rezept S. 678)

FÜLLUNG
20 g Butter
6 Eier
4¹/2 EL Crème double
100 g geräucherter Lachs, in dünne Streifen
  geschnitten
2 TL Kaviar, zum Garnieren

6 Zweige frischer Kerbel, zum Garnieren

1 Den Ofen auf 200 °C (Gasherd: Stufe 3–4) vorheizen.
Sechs 7 x 1,5 cm große Tortelett-Förmchen einfetten. Den
Teig auf einer leicht bemehlten Fläche zu einem etwa
2 mm dicken Kreis ausrollen. Sechs 13 cm große Kreise

ausstechen und die vorbereiteten Förmchen damit auslegen *(siehe S. 679)*.
2 Etwa 7 Minuten blindbacken, bis der Teig fest ist. Die
Backerbsen und das Papier entfernen und den Teig weitere
3–5 Minuten backen, bis sich die Mitte goldbraun färbt
(siehe S. 678). Die Törtchen aus der Form nehmen und
warm halten.
3 Für die Füllung die Butter bei geringer bis mittlerer
Hitze in einer Pfanne zerlassen. Die Eier leicht mit Crème
double verquirlen und in die Pfanne gießen. Die Eier bei
geringer Hitze braten, dabei mit einem Holzlöffel rühren
und vom Pfannenboden schaben, bis sie gerade gestockt,
aber noch sehr cremig in der Konsistenz sind. Vom Herd
nehmen und die Hälfte des geräucherten Lachses sorgfältig untermischen.
4 Die warmen Teigtörtchen sofort mit der Eiermischung
füllen. Jeweils mit etwas Lachs und Kaviar dekorieren und
mit einem kleinen Kerbelzweig garnieren. Warm servieren.

Tip Wenn das Rührei gerade cremig ist, die Pfanne vom
Herd nehmen. Da die Pfanne heiß ist, gart das Ei weiter.
Darauf achten, daß es nicht zu fest und trocken wird.

Terrine mit Räucherlachs, Porree und grüner Sauce

Dieses wunderbar leichte, wohlschmeckende Gericht eignet sich hervorragend als Vorspeise oder Mittagessen. Das Kochen der Porreestangen in Fischbrühe sorgt für eine festere Konsistenz der Terrine.

Zubereitungszeit: 1 Std. + 4 Std. Kühlzeit
Garzeit: 20 Min.
Für 10 Personen

1,5 l Fischbrühe
30 sehr kleine ganze Porreestangen,
 ohne harte grüne Blätter und Wurzeln
10–15 große Spinatblätter, Strünke entfernt
550 g lange Räucherlachsscheiben
Salz und schwarzer Pfeffer, nach Geschmack
Rucolablätter, zum Garnieren

GRÜNE SAUCE
100 g Brunnenkresse, feste Stiele entfernt
50 g frische Kerbelblätter, gehackt
50 g frische Dillblätter, gehackt
50 g frische Petersilie
einige Spritzer Zitronensaft
Salz und schwarzer Pfeffer, nach Geschmack
350 ml Crème fraîche oder saure Sahne

1 Fischbrühe in einem großen Topf zum Kochen bringen. Porreestangen zugeben und bei reduzierter Hitze 20 Minuten kochen. Abtropfen und abkühlen lassen.
2 Spinat 30 Sekunden in kochendem Wasser blanchieren. Abgießen und in Eiswasser abschrecken. Blätter einzeln vorsichtig herausheben, auf Küchenpapier oder ein Geschirrtuch legen und trockentupfen.
3 Eine Terrinenform (Inhalt 1 l, 21 cm x 10 cm) mit Klarsichtfolie auslegen. Boden und Wände mit einigen Räucherlachsscheiben belegen, dabei an einer Seite ein langes Stück überstehen lassen. Eine Schicht Spinat darüber legen und ebenfalls an einer Seite überstehen lassen.
4 Zwei Schichten Porreestangen der Länge nach dicht an dicht auf den Boden der ausgelegten Terrine legen und kräftig mit Salz und Pfeffer würzen. Darauf schichtweise die Hälfte des restlichen Lachses, erneut Porree sowie Salz und Pfeffer geben. Mit dem übrigen Lachs und einer weiteren Porree- und Gewürzschicht abschließen. Die überstehenden Lachsscheiben und Spinatblätter über die Füllung klappen und mit Klarsichtfolie abdecken. Ein Stück Karton auf die Größe der Terrine zuschneiden und doppelt mit Alufolie umwickeln. Als Deckel auf die Terrine legen und mit 1 kg (z. B. Konserven) beschweren. 4 Stunden kalt stellen.
5 Grüne Sauce: Brunnenkresse mit Kräutern und etwas Wasser im Mixer pürieren. Durch ein Sieb streichen, Zitronensaft zugeben und mit Salz und Pfeffer würzen. Crème fraîche bzw. saure Sahne unterheben und mit Klarsichtfolie abgedeckt bis zum Servieren kalt stellen.
6 Zum Servieren die Terrine aufschneiden und auf Tellern mit einem Löffel grüner Sauce und einigen Rucolablättern als Garnierung anrichten.

Räucherlachs-Forellen-Rolle
auf Pumpernickel

Die leicht säuerliche Note des Pumpernickels ergänzt den sahnigen Geschmack des Räucherfisch-Belags ideal.

*Zubereitungszeit: **25 Minuten + 30 Minuten Kühlzeit***
*Garzeit: **keine***
Ergibt ca. 20 Stück

100 g Räucherforellenfilet
100 g Frischkäse
Salz und Pfeffer, nach Geschmack
1 EL Zitronensaft
200 g Räucherlachsscheiben
200 g Pumpernickel, in Scheiben geschnitten
frische Kerbel- oder Petersilienspitzen, zum Garnieren

1 Forellenfilet von Haut und Gräten befreien und mit 80 g Frischkäse in die Küchenmaschine geben. Glattrühren und nach Geschmack mit Salz und Pfeffer würzen. Zitronensaft zugießen und weiter rühren, bis alles gut vermischt ist.

2 Räucherlachsscheiben auf einem Stück Klarsichtfolie in rechteckiger Form (15 x 20 cm) überlappend anordnen. Gleichmäßig mit einer Schicht Forellen-Frischkäse-Mischung bestreichen und die Lachsscheiben von der breiten Seite her mit Hilfe der Klarsichtfolie aufrollen. Die ganze Rolle in Klarsichtfolie wickeln und mindestens 30 Minuten in den Kühlschrank stellen, bis sie fest ist.

3 Mit einem Ausstecher oder spitzen Messer 20 Kreise von 4,5 cm Ø aus dem Pumpernickel ausschneiden. Restlichen Frischkäse auf die Pumpernickelkreise streichen. Lachsrolle aus dem Kühlschrank nehmen, Klarsichtfolie wegwerfen und die Rolle mit einem sehr scharfen Messer in ca. 20 Scheiben schneiden. Jede Pumpernickelscheibe mit einer Lachsrollenscheibe belegen und mit einem Kerbel- oder Petersilienzweig garnieren. Mit Klarsichtfolie bedecken und bis zum Servieren kalt stellen.

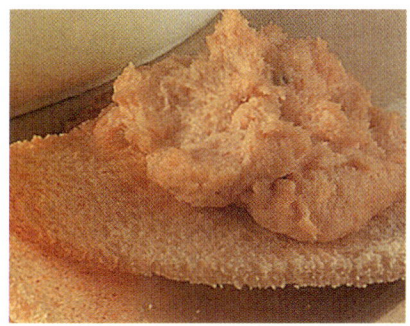

Räucherforellenpastete

Eine feine Pastete aus frischer und geräucherter Forelle, die ohne großen Aufwand zubereitet ist.
Als Fischvariation eignen sich hierfür auch frischer und geräucherter Lachs oder Makrele.

*Zubereitungszeit: **30 Min.***
  + 1 Std. Kühlzeit
*Garzeit: **5 Min.***
Für 6 Personen

1 EL Weißweinessig
1 Lorbeerblatt
4 weiße Pfefferkörner
100 ml Wasser
100 g frisches Forellenfilet mit Haut
300 g geräuchertes Forellenfilet, ohne Haut
200 g Rahmkäse
100 g weiche Butter
3 TL frischer Zitronensaft
Salz und schwarzer Pfeffer, nach Geschmack
4 frische Petersilien-, Kerbel- oder Dillzweige,
  zum Garnieren

1 Essig, Lorbeerblatt, Pfefferkörner und Wasser in einem flachen Topf langsam zum Sieden bringen. Das frische Forellenfilet mit der Hautseite nach unten in diese Pochierflüssigkeit legen und abgedeckt ca. 3–4 Minuten vorsichtig gar ziehen lassen. In der Flüssigkeit abkühlen lassen. Forelle mit einem Fisch-Vorlegemesser oder einem Spatel auf einen Teller heben, Haut und alle Gräten entfernen und wegwerfen.

2 Frische und geräucherte Forelle in der Küchenmaschine oder im Mixer zu einem cremigen Püree verarbeiten. Rahmkäse, Butter, Zitronensaft, etwas Salz und schwarzen Pfeffer zugeben und gut verrühren. Die Pastete auf sechs Auflaufförmchen (250 ml Inhalt, etwa 8 cm Ø) verteilen und anschließend 1 Stunde in den Kühlschrank stellen. Jede Portion mit einem Zweig Petersilie, Kerbel oder Dill garnieren und mit Melba-Toast servieren.

Tip Die Pastete eignet sich hervorragend als Cocktail-Dip, wenn sie frisch bei kühler Zimmertemperatur serviert wird. Alternativ kann sie auch auf kleine runde Toastscheiben gespritzt und als Canapé mit einem Dill- oder Kerbelzweig als Garnierung gereicht werden.

Eier en cocotte mit Forelle und Lauch

Eier en cocotte werden in Porzellanschälchen, die in einem heißen Wasserbad stehen, gegart. Diese Eier können zum Frühstück, aber auch ebensogut als erster Gang eines Menüs seviert werden.

Vorbereitungszeit: **15 Minuten**
Zubereitungszeit: **35 Minuten**
Für 4 Personen

30 g Butter
1 kleine Lauchstange, halbiert und feingeschnitten
185 g geräucherte Forelle, kleingeschnitten
120 ml Sahne
4 Eier
je 1 Prise Salz und Pfeffer
3 TL frischer Schnittlauch, feingeschnitten

1 Die Butter in einem Topf zerlassen und den Lauch darin abgedeckt 8 Minuten weich dünsten, ohne daß er bräunt. 4 kleine Porzellanförmchen mit zerlassener Butter einpinseln.

2 Den Lauch vom Herd nehmen, die Forelle und ein Drittel der Sahne einrühren und die Mischung abschmekken. Dann in die Förmchen füllen und abkühlen lassen. Die Förmchen können bis zu diesem Schritt am Vortag vorbereitet werden.

3 Den Ofen auf 170 °C (Gasherd: Stufe 1–2) vorheizen. Mit einem Löffelrücken eine Mulde in jedes Förmchen drücken, je ein Ei hineinschlagen, einen Eßlöffel Sahne darauf geben und mit Salz, Pfeffer und 2 Teelöffeln Schnittlauch bestreuen. Die Förmchen in einen großen Topf stellen und kochendes Wasser zugießen, bis die Schälchen zur Hälfte im Wasser stehen.

4 20–25 Minuten backen, bis das Eiweiß stockt und das Eigelb sich bei leichtem Schwenken noch bewegt. Jedes Förmchen auf einen kalten Teller stellen, mit dem übrigen Schnittlauch bestreuen und sofort mit gebutterten Toaststreifen servieren.

Eier en cocotte mit Forelle und Lauch (oben) und Frittata

Frittata

Anders als beim französischen Omelett müssen bei der italienischen Frittata in der Regel alle Zutaten mit den Eiern vermischt werden, bevor man sie ganz stocken läßt.

Vorbereitungszeit: **20 Minuten**
Zubereitungszeit: **30 Minuten**
Für 4–6 Personen

120 g Hähnchenbrustfilets, ohne Haut
Salz und Pfeffer
60 g Butter
120 g Champignons, in Scheiben geschnitten
2 Knoblauchzehen, gehackt
1 rote Paprikaschote, in kurze Streifen geschnitten
10 Eier, verquirlt und mit Salz und Pfeffer gewürzt
120 g Gruyère oder Cheddar (ersatzweise
pikanter Gouda), gerieben

1 Den Ofen auf 220 °C (Gasherd: Stufe 4) vorheizen.
2 Die Hähnchenbrust in etwa 1 cm große Würfel schneiden und mit Salz und Pfeffer würzen. Die Butter in einer ofenfesten Pfanne bei mittlerer Hitze zerlassen und das Fleisch 2–3 Minuten darin anbraten, bis es leicht gebräunt ist.

3 Die Pilze zugeben und 5–7 Minuten schmoren lassen, bis die ganze Flüssigkeit verdampft ist. Knoblauch und Paprika zufügen und mit Salz und Pfeffer abschmecken. Die Hitze reduzieren und abgedeckt 5–8 Minuten behutsam schmoren lassen, bis die Paprikastreifen weich sind.

4 Die verquirlten Eier zugießen und beim Einrühren gleichmäßig verteilen; weitere 2–3 Minuten unter Rühren braten, bis die Eier zu stocken beginnen.

5 Die Mischung mit Käse bestreuen und die Pfanne dann in den Ofen stellen. 5–8 Minuten überbacken, bis der Käse zerlaufen ist und die Eier ganz gestockt sind. Anschließend die Pfanne aus dem Ofen nehmen und die Frittata auf einen Teller gleiten lassen. Vor dem Servieren in Stükke schneiden.

Kartoffel-Räucherfisch-Kroketten

Knusprige goldbraune Kroketten, verfeinert mit Räucherfisch und Knoblauch, die mit einer Sauce nach Wahl (z. B. Tomatensauce, Knoblauchmayonnaise oder Salsa) serviert werden können.

Zubereitungszeit: **30 Minuten + 15 Minuten Kühlzeit**
Garzeit: **45 Minuten**
Ergibt 40 Stück

500 g mehlige Kartoffeln,
  geschält
1/4 TL Salz
20 g Butter
1 Eigelb
1 Prise Muskat, gemahlen
etwas Salz und Pfeffer
1 EL Olivenöl
2 Knoblauchzehen, zerdrückt
100 ml Crème double
150 g Räucherschellfisch, -forelle oder –lachs,
  zerkleinert oder in dünne Scheiben geschnitten
Salz und Pfeffer,
  nach Geschmack
60 g Mehl
3 Eier, verquirlt
1 EL Erdnußöl
150 g Semmelbrösel
Öl, zum Fritieren

1 Geschälte Kartoffeln in gleich große Stücke schneiden. In einen mittelgroßen Topf geben, mit kaltem Wasser bedecken und Salz zugeben. Zum Kochen bringen, herunterschalten und mindestens 20 Minuten weich kochen.

2 Kartoffeln abtropfen lassen und auf unterer Stufe abdämpfen. Durch ein Sieb streichen oder fein pürieren und Butter, Eigelb, Muskat und Salz und Pfeffer zufügen. Mischung zum Abkühlen in eine Schüssel geben.

3 Olivenöl in einem Topf erhitzen, Knoblauch zugeben und 1 Minute anbraten. Crème double einrühren und köcheln lassen, bis die Menge auf die Hälfte reduziert ist. Fisch mit der Crème double in die Kartoffelmischung geben. Mit Salz und Pfeffer abschmecken und alles gut verrühren.

4 Mehl mit Salz und Pfeffer würzen und auf ein flaches Backblech geben. Verquirlte Eier und Erdnußöl in eine flache Schüssel geben und die Semmelbrösel auf einem großen Bogen Pergamentpapier verteilen. Kartoffelmischung zu ovalen Bällchen (ca. 2 x 4 cm) formen und vorsichtig im gewürzten Mehl wälzen. Überschuß abschütteln. In die Eimasse tauchen, abtropfen lassen und in den Semmelbröseln wälzen. Evtl. die Kroketten zweimal in Ei und Semmelbröseln wälzen, z. B. falls die Mischung ein wenig zu weich geraten ist. Mindestens 15 Minuten kalt stellen.

5 Öl in der Friteuse oder einem Topf (gemäß den Angaben auf S. 682) erhitzen. Portionsweise 3–4 Minuten goldbraun fritieren. Herausnehmen, das überschüssige Öl abschütteln und auf Küchenpapier abtropfen lassen. Kroketten mit Limonenspalten und einer Sauce nach Wahl servieren.

Tips Die Kartoffelmischung sollte möglichst trocken sein, sonst platzen die Kroketten und nehmen das Fritieröl auf.

Wenn Sie die Kroketten auf Pergamentpapier in Semmelbröseln wälzen, können Sie den Vorgang erleichtern, indem Sie das Papier anheben.

Mini-Pfannkuchen mit Kaviar

*Die appetitlich bunten Mini-Pfannkuchen mit einem Belag aus Sauerrahm und Kaviar
sind garantiert rasch von Ihrem Buffet verschwunden.*

*Zubereitungszeit: **45 Minuten + 30 Minuten Ruhezeit***
*Garzeit: **35 Minuten***
Ergibt 40–45 Stück

10 g frische Hefe oder 5 g Trockenhefe
150 ml lauwarme Milch
2 TL Zucker
70 g Mehl
50 g Buchweizenmehl
2 Eier, getrennt
1/4 TL Salz
40 g Butter, zerlassen und
  wieder abgekühlt
1 Prise Salz, zusätzlich
Sauerrahm, zum Garnieren
Kaviar, zum Garnieren
frische Kerbel- oder Dillspitzen,
  zum Garnieren

1 Hefe in der lauwarmen Milch auflösen und Zucker, Mehlsorten, Eigelbe und Salz einrühren. Abgedeckt 30 Minuten an einem warmen Ort gehen lassen. Der Teig sollte dann eingedickt und schaumig sein. Zerlassene Butter unterrühren.

2 Eiweiße mit dem Salz nicht ganz steif schlagen. Vorsichtig unter den Teig ziehen.

3 Ein wenig Butter bei mittlerer Hitze in einer beschichteten Pfanne zerlassen. Teig mit einem Eßlöffel portioniert in die Pfanne geben. Die Portionen sollten möglichst gleich groß und die Pfanne nicht zu voll sein. Wenn die Mini-Pfannkuchen an den Rändern fest zu werden beginnen, vorsichtig wenden. Weitere 2–3 Minuten bräunen. Auf einem Kuchengitter abkühlen lassen (die Pfannkuchen dürfen überlappend, aber nicht übereinander geschichtet liegen). Vorgang wiederholen, bis der Teig verbraucht ist.

4 Falls nötig, die Pfannkuchen mit einem Teigrädchen auf die gleiche Größe bringen. Auf einer Servierplatte anrichten, 1 EL Sauerrahm und ein wenig Kaviar auf jeden Pfannkuchen geben. Mit Kerbel- oder Dillspitzen bestreuen.

Tip Wenn Sie frische Hefe übrig haben, können Sie sie in Pergamentpapier gewickelt bis zu 2 Wochen im Kühlschrank aufbewahren.

Austern mit Sahne oder Salsa

Zwei klassische Austerngerichte. Eine Version wird mit Sahne, Weißwein und Schinkenspeck zubereitet und ge-grillt. Wer es nicht ganz so scharf mag, läßt einfach die Chilischote weg. Die Salsa-Austern werden nicht gegart und besitzen ein feuriges Dressing aus Tomaten, roter Zwiebel und Limonen.

Zubereitungszeit: **50 Min.**
Garzeit: **15 Min. (Sahne-Austern)**
Für 4 Personen

24 Austern

SAHNE-AUSTERN
2 TL Tabasco
125 g Schinkenspeck in dicken Scheiben,
 ohne Schwarte
4 Eigelb
100 ml Weißwein
75 ml Crème double, leicht geschlagen
½ rote Chilischote, ohne Kerne und feingehackt
1 EL Olivenöl
1 kleine rote Paprikaschote, in Stifte geschnitten

ODER

SALSA-AUSTERN
400 g reife Tomaten, abgezogen,
 ohne Kerne und gewürfelt
1 rote Zwiebel, feingehackt
Saft von 2 Limonen
1 TL Tabasco
1 TL grobgehackter frischer Koriander
3 TL grobgehackte frische glattblättrige Petersilie
Salz und schwarzer Pfeffer, nach Geschmack
frische Korianderblätter, zum Garnieren

1 Austern aus der Schale lösen *(siehe S. 686)*. Mit der Flüssigkeit in eine Schüssel geben und kalt stellen. Tiefere Schalenhälften gründlich säubern und die flachen Hälften wegwerfen.
2 Sahne-Austern: Die Hälfte des Tabascos vor dem Kaltstellen zu den Austern geben. Schinkenspeck in einem kleinen Topf mit kaltem Wasser bedecken. Aufkochen und 4 Minuten köcheln lassen. Abtropfen lassen und überschüssiges Salz mit fließendem kaltem Wasser abspülen. Speck mit Küchenpapier trockentupfen und in Stifte schneiden.
3 Eigelbe, Wein und restlichen Tabasco in einer hitzebeständigen Schüssel so auf einen Topf mit siedendem Wasser setzen, daß sie keine Berührung mit dem Wasser hat. Mischung kräftig schlagen, bis sich das Volumen verdrei- oder vervierfacht hat und beim Herausheben des Schneebesens eine Spur auf der Oberfläche sichtbar bleibt. Schüssel vom Topf abnehmen und die Mischung unter Rühren auf Zimmertemperatur abkühlen lassen. Crème double und Chili unterheben und beiseite stellen.
4 Grill vorheizen. Öl in einem Topf erhitzen und den Speck goldbraun braten. Paprika zugeben und bei mittlerer Hitze 1 Minute dünsten, er sollte jedoch keine Farbe annehmen. Austern mit Flüssigkeit in einem anderen Topf bei schwacher Hitze 1 Minute erhitzen. Nicht übergaren, da die Austern sonst zäh werden. Warme Austern zurück in die Schalen geben und in eine feuer feste Form legen (eine Schicht Steinsalz auf dem Boden sorgt dafür, daß sie waagerecht bleiben). Mit Austernflüssigkeit übergießen und mit der Speck-Paprika-Mischung bedecken. Die Eimasse löffelweise darübergeben und 2 Minuten goldgelb grillen. Sofort servieren.
5 Salsa-Austern: Alle Zutaten außer den ganzen Korianderblättern mit etwas Salz und schwarzem Pfeffer mischen. Mit Klarsichtfolie abgedeckt 20 Minuten bei Zimmertemperatur stehen lassen. Eine Auster in jede Schale geben und löffelweise etwas Flüssigkeit und Salsa daraufgeben. Jeweils mit einem Korianderblatt garnieren und auf einem Salatbett oder zerstoßenem Eis anrichten.

SUPPEN

Hühnersuppe

Mit knusprigem Brot serviert, sorgt sie sofort für wohlige Wärme.
Eine feine Würze aus kleingehacktem Gemüse gibt ihr eine besondere geschmackliche Note.

*Vorbereitungszeit: **1 Stunde***
*Kochzeit: **2 Stunden 15 Minuten***
Für 4–6 Personen

1 Huhn (1,8 kg), dressiert (s. S. 690)
8 große Hühnerflügel, geviertelt
6 l Wasser
1 Karotte, längs in Viertel geschnitten
1 Zwiebel, geviertelt
1 Lauchstange, längs in Viertel geschnitten
1 Selleriestange, halbiert
1 Bouquet garni (s. S. 685)
1 TL Salz
60 g Butter
60 g Lauchzwiebeln
100 g Karotten
60 g weiße Rüben
250 g Kartoffeln
60 g Sellerie
1 Prise Salz
60 g Erbsen
60 g grüne Bohnen
60 g Grünkohl
kochendes Salzwasser, zum Blanchieren
Eiswasser, zum Abschrecken

1 Huhn und Flügel in einen großen Suppentopf geben und mit Wasser bedecken. Zum Kochen bringen, die Temperatur reduzieren und 10 Minuten köcheln lassen. Dabei das Fett von der Oberfläche abschöpfen. Karotte, Zwiebel, Lauch, Sellerie, Bouquet garni und Salz zugeben und 35 Minuten köcheln lassen. Das Huhn herausnehmen und abkühlen lassen. Die Temperatur erhöhen und die Flüssigkeit 30 Minuten kochen lassen. Durch ein Sieb passieren und die Brühe zur Seite stellen.

2 In der Zwischenzeit das restliche Gemüse etwa in Größe der Erbsen würfeln und getrennt bereithalten. Die Butter in einem großen Suppentopf zerlassen. Lauch, Karotten, Rüben, Kartoffeln und Sellerie hineingeben und mit einer Prise Salz 5 Minuten langsam rösten. Mit 2 l der Hühnerbrühe ablöschen und 15 Minuten köcheln lassen. Dabei Fett und Schaum von der Oberfläche abschöpfen.

3 Erbsen, grüne Bohnen und Kohl jeweils 5 Minuten in kochendem Salzwasser blanchieren. In eiskaltem Wasser abschrecken, abgießen und in die Suppe geben. Weitere 15 Minuten köcheln lassen, bis das Gemüse gar ist.

4 Die Haut des abgekühlten Huhns abziehen und das Fleisch in Würfel schneiden. Zur Suppe geben und 5 Minuten köcheln lassen. Abschmecken und servieren.

Hühnerconsommé

Die klassische Consommé wird aus Rinder-, Hühner- oder Fischbrühe hergestellt. Der Name leitet sich von dem französischen »consommer« – aufessen oder aufbrauchen – ab und bezieht sich darauf, daß alles Gute des Fleischs in die Suppe übergeht.

Vorbereitungszeit: **45 Minuten**
Back- und Kochzeit: **3 Stunden 15 Minuten**
Für 4 Personen

1,25 kg Hühnerbeine
250 g mageres Rinderhack
1 TL Öl
1 kleine Karotte, grobgehackt
1 kleine Lauchstange, grobgehackt
1 kleine Selleriestange, grobgehackt
1 kleine Zwiebel, halbiert
2 Gewürznelken, in die Zwiebelhälften gesteckt
1 Bouquet garni (s. S. 685)
1 TL Salz
6 Pfefferkörner
2,5 l kaltes Wasser
2 Eiweiß

ZUM SERVIEREN
10 g Butter
¹/₂ kleine Lauchstange (nur der weiße Teil), in Juliennestreifen (siehe Tip)
¹/₂ kleine Karotte, in Juliennestreifen
¹/₂ Selleriestange, in Juliennestreifen
1 Prise Salz

1 Den Backofen auf 200 °C (Gasherd: Stufe 3) vorheizen. Die Haut von den Hühnerbeinen abziehen und wegwerfen. Das Fleisch von den Knochen lösen, in eine Küchenmaschine geben und fein hacken. Mit dem Rinderhack in eine Schüssel geben und in den Kühlschrank stellen. Die Knochen grob hacken, in einen Bräter geben und 30–40 Minuten backen, bis sie gut gebräunt sind.
2 Das Öl in einer Pfanne erhitzen und Karotte, Lauch und Sellerie anbraten, bis sie leicht Farbe annehmen.

Anschließend zur Seite stellen. Eine Pfanne aus Gußeisen oder rostfreiem Stahl erhitzen und die Zwiebelhälften mit der Schnittseite nach unten hineinlegen. Bei mittlerer Temperatur rösten, bis die Zwiebel schwarz zu werden beginnt.
3 Knochen, Karotte, Lauch, Sellerie, Zwiebel, Nelken, Bouquet garni, Salz und Pfefferkörner in einen großen Suppentopf geben und mit 2 l kaltem Wasser bedecken. Das Eiweiß und das Hackfleisch mit einem Holzlöffel verrühren, dann 500 ml Wasser zugeben und gründlich mischen. In den Suppentopf geben und gut durchrühren. Bei mittlerer Temperatur langsam zum Kochen bringen und alle 2 Minuten umrühren. Die Temperatur reduzieren und 2 Stunden sanft köcheln lassen. Ein feines Sieb mit einem sauberen Küchenhandtuch auslegen und über einen Topf stellen. Die Consommé langsam durch das Sieb in den Topf schöpfen.
4 Die Butter zum Servieren in einer kleinen Bratpfanne zerlassen. Die Juliennestreifen mit einer Prise Salz hineingeben und zugedeckt 10–15 Minuten bei geringer Hitze garen; das Gemüse sollte noch knackig sein. In ein Sieb abgießen, überschüssige Butter abtupfen, dann auf vier Suppenschüsseln verteilen und mit der heißen Consommé übergießen.

Tip Juliennestreifen sind Gemüsestreifen mit der Form und Größe von Streichhölzern. Sie garen schnell und sind sehr dekorativ.

Um die maximale Menge Fett abzuschöpfen, bereitet man die Consommé am besten einen Tag im voraus zu und stellt sie über Nacht in den Kühlschrank, bis das Fett auf der Oberfläche erhärtet. Schöpfen Sie das Fett ab, ehe Sie die Consommé über einem Topf mit leicht köchelndem Wasser wieder aufwärmen. Im Kühlschrank ist sie bis zu drei Tagen haltbar.

Linsensuppe mit Geflügel und Schinken

Linsen sind die ideale Grundlage für dicke Wintersuppen.

Zubereitungszeit: **40 Minuten + 1 Nacht**
  Einweichzeit
Garzeit: **1 Stunde 40 Minuten**
Für 4 Personen

300 g braune oder grüne Linsen
1 Suppenhuhn (1,8 kg)
50 g Butter
100 g Schinkenspeck, gewürfelt
1 Karotte, in Scheiben geschnitten
1 kleine Zwiebel, in Ringe
  geschnitten
1 Selleriestange, in Scheiben geschnitten
1 Bouquet garni (s. S. 685)
3 l kaltes Wasser
Salz und Pfeffer, nach Geschmack
einige Zweige frische glattblättrige Petersilie,
  zum Garnieren

1 Linsen über Nacht in kaltem Wasser einweichen. Gut abspülen und abtropfen lassen.
2 Das Huhn von der Haut befreien. Brustfleisch ablösen und beiseite stellen. Beine, Flügel und restliche Knochen grob hacken. Butter in einem großen Topf zerlassen und Schinkenspeck sowie Hühnerbeine, -flügel und -knochen zugeben und auf mittlerer Stufe 7–10 Minuten darin anbräunen. Gemüse, Bouquet garni, Wasser und Linsen hinzufügen. 1 Stunde köcheln lassen; dabei gelegentlich den Schaum von der Oberfläche abschöpfen.
3 Unterdessen das Hühnerbrustfleisch mit Salz und Pfeffer würzen und auf mittlerer Stufe 5 Minuten von jeder Seite goldbraun braten. Beiseite stellen und abkühlen lassen.
4 Hühnerteile mit einem Schöpflöffel oder einer Zange aus dem Topf nehmen und das Fleisch heraussuchen. Knochen und Reste wegwerfen. Hühnerfleisch wieder in den Topf geben und ca. 15 Minuten köcheln lassen. Bouquet garni entfernen und die Suppe in der Küchenmaschine oder im Mixer pürieren. Bei mittlerer Hitze in einen sauberen Topf geben und mit Salz und frisch gemahlenem schwarzem Pfeffer abschmecken.
5 Die abgekühlte Hühnerbrust in kleine Würfel schneiden und in die Suppe geben. Alles erhitzen und anschließend mit Petersilie garniert servieren.

Tip Je nach Geschmack können Sie einige Löffel Sahne und Butter kurz vor dem Servieren in die Suppe rühren.

Französische Zwiebelsuppe

Die »Soupe à l'oignon gratinée« gehört in Frankreich nach wie vor zu den beliebtesten ersten Gängen für einen kalten Pariser Winterabend.

Zubereitungszeit: 20 Minuten
Garzeit: 1 Stunde 5 Minuten
Für 6 Personen

45 g Butter
1 kleine rote Zwiebel, in dünne Ringe geschnitten
400 g Zwiebeln, in dünne Ringe geschnitten
1 Knoblauchzehe, feingehackt
25 g Mehl
200 ml Weißwein
1¹/₂ l Rinderbrühe (s. S. 685)
  oder Wasser mit Bouquet garni (s. S. 685)
Salz und frisch gemahlener schwarzer Pfeffer,
  nach Geschmack
1 EL Sherry

CROUTES
12 Scheiben Baguettebrot
200 g Gruyère-Käse, feingerieben

1 Die Butter bei mittlerer Hitze in einer gußeisernen Pfanne zerlassen. Zwiebeln zugeben und 20 Minuten unter Rühren braten, bis die Zwiebeln von dunkler, goldbrauner Farbe sind. Die Farbe der Zwiebeln zu diesem Zeitpunkt bestimmt letztlich die Farbe der Suppe. Knoblauch und Mehl zugeben und unter ständigem Rühren 1–2 Minuten köcheln lassen.

2 Weißwein zufügen und weiter rühren, bis sich das Mehl gut aufgelöst hat. Vorsichtig zum Kochen bringen, dabei ständig weiter rühren. Brühe oder Wasser mit dem Schneebesen einrühren. Bouquet garni zufügen und mit Salz und frisch gemahlenem schwarzem Pfeffer würzen. Ca. 30 Minuten köcheln lassen und, falls nötig, das überschüssige Fett von der Oberfläche abschöpfen. Sherry in die Suppe geben und nach Geschmack würzen.

3 Für die Croûtes die Brotscheiben von beiden Seiten goldbraun rösten.

4 Suppe auf vorgewärmte Portionsschalen verteilen und auf jede Portion ein Croûte geben. Mit geriebenem Gruyère-Käse bestreuen und im vorgeheizten Backofen auf höchster Stufe erhitzen, bis der Käse hellbraun zu werden und zu schmelzen beginnt. Heiß servieren.

Tip Soll die Suppe etwas leichter werden, kann das Mehl auch weggelassen werden.

Orangen-Lauchcremesuppe

Eine köstliche Suppe aus püriertem Porree und Kartoffeln, abgerundet mit einem Schlag Orangen-sahne und unter dem Backofengrill gebräunt.

Zubereitungszeit: **30 Minuten**
Garzeit: **55 Minuten**
Für 4 Personen

30 g Butter
500 g Porree(weißer Teil), in dünne Ringe geschnitten
250 g Kartoffeln, in dünne Scheiben geschnitten
1 Prise Salz
1 l Hühnerbrühe (s. S. 684)
300 ml Sahne
Salz und schwarzer Pfeffer, nachGeschmack
abgeriebene Schale von einer unbehandelten Orange
1 EL Cointreau
200 ml Schlagsahne
frische Kerbelblätter, zum Garnieren

1 Butter in einem großen Topf auf mittlerer Stufe zerlassen. Porree mit einer Prise Salz zugeben und 10 Minuten köcheln lassen, bis die Porreeringe weich sind.

2 Kartoffeln zugeben und 3 Minuten weiter erhitzen, dann Hühnerbrühe zugießen. Zum Kochen bringen und 20 Minuten köcheln lassen. Sahne zufügen und weitere 10 Minuten kochen. Suppe in der Küchenmaschine oder im Mixer zu einer glatten Masse pürieren. Mit Salz und schwarzem Pfeffer abschmecken und warm stellen.

3 Backofengrill auf höchste Stufe vorheizen und die Orangenschale mit dem Cointreau in einer kleinen Schüssel vermengen. Schlagsahne in einer Rührschüssel steif schlagen. Geriebene Orangenschale und Cointreau vorsichtig unterheben.

4 Suppe auf Portionsschalen verteilen und mit je einem Löffel Orangensahne garnieren. Im Backofen auf höchster Stufe bräunen. Mit einigen Kerbelblättern und etwas frisch gemahlenem schwarzem Pfeffer bestreuen.

Tomatencremesuppe

Das leckerste Ergebnis erzielt man mit frischen, sehr reifen Tomaten: eine Suppe mit unwiderstehlich süßem Tomatengeschmack.

Zubereitungszeit: **15 Minuten**
Garzeit: **35 Minuten**
Für 6 Personen

1¹/₂ EL Olivenöl
1 Zwiebel, in Ringe geschnitten
2 Knoblauchzehen, gehackt
3 große Zweige frisches Basilikum
1 Zweig frischer Thymian
1 Lorbeerblatt
2 EL Tomatenmark
1 kg sehr reife Tomaten, geviertelt
1 Prise Zucker
Salz und schwarzer Pfeffer, nach Geschmack
250 ml Hühnerbrühe (s. S. 684)
100 ml Sahne
frische Basilikumblätter, in feine Streifen geschnitten, zum Garnieren

1 Öl in einem Topf erhitzen und Zwiebel 3 Minuten darin anbraten.

2 Knoblauch, Basilikumzweige, Thymian, Lorbeerblatt, Tomatenmark und frische Tomaten in den Topf geben. Mit Zucker, Salz und schwarzem Pfeffer würzen. Hühnerbrühe zugießen und alles zum Kochen bringen. Hitze herunterschalten, Topf abdecken und die Suppe ca. 15 Minuten köcheln lassen. Lorbeerblatt wegwerfen.

3 In Küchenmaschine oder Mixer pürieren und durch ein feines Sieb geben. In den Topf gießen, Sahne einrühren. Erhitzen und mit Zucker, Salz und Pfeffer würzen.

4 Suppe in Portionsschalen oder einer großen Suppenschüssel mit Basilikumstreifen garniert servieren.

Tip Statt der frischen Tomaten kann auch die gleiche Menge an Dosentomaten verwendet werden.

Minestrone

Auch wenn es – je nach Region und Saison – viele Variationen dieser herzhaften Suppe gibt, Gemüse und Brühe sowie Nudeln oder Reis gehören immer dazu.

Zubereitungszeit: 45 Minuten + 1 Nacht Einweichzeit
Garzeit: 2 Stunden 20 Minuten
Für 6–8 Personen

250 g getrocknete Bohnen,
   z. B. Kidney- oder weiße Bohnen
150 g Schinken- oder Bauchspeck,
   gewürfelt
2 EL Olivenöl
1 große Zwiebel, gehackt
2 Karotten, gewürfelt
2 Kartoffeln, gewürfelt
1 Selleriestange, gewürfelt
2 Knoblauchzehen, gehackt
1 EL Tomatenmark
3 l Rinderbrühe oder Wasser
1 Bouquet garni
¹/₄ Weißkohlkopf, feingewürfelt
150 g Röhrchen-, Schleifen- oder andere
   kleine Nudeln
Salz und Pfeffer, nach Geschmack
geriebener Parmesan,
   zum Garnieren

1 Bohnen mit kaltem Wasser bedecken und 8 Stunden oder über Nacht einweichen. Abtropfen lassen und mit 2 Litern Wasser in einem großen Topf 1 Stunde 30 Minuten köcheln lassen, bis die Bohnen weich sind.

2 Inzwischen den Speck in einen anderen Topf geben und mit kaltem Wasser bedecken. Zum Kochen bringen, abgießen und wieder mit kaltem Wasser bedecken. Auf Küchenpapier ausbreiten und trocknen lassen. Olivenöl in einem großen schweren Topf erhitzen und den Speck darin bei mittlerer Hitze 3 Minuten leicht anbräunen, Zwiebel, Karotten, Kartoffeln Sellerie und Knoblauch zufügen, herunterschalten und ca. 5 Minuten köcheln lassen. Tomatenmark zugeben und 3 Minuten weiter köcheln lassen. Brühe zugießen und 10 Minuten köcheln lassen, dabei das Fett von der Oberfläche abschöpfen. Bouquet garni und Weißkohl zugeben und 5 Minuten köcheln lassen. Vom Herd nehmen und beiseite stellen.

3 Bohnen abtropfen lassen und zur Suppe geben. Bei mittlerer Hitze 10 Minuten köcheln lassen. Nudeln zugeben und 15 Minuten weich kochen. Mit Salz und Pfeffer nach Geschmack würzen und das Bouquet garni herausnehmen. Mit geriebenem Parmesan bestreut servieren.

Scotch Broth

Dieses schottische Traditionsgericht wird manchmal mit Brühe und Fleisch in zwei Gängen serviert.

Zubereitungszeit: **30 Minuten + 1–2 Stunden Einweichzeit**
Garzeit: **1 Stunde 30 Minuten**
Für 4 Personen

30 g Graupen
400 g Nackenfleisch von Lamm oder Hammel, ohne Knochen (beim Metzger entbeinen lassen)
Salzwasser, mehr als 1 Liter
30 g Butter
1 kleine Karotte, feingewürfelt
1/2 kleine Steckrübe, feingewürfelt
1 kleine Porreestange, feingewürfelt
1/2 kleine Zwiebel, feingewürfelt
60 g Tiefkühlerbsen
Gewürze (z. B. Dill, Kerbel), nach Geschmack
30 g frische Petersilie, gehackt

1 Graupen in eine Schüssel geben, gut mit kaltem Wasser bedecken und 1–2 Stunden einweichen lassen. Graupen abtropfen lassen und unter kaltem Wasser abspülen. Wasser in einem Topf zum Kochen bringen, Graupen zugeben und 15 Minuten darin weich kochen.

Graupen abtropfen lassen und beiseite stellen.
2 Fleisch von überschüssigem Fett befreien und in kleine Würfel schneiden. Einen mittelgroßen Topf mit gesalzenem Wasser füllen und zum Kochen bringen. Fleisch hineingeben und 2 Minuten kochen lassen, dann abtropfen lassen und in eine Schüssel mit kaltem Wasser legen. Dadurch wird die Suppe besonders klar, und Fettreste werden entfernt. Topf ausspülen, erneut zur Hälfte mit gesalzenem Wasser füllen und zum Kochen bringen. Fleisch zugeben, Hitze herunterschalten und 30–40 Minuten köcheln lassen, bis das Fleisch weich ist. Fleisch herausnehmen und beiseite stellen. Kochflüssigkeit auf 1 l abmessen, falls nötig etwas Wasser auffüllen.
3 Butter in einen großen Topf geben und bei mittlerer Hitze zerlassen. Gewürfeltes Gemüse zugeben und unter häufigem Rühren kochen, bis das Gemüse weich, aber noch nicht verfärbt ist. Herausnehmen und den Topf mit Küchenpapier auswischen. Gemüse wieder in den Topf geben und anschließend Lamm, Graupen und Erbsen dazu geben. Brühe zugießen und alles zum Kochen bringen. Hitze herunterschalten und 30 Minuten köcheln lassen, dabei mehrmals die Oberfläche abschöpfen. Nach Geschmack würzen und mit ein wenig Petersilie bestreut servieren.

Borschtsch

Dieses vegetarische Rezept stammt aus der Ukraine. Charakteristisch sind die dicke Konsistenz des Bortschtsch und die tiefrote Farbe, die von seiner Hauptzutat herrührt – der roten Bete.

Zubereitungszeit: **40 Minuten**
Garzeit: **45 Minuten**
Für 6 Personen

3 l Wasser
Salz und frisch gemahlener schwarzer Pfeffer,
  nach Geschmack
1 EL Tomatenmark
500 g frische rote Bete, in Julienne-Streifen
  geschnitten (s. TIP)
1 Karotte, in Julienne-Streifen geschnitten
125 g Pastinaken, in Julienne-Streifen geschnitten
4 Selleriestangen, in Julienne-Streifen geschnitten
1 Zwiebel, feingehackt
2 Knoblauchzehen
350 g Weißkohl, grob zerkleinert
6 reife Tomaten
30 g frische Petersilie, feingehackt
60 g Mehl
125 ml Sauerrahm
1 Prise Zucker, nach Bedarf

1 3 l Wasser in einem großen Topf zum Kochen bringen und mit Salz und frisch gemahlenem schwarzem Pfeffer würzen. Tomatenmark mit der roten Bete, der Karotte, den Pastinaken und dem Sellerie in die Flüssigkeit einrühren und ca. 15 Minuten köcheln lassen. Zwiebel, Knoblauch und Kohl zugeben und 15 Minuten köcheln lassen.

2 In die Unterseite jeder Tomate ein kleines Kreuz ritzen und die Tomaten 10 Sekunden in kochendes Wasser tauchen. Anschließend sofort in kaltes Wasser legen. Die Haut abziehen und die Tomaten vierteln, entkernen und grob hacken.

3 Suppe erneut mit Salz und Pfeffer abschmecken und die Tomaten hinzugeben. 5 Minuten köcheln lassen und die Petersilie einrühren. Mehl mit dem Sauerrahm verrühren und dann bei mittlerer Hitze in die Suppe einrühren, bis sie eindickt.

4 Suppe mit etwas Salz und ein wenig Zucker (falls nötig) nachwürzen. Der Borschtsch sollte pikant, aber nicht süß schmecken. Borschtsch schmeckt am besten, wenn man ihn einen Tag im voraus zubereitet und kurz vor dem Servieren wieder aufwärmt.

Tip Julienne-Streifen sind sehr feine, gleichmäßig geschnittene, etwa streichholzgroße Gemüsestreifen.

Knoblauchcremesuppe mit Oliven-Crostini

Dieses ungewöhnliche Rezept stammt aus dem Mittelmeerraum und von den dort beliebten Knoblauchsuppen. Die Oliven-Crostini passen auch hervorragend zu anderen Cremesuppen.

Zubereitungszeit: **20 Minuten**
Garzeit: **45 Minuten**
Für 4 Personen

90 g Butter
2 Knoblauchknollen, in einzelne Zehen geteilt
2 Zwiebeln, feingehackt
300 g mehlige Kartoffeln, gewürfelt
500 ml Milch
500 ml Hühnerbrühe (s. S. 684) oder Wasser
Salz und frisch gemahlener schwarzer Pfeffer, nach Geschmack

OLIVEN-CROSTINI
4 Scheiben Baguettebrot
100 g schwarze Oliven, entsteint und feingehackt
50 ml Olivenöl
Salz und Pfeffer, nach Geschmack

1 30 g Butter in einem mittelgroßen Topf auf mittlerer Stufe zerlassen. Knoblauchzehen zugeben und 5–7 Minuten goldbraun braten. Zwiebeln hinzufügen und alles 2–3 Minuten köcheln lassen, dann Kartoffeln und die restlichen 60 g Butter zugeben und weitere 7–10 Minuten kochen, bis die Zwiebeln weich werden. Mehrmals umrühren, da die stärkehaltigen Kartoffeln leicht am Topfboden kleben bleiben. Milch und Brühe oder Wasser zugießen und 15 Minuten köcheln lassen, bis die Kartoffeln sehr weich sind.

2 Suppe portionsweise in der Küchenmaschine oder im Mixer pürieren. In den ausgespülten Topf zurückgeben und nach Geschmack mit Salz und frisch gemahlenem schwarzem Pfeffer würzen. Abdecken und beiseite stellen.

3 Für die Oliven-Crostini die 4 Baguettescheiben im Backofen auf höchster Stufe von beiden Seiten goldbraun rösten. Feingehackte Oliven in eine kleine Schüssel geben und mit dem Öl anfeuchten. Nach Geschmack mit Salz und frisch gemahlenem Pfeffer würzen und auf dem Brot verteilen.

4 Die Suppe auf Portionsschalen verteilen und anschließend sofort heiß servieren. Als Beilage Crostini reichen.

Knoblauch-Zucchini-Suppe

Zwei ganze Knoblauchknollen mögen auf den ersten Blick viel erscheinen, doch urteilen Sie selbst über das sahnig-würzige Ergebnis.

Zubereitungszeit: **30 Minuten**
Garzeit: **1 Stunde 15 Minuten**
Für 4–6 Personen

etwas Olivenöl
1 Zwiebel, feingehackt
2 Knoblauchknollen, geschält
  und in dünne Scheiben geschnitten
2 Kartoffeln, geschält und in dünne Scheiben
  geschnitten
2 l Hühnerbrühe oder Wasser
Salz und Pfeffer, nach Geschmack
2 Zucchini
1 EL frisches Basilikum, feingehackt

1 Ca. 4 EL Olivenöl in einem großen schweren Topf erhitzen, Zwiebel und Knoblauch zufügen und bei mittlerer Hitze 5–10 Minuten goldbraun braten. Kartoffeln zugeben und 2 Minuten unter ständigem Rühren köcheln lassen. Brühe zugeben, mit Salz und Pfeffer nach Geschmack würzen und 30 Minuten köcheln lassen. Kurz abkühlen lassen.

2 Zucchinienden abschneiden. Zucchini längs vierteln und in kurze Stücke schneiden. Beiseite stellen.

3 Suppe im Mixer oder in der Küchenmaschine pürieren. In einem Topf zum Kochen bringen. Falls nötig, die Oberfläche abschöpfen, dann Zucchini zugeben und 20–25 Minuten köcheln lassen, bis die Zucchini weich ist. Kurz vor dem Servieren Basilikum einrühren und nach Geschmack mit Salz und Pfeffer nachwürzen. Mit einigen Basilikumblättern garniert servieren.

Pilzcremesuppe

In diesem Rezept verbinden sich wilde und gezüchtete Pilze
zu einem reichhaltigen Geschmackserlebnis.

Zubereitungszeit: **20 Minuten**
Garzeit: **30 Minuten**
Für 6 Personen

200 g Wildpilze,
   z. B. Pfifferlinge
300 g Champignons
30 g Butter
4 Schalotten, feingehackt
500 ml Hühnerbrühe (s. S. 684)
300 ml Sahne
Salz und Pfeffer, nach Geschmack
5–6 Zweige frischer Kerbel
30 g gekühlte Butter, gewürfelt
60 ml Schlagsahne

1 Wildpilze in ein Sieb geben und etwas Sand und Schmutz abschütteln. Pilze in einer großen Schüssel Wasser gründlich säubern, aber nicht zu lange im Wasser lassen, damit sie nicht aufquellen. Pilze aus dem Wasser nehmen und in dünne Scheiben schneiden. Champignons mit Küchenpapier sauber reiben.
2 Butter in einem mittelgroßen Topf zerlassen. Schalotten zugeben und bei mittlerer Hitze abgedeckt 1–2 Minuten anbraten. Pilze zugeben, abdecken und weitere 2–3 Minuten braten. Hühnerbrühe und Sahne in den Topf geben und mit Salz und Pfeffer abschmecken. 3 oder 4 Kerbelzweige zufügen und 12–15 Minuten köcheln lassen.
3 Suppe in die Küchenmaschine oder den Mixer geben und pürieren. Püree durch ein Sieb in einen sauberen Topf geben, vorsichtig erhitzen und die gekühlte Butter zugeben; dabei den Topf schwenken, bis alles gut vermischt ist. Nach Geschmack mit Salz und frisch gemahlenem schwarzem Pfeffer würzen.
4 Schlagsahne in einer Rührschüssel steif schlagen und mit ein wenig Salz und Pfeffer würzen.
5 Suppe auf Portionsschalen oder Suppenteller verteilen. Schlagsahne mit 2 Teelöffeln zu kleinen Ovalen formen und auf jede Portion ein Oval geben. Mit dem verbleibenden Kerbel garnieren.

Tip Wenn Sie nur getrocknete Wildpilze bekommen können, verwenden Sie die Hälfte der angegebenen Menge und lassen Sie die Pilze über Nacht in kaltem Wasser einweichen. Das Einweichwasser hat einen kräftigen Geschmack und ist ein hervorragender Ersatz für

Kürbissuppe

Die goldbraune Farbe und die feste Konsistenz von Kürbissen machen sie zu einem idealen Suppengemüse.
Hier ergibt das säuerliche Zitronengras einen schmackhaften Kontrast zur süßlichen Kürbisnote.

Zubereitungszeit: **30 Minuten**
Garzeit: **45 Minuten**
Für 6 Personen

750 g bis 1 kg Kürbis
3 große Kartoffeln, gehackt
3 große Tomaten, halbiert und entkernt
1 Zweig Zitronengras, nur der weiße Teil,
 mit der flachen Klinge eines großen
 Messers zerdrückt
1 1/4 l Hühnerbrühe (s. S. 684) Gemüsebrühe
 oder Wasser
Salz und schwarzer Pfeffer, nach Geschmack
1 1/2 EL Langkornreis
kochendes Salzwasser
1 Prise Muskat
etwas Milch, nach Bedarf
15 g Butter, je nach Geschmack
3 EL Crème double
frisch gemahlener schwarzer Pfeffer, zum Garnieren
Kräuter (z. B. Salbei), zum Garnieren

1 Den Kürbisstrunk mit einem kleinen spitzen Messer ausschneiden und herauslösen. Die Kerne mit einem großen Löffel herauskratzen und wegwerfen, dann ent-weder soviel Kürbisfleisch wie möglich aus dem geöff-neten Kürbis herauskratzen oder den Kürbis in Keile schneiden. Das Fleisch dicht an der Schale entlang her-ausschneiden und grob hacken.

2 Kürbis, Kartoffeln, Tomaten und Zitronengras mit der Brühe oder dem Wasser in einen großen Topf geben. Nach Geschmack mit Salz und schwarzem Pfeffer wür-zen. Zum Kochen bringen, dann Hitze herunterschalten und 25–30 Minuten köcheln lassen, bis die Kartoffeln weich sind. Zitronengras herausnehmen und wegwer-fen.

3 Während die Suppe kocht, den Reis in einen Topf mit kochendem gesalzenem Wasser geben und unter Rühren aufkochen lassen. Ca. 12 Minuten weich ko-chen. Reis in einem Sieb abtropfen lassen und unter fließendem Wasser abspülen. Beiseite stellen und ab-tropfen lassen.

4 Suppe in die Küchenmaschine oder in den Mixer geben und zu einer glatten Masse pürieren. Suppe in einen sauberen Topf geben, Muskat hinzufügen und abschmecken. Die Suppe sollte dick, aber immer noch von einem Löffel trinkbar sein. Evtl. mit ein wenig Milch verdünnen. Reis, Butter und Crème double ein-rühren und alles gut erhitzen. In Portionsschalen geben und mit frisch gemahlenem schwarzem Pfeffer und eini-gen Kräutern garniert servieren.

Gemüsecremesuppe

Für dieses Rezept lassen sich, je nach Saison, verschiedene Gemüsesorten verwenden. Hier eine dicke Winterversion.

Zubereitungszeit: **15 Minuten**
Garzeit: **1 Stunde**
Für 6 Personen

100 g Butter
300 g Kartoffeln, gewürfelt
1 Karotte, gewürfelt
1/2 Zwiebel, gewürfelt
2 kleine Porreestangen, nur der weiße Teil, in dünne Ringe geschnitten
1 Selleriestange, in dünne Scheiben geschnitten
1 Bouquet garni (s. S. 685)
1 1/2 l Wasser
200 ml Sahne
Salz und Pfeffer, nach Geschmack
frischer Kerbel oder Petersilie, gehackt, zum Garnieren
Weißbrot, als Beilage

1 Butter in einem Topf zerlassen. Gemüse zugeben und abgedeckt bei mittlerer Hitze weich kochen. Bouquet garni zugeben. Wasser darübergießen, zum Kochen bringen, Hitze herunterschalten und 30 Minuten köcheln lassen. Bouquet garni herausnehmen und wegwerfen.

2 Suppe portionsweise in der Küchenmaschine oder dem Mixer pürieren, dann durch ein Sieb in einen sauberen Topf streichen und auf unterer Stufe 10 Minuten köcheln lassen.

3 Sahne zugeben und nach Geschmack mit Salz und Pfeffer würzen. Mit Kerbel oder Petersilie bestreuen und sehr heiß mit Weißbrot als Beilage servieren.

Kartoffel-Mais-Chowder

*Zwar ist diese herzhafte Suppe kein echter »Chowder«
(Fischsuppe), da sie weder Muscheln noch Fisch
enthält, doch ist sie genauso sämig und gehaltvoll.*

Vorbereitungszeit: **25 Minuten**
Zubereitungszeit: **45 Minuten**
Für 4 Personen

1 EL Öl
100 g Speck, in 5 mm große Würfel geschnitten
**300 g Kartoffeln, geschält und in 5 mm große Würfel
geschnitten**
400 g Maiskörner (frisch, gefroren oder aus der Dose)
1 l Hühnerbrühe oder Wasser
500 ml Sahne
1 EL frische Korianderblätter, gehackt

1   Öl in einem großen Topf erhitzen, dann die Speck-
würfel bei schwacher Temperatur 6–9 Minuten anbräunen.
Kartoffeln und Mais zugeben und 3–5 Minuten braten, bis
die Flüssigkeit von Kartoffeln und Mais verdampft ist.
2   Hühnerbrühe oder Wasser zugießen, aufkochen lassen,
dann die Temperatur herabsetzen und 25 Minuten köcheln
lassen, bis die Kartoffeln so weich sind, daß man mit einer
scharfen Messerspitze die Garprobe machen kann. Sahne
zugeben und weitere 5 Minuten köcheln lassen, dann nach
Geschmack würzen. Kurz vorm Servieren den Koriander
einrühren.

Tip Sie können eine gewürfelte rote Paprika zu den Kartoffeln und zum Mais geben, um der Suppe zusätzlich
Farbe zu verleihen. Eine fein gehackte Knoblauchzehe in
der Brühe gibt zusätzlichen Geschmack.

Suppe à la Parmentier

*Über den Autor und Ökonom Antoine Augustin
Parmentier (18. Jahrhundert) heißt es, er habe die
Franzosen dazu gebracht, Kartoffeln zu essen. Vorher
galten Kartoffeln vielerorts als Nahrung des Teufels.*

Vorbereitungszeit: **15 Minuten**
Zubereitungszeit: **45 Minuten**
Für 4 Personen

2 mittelgroße Kartoffeln
2 kleine Stangen Lauch, nur der weiße Teil
60 g Butter
etwas Salz
etwas frisch gemahlener schwarzer Pfeffer

1   Die Kartoffeln schälen, längs vierteln und dann in dünne Scheiben schneiden. Bis zur Weiterverarbeitung in kaltes Wasser legen. Wurzeln von den Lauchstangen entfernen, diese längs halbieren und in dünne Ringe schneiden.
2   Butter in einem großen Topf zerlassen, den Lauch
zugeben und bei schwacher Temperatur etwa 8 Minuten
anbraten, bis der Lauch weich und die ganze Flüssigkeit
verdampft ist. Die Kartoffeln und 1,25 l Wasser zugeben.
Aufkochen lassen, dann die Temperatur herabsetzen und
30 Minuten köcheln lassen, bis die Kartoffeln so weich
sind, daß man mit einer scharfen Messerspitze hinein-
stechen kann. Fett oder Schaum von der Oberfläche abschöpfen. Mit Salz und Pfeffer abschmecken.

Tip Wenn Sie sie die Suppe noch cremiger möchten,
pürieren Sie sie in einem Mixer oder einer Küchenmaschine. Dann absehen und vor dem Servieren vorsichtig
aufkochen.

Erbsen-Minze-Suppe mit Croûtons

Minze und Erbsen sind ein klassisches kulinarisches Paar, das hier in einer köstlich aromatischen, leichten Suppe vereinigt wird.

*Zubereitungszeit: **25 Minuten***
*Garzeit: **40 Minuten***
*Für **4 Personen***

1 kleiner Kopf grüner Salat, grob zerkleinert
2 Frühlingszwiebeln oder 1 kleine Zwiebel,
   in Ringe geschnitten
450 g junge Tiefkühlerbsen, aufgetaut
1–2 Zweige frische Minze
1¹/₄ l Hühnerbrühe (s. S. 684)
4 Scheiben Weißbrot
Öl
etwas Salz
30 g Butter
30 g Mehl
150 ml Sahne
Salz und Pfeffer, nach Geschmack

1 Salat, Frühlingszwiebeln oder Zwiebel und Erbsen mit der Minze in einen großen Topf geben. Hühnerbrühe darüber gießen und zum Kochen bringen. Hitze herun-

terschalten und 25 Minuten köcheln lassen. Suppe portionsweise in der Küchenmaschine oder im Mixer pürieren und anschließend durch ein feines Sieb streichen.
2 Unterdessen das Weißbrot von der Rinde befreien und in kleine Würfel schneiden. Öl erhitzen und die Brotwürfel unter Rühren leicht bräunen. Herausnehmen und auf Küchenpapier abtropfen lassen. Leicht salzen, während das Brot noch heiß ist.
3 Butter in einem großen Topf bei mittlerer Hitze zerlassen, Mehl einrühren und 1 Minute anbraten. Das Mehl darf nicht braun werden. Vom Herd nehmen, pürierte Suppe zugeben und alles mischen. Wieder auf den Herd stellen und auf unterer bis mittlerer Stufe langsam unter ständigem Rühren zum Kochen bringen. Sahne zugeben und mit Salz und Pfeffer abschmecken. Suppe mit Croûtons bestreuen und in Portionsschalen servieren.

Tip Die Sahne können Sie nach Wunsch auch weglassen, leicht geschlagen unter die Suppe ziehen oder je einen Löffel davon als Garnierung auf jede Portion geben. Alternativ 30 g junge Erbsen zusätzlich kochen und anstatt der Croûtons verwenden.

Spargelcremesuppe

Spargel ist eine der köstlichsten Gemüsesorten, die der Frühling zu bieten hat. In dieser einfachen Suppe, die heiß oder kalt ein Genuß ist, kann sich sein feiner Geschmack voll entfalten.

Zubereitungszeit: **15 Minuten**
Garzeit: **20 Minuten**
Für 4 Personen

800 g grüner oder weißer Spargel
Salzwasser, nach Bedarf
500 ml Hühnerbrühe (s. S. 684)
270 ml Sahne oder Crème double
1 Prise Zucker
etwas Salz und Pfeffer
1 EL Stärke aus Mais oder Kartoffeln
1–2 EL Wasser oder Milch
Salz und frisch gemahlener schwarzer Pfeffer,
nach Geschmack
2 EL frischer Kerbel, gehackt, zum Garnieren

1 Die holzigen unteren Enden des Spargels abschneiden und die harte Schale entfernen und wegwerfen. Spargel waschen und abtropfen lassen. Spargelspitzen (ca. 3 cm) abschneiden und beiseite stellen. Restlichen Spargel in kleine Stücke schneiden. Einen Topf mit gesalzenem Wasser zum Kochen bringen, Spargelspitzen hineingeben und ca. 2 Minuten köcheln lassen. Spargelspitzen abgießen und in eine Schüssel mit Eiswasser legen.

2 Hühnerbrühe und 250 ml Sahne oder Crème double mit dem Zucker, etwas Salz und Pfeffer in einen großen Topf geben und zum Kochen bringen. Spargelstücke zugeben und 10 Minuten köcheln lassen.

3 In der Küchenmaschine oder im Mixer pürieren und durch ein feines Sieb streichen. Mischung in einen sauberen Topf geben und erneut erhitzen. Stärke in einer kleinen Rührschüssel mit Wasser oder Milch verrühren, bis eine glatte Paste entsteht. Ein wenig der heißen Spargelmischung in die Paste einrühren. Paste in den Topf geben und alles unter ständigem Rühren zum Kochen bringen. So erhalten Sie eine klümpchenfreie Suppe, wenn Sie Stärke in heißer Flüssigkeit andicken. Nach Geschmack mit Salz und frisch gemahlenem schwarzem Pfeffer würzen.

4 Suppe in Portionsschalen oder eine große Suppenschüssel geben. Verbleibende Sahne oder Crème double einrühren, einige Spargelspitzen darauf anrichten und mit gehacktem Kerbel bestreut servieren.

Pot-au-feu

Dieser kraftvolle Gemüseeintopf hat eine feine
Hühnerbrühe zur Grundlage.

Vorbereitungszeit: 35 Minuten
Kochzeit: 1 Stunde 20 Minuten
Für 6 Personen

BRÜHE
500 g Hühnerflügel, gehackt, oder Flügelspitzen
3 l Wasser
300 g Karotten, grobgehackt
1 Lauchstange, grobgehackt (s. S. 683)
2 Selleriestangen, grobgehackt
1 Zwiebel, halbiert
2 Gewürznelken, in die Zwiebelhälften gesteckt
1 Lorbeerblatt
3 frische Thymianzweige

300 g Karotten, in 5 mm großen Würfeln
300 g weiße Rüben, in 5 mm großen Würfeln
500 g Kartoffeln, in 5 mm großen Würfeln
kochendes Salzwasser
kaltes Wasser, zum Abschrecken
220 g grüne Bohnen, geputzt
100 g junge Tiefkühlerbsen
Salz, nach Geschmack
weißer Pfeffer, gemahlen, nach Geschmack
2 EL frischer Kerbel, gehackt

1 Die Hühnerflügel oder Flügelspitzen in einem Topf mit dem Wasser bedecken. Karotten, Lauch, Sellerie, Zwiebelhälften mit Nelken, Lorbeerblatt und Thymianzweige zufügen. Langsam zum Kochen bringen, dann bei reduzierter Temperatur 50 Minuten köcheln lassen. Regelmäßig den Schaum von der Oberfläche abschöpfen.

2 Brühe durch ein feines, mit einem sauberen Küchentuch oder einem Kaffeefilter ausgeschlagenes Sieb passieren. Hühnerfleisch, Gemüse, Kräuter und Gewürze wegwerfen.

3 Karotten, Rüben und Kartoffeln 2–3 Minuten in sprudelndem Salzwasser gar, aber nicht weich kochen. In kaltem Wasser abschrecken, damit das Gemüse knackig bleibt.

4 Die Bohnen in je sechs Stücke schneiden und 4 Minuten in sprudelndem Salzwasser kochen. Abgießen, in kaltem Wasser abschrecken, erneut abgießen. Die Erbsen in sprudelndes Salzwasser geben und 1 Minute kochen lassen. Abgießen, in kaltem Wasser abschrecken, dann wieder abgießen.

5 Die Brühe nach Geschmack mit Salz und weißem Pfeffer würzen. Das Gemüse hineingeben und wieder erhitzen. Heiß in der Suppenschale servieren und mit Kerbel bestreuen.

Gemüse-Safran-Consommé

Diese herrlich leichte Kraftbrühe eignet sich mit ihrem geringen Fettgehalt besonders gut zur gesundheitsbewußten Ernährung.

*Zubereitungszeit: **30 Minuten***
*Garzeit: **1 Stunde 5 Minuten***
Für 6 Personen

GEMÜSEBRÜHE

I Zwiebel, grobgehackt
I Karotte, grobgehackt
I Selleriestange, grobgehackt
¹/₂ Fenchelknolle, grobgehackt
I Porreestange, grobgehackt
2 reife Tomaten, geviertelt, entkernt und gehackt
80 g Champignons, gehackt
I¹/₂ I Wasser
2 Knoblauchzehen, halbiert
6 ganze weiße Pfefferkörner
I kleine Prise Muskat, gemahlen
I EL abgeriebene Orangenschale
I Bouquet garni (s. S. 685)
I große Prise Salz

2 große Prisen Safranfäden
I reife Tomate
¹/₂ Porreestange, in Julienne-Streifen geschnitten
¹/₂ kleine Karotte, in Julienne-Streifen geschnitten
¹/₂ Selleriestange, in Julienne-Streifen geschnitten

6 Wachteleier
frischer Schnittlauch und Kerbel, gehackt, zum Garnieren

1 Für die Gemüsebrühe Gemüse und Pilze in einen Topf geben und mit dem Wasser übergießen. Knoblauch, Pfefferkörner, Muskat, Orangenschale, Bouquet garni und Salz einrühren. Zum Kochen bringen und abgedeckt 45 Minuten auf mittlerer Stufe köcheln lassen.
2 Durch ein Drahtsieb streichen und Gemüse und Gewürze wegwerfen. 1 l Brühe abmessen, falls nötig mit Wasser auffüllen und in einen großen, sauberen Topf geben. Safran zugeben und beiseite stellen.
3 Tomate auf der Unterseite kreuzweise einschneiden. 10 Sekunden in kochendes Wasser, dann in Eiswasser legen. Haut abziehen und den Strunk mit einem spitzen Messer herausschneiden. Tomate vierteln, entkernen und fein würfeln.
4 Porree, Karotte und Sellerie in einen Topf mit kochendem Salzwasser geben. 5 Minuten weich kochen und abgießen. Mit den Tomatenwürfeln in die abgemessene Brühe geben, abschmecken und leicht erhitzen.
5 Einen kleinen Topf mit gesalzenem Wasser zum Kochen bringen. Wachteleier vorsichtig hineingeben und 3–4 Minuten darin kochen. Eier pellen und auf Suppenteller verteilen. Heiße Consommé darüber geben. Mit gehacktem Schnittlauch und Kerbel bestreuen.

Bouillabaisse

Die Fischer in Marseille ließen diese duftende Suppe lange auf kleiner Flamme köcheln („bouillir" für „kochen",
„abaisser" für „reduzieren"). Die im Rezept angegebenen Fischsorten können beliebig kombiniert
werden; sollte einmal eine Sorte nicht erhältlich sein, wird einfach die Menge einer anderen erhöht.

Zubereitungszeit: 1 Std.
Garzeit: 1 Std. 10 Min.
Für 4–6 Personen

1 Peterfisch, filetiert (Gräten aufbewahren, (s. S. 689)
2 Seezungen, filetiert (Gräten aufbewahren, (s. S. 689)
500 g Seeteufel oder Leng, filetiert (Gräten
　aufbewahren, (s. S. 688)
1 Meerbrasse, filetiert (Gräten aufbewahren, (s. S. 688)
500 g Meeraal, in Stücke geschnitten
Salz und schwarzer Pfeffer, nach Geschmack
100 ml Olivenöl
2 Knoblauchzehen, feingehackt
1 Prise Safranfäden
1 Karotte, Fenchelknolle und Porreestange (nur weißer
　Teil), in Julienne-Streifen geschnitten
24 dünne Baguettescheiben, für Croûtes
3 Knoblauchzehen, halbiert, für Croûtes
frisches Basilikum, gehackt, zum Garnieren

SUPPE
1 kleine Porreestange, Zwiebel und Fenchelknolle, in
　dünne Scheiben geschnitten
1 Selleriestange, in dünne Scheiben geschnitten
2 Knoblauchzehen
2 EL Tomatenmark
500 ml Weißwein
1 l Wasser
1 Prise Safranfäden
2 frische Thymianzweige
1 Lorbeerblatt
4 frische Petersilienzweige

ROUILLE-SAUCE
1 Eigelb

1 EL Tomatenmark
3 Knoblauchzehen, zerdrückt
1 Prise Safranfäden
Salz und schwarzer Pfeffer, nach Geschmack
250 ml Olivenöl
1 Folienkartoffel (ca. 200 g), gebacken

1　Fischfilets und Aal mit Salz und Pfeffer würzen und mit der Hälfte des Olivenöls, Knoblauch, Safran, Karotte, Fenchel und Porree mischen. Abgedeckt kalt stellen.

2　Suppe: Restliches Öl in einem Suppentopf erhitzen, bei starker Hitze die aufbewahrten Gräten zugeben und 3 Minuten dünsten. Porree, Zwiebel, Fenchel, Sellerie und Knoblauch einrühren und 2 Minuten mitdünsten. Tomatenmark einrühren und weitere 2 Minuten dünsten. Wein zugießen und 5 Minuten köcheln lassen. Wasser, Safran und Kräuter zugeben und weitere 20 Minuten köcheln lassen. Durch ein Sieb passieren. Feste Teile im Sieb wegwerfen. Brühe in einem Topf 15 Minuten köcheln, dabei leicht andicken. Schaum abschöpfen.

3　Rouille-Sauce: Eigelb in einer Schüssel mit Tomatenmark, Knoblauch, Safran, Salz und Pfeffer verquirlen. Öl unter ständigem Rühren langsam zugießen. Kartoffel durch ein Sieb streichen und in die Sauce einrühren.

4　Baguettescheiben unter dem vorgeheizten Grill leicht rösten, abkühlen lassen und für Knoblauch-Croûtes auf beiden Seiten mit den Schnittseiten der halbierten Knoblauchzehen einreiben. Beiseite stellen.

5　Fischfilets in je 6 Stücke schneiden und mit Aal und Gemüsestreifen in einen großen Topf geben. Mit der heißen Suppe übergießen und 7 Minuten köcheln lassen. Fisch und Gemüse herausnehmen und in eine Ton- oder Metallschale geben. 3 EL Rouille-Sauce in die Suppe einrühren, um diese anzudicken. Suppe über den Fisch gießen, mit Basilikum bestreuen und mit Knoblauch-Croûtes und der restlichen Sauce servieren.

Fischsuppe

Die französische Küche verfügt über viele klassische Fischsuppen, in denen frischer Fisch mit Kräutern und Wein köstlich zur Geltung kommt. Hier eine leichte Suppe mit überraschend kräftigem Geschmack.

Zubereitungszeit: **30 Minuten**
Garzeit: **1 Stunde**
Für 6 Personen

1 St.-Peters-Fisch (ca. 400 g), filetiert
4 Rotbarben (ca. 600 g), filetiert
2 rote Knurrhähne oder Bachforellen (ca. 400 g), filetiert
500 g Meeraal oder Langschwanz, filetiert (s. TIP)
50 ml Olivenöl
1 kleine Karotte, feingehackt
1/2 kleine Zwiebel, feingehackt
1/2 Porreestange, in ca. 2 cm große Würfel geschnitten
3 Knoblauchzehen, gehackt
2 Thymianzweige
1 Lorbeerblatt
1 EL Tomatenmark
2 l Wasser
80 g frische Petersilie, gehackt
4 Tomaten, geviertelt und entkernt
200 ml Weißwein
3 EL Cognac
200 ml Sahne
3 große Prisen Cayennepfeffer
2 große Prisen Safranfäden
Salz und schwarzer Pfeffer, nach Geschmack

1 Fischfilets und Meeraal unter laufendem Wasser gründlich waschen. Mit Küchenpapier trockentupfen und in 3–5 cm große Würfel schneiden. Bis zur Verwendung abgedeckt im Kühlschrank aufbewahren.

2 Olivenöl in einem Topf erhitzen, Karotte, Zwiebel, Porree und Knoblauch zugeben und bei geringer Hitze 5 Minuten braten. Thymianzweige, Lorbeerblatt und Tomatenmark hinzufügen. 5 Minuten gut verrühren. Fischstücke einrühren und weitere 5 Minuten kochen lassen. Wasser, gehackte Petersilie und Tomaten zugeben und ca. 30 Minuten köcheln lassen. Weißwein und Cognac zugießen und auf mittlerer Stufe 2 Minuten rühren.

3 Mischung durch ein feines Sieb streichen, dabei festen Druck ausüben, damit kein Aroma verloren geht. Reste der Fischstücke, Gemüse und Kräuter wegwerfen. Flüssigkeit in einen Topf gießen und vorsichtig auf mittlerer Stufe erhitzen. Sahne, Cayennepfeffer und Safranfäden zugeben und nach Geschmack mit Salz und schwarzem Pfeffer würzen. Ca. 5 Minuten köcheln lassen. Suppe mit schwarzem Pfeffer bestreut servieren.

Tip Sollte eine der Fischsorten nicht erhältlich sein, verwenden Sie statt dessen die entsprechend größere Menge einer der angegebenen anderen Sorten.

Räucherlachssuppe mit Limonensahne

Wenn Sie einmal zu einem besonderen Anlaß einen ganzen Räucherlachs mit Haut und Gräten kaufen, werfen Sie die Reste nicht weg, sondern verwenden Sie sie für diese Feinschmeckersuppe.

Zubereitungszeit: **30 Minuten**
Garzeit: **1 Stunde**
Für 8 Personen

30 g Butter
I Zwiebel, feingehackt
3 Schalotten, feingehackt
¹/₂ Fenchelknolle, feingehackt
I Selleriestange, feingehackt
I Porreestange, feingehackt
I Karotte, feingehackt
750 g Räucherlachsreste
375 ml Weißwein
I Bouquet garni (s. S. 685)
10 ganze weiße Pfefferkörner
I Sternanis
I EL gemischte frische Kräuter (z. B. Petersilie, Kerbel)
Salz und schwarzer Pfeffer, nach Geschmack
1,8 l Fischbrühe (s. S. 684) oder Wasser
150 ml Crème double
frischer Schnittlauch, gehackt, zum Garnieren
50 g Räucherlachs, zum Garnieren

LIMONENSAHNE
150 ml Schlagsahne

abgeriebene Schale von I Limone

1 Butter in einem großen Topf bei mittlerer Hitze zerlassen und Zwiebel, Schalotten, Fenchel, Sellerie, Porree und Karotte zugeben. Unter ständigem Rühren 10 Minuten kochen lassen. Die Hälfte des Gemüses aus dem Topf nehmen und beiseite stellen.

2 Räucherlachsreste in den Topf geben und 2 Minuten erhitzen. Wein, Bouquet garni, Pfefferkörner, Sternanis und gemischte Kräuter zugeben und mit Salz und schwarzem Pfeffer würzen. Zum Kochen bringen, Flüssigkeit um die Hälfte einkochen lassen und Fischbrühe zugeben. Herunterschalten, 25 Minuten köcheln lassen. Oberfläche mehrmals abschöpfen. Durch ein Sieb gießen. Räucherlachsreste, Gemüse und Gewürze wegwerfen.

3 Suppe in einen Topf geben, beiseite gestelltes Gemüse zufügen und 10 Minuten bei mittlerer Hitze kochen lassen. Abgießen, Gemüse wegwerfen, Suppe in den Topf geben und Crème double einrühren. Nach Geschmack salzen und pfeffern, beiseite stellen und warm halten.

4 Für die Limonensahne die Schlagsahne in einer kleinen Rührschüssel zu einer weichen, lockeren Masse schlagen und geriebene Limonenschale unterziehen.

5 Suppe heiß oder kalt mit gehacktem Schnittlauch bestreut servieren. 1 EL Limonensahne auf jede Portion geben und mit einem Räucherlachsröllchen garnieren.

Fischminestrone mit Pesto

Die klassische italienische Suppe wird hier mit Jakobsmuscheln, Garnelen und Sahne variiert. Der Pesto wird zum Schluß untergerührt, und sollte etwas übrigbleiben, läßt sich damit schnell eine Pastasauce zaubern.

Zubereitungszeit: 1 Std. 15 Min.
Garzeit: 15 Min.
Für 4 Personen

4 frische Jakobsmuscheln
12 Garnelen, mit Schale
1 l Fischbrühe
2½ EL Olivenöl
1 kleine Zwiebel, in dünne Ringe geschnitten
1 kleine Karotte, gewürfelt
½ Steckrübe, gewürfelt
1 kleiner Kohlrabi, gewürfelt
1 Kartoffel, gewürfelt
¼ Sellerieknolle, gewürfelt
50 g kleine Suppennudeln
25 g grüne Bohnen, in 5 mm lange
**   Stücke geschnitten**
1 Zucchini, gewürfelt
3 EL Sahne
50 g kleine weiße Bohnen,
**   gekocht oder aus der Dose**
Salz und schwarzer Pfeffer,
**   nach Geschmack**
einige frische Kerbelzweige, zum Garnieren

PESTO
50 g Knoblauch
50 g Pinienkerne, geröstet
25 g Parmesan, gerieben
30 g frische Basilikumblätter
50 g frische Petersilie
200 ml Olivenöl

1 Jakobsmuscheln vorbereiten *(siehe S. 688)*. Muscheln flach auf ein Arbeitsbrett legen und jeweils in drei Scheiben schneiden, dabei den orangefarbenen Rogen ganz lassen. Garnelen schälen und den Darm entfernen *(siehe S. 686)*. Abdecken und bis zum Gebrauch kalt stellen.

2 Pesto: Alle Zutaten im Mixer oder in der Küchenmaschine zu einer dicken, cremigen Masse verarbeiten. In ein sauberes Schraubglas füllen und die Oberfläche mit einer Schicht Öl vor dem Oxidieren schützen.

3 Brühe in einem kleinen Topf zum Kochen bringen. Öl in einem großen Topf erhitzen, Zwiebel, Karotte und Steckrübe hineingeben und bei schwacher Hitze 2 Minuten glasig dünsten. Kohlrabi, Kartoffel und kochende Brühe zugeben, leicht mit Salz würzen und aufkochen. Sellerieknolle und Nudeln zugeben und 5 Minuten köcheln lassen, bis das Gemüse weich ist. Grüne Bohnen und Zucchini zugeben und weitere 2 Minuten kochen.

4 Vom Herd nehmen und Sahne und weiße Bohnen einrühren. 3 EL Pesto, Muscheln und Garnelen zugeben vorsichtig umrühren, damit der Pesto gut verteilt wird. Mit Salz und schwarzem Pfeffer würzen und erneut kurz aufkochen lassen (nicht weiterkochen, da die Muscheln und Garnelen sonst übergaren und zäh werden). Zum Servieren mit Kerbelzweigen garnieren.

Tip Der restliche Pesto hält sich im Kühlschrank bis zu 1 Woche frisch. Er kann auch in einem luftdichten Behälter tiefgekühlt werden. Er eignet sich für Nudelgerichte, als Salatdressing oder als Haube für gekochte Miesmuscheln in der halben Schale, die dann kurz gegrillt werden.

Hummersuppe

Man vermutet, daß sämige Cremesuppen ihre Heimat in Spanien haben, wo man sie in der
Provinz Biscaya anfangs wohl mit Tauben- oder Wachtelfleisch zubereitete, bevor im 17. Jahrhundert
Krustentiere zur Hauptzutat wurden.

*Zubereitungszeit: **30 Min.***
*Garzeit: **30 Min.***
Für 4 Personen

1 großer oder 2 kleine lebende Hummer
   (Gesamtgewicht ca. 700–800 g)
2 EL Olivenöl
½ Karotte, gewürfelt
½ Zwiebel, gewürfelt
½ kleine Selleriestange, gewürfelt
2½ EL Weinbrand
150 ml trockener Weißwein
4 große Tomaten, abgezogen, ohne Kerne
   und geviertelt oder 50 g passierte Tomaten
1 Bouquet garni (s. Tip)
1,5 l Fischbrühe
75 g Reismehl
Salz und schwarzer Pfeffer, nach Geschmack
2 Eigelb
1 EL Crème double
1 TL feingehackter frischer Estragon

1 Lebende Hummer nach der empfohlenen Methode *(siehe S. 687)* für die Weiterverarbeitung vorbereiten. Auf Wunsch erledigt dies der Fischhändler.

2 Hummer für die Suppe vorbereiten *(siehe S. 687)*. Öl in einem großen Topf erhitzen, Hummerteile in der Schale zugeben und 2 Minuten bei starker Hitze rühren. Karotte, Zwiebel und Sellerie zugeben und bei mittlerer Hitze 2 Minuten dünsten. Weinbrand zugeben und mit ausgestrecktem Arm sofort entzünden. Flamme abbrennen lassen oder durch Auflegen des Deckels ersticken. Wein zugießen und unter Rühren kochen, bis der Satz sich vom Topfboden löst. Tomaten bzw. passierte Tomaten, Bouquet garni und Brühe zugeben und aufkochen lassen.

3 Hummerteile mit einem Schaumlöffel aus der Brühe heben und mit einem Messer grob in kleine Stücke teilen. Diese zusammen mit dem Reismehl wieder in den Topf geben. Verrühren, aufkochen und 10 Minuten köcheln lassen.

4 Suppe durch ein feines Sieb passieren, dabei die festen Teile mit einem Löffelrücken zusammendrücken, damit alle Flüssigkeit ausgepreßt wird. Den Inhalt des Siebs wegwerfen. Die Suppe in einen sauberen Topf umfüllen und mit Salz und schwarzem Pfeffer würzen. Sie sollte so dickflüssig sein, daß sie an einem Löffelrücken haftet. Wenn nicht, erneut aufkochen und einkochen lassen.

5 Eigelbe und Crème double in einer Schüssel verquirlen, ca. 125 ml der heißen Suppe einrühren und die Mischung zurück in die Suppe geben. 5 Minuten unter ständigem Rühren erhitzen, aber nicht mehr kochen. Mit Estragon bestreuen und in vorgewärmten Schalen oder einer Suppenterrine servieren.

Tip Für das Bouquet garni ein Lorbeerblatt, einen Thymianzweig, einige Sellerieblätter und Petersilienzweige in das Grün einer Porreestange einwickeln und mit Garn zusammenbinden. An einem langen Faden in den Topf hängen.

Scharfe Garnelensuppe nach thailändischer Art

Diese berühmte Suppe wird als pikanter Ausgleich zum süßen Kokosgeschmack thailändischer Currys gereicht. Wenn Sie die Suppe etwas milder wünschen, verwenden Sie weniger Chilischoten.

*Zubereitungszeit: **30 Minuten***
*Garzeit: **20 Minuten***
Für 4 Personen

500 g große rohe Garnelen mit Schale
2 EL Öl
2–3 Zweige Zitronengras, nur der weiße Teil, in 2 cm
große Stücke geschnitten und zerdrückt
1 EL frischer Ingwer, gehackt oder gerieben
1 1/2 l Wasser
3 Knoblauchzehen
2 EL Korianderzweige, grobgehackt
4 schwarze Pfefferkörner
2 kleine rote Chilischoten
2 kleine grüne Chilischoten
4 Limonenblätter, zerkleinert
2 Frühlingszwiebeln, in Ringe geschnitten
1 1/2 EL Fischsauce (in Asia-Märkten erhältlich)
1 1/2 EL Limonensaft
frische Korianderblätter, zum Garnieren

1 Garnelen schälen und den Darm entfernen, Schwänze aber intakt lassen und Köpfe und Schalen aufbewahren. Garnelen abdecken und kalt stellen. Köpfe und Schalen spülen und gut trockentupfen.

2 Öl in einer großen, flachen Pfanne oder im Wok erhitzen. Garnelenschalen und -köpfe, Zitronengras und Ingwer zugeben und auf höchster Stufe 3–4 Minuten unter ständigem Rühren braten. Das Wasser zugießen und zum Kochen bringen. Dabei die Oberfläche mehrmals abschöpfen. Hitze herunterschalten, Pfanne abdecken und die Suppe ca. 10 Minuten köcheln lassen. Durch ein feines Sieb gießen und die Garnelenschalen und -köpfe sowie die Gewürze wegwerfen. Flüssigkeit in einen Topf geben und beiseite stellen.

3 Knoblauch, Korianderzweige und Pfefferkörner mit Mörser und Stößel oder in einer kleinen Schüssel mit einem Nudelholzgriff zu einer glatten Paste verarbeiten.

4 Chilischoten längs aufschneiden, Kerne entfernen und die Schoten in dünne Scheiben schneiden. Evtl. Gummihandschuhe tragen, denn die Chilischoten sind sehr scharf und können die Haut, besonders im Gesicht, verletzen.

5 Brühe wieder zum Kochen bringen. Knoblauch, Koriander und Pfefferkörner mit den Limonenblättern, den Frühlingszwiebeln und den Garnelen in die Brühe geben. 3–4 Minuten köcheln lassen, bis die Garnelen sich rötlich zu verfärben beginnen. Vom Herd nehmen und Chilischoten, Fischsauce und Limonensaft zugeben. Abschmecken. Falls nötig, ein wenig Limonensaft oder Fischsauce zugeben. Mit Korianderblättern gar-

Singapur-Laksa

Traditionell wird diese wunderbar würzige und sahnige Suppe mit frischen Laksa-Nudeln zubereitet. Wenn Sie keine bekommen können, sind dünne chinesische Nudeln ein guter Ersatz.

*Zubereitungszeit: **25 Minuten***
*Garzeit: **35 Minuten***
Für 4 Personen

18 mittelgroße gekochte Garnelen mit Schale

4 asiatische Schalotten, gehackt

3 Knoblauchzehen, gehackt

5 getrocknete Chilischoten, gehackt

2 Zweige Zitronengras, nur der weiße Teil, zerkleinert

3 TL Kurkuma, gemahlen

1 EL Shrimps-Paste

1/2 TL Koriander, gemahlen

1 l Kokosmilch

2 EL Öl

300 ml Wasser

2 EL Zucker

1 TL Salz

500 g Hühnerbrustfilet, ohne Haut

250 ml Hühnerbrühe (s. S. 684)

250 g getrocknete chinesische Eiernudeln

frische Minzeblätter, ganz oder zerkleinert, zum Garnieren

1 Frühlingszwiebel, in Ringe geschnitten, zum Garnieren

1 rote Chilischote, geputzt und in dünne Scheiben geschnitten, zum Garnieren

1 Garnelen schälen und den Darm entfernen. Bis zur Verwendung abgedeckt im Kühlschrank aufbewahren.

2 Schalotten und Knoblauch in der Küchenmaschine oder im Mixer zu einer glatten Masse verarbeiten. Getrocknete Chilischoten, Zitronengras, Kurkuma, Shrimps-Paste, Koriander und 60 ml Kokosmilch zugeben. Alle Zutaten zu einer glatten Paste verarbeiten.

3 Öl in einem mittelgroßen Topf erhitzen, die zubereitete Paste zugeben und 1 Minute unter ständigem Rühren anbraten. Wasser, die restliche Kokosmilch, Zucker und Salz zufügen und Mischung unter Rühren aufkochen lassen. Hitze herunterschalten und 10 Minuten leicht köcheln lassen.

4 Hühnerbrust in einem kleinen Topf mit so viel Hühnerbrühe übergießen, daß das Hühnerfleisch bedeckt ist. Abgedeckt 8 Minuten köcheln lassen, bis das Fleisch weich ist, dann in Würfel schneiden.

5 Unterdessen gesalzenes Wasser in einem großen Topf zum Kochen bringen. Nudeln leicht mit den Fingern zerdrücken, in den Topf geben und 7 Minuten darin *al dente* kochen. Abgießen und unter warmem Wasser abspülen.

6 Nudeln, Garnelen und Hühnerfleisch auf 4 Portionsschalen verteilen und die heiße Suppe darüber geben. Minzeblätter, Frühlingszwiebelringe und rote Chilischeiben darauf anrichten und sofort servieren.

Meeresfrüchte-Zitronen-Suppe

Der Hauch Zitrone in diesem Rezept ergänzt den kräftigen Geschmack der Meeresfrüchte auf angenehm erfrischende Weise. Ein elegantes Gericht für gehobene Ansprüche.

Zubereitungszeit: 25 Minuten
Garzeit: 20 Minuten
Für 6–8 Personen

400 g Herzmuscheln
500 g kleine Miesmuscheln
400 g Venusmuscheln
100 ml trockener Weißwein
3 Schalotten, feingehackt
6 Kammuscheln (vom Fischhändler öffnen lassen, die
   Muscheln aus der Schale nehmen und putzen)
2 kleine Kalmare (vom Fischhändler häuten lassen und
   vor Gebrauch gründlich putzen)
etwas Öl, zum Braten
300 ml Fischbrühe
100 ml Sahne (s. S. 684)
20 g gekühlte Butter, gewürfelt
1 kleine Karotte, in Julienne-Streifen geschnitten (s. TIP)
1 Selleriestange, in Julienne-Streifen geschnitten
¹/₂ Porreestange, in Julienne-Streifen geschnitten
100 g kleine gekochte Garnelen, ohne Schalen
abgeriebene Schale von einer unbehandelten Zitrone
frischer Kerbel oder Petersilie, gehackt, zum Garnieren

1 Herz-, Mies- und Venusmuscheln gründlich waschen.

Muscheln mit Weißwein und Schalotten in einen großen Topf geben, Mischung vorsichtig zum Kochen bringen und 2–3 Minuten kochen lassen, bis die Schalen sich öffnen. Muscheln aus dem Topf nehmen, Schalen entfernen und beiseite stellen.

2 Kammuscheln ins kochende Wasser geben und 1–3 Minuten pochieren. Aus dem Topf nehmen und in kleine Würfel schneiden. Kalmare ebenfalls fein würfeln und in einer Pfanne mit ein wenig Öl braten. Auf Küchenpapier abtropfen lassen und beiseite stellen.

3 Muschelkochwasser in einen sauberen Topf geben, Fischbrühe und Sahne zufügen. Auf höchster Stufe 3–5 Minuten kochen lassen, bis die Flüssigkeit zu einer hellen Sauce wird. Durch ein Sieb streichen und Butter zugeben. Pfanne schwenken, bis das Fett sich aufgelöst hat.

4 Karotte, Sellerie und Porree 3–4 Minuten in gesalzenem Wasser kochen. Abgießen, mit kaltem Wasser auffüllen und erneut abgießen. Dann alles Gemüse und alle Meeresfrüchte, auch die Garnelen, zur Sauce geben und gut erhitzen. Einen Teil der geriebenen Zitronenschale einrühren, abschmecken und je nach Bedarf mehr Zitronenschale zufügen.

5 Suppe mit Kerbel oder Petersilie bestreut servieren.

Tip Julienne-Streifen sind sehr feine, gleichmäßig geschnittene, etwa streichholzgroße Gemüsestreifen.

Miesmuschel-Suppe

Ein köstliche Muschelsuppe mit einem Hauch Safran, zubereitet mit Weißwein und Fischbrühe.

*Zubereitungszeit: **35 Minuten + 10 Minuten** Einweichzeit*

*Garzeit: **30 Minuten***

Für 4 Personen

1 1/4 kg Miesmuscheln

50 g Butter

1 Selleriestange, feingehackt

4 Schalotten, in dünne Scheiben geschnitten

30 g frische Petersilie, gehackt

300 ml trockener Weißwein

300 ml Fischbrühe (s. S. 684)

350 ml Sahne

2 große Prisen Safranfäden

schwarzer Pfeffer, nach Geschmack

20 g Mehl

40 g gekühlte Butter, gewürfelt

2 Eigelb

frische Kerbelblätter, zum Garnieren

1 Muscheln gründlich säubern. Sämtliche Schmutzreste und den seitlichen Bart mit einem Messer entfernen. Alle Muscheln wegwerfen, die sich nicht schließen, wenn man sie leicht auf die Arbeitsfläche klopft.

2 30 g Butter in einem großen Topf zerlassen und Sellerie und Schalotten darin anbraten, bis sie weich, aber noch nicht gebräunt sind. Muscheln, Petersilie und Wein zugeben. Abdecken und 4 Minuten köcheln lassen, bis die Muscheln sich geöffnet haben. Muscheln aus dem Topf nehmen und die Kochflüssigkeit aufbewahren. Noch geschlossene Muscheln wegwerfen und die restlichen aus ihren Schalen herausnehmen.

3 Aufbewahrte Kochflüssigkeit durch ein Sieb schütten und köcheln lassen, bis sich die Menge um die Hälfte reduziert hat. Fischbrühe und 300 ml Sahne zugeben und köcheln lassen. Safran und schwarzen Pfeffer nach Geschmack zufügen. Restliche Butter und Mehl in einer Schüssel vermengen und in die Suppe einrühren. Etwas köcheln lassen und anschließend die gekühlte Butter zugeben. Pfanne schwenken, bis alles gut vermischt ist.

4 Eigelbe und den Rest Sahne in einer Schüssel vermengen, ein wenig heiße Suppe zufügen und alles in den Topf geben. Suppe nicht kochen lassen, sondern nur aufwärmen, sonst gerinnt das Eigelb.

5 Muscheln in die Suppe geben und weiter köcheln lassen, bis sie gut erhitzt sind. Mit frischen Kerbelblättern garniert servieren.

Tip Die Muscheln müssen lebendig sein, wenn sie gekocht werden. Sie werden rasch schlecht und dürfen nicht mehr verwendet werden, wenn sie sich vor dem Kochen beim Aufklopfen auf eine Fläche nicht automatisch schließen.

Gazpacho

Dieses berühmte spanische Gericht wird traditionell in einer großen Tonschüssel eiskalt serviert.

*Zubereitungszeit: **35 Minuten + 2 Stunden Kühlzeit***

*Garzeit: **keine***

Für 6–8 Personen

75 g frisches Weißbrot, ohne Rinde

30 ml Rotweinessig

2 Knoblauchzehen

1³/4 Salatgurken, ungeschält und grobgehackt

1 Zwiebel, gehackt

¹/2 grüne Paprika, grobgehackt

1³/4 kg Tomaten, geviertelt und entkernt

1 TL Salz

125 ml Olivenöl

Salz und frisch gemahlener schwarzer Pfeffer, nach Geschmack

GARNIERUNG

¹/4 Salatgurke, ungeschält

¹/2 grüne Paprika

4 Scheiben Weißbrot, ohne Rinde, geröstet

1 Brot in der Küchenmaschine oder im Mixer zu feinen Semmelbröseln verarbeiten und Essig, Knoblauch, Gurke, Zwiebel, Paprika, Tomate sowie Salz hinzufügen. Alles pürieren und durch ein Sieb streichen.

2 Masse wieder in die Küchenmaschine oder in den Mixer geben und das Olivenöl langsam zugießen. Oder die Masse in eine große Schüssel geben und das Öl kräftig einrühren.

3 Mit Salz und frisch gemahlenem schwarzem Pfeffer abschmecken. Evtl. ist auch ein wenig mehr Essig nötig. Die Konsistenz sollte eher dünn sein, evtl. also mit ein wenig Wasser verdünnen. Mit Klarsichtfolie abdecken und mindestens 2 Stunden in den Kühlschrank stellen.

4 Für die Garnierung die restliche Gurke längs halbieren und die Kerne mit einem Teelöffel entfernen. Gurke, Paprika und Brot in kleine Würfel schneiden.

5 Suppe in gut gekühlte Portionsschalen oder Suppenteller geben und die Gurken-, Paprika- und Brotwürfel getrennt dazu reichen. Jeder garniert sich damit seine Suppe selbst.

Tip Sie können die Suppe auch mit 2 oder 3 Eiswürfeln servieren oder für eine kräftigere Farbe eine rote Paprika zusätzlich zur grünen verwenden.

Die Suppe kann bis zu 1 Tag im voraus zubereitet werden, sollte aber gut abgedeckt aufbewahrt werden, da sie einen kräftigen Geruch hat, der sich auf andere Nahrungsmittel im Kühlschrank übertragen kann.

Sommersuppe mit Garnelen und Gurken

Eine ungewöhnliche, sehr erfrischende, kalt servierte Suppe, die aus dem Mittleren Osten stammt.

Zubereitungszeit: 20 Minuten
  + 30 Minuten Ruhezeit
  + 2–3 Stunden Kühlzeit
Garzeit: 10 Minuten
Für 6–8 Personen

250 g Salatgurke
etwas Salz
1 Ei, je nach Geschmack
375 ml Hühnerbrühe (s. S. 684)
150 ml Tomatensaft
900 g Naturjoghurt
125 ml Sahne
60 g frische oder Tiefkühlgarnelen, gekocht,
  geschält, grobgehackt
Salz und frisch gemahlener schwarzer Pfeffer,
  nach Geschmack
12 mittelgroße gekochte Garnelen, mit Schale
1 Knoblauchzehe, zerdrückt
1 TL frische Minze, gehackt
1 TL frischer Schnittlauch, gehackt
frisches Fladenbrot, als Beilage

1 Salatgurke schälen und in ca. 1 cm große Würfel schneiden. Leicht salzen und ca. 30 Minuten stehen lassen. Unter kaltem Wasser abspülen und abtropfen lassen.

2 Einen kleinen Topf mit gesalzenem Wasser zum Kochen bringen, das Ei hineingeben und 7 Minuten darin kochen. Ei herausnehmen und in eine Schüssel mit Eiswasser legen. Die Schale leicht aufklopfen. Im Wasser liegen lassen, bis das Ei sich pellen läßt und das gepellte Ei in das kalte Wasser zurück legen. Wenn es vollständig abgekühlt ist, grob hacken.

3 Hühnerbrühe, Tomatensaft und Joghurt in einer großen Rührschüssel vermengen. Rühren, bis eine glatte Masse entstanden ist, Gurke, Sahne und gehackte Garnelen zugeben. Nach Geschmack mit Salz und frisch gemahlenem schwarzem Pfeffer würzen. Abdecken und mindestens 2–3 Stunden in den Kühlschrank stellen.

4 Unterdessen ganze Garnelen schälen, Köpfe und Schwänze intakt lassen und den Darm entfernen. Abgedeckt in den Kühlschrank stellen.

5 Suppenportionsschalen mit Knoblauch einreiben. Suppe hineingeben und mit Eiwürfeln und gehackter Minze und Schnittlauch bestreuen. 2 Garnelen über den Rand jeder Portionsschale hängen und sofort mit frischem Fladenbrot servieren.

Tip Damit ein hart gekochtes Ei nicht zu hart wird, muß es sofort nach dem Kochen in Eiswasser gelegt werden. Die rasche Abkühlung verhindert auch, daß sich ein unansehnlich grünlicher Ring um das Eigelb herum bildet.

Gumbosuppe mit Fisch und Meeresfrüchten

Eine dickflüssige, pikante Suppe aus dem Süden Amerikas, die ihre Wurzeln in der kreolischen Küche hat. Der Begriff „Gumbo" stand ursprünglich für die Okraschote, jenes Gemüse, mit dem das Gericht angedickt wird.

Zubereitungszeit: 45 Min.
Garzeit: 35 Min.
Für 4 Personen

12 Garnelen mit Schale
50 g Langkornreis
2½ EL Pflanzenöl
2 große Zwiebeln, gehackt
1 Selleriestange, feingehackt
2 Knoblauchzehen, zerdrückt
1 rote Paprikaschote, gewürfelt
1 grüne Paprikaschote, gewürfelt
3 EL Tomatenmark
1 l Fischbrühe
2 TL gehackter frischer Oregano
1 gekochter Krebs, mit Schale, gesäubert und geviertelt
   oder 4 gekochte Krebsscheren mit Schale
250 g Okraschote, in 1 cm dicke Scheiben geschnitten
Salz und schwarzer Pfeffer, nach Geschmack
150 g Schnapper- oder Meerbarbenfilet, ohne Haut
   und in 4 cm große Stücke geschnitten
1 TL Tabasco
1 TL Worcestersauce
2 Frühlingszwiebeln, feingehackt

1 Garnelen schälen und den Darm entfernen, dabei die Schwänze ganz lassen *(siehe S. 686).* Reis in kochendem Wasser 10 Minuten garen, abtropfen und abkühlen lassen.

2 Öl in einer großen Pfanne erhitzen. Zwiebel, Sellerie, Knoblauch und Paprika hineingeben und bei mittlerer Hitze unter Rühren 5 Minuten weich dünsten, ohne daß das Gemüse Farbe annimmt. Tomatenmark einrühren und 1 Minute mitdünsten. Brühe, Oregano und Krebsteile zugeben und 5 Minuten köcheln lassen. Vorsichtig die Okrascheiben unterrühren, leicht mit Salz und Pfeffer würzen und abgedeckt 15–20 Minuten weich kochen.

3 Vom Herd nehmen, Krebsteile aus der Suppe heben und mit dem Boden eines kleinen, schweren Topfs aufbrechen. Fleisch möglichst als ganze Stücke auslösen. Schalen wegwerfen und das Fleisch abgedeckt warm stellen.

4 Öl oder Schaum von der Gumbosuppe abschöpfen und diese wieder auf den Herd stellen. Fisch und Garnelen zugeben und 2 Minuten ziehen lassen. Tabasco und Worcestersauce zugeben, Reis einrühren und die Suppe erneut zum Sieden bringen. Probieren und gegebenenfalls mit Salz, Pfeffer, Tabasco oder Worcestersauce nachwürzen (die Suppe sollte ein kräftiges Chiliaroma haben). Zum Servieren in Suppenteller geben und mit Frühlingszwiebeln garnieren. Dazu Brot reichen.

SALATE

Warmer Pilzsalat mit Hühnchen

Gebratene Hühnerbrustfilets und Pilze auf frischem Grün – das ist mehr als nur ein Salat.

Vorbereitungszeit: **20 Minuten**
Kochzeit: **15 Minuten**
Für 4 Personen

2 Hühnerbrustfilets, ohne Haut
Salz und Pfeffer, nach Geschmack
Öl, zum Braten
40 g Butter
200 g gemischte Wildpilze, geputzt
1 Schalotte, feingehackt
Gewürze (z.B. Basilikum, Estragon, Kerbel), nach
  Geschmack
240 g gemischte Salatblätter
2 TL Dijonsenf
2 TL Rotweinessig
100 ml Olivenöl
frische Kerbelzweige, zum Garnieren

1 Die Hühnerbrustfilets mit Salz und Pfeffer würzen, ein wenig Öl in einem Topf erhitzen und die Filets 4 Minuten von jeder Seite anbraten. Aus der Pfanne nehmen, mit Alufolie bedecken und zur Seite stellen.
2 Erneut etwas Öl im Topf erhitzen, die Butter zufügen und die Pilze 3–5 Minuten anbraten, bis sie leicht gebräunt sind. Die Schalotte zugeben und 1 Minute dünsten. Nach Geschmack würzen und mit einem Schaumlöffel aus dem Topf nehmen.
3 Die Salatblätter in mundgerechte Stücke zupfen und in einer großen Schüssel beiseite stellen. Die Hühnerbrustfilets schräg in Streifen schneiden.
4 Senf und Essig miteinander verschlagen, das Olivenöl langsam unter ständigem Schlagen zufügen. Die Hälfte des Dressings über die Salatblätter geben und auf Tellern anrichten. Die Pilze mit der Hälfte des verbliebenen Dressings mischen, auf den Salatblättern verteilen. Die Hühnerbruststreifen auf den Salat geben, mit dem restlichen Dressing beträufeln und mit dem frischen Kerbel garnieren.

Hühnerleber-Salat mit Croûtons

Hühnerleber hat einen sehr feinen Geschmack und eine saftige Konsistenz. In der Pfanne brät man sie am besten so, daß sie in der Mitte noch zart rosa ist. Dazu paßt eine aparte Vinaigrette.

*Vorbereitungszeit: **15 Minuten***
*Kochzeit: **15 Minuten***
Für 4 Personen

350 g gemischte Salatblätter
200 g geräucherter Speck ohne Rinde, in dünne
    Streifen geschnitten
100 ml Öl
2 Scheiben Brot, ohne Kruste, in kleine Würfel
    geschnitten
1 Prise Salz
440 g Hühnerleber
30 g Butter
3 Schalotten, feingehackt
Salz und Pfeffer, nach Geschmack
2 EL Essig

VINAIGRETTE
1 1/2 EL Dijonsenf
3 EL Sherryessig
Salz und Pfeffer, nach Geschmack
100 ml Öl

1 Die Salatblätter waschen, trockentupfen und mit einem Küchenhandtuch bedeckt in den Kühlschrank stellen, damit sie nicht zusammenfallen.

2 Den Speck in einem ungefetteten Topf anrösten, herausnehmen, auf Küchenpapier abtropfen lassen und zur Seite stellen.

3 Das Öl in einem niedrigen Topf erhitzen, die Brotwürfel unter Rühren goldbraun rösten. Herausnehmen und abtropfen lassen. Leicht salzen und warm stellen.

4 Die Hühnerleber säubern, den bitteren grünen Bereich entfernen und die Leber in kleine Stücke schneiden. Die Butter in einem niedrigen Topf erhitzen, die Leber 2 Minuten bei starker Hitze unter Rühren anbraten. Die Schalotten zugeben und 2 Minuten braten, dann mit Salz und Pfeffer abschmecken und auf einen Teller geben. Die Leber sollte innen zart rosa und saftig sein. Den Essig in den Topf geben und erhitzen, um den Bodensatz abzulösen und zu verdünnen. Über die Leber gießen und warm stellen.

5 Für die Vinaigrette den Senf, Sherryessig, Salz und Pfeffer in eine Schüssel geben und das Öl unter ständigem Rühren langsam und gleichmäßig zufügen.

6 Die Salatblätter in eine Schüssel geben, mit dem Dressing übergießen und vorsichtig durchheben, um sie nicht zu beschädigen. Speck, Croûtons und Leber mit dem Bratensaft darüber geben und servieren.

Kartoffelsalat mit Parmesan und Tomaten

Kartoffelsalat wird das ganze Jahr über gern gegessen, vor allem im Sommer. Er kann als Beilage oder Hauptgericht serviert werden. Diese Variante ist sehr schmackhaft und sättigend.

Vorbereitungszeit: **30 Minuten**
Zubereitungszeit: **35 Minuten**
Für 4 Personen

6 mittelgroße bis große Salatkartoffeln (siehe Tip),
   abgebürstet
1 große Tomate
1 Kopfsalat
1 französische Schalotte, feingehackt
frischer Schnittlauch, gehackt, zum Servieren
Parmesankäse, gerieben, zum Servieren
etwas Salz
etwas frisch gemahlener Pfeffer

SALATSAUCE
2 TL Senf
1 EL Weißweinessig
100 ml Olivenöl
70 g Parmesankäse, gerieben

1 Kartoffeln in einen großen Topf mit Salzwasser geben. Aufkochen lassen, dann die Temperatur herunterschalten und 30–35 Minuten köcheln lassen, bis sie so weich sind, daß man mit einer Messerspitze die Garprobe machen kann. Die Kartoffeln herausnehmen und in Eiswasser tauchen, um den Garprozeß zu beenden. Anschließend die Kartoffeln pellen, in 1 cm große Würfel schneiden und zum Abkühlen beiseite stellen.

2 In einem kleinen Topf Wasser aufkochen lassen. Mit der Spitze eines scharfen Messers auf der Unterseite der Tomate ein kleines Kreuz einkerben, dann 10 Sekunden in das kochende Wasser, anschließend in eine Schüssel mit kaltem Wasser eintauchen. Vom Kreuz aus die Haut abziehen, einen Kreis um den Stengelansatz schneiden und diesen entfernen. Die Tomate vierteln und dabei die Kerne entfernen, dann das Fleisch in kleine Würfel schneiden. Beiseite stellen.

3 Für die Salatsauce Senf und Essig in einer kleinen Schüssel verrühren und nach Geschmack würzen. Öl langsam und gleichmäßig zugießen und die Mischung schlagen, bis sie andickt. Parmesan unterziehen; dann die Kartoffelwürfel vorsichtig in der Sauce wenden, bis sie gut damit überzogen sind.

4 Kopfsalatblätter auf 4 Tellern anordnen. Etwas Kartoffelsalat in der Mitte aufhäufen und jede Portion mit der Schalotte, dem Schnittlauch und den Tomatenwürfeln sowie anschließend ein wenig zusätzlichem Parmesan und frisch gemahlenem schwarzem Pfeffer garnieren.

Tip Sieglinde, Nicola und Selma sind für Salate gut geeignete Kartoffelsorten.

Sellerie mit Remoulade

*Der besondere Geschmack des geriebenen Selleries wird
durch eine delikate Senfremoulade noch betont.*

*Vorbereitungszeit: **40 Minuten***
   + 30–60 Minuten Ruhezeit
*Kochzeit: **keine***
Für 4–6 Personen

2–3 Sellerieknollen (zusammen etwa 1,3 kg)
Salz und Pfeffer, nach Geschmack
Saft von 1 Zitrone
verschiedene kleine Salatblätter, zum Garnieren
2 Tomaten, abgezogen, entkernt und in Würfel
  geschnitten (siehe Seite 683), zum Garnieren
Walnußhälften, zum Garnieren

REMOULADE
2 Eigelb
2 EL Dijonsenf
1 Prise Cayennepfeffer
1 Prise Salz
250 ml Erdnußöl
Salz und frisch gemahlener schwarzer Pfeffer, nach
  Geschmack

1 Jede Sellerieknolle mit einem großen Messer halbieren und die sehr faserige, unebene Haut in einer Dicke von etwa 3 mm abschälen. Den Sellerie grob reiben und in eine Schüssel geben. Mit Salz und Pfeffer würzen, den Zitronensaft untermischen. Mit Frischhaltefolie abdecken und 30–60 Minuten ruhen lassen.
2 Für die Remoulade Eigelbe, Senf, Cayennepfeffer und eine Prise Salz in einer Schüssel miteinander verschlagen. Nachdem das Salz aufgelöst ist, nach und nach das Öl unterrühren. Die Sauce sollte an steif geschlagene Sahne erinnern.
3 Überschüssige Flüssigkeit aus dem Sellerie drücken, ihn dann mit der Sauce vermischen. Nach Bedarf mit Salz und frisch gemahlenem schwarzen Pfeffer würzen. In einer großen Schüssel oder in kleinen Portionen auf Tellern anrichten und mit Salatblättern, Tomaten und Walnußhälften garnieren.

Warmer Linsensalat mit Senf-Vinaigrette

Für diesen traditionellen eiweißreichen Salat verwendet man gewöhnlich die kleinen französischen Puy-Linsen, da sie gut ihre Form behalten, aber auch andere Linsen gleicher Qualität sind geeignet, mit Ausnahme der roten und grünen, die beim Kochen zu weich werden.

*Vorbereitungszeit: **15 Minuten + 1 Nacht Einweichzeit***
*Kochzeit: **40 Minuten***

Für 6 Personen

250 g Linsen
50 g Butter
100 g Karotten, in Würfel geschnitten
¹/₂ Zwiebel, in Würfel geschnitten
100 g Räucherspeck, in Würfel geschnitten
300 ml Hühnerbrühe (s. S. 684)
Salz und Pfeffer, nach Geschmack
1 Kopfsalat

VINAIGRETTE
30 g grobkörniger Senf
2 TL Weißweinessig
Salz und frisch gemahlener schwarzer Pfeffer, nach Geschmack
100 ml Oliven- oder Erdnußöl
3 EL frische Petersilie, gehackt

1 Die Linsen über Nacht in kaltem Wasser einweichen, abgießen.

2 Die Butter in einem großen Topf zerlassen, Gemüse und Speck sanft anbraten, bis das Gemüse zart, aber nicht gebräunt ist. Linsen und Hühnerbrühe in den Topf geben, zudecken und 30–35 Minuten sanft köcheln lassen, bis die Linsen gar sind. Mit Salz und Pfeffer abschmecken.

3 Die Mischung in ein Sieb geben, um die Flüssigkeit abtropfen zu lassen. Linsen, Gemüse und Speck in eine große Schüssel geben.

4 Für die Vinaigrette Senf und Essig in einer Schüssel miteinander verschlagen. Mit Salz und Pfeffer würzen, das Oliven- oder Erdnußöl sehr langsam unter ständigem Schlagen zufügen. Zum Abschluß die Petersilie einrühren.

5 Linsen, Gemüse und Speck warm mit der Vinaigrette mischen. Ein Bett aus Salatblättern auf einem Teller anrichten, den warmen Linsensalat in die Mitte geben.

Rohkost

*Eine bunte Auswahl frischer Gemüsesorten mit Dip-Saucen ist
das ideale Sommergericht.*

Zubereitungszeit: **35 Minuten +
1 Stunde Kühlzeit**
Garzeit: **keine**
Für 8–10 Personen

SAUERRAHM-DIP
250 ml Sauerrahm
2 EL Mayonnaise
25 Parmesan, gerieben
**1 TL Limonen- oder
Zitronensaft**
1/2 TL Worcestersauce
1 TL Meerrettichsahne
1/2 TL Dijon-Senf
1/4 TL Selleriesalz

1 große Salatgurke
2 Selleriestangen
1 rote Paprika
1 gelbe Paprika
1 Brokkoli
12 frische junge Maiskolben
75 g Zuckererbsen
12 junge Karotten
20 Kirschtomaten

KRÄUTER-DIP
2 EL Dijon-Senf
4 EL Rotweinessig
250 ml Olivenöl
**je 1/2 EL frischer Schnittlauch, Basilikum, Petersilie
und Estragon, gehackt**
Salz und Pfeffer, nach Geschmack

1 Für den Sauerrahm-Dip alle Zutaten gut in einer
Schüssel vermengen. Vor dem Servieren mindestens
1 Stunde kalt stellen.

2 Mit einer Gabel oder einem stumpfen Messer die Salatgurke mit Längsrillen versehen und in ca. 5 mm dicke
Scheiben schneiden. Sellerie und Paprika in 5–8 cm lange Stücke schneiden. Brokkoli, Mais, Zuckererbsen und
Karotten 1 Minute in kochendem Wasser blanchieren.
Abtropfen lassen, in kaltem Wasser abkühlen und erneut abtropfen lassen. Brokkoli vom Stiel befreien und
den Stiel wegwerfen. Röschen in mundgerechte Stücke
schneiden. Gemüse auf einer Servierplatte anrichten.
Mit feuchtem Küchenpapier bedecken und in Klarsichtfolie wickeln. Bis zum Servieren kalt stellen.

3 Für den Kräuter-Dip den Senf in eine Schüssel geben
und den Essig unterrühren. Öl langsam einrühren, dann
Kräuter und Gewürze sowie Salz und Pfeffer nach
Geschmack zugeben. Gemüse mit den Dips in Extra-
Schüsseln servieren.

Nudelsalat mit Spinat

*Roquefort, Speck, Walnüsse und grüne Tagliatelle –
zusammen eine unwiderstehliche Kombination.*

Zubereitungszeit: **20 Minuten**
Garzeit: **10 Minuten**
Für 4 Personen

PASTA
200 g Mehl
¹/₂ TL Salz
1 EL Olivenöl
2 Eier, leicht verquirlt
2 EL Tiefkühlspinat, aufgetaut, trockengepreßt und
  sehr fein gehackt

VINAIGRETTE
1 Schalotte, feingehackt
1 Knoblauchzehe, feingehackt
2¹/₂ EL Weißweinessig
120 ml Walnußöl
Salz und Pfeffer, nach Geschmack
etwas Öl
100 g Roquefort, gewürfelt
1 kleine rote Zwiebel, in dünne Ringe geschnitten
4 Scheiben Schinkenspeck, gebraten und grob zerteilt
50 g Walnüsse, im Schinkenspeck-Fett gebräunt
1 EL frische Petersilie, gehackt

1 Die Pasta nach den Anweisungen auf S. 692 zubereiten. Den Spinat dabei zusammen mit den Eiern zugeben. Nudelteig in 2 Portionen in der Nudelmaschine (feinste Einstellung) ausrollen und mit der Maschine zu 6 mm breiten Tagliatelle *(s.S. 693)* verarbeiten.
2 Für die Vinaigrette Schalotte, Knoblauch, Essig, Öl, Salz und Pfeffer vermengen und gut verrühren.
3 Einen großen Topf mit Salzwasser zum Kochen bringen. Einen Schuß Öl zugeben und die Tagliatelle 2–3 Minuten *al dente* kochen. Abtropfen lassen, unter kaltem Wasser abspülen und erneut abtropfen lassen.
4 Nudeln und Vinaigrette in einer Schüssel vermischen. Restliche Zutaten zufügen und alles gut vermengen.

Salade Niçoise

Salade Niçoise ist ein für den Süden Frankreichs typisches Gericht aus Nizza und wird für gewöhnlich mit Tomaten, Thunfisch und schwarzen Oliven zubereitet. Als dieser Salat in Frankreich immer beliebter wurde, entwickelten die verschiedenen Köche ihre eigenen Variationen, unter anderem die Zugabe von Kartoffeln.

*Zubereitungszeit: **40 Minuten + 20 Minuten Kühlzeit***
*Back- und Garzeit: **1 Stunde 20 Minuten***
Für 4 Personen

200 ml Olivenöl
1 Lorbeerblatt
4 frische Thymianzweige
400 g frischer Thunfisch, ohne Haut
300 g festkochende Kartoffeln
240 g grüne Bohnen
2¹/₂ EL Weißweinessig
Salz und schwarzer Pfeffer, nach Geschmack
1 grüne Paprika, in Julienne-Streifen geschnitten (s. Tip)
1 rote Paprika, in Julienne-Streifen geschnitten
2 rote Zwiebeln, in dünne Ringe geschnitten
1 Kopf grüner Salat
4 Tomaten, geviertelt
4 Eier, hartgekocht, gepellt und geviertelt
1 kleine Dose (ca. 50 g) Sardellen, abgetropft
30 schwarze Oliven

1 Backofen auf 150 °C vorheizen. Öl, Lorbeerblatt, Thymian und Thunfisch in einen kleinen Topf geben und 5 Minuten auf mittlerer Stufe erhitzen. 30 Minuten in den Backofen stellen. 20 Minuten abkühlen lassen, Thunfisch herausnehmen und zum Abtropfen auf einen Rost legen. Öl durchseihen und beiseite stellen.

2 Ungeschälte Kartoffeln in kaltes Salzwasser legen. Zum Kochen bringen und 30–35 Minuten garen. Aus dem Wasser nehmen und abkühlen lassen. Kartoffeln pellen und in dicke Scheiben schneiden.

3 Bohnen putzen und 8 Minuten in Salzwasser kochen lassen. Kalt abschrecken und abtropfen lassen.

4 Für die Vinaigrette Essig und Salz verrühren und durchgeseihtes Öl langsam einrühren.

5 Kartoffeln, grüne Bohnen, Paprika und Zwiebeln in der Vinaigrette wälzen und nach Geschmack mit Salz und schwarzem Pfeffer würzen. Thunfisch in mundgerechte Stücke zupfen und mit etwas Vinaigrette verrühren. Auf jedem Teller einige Salatblätter anrichten. Kartoffeln, grüne Bohnen, Paprika, Zwiebeln und Thunfisch darüber geben. Tomaten- und Eiviertel abwechselnd um den Rand herum anrichten und Sardellen und Oliven darauf verteilen. Restliche Vinaigrette kurz vor dem Servieren über den Salat geben oder getrennt zum Salat reichen.

Tip Julienne-Streifen sind sehr fein geschnittene, etwa auf Streichholzgröße gebrachte Gemüsestreifen.

Artischockensalat mit Spinat und Pinienkernen

Dieser knackig frische Salat kann als Vorspeise gereicht werden, ist aber an heißen Sommertagen mit Baguettebrot serviert auch eine herrlich leichte Hauptmahlzeit.

*Zubereitungszeit: **40 Minuten***
*Garzeit: **30 Minuten***
Für 4 Personen

4 große frische Artischocken
Saft von 2 Zitronen
150 g frischer junger Spinat
80 g Pinienkerne, geröstet
2 EL Olivenöl
frisch gemahlener schwarzer Pfeffer, nach Geschmack
40 g Parmesan, gerieben
16 schwarze Oliven, halbiert und entkernt

1 Artischocken nach den Anweisungen auf S. 690 zubereiten. Wenn die Artischocken in den Topf mit kochendem Wasser gegeben werden, den Saft von einer Zitrone mit ins Kochwasser geben. Wenn die Artischocken gar sind, in mundgerechte Stücke schneiden und abgedeckt beiseite stellen.

2 Spinatblätter mit den Pinienkernen in einer großen Schüssel vermengen. Olivenöl mit 1 EL Zitronensaft und frisch gemahlenem schwarzem Pfeffer nach Geschmack verrühren und als Dressing über den Spinat geben. Artischockenstücke auf vier Salatteller verteilen und in der Mitte jedes Tellers den Spinat anrichten. Mit Parmesan und schwarzen Oliven bestreuen.

Tomatensalat

*Der würzige Balsamico-Essig kommt aus der Region um Modena
und verleiht dem Salatdressing einen köstlich bittersüßen Geschmack.*

*Zubereitungszeit: **15 Minuten***
*Garzeit: **keine***
*Für **6–8 Personen***

I Knoblauchzehe,
  feingehackt
Salz und frisch gemahlener schwarzer Pfeffer,
  nach Geschmack
3 EL Balsamico-Essig
125 ml natives Olivenöl
6 reife Tomaten
2 kleine Schalotten,
  feingehackt
15 g frische Basilikumblätter,
  feingehackt
einige frische Basilikumblätter,
  zum Garnieren

1 Knoblauch in eine kleine Schüssel geben. Eine Prise Salz und frisch gemahlenen schwarzen Pfeffer zufügen. Balsamico-Essig einrühren, dann langsam Olivenöl zugießen, bis die Sauce eindickt.

2 Tomaten in Achtel oder in Scheiben schneiden. Einen Servierteller mit Salz und frisch gemahlenem schwarzem Pfeffer bestreuen und die Tomaten darauf anrichten. Schalotten und Basilikum darüber geben. Dressing über die Tomaten gießen und mit Basilikumblättern garnieren. Bis zum Servieren kalt stellen.

Tip Wenn Sie den Salat im voraus zubereiten, denken Sie daran, daß die Tomaten Flüssigkeit abgeben, sobald sie mit Salz in Kontakt kommen. In diesem Fall kippen Sie den Teller leicht, um die Flüssigkeit abzugießen. Vor dem Servieren den Tellerrand säubern und ein wenig mehr Dressing über die Tomaten geben.

Lyoner Würstchen mit Kartoffelsalat

Die Lyoner Küche ist für ihre herzhaften Gerichte mit Zwiebeln, Kartoffeln und Schweinefleisch berühmt. Lyoner Würstchen dürfen nur vorsichtig sieden, damit sie nicht aufplatzen. Es gibt sie mit oder ohne Pistazien.

Zubereitungszeit: **35 Minuten**
Garzeit: **55 Minuten**
Für 4 Personen

BOUILLON
1 Karotte, in dünne Scheiben geschnitten
2 Zwiebeln, in dünne Ringe geschnitten
2 Selleriestangen, in dünne Scheiben geschnitten
2 kleine Porreestangen, nur der weiße Teil, in dünne Ringe geschnitten
3 Zweige frischer Thymian
1 Lorbeerblatt
10 schwarze Pfefferkörner
1 TL Salz
500 ml Weißwein

4 große Kartoffeln (ca. 800 g)
Salz und frisch gemahlener schwarzer Pfeffer, nach Geschmack
500 g Lyoner oder Schweinefleisch-Würstchen (s. Tip)
2 Liter Wasser

SENFDRESSING
4 EL Dijon-Senf
4 EL Schalotten, feingehackt
250 ml Öl
2 EL frische Petersilie, gehackt

1 Für die Bouillon Karotte, Zwiebeln, Sellerie, Porree, Gewürze und Weißwein in einen großen Topf geben und 5 Minuten auf höchster Stufe zum Kochen bringen.

Topf vom Herd nehmen und zum Abkühlen beiseite stellen.

2 Kartoffeln in einen großen Topf mit Salzwasser geben. Zum Kochen bringen, Hitze herunterschalten und 20–30 Minuten köcheln lassen. Abtropfen lassen, mit kaltem Wasser abspülen und schälen. In ca. 5 mm dicke Scheiben schneiden. Abdecken und warm halten.

3 Würstchen in die abgekühlte Bouillon legen. Topf mit Wasser auffüllen, bis kurz vor den Siedepunkt erhitzen und 20 Minuten ziehen lassen. Nicht kochen lassen, sonst platzen die Würstchen auf. Vom Herd nehmen und bis zum Servieren beiseite stellen.

4 Für das Senfdressing Senf und Schalotten in einer Schüssel vermengen, Öl einrühren, bis eine glatte, dicke Masse entsteht und Petersilie zugeben. Heiße Kartoffelscheiben mit Salz und frisch gemahlenem schwarzem Pfeffer bestreuen und Dressing dazu geben.

5 Heiße Kartoffeln auf eine große Servierplatte geben. Würstchen aus der Bouillon nehmen, mit Küchenpapier abtupfen und in 16 gleich große Scheiben schneiden. Die Würstchenscheiben um die Kartoffeln herum anrichten und servieren.

Tip Wenn Sie die Lyoner Würstchen selbst zubereiten möchten, verarbeiten Sie 450 g Schweinelende und 150 g magere Kalbsschulter zu Hackfleisch und vermischen Sie das Ganze mit 160 g Schweineschmalz, Salz und Pfeffer in einer Schüssel. 100 g abgezogene Pistazienkerne zufügen und gut verrühren. Ergibt in einer Wurstmaschine verarbeitet ein ca. 30–35 cm langes Würstchen. Die Enden mit Küchenschnur zusammenbinden.

FISCH & MEERESFRÜCHTE

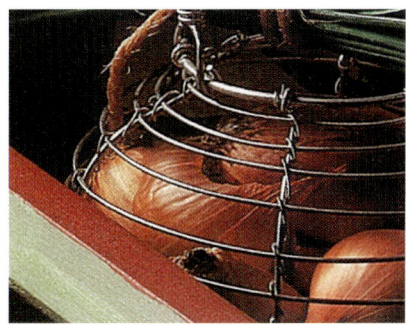

Lachs-Millefeuilles

*Diese wunderbar pikante Variation der klassischen französischen Millefeuilles wird aus Blätterteig,
leicht gedünstetem Lachs und einer appetitlichen Schnittlauchbuttersauce zubereitet.*

*Vorbereitungszeit: **1 Stunde + 15 Minuten Kühlzeit***
*Zubereitungszeit: **1 Stunde 30 Minuten***
Für 4 Personen

400 g Lachsfilet, enthäutet und entgrätet
Salz und Pfeffer
2 EL Olivenöl
weiche Butter, zum Einfetten
Blätterteig (¹/2 Menge Rezept S. 680)
1 Ei, verquirlt

SAUCE
2 französische Schalotten, feingehackt
250 ml Weißwein
1 EL Weißweinessig
3 EL Crème double
200 g Butter, gekühlt und in Würfel geschnitten
Salz und weißer Pfeffer
2 EL frischer Schnittlauch, gehackt
4 Zweige frischer Kerbel, zum Garnieren

1 Den Lachs in 24 etwa 5 mm dicke Scheiben schneiden.
Mit Salz und Pfeffer würzen und mit Olivenöl beträufeln.
Zudecken und beiseite stellen. Ein Backblech leicht einfetten und mit Backpapier auslegen.

2 Den Ofen auf 210 °C (Gasherd: Stufe 3–4) vorheizen.
Den Blätterteig halbieren und jede Hälfte auf einer leicht
bemehlten Fläche zu einem 3 mm dicken, etwa 30 x 25 cm
großen Rechteck ausrollen. Mit einer Gabel rundherum einstechen und 15 Minuten kalt stellen. Eine Teighälfte auf das
Backblech legen, mit Backpapier und einem zweiten Backblech bedecken und 10–15 Minuten backen. Die Bleche
umdrehen und den Teig weitere 10 Minuten backen, bis er
sich goldgelb färbt. Mit Ei einpinseln und offen 3–4 Minuten backen. Auf einem Kuchengitter abkühlen lassen. Mit
der anderen Teighälfte ebenso verfahren. Jedes Teigrechteck
in vier 9 cm große Quadrate schneiden.

3 Für die Sauce die Schalotten mit Weißwein und Essig in
einem Kochtopf bei mittlerer Hitze zum Kochen bringen.
Etwa 15–20 Minuten kochen lassen, bis die Flüssigkeit fast
vollständig verdampft ist. Die Crème double zugeben und
2–3 Minuten mitkochen lassen. Die Butter nach und nach
zugeben und jeweils gründlich unterrühren. Mit Salz und
weißem Pfeffer abschmecken.

4 Etwas Olivenöl in einer Bratpfanne bei hoher Hitze
erwärmen. Die Lachsscheiben portionsweise auf jeder Seite
etwa 10 Sekunden anbraten, dann vorsichtig wenden.

5 Je ein Teigquadrat in die Mitte eines Tellers legen. Sechs
Lachsscheiben darauf anrichten und mit einer zweiten Teigschicht belegen. Schnittlauch in die Sauce rühren und um
die Millefeuilles verteilen. Mit Kerbelzweigen garnieren.

Lachs-Steinbutt-Frikassee

Wenn Sie ein Hühner- oder Kalbsfrikassee schätzen, werden Sie sicher wissen wollen,
wie ein Frikassee aus Fisch und Meeresfrüchten schmeckt!

Vorbereitungszeit: **15 Minuten**
Zubereitungszeit: **50 Minuten**
Für 4 Personen

100 g Butter
8 Kammuscheln, ohne Schale und dunklen Rand
8 rohe Riesengarnelen, geschält und ohne Darm
200 g Lachsfilet, in 8 Stücken
200 g Steinbutt- oder Seezungenfilet, in 8 Stücken
2 Schalotten, feingehackt
1 Karotte, in Julienne-Streifen geschnitten (siehe Tip)
1 Lauchstange, in Julienne-Streifen geschnitten
3 EL Weißwein
250 ml Sahne
Salz und frisch gemahlener schwarzer Pfeffer
2 EL frischer Schnittlauch, zerkleinert

1 20 g Butter bei großer Hitze in einer Bratpfanne zerlassen, die Muscheln darin leicht anbräunen, herausnehmen und auf Küchenpapier abtropfen lassen.

Nacheinander ebenso die Garnelen, den Lachs und die Steinbutt- oder Seezungenfilets jeweils mit 20 g Butter anbräunen, herausnehmen und abtropfen lassen.

2 Die restliche Butter in einer großen feuerfesten Kasserolle (3 l Fassungsvermögen) bei geringer Hitze zerlassen. Schalotten zugeben und 2–3 Minuten leicht andünsten, ohne sie anzubräunen, dann Karotten- und Lauchstreifen zufügen. Mit Deckel bei geringer Hitze ca. 8 Minuten dünsten lassen. Wein zugießen und solange einkochen, bis ca. 1 TL Flüssigkeit übrigbleibt. Sahne einrühren und weitere 5 Minuten köcheln lassen. Vorsichtig die Meeresfrüchte unterheben, nach Geschmack mit Salz und Pfeffer würzen und 2–3 Minuten schmoren lassen. Von der Herdplatte nehmen und den Schnittlauch unterrühren. Sofort servieren.

Tip Statt Lachs kann auch jede andere Fischsorte mit festem Fleisch verwendet werden.
Julienne-Streifen sind gleichmäßig geschnittene Gemüsestreifen in Streichholzgröße. Auch Fleisch oder Trüffeln können »en Julienne« geformt werden.

Gebackener Lachs mit Brunnenkresse-Mayonnaise

In Folie gebacken, um Lachsaroma und Feuchtigkeit zu bewahren, ist dieser eindrucksvolle Blickfang das perfekte Gericht für eine größere Sommerfestlichkeit. Dazu werden neue Kartoffeln und Sommergemüse gereicht.

Zubereitungszeit: 1 Std. 10 Min.
*   + 1 Std. Kühlzeit*
Garzeit: 40 Min.
Für 10–12 Personen

1 frischer, ganzer Lachs (1,5–1,75 kg), gesäubert und
**   abgeschuppt (Fisch vom Händler ausnehmen und**
**   abschuppen lassen)**
1 kleine Zwiebel, in dünne Ringe geschnitten
1 kleines Lorbeerblatt
1 frischer Thymianzweig
5 frische Petersilienzweige
Salz und schwarzer Pfeffer, nach Geschmack
100 ml trockener Weißwein
Brunnenkressezweige, zum Garnieren
Zitronenspalten, zum Garnieren

BRUNNENKRESSE-MAYONNAISE
125 g Brunnenkresse, feste Stiele entfernt
325 g Vollei-Mayonnaise
einige Spritzer Zitronensaft
Salz und schwarzer Pfeffer, nach Geschmack

1 Kiemendeckel seitlich hinter dem Kopf des Lachses anheben und mit einer Küchenschere auf beiden Seiten die dunklen, krausen Kiemen entfernen. Sollten auf der Haut noch Schuppen sitzen, diese mit einem Messerrücken in flachem Winkel vom Schwanz zum Kopf hin abschaben, dabei den Fisch am Schwanz festhalten. Brust- und Rückenflossen abschneiden, Schwanzflosse um die Hälfte kürzen und V-förmig einschneiden. Lachs mit kaltem Wasser abspülen und an der Bauchseite öffnen, an der ihn der Fischhändler aufgeschnitten hat. Blutgefäß entlang des Rückgrats mit einem Löffel entfernen. Ausspülen und innen und außen mit Küchenpapier abwischen.

2 Backofen auf 180°C vorheizen. Ein ausreichend großes Stück Alufolie für den gesamten Fisch mit Butter einfetten und auf ein großes Backblech legen. Lachs knapp neben der Mitte auf die Folie legen und mit Zwiebel und Kräutern füllen. Mit Salz und schwarzem Pfeffer würzen und mit Wein übergießen. Rasch mit Folie bedecken und die Ränder fest verschließen.

3 30–40 Minuten backen, bis sich der Fisch auf Druck elastisch, aber noch fest anfühlt. Folie öffnen und abkühlen lassen. Füllung entfernen und den Lachs auf Pergamentpapier legen. Dabei alle Flüssigkeit gründlich abtropfen lassen. Fisch zum Servieren vorbereiten *(siehe S. 689),* dann mit Klarsichtfolie abdecken und 1 Stunde oder bis zum Gebrauch kalt stellen.

4 Brunnenkresse-Mayonnaise: Brunnenkresse in einen Topf mit kochendem Salzwasser geben und 1 Minuten kochen. Abtropfen lassen und mit kaltem Wasser abschrecken. Überschüssiges Wasser mit Küchenpapier abtupfen und die Kresse im Mixer oder der Küchenmaschine pürieren. Das Püree nach und nach in die Mayonnaise einrühren. Wenn sie zu trocken wird, einige Spritzer Zitronensaft zugeben. Mit Salz und schwarzem Pfeffer würzen.

5 Den Fisch zum Servieren mit etwas Mayonnaise verzieren und den Rest separat dazu reichen. Mit Brunnenkresse-Zweigen und Zitronenspalten garnieren.

Graved Lachs

Dies ist die skandinavische Art, Lachs in Salz, Zucker und Dill einzulegen.
Man mariniert den Lachs 1½ Tage und serviert ihn traditionell mit einem süßen Senf-Dill-Dressing.

*Zubereitungszeit: **1 Std.** +*
*   **36 Std.Kühlzeit***
Für 10 Personen

1,8 kg Lachsfilet, mit abgeschuppter Haut
100 g Stein- oder Meersalz
75 g feiner Zucker
4 EL gehackter frischer Dill
1½ EL zerstoßene schwarze Pfefferkörner
2 TL zerstoßene Koriandersamen
1 TL gemahlene Gewürzmischung
6 EL grobgehackte frische Dillblätter

SENF-DILL-DRESSING
2 TL süßer Senf oder 2 TL grobkörniger
   Senf, gemischt mit 2 TL Honig
2 TL gehackter frischer Dill
2 TL Weißweinessig oder Apfelessig
Salz und schwarzer Pfeffer, nach Geschmack
225 ml Pflanzenöl

1 Lachs abspülen, mit Küchenpapier trockentupfen und mit der Hautseite nach unten auf ein Tablett oder einen Teller legen. Salz, Zucker, Dill, Pfefferkörner, Koriandersamen und Gewürzmischung verrühren und über den Fisch geben. Mit Klarsichtfolie abdecken und ein Backblech darauflegen. Alles mit einem ca. 500 g schweren Gewicht (z. B. Konserven) beschweren und 24 Stunden kalt stellen.

2 Gewichte und Abdeckung entfernen und die festen Bestandteile aus der Marinade wegwerfen. Restliche Marinade mit kaltem Wasser vom Lachs abspülen und diesen mit Küchenpapier trockentupfen. Auf ein sauberes Tablett oder einen Teller legen.

3 Dillblätter auf den Lachs drücken, mit Klarsichtfolie abdecken und den Dill mit den Fingern fest anpressen. 12 Stunden kalt stellen.

4 Senf-Dill-Dressing: Alle Zutaten außer dem Öl mit etwas Salz und Pfeffer in einer Schüssel mischen, dann das Öl langsam zugießen und alles glattrühren.

5 Lachs aufdecken, überschüssigen Dill entfernen und den Fisch auf ein Arbeitsbrett legen. Im 45°-Winkel und ca. 6–8 cm vom Schwanz entfernt eine Scheibe in Schwanzrichtung abschneiden. Vorgang wiederholen, so daß kurze, dünne Lachsscheiben entstehen. Mit dem Dressing servieren.

Tip Eine Variation: Bis Schritt 2 nach Rezept vorgehen. Dann 50 g Senf und 250 g sehr feingehackte gekochte rote Bete verrühren. Mischung auf den Lachs drücken und wie angegeben fortfahren.

Lachslasagne mit Tomaten und Spinat

Dieses Gericht enthält keine Nudeln, wirkt aber mit seinen Schichten aus rosa Lachs, dunkelgrünen Spinatblättern, weißer und Tomatensauce wie eine Lasagne. Ideal für eine festliche Abendgesellschaft.

*Zubereitungszeit: **1 Std.***
*Garzeit: **1 Std. 15 Min.***
Für 4 Personen

4 dick geschnittene frische Lachsfiletstücke (je 150 g),
ohne Haut, der Länge nach in 3 Scheiben geschnitten
100 ml Olivenöl
2 Zwiebeln, feingehackt
1 kg reife Tomaten, abgezogen, ohne Kerne, gewürfelt
2 Knoblauchzehen, zerdrückt
1 Bouquet garni (s. Tip)
Salz und schwarzer Pfeffer, nach Geschmack
50 g Butter
750 g frischer Spinat
1 Prise Muskat
12 kleine schwarze Oliven, entsteint und halbiert,
zum Garnieren
einige frische Kerbelzweige, zum Garnieren

BEURRE BLANC
3 Schalotten, feingehackt
300 ml Weißwein
3 EL Apfelessig
1 EL Crème double oder Crème fraîche
175 g kalte Butter, feingewürfelt
2 TL feingehackter frischer Schnittlauch

WEIßE SAUCE
25 g Butter
25 g Mehl
250 ml Milch

1 Lachsscheiben einzeln mit Olivenöl bestreichen und abgedeckt in den Kühlschrank stellen. Öl in einem Topf erhitzen, Zwiebeln hineingeben und abgedeckt 4 Minuten glasig dünsten. Tomaten, Knoblauch, Bouquet garni, etwas Salz und schwarzen Pfeffer einrühren. Ca. 40 Minuten zu einer dickflüssigen Sauce kochen, dabei gele-gentlich umrühren. Bouquet garni wegwerfen, Sauce abschmecken und warm stellen.

2 Beurre blanc: Schalotten, Wein und Essig in einem Topf zum Kochen bringen und um ein Viertel einkochen lassen. Crème double bzw. Crème fraîche ein-rühren und vom Herd nehmen. Die Butter Stück für Stück unterschlagen, bis eine sämige Sauce entsteht. Durch ein Sieb in eine Schüssel passieren, Schnittlauch einrühren und mit Klarsichtfolie abgedeckt auf einen Topf mit warmem Wasser setzen.

3 Weiße Sauce: Butter in einer gußeisernen Pfanne bei mittlerer Hitze zerlassen. Mehl einstreuen und 1–2 Mi-nuten unter ständigem Rühren goldgelb dünsten. Vom Herd nehmen und nach und nach die Milch zugeben, dabei ständig rühren, damit sich keine Klümpchen bil-den. Bei mittlerer Hitze unter ständigem Rühren zum Kochen bringen. 3–4 Minuten kochen, bis die Sauce so dickflüssig ist, daß sie an einem Löffelrücken haftet. Ab-gedeckt warm stellen. Grill vorheizen.

4 Butter in einer großen Pfanne zerlassen, Spinat zuge-ben und bei starker Hitze 2 Minuten dünsten. Mit Mus-kat, Salz und schwarzem Pfeffer würzen und in einem Sieb über einer Schüssel abtropfen lassen. Fisch mit Salz und Pfeffer würzen und 1 Minute auf jeder Seite grillen.

5 Zum Servieren auf vier Teller je eine Lachsscheibe le-gen. Die Hälfte des Spinats als zweite Schicht daraufge-ben. Darauf jeweils die Hälfte der weißen Sauce und der Tomatensauce verteilen. Mit einer weiteren Lachs-schicht fortfahren, erneut Spinat und beide Saucen dar-übergeben und mit der dritten Lachsscheibe ab-schließen. Beurre blanc auf den Tellerboden geben und mit Olivenhälften und Kerbelblättern garnieren.

Tip Für das Bouquet garni ein Lorbeerblatt, einen Thy-mianzweig, einige Sellerieblätter und Petersilienzweige in das Grün einer Porreestange einwickeln und mit Garn zusammenbinden. An einem langen Faden in den Topf hängen.

Schnapper mit Fenchel in der Papillote

Dieses Gericht wird in einer Hülle aus Pergamentpapier oder Alufolie gegart, damit Saft und Aroma erhalten bleiben. Weißwein, Basilikum und das leichte Anisaroma des Fenchels verfeinern Schnapper oder Meeräsche.

*Zubereitungszeit: **40 Min.***
*Garzeit: **35 Min.***
Für 4 Personen

2 Schnapper oder Meeräschen (je 400 g),
    filetiert (s. S. 689)
2 große Fenchelknollen
50 g Butter
Salz und schwarzer Pfeffer,
    nach Geschmack
16 frische Basilikumblätter
75 ml Weißwein
4 TL Pastis oder Ricard (beliebig)

1 Fisch abspülen, mit Küchenpapier trockentupfen und bis zur Weiterverwendung kalt stellen. Die kleinen Stiele an der Oberseite der Fenchelknollen mit einem kleinen scharfen Messer abschneiden. Blätter aufbewahren und die dicken Stiele wegwerfen. Knollen mit einem großen scharfen Messer von oben nach unten durch die Wurzel halbieren. Wurzel abschneiden und wegwerfen. Fenchel in 5 mm dicke Scheiben schneiden.

2 Butter in einem Topf erhitzen, Fenchel hineingeben und abgedeckt bei schwacher Hitze 25 Minuten weich dünsten (Garprobe). Vom Herd nehmen und mit Salz

und schwarzem Pfeffer würzen. Backofen auf 220°C vorheizen.

3 Ein Stück Pergamentpapier oder Alufolie in der Mitte falten, dann ein großes Stück in der Form eines halben Tropfens (5 cm größer als der Fisch) ausschneiden. Wenn Papier oder Folie aufgeklappt werden, sollte eine Herzform entstanden sein. Insgesamt 4 Herzen ausschneiden, flach ausbreiten und mit zerlassener Butter einfetten. Fenchel löffelweise auf eine Seite jeder Herzform geben und bis zur Größe des Fischs verteilen. Je ein Fischfilet darauflegen und leicht mit Salz und schwarzem Pfeffer würzen. Auf jedes Fischstück 4 Basilikumblätter geben und jeweils mit 1 EL Weißwein und 1 TL Pastis bzw. Ricard beträufeln. Zum Schluß mit den aufbewahrten Fenchelblättern belegen.

4 Die leere Papier- oder Folienseite sofort über den Fisch falten und die Ränder fest verschließen. Auf ein Backblech oder in eine flache feuerfeste Form legen und 5–8 Minuten backen.

5 Die Päckchen auf Teller legen. Die Gäste sollten sie selbst öffnen, so daß sich das Aroma entfalten kann.

Tip Nach dieser Methode können auch andere Fischsorten, z. B. Barsch, Makrele oder Kabeljau, gegart werden. Die Garzeit hängt dabei von Umfang und Form des Fischs ab.

Seezunge „Müllerin"

Ein Klassiker mit Stil: Die Seezunge wird kurz in der Pfanne gebraten, mit Butter und Zitronensaft übergossen und heiß mit Petersilie und Zitronenspalten verzehrt. Wegen ihres festen, saftigen Fleischs ist die Seezunge besonders gut für das Gericht geeignet, ersatzweise kann aber auch jede andere Plattfischart verwendet werden.

Zubereitungszeit: **10 Min.**
Garzeit: **10 Min.**
Für 4 Personen

4 Seezungenfilets (je 180 – 200 g),
 ohne Haut
100 g geklärte Butter
100 g Mehl, etwas Salz und Pfeffer
100 g kalte Butter, gewürfelt
1 EL Zitronensaft, durch ein Sieb passiert
2 TL feingehackte frische Petersilie,
 zum Garnieren
1 Zitrone, in Spalten geschnitten,
 zum Garnieren

1 Fisch abspülen und mit Küchenpapier gut abtrocknen. Geklärte Butter in einer großen Pfanne erhitzen.
2 Mehl mit Salz und Pfeffer mischen und die Filets darin wenden, bis sie rundum bedeckt sind. Überschüssiges Mehl abklopfen. Fisch mit der Hautseite nach oben in die Pfanne legen und 2 Minuten goldbraun braten, dabei einmal wenden. Herausnehmen und auf vorgewärmte Teller legen.
3 Heiße Butter aus der Pfanne abgießen und diese mit Küchenpapier auswischen. Kalte Butter hineingeben und erhitzen, bis sie goldgelb und schaumig ist. Vom Herd nehmen, sofort den Zitronensaft zugeben und die Butter noch schäumend über den Fisch gießen.
4 Mit etwas Petersilie garnieren und sofort mit den Zitronenspalten servieren.

Seezunge Véronique auf Kartoffelküchlein

Ein klassisches französisches Rezept mit hellen Trauben in einer Weißweinsauce zu pochierter Seezunge.
Hier wird der Fisch auf knusprigen Kartoffelküchlein angerichtet.

Zubereitungszeit: 1 Std.
Garzeit: 1 Std. 15 Min.
Für 4 Personen

KARTOFFELKÜCHLEIN
500 g mehlige Kartoffeln, geschält und in
gleichmäßige Stücke geschnitten
Salz und schwarzer Pfeffer,
nach Geschmack
4 Eiweiß
geklärte Butter, zum Braten

8 Seezungenfilets (je 85 g)
2 Schalotten, feingehackt
100 ml trockener Weißwein
200 ml Fischbrühe
Salz und schwarzer Pfeffer,
nach Geschmack
200 g kernlose helle Trauben
300 ml Sahne

1 Kartoffelküchlein: Kartoffeln in einen großen Topf mit kaltem Salzwasser geben. Abgedeckt zum Kochen bringen und bei reduzierter Hitze ca. 15–20 Minuten weich kochen (Garprobe). Abgießen und im Topf bei schwacher Hitze 1–2 Minuten schwenken, damit überschüssige Feuchtigkeit verdunsten kann. Kartoffeln stampfen oder durch ein feines Sieb streichen, mit Salz und schwarzem Pfeffer würzen und abkühlen lassen.
2 In der Zwischenzeit die Seezungenfilets abspülen und mit Küchenpapier gut abtrocknen. Hautseite an beiden Enden der Filets nach unten umschlagen, so daß 8 Filets von ca. 10 cm Länge entstehen. Eine flache feuerfeste Form (30 cm x 21 cm) mit Butter einfetten und den Boden mit der Hälfte der Schalotten bestreuen. Fisch drauflegen, mit je 1 EL Weißwein und Brühe be-

träufeln und mit etwas Salz und schwarzem Pfeffer würzen. Mit Klarsichtfolie abgedeckt kalt stellen.
3 Trauben in einen Topf mit kochendem Wasser geben und 15 Sekunden kochen. Abtropfen lassen und in Eiswasser abschrecken. Aus dem Wasser nehmen, Häute abziehen und Trauben und Häute getrennt aufbewahren.
4 Backofen auf 180°C vorheizen. Eiweiß in einer Schüssel zu steifem Eischnee schlagen. ¼ des Eischnees mit einem Spatel oder großen Löffel in die Kartoffelmasse einrühren, dann den Rest vorsichtig unterheben.
5 Eine große gußeiserne Pfanne 1 cm hoch mit geklärter Butter füllen und bei mittlerer Hitze auf den Herd stellen. Den Innenrand einer runden Ausstechform (8 cm Ø) leicht einfetten und die Form in die Pfanne legen. Eine 5 mm dicke Schicht Kartoffelmasse in die Form geben. Den Rand der Form mit einem Streichmesser vorsichtig lösen und die Form herausheben. Vorgang wiederholen, bis die Pfanne voll ist, dabei genug Platz zum Wenden der Küchlein lassen. Auf jeder Seite 5 Minuten goldbraun braten. Auf Küchenpapier abtropfen lassen und auf einem Kuchenrost im schwach geheizten Backofen warm stellen.
6 Restliche Schalotten, Wein und Brühe in einen Topf geben. Traubenhäute zugeben, aufkochen lassen und 20 Minuten köcheln lassen, bis die Mischung eine sirupartige Konsistenz hat. In der Zwischenzeit den Fisch 10–12 Minuten gar backen. Sahne in die Sauce einrühren und 5 Minuten köcheln lassen, bis sie erneut zähflüssig ist. Durch ein Sieb in einen sauberen Topf passieren und die Traubenhäute wegwerfen. Fischsud durch ein Sieb in die Sauce gießen und diese wiederum zu einer sirupartigen Flüssigkeit einkochen lassen. Trauben zugeben und erhitzen.
7 Zum Servieren ein Küchlein auf jeden Teller legen, zwei Seezungenfilets darauf arrangieren und mit der Sauce anrichten.

Normandie-Seezunge

Dieses klassische Gericht aus der Normandie wurde im frühen 19. Jahrhundert mit Apfelwein statt Weißwein zubereitet und in Sahne geschmort. Heute wird es meist mit Champignons und Garnelen serviert.

*Zubereitungszeit: **1 Stunde***
*Back- und Garzeit: **1 Stunde***
Für 4 Personen

3 Seezungenfilets (ca. 1 kg), ohne Haut
Salz und weißer Pfeffer, nach Geschmack
500 ml trockener Weißwein
2 Schalotten, gehackt
500 g Miesmuscheln, gesäubert (s. S. 688)
30 g Butter
100 g Champignons, in Scheiben geschnitten
etwas Zitronensaft
3 EL Wasser
250 ml Crème double
125 g kleine Garnelen, ohne Schale, gekocht
1 EL frische Petersilie, gehackt, zum Garnieren

1 Seezungenfilets mit der Hautseite nach oben auf ein Arbeitsbrett legen. Mit Salz und Pfeffer würzen und von der breiteren Seite her vorsichtig aufrollen. Mit einem Spieß oder Zahnstocher befestigen. Mit Klarsichtfolie abdecken und kalt stellen.

2 Wein und Schalotten in einem großen Topf zum Kochen bringen und 5 Minuten köcheln lassen. Miesmuscheln zufügen, abdecken und 2–3 Minuten weiter kochen lassen. Alle Muscheln wegwerfen, die sich beim Kochen nicht öffnen. Abtropfen lassen und die Abtropfflüssigkeit aufbewahren. Muscheln aus den Schalen lösen, zum Abkühlen beiseite stellen und Schalen wegwerfen.

3 Backofen auf 200 °C vorheizen. Die Hälfte der Butter in einem großen Topf zerlassen. Champignons, etwas Zitronensaft und das Wasser zugeben und 5 Minuten köcheln lassen. Das Kochwasser der Muscheln zugeben und weiter köcheln lassen, bis sich die Flüssigkeitsmenge um 3/4 reduziert hat. Crème double zugeben und weitere 5 Minuten köcheln lassen, bis die Mischung eingedickt ist. Mit etwas Salz und weißem Pfeffer abschmecken.

4 Eine feuerfeste Auflaufform mit der restlichen Butter einfetten und die aufgerollten Seezungenfilets hineinlegen. Garnelen und Miesmuscheln dazugeben und Sauce darüber gießen. Mit Alufolie abdecken und 7–10 Minuten backen. Zahnstocher oder Spieße entfernen und mit Petersilie bestreut servieren.

In Riesling geschmorte Forelle

Das Elsaß ist berühmt für die raffinierte Zubereitung von Süßwasserfischen aus den zahlreichen Flüssen der Region. Hier wird Forelle in Riesling, einem typisch elsässischen Wein, geschmort.

*Zubereitungszeit: **35 Minuten***
*Back- und Garzeit: **1 Stunde 10 Minuten***
Für 4 Personen

75 g Butter
3 Zwiebeln, in dünne Ringe geschnitten
1 Prise Salz
150 g Champignons, in Scheiben geschnitten
230 ml Wasser
1 EL frische Petersilie, gehackt
Salz und Pfeffer, nach Geschmack
2 große Schalotten, gehackt
230 ml Riesling
230 ml Fischbrühe
8 Süßwasserforellenfilets (ca. 1,2 kg), ohne Haut und Gräten
230 ml Crème double
frische Petersilie, gehackt, zum Garnieren

1 Backofen auf 180 °C vorheizen.
2 50 g Butter bei geringer Hitze in einer Pfanne zerlassen. Zwiebeln mit einer Prise Salz zufügen und abgedeckt 15 Minuten köcheln lassen. Champignons und Wasser einrühren und ohne Deckel weiter kochen lassen, bis ein Großteil der Flüssigkeit verdampft ist. Peter-

silie unterrühren, salzen, pfeffern und abkühlen lassen.
3 Restliche Butter in einem mittelgroßen Topf bei geringer Hitze zerlassen und Schalotten 3 Minuten darin anbraten. Wein zugießen, auf höchster Stufe zum Kochen bringen und 5 Minuten weiter kochen lassen. Brühe zugießen, vom Herd nehmen und beiseite stellen.
4 Eine große feuerfeste Auflaufform, in der die Forellenfilets in einer Schicht liegen können, einfetten. 1 Filet mit der Hautseite nach unten auf ein Arbeitsbrett legen und mit Salz und Pfeffer bestreuen. 1–2 EL der Zwiebel-Champignon-Mischung auf das breite Ende des Filets geben. Das schmale Ende darüber falten und das gefüllte Filet in die eingefettete Auflaufform legen. Vorgang mit den restlichen Filets wiederholen, dabei jeweils ein wenig Raum zwischen den einzelnen Fischrollen lassen. Abgekühlten Wein und Fischbrühe darüber gießen, Auflaufform auf die Herdplatte stellen und Flüssigkeit zum Kochen bringen. Sofort abdecken und 5–8 Minuten backen, bis der Fisch fest wird. Filets auf einen Teller geben, abdecken und warm stellen.
5 Kochflüssigkeit durch ein feines Sieb in einen Topf gießen. Bei mittlerer Hitze köcheln lassen, bis die Menge auf ca. 60 ml reduziert ist. Crème double einrühren und 5 Minuten köcheln lassen. Salzen und pfeffern. Forellenfilets auf einer Servierplatte oder Tellern anrichten, Sauce darüber geben und mit Petersilie garniert.servieren.

Sardinen mit Walnuß-Petersilien-Kruste

*Eine knusprige Walnußkruste verleiht diesen gegrillten, frischen Sardinen ihren besonders saftigen Geschmack.
Sie können als Hauptgericht oder Vorspeise mit Olivenöl, Zitronenspalten und frischem Brot serviert werden.*

Zubereitungszeit: 40 Minuten
Garzeit: 20 Minuten
Für 4 Personen

WALNUSS-PETERSILIEN-KRUSTE
150 g Butter
4 Schalotten, feingehackt
2 Knoblauchzehen, zerdrückt
Salz und schwarzer Pfeffer, nach Geschmack
4 EL frische Semmelbrösel
100 g Walnüsse, feingehackt
2 TL feingehackte frische Petersilie

**16 frische Sardinen (je 50 g), abgeschuppt
und ausgenommen**
2 EL Mehl
Salz und schwarzer Pfeffer, nach Geschmack
50 ml Olivenöl
2 EL warmes Olivenöl, zum Servieren
schwarzer Pfeffer, nach Geschmack
Zitronenspalten, zum Servieren
einige Rucolablätter, zum Servieren

1 Walnuß-Petersilien-Kruste: Butter bei mittlerer Hitze in einem Topf zerlassen, Schalotten und Knoblauch hineingeben und abgedeckt ca. 3 Minuten glasig dünsten. Vom Herd nehmen, mit etwas Salz und schwarzem Pfeffer würzen, dann Semmelbrösel, Walnüsse und Petersilie zugeben und gut verrühren.

2 Grill auf hoher Stufe vorheizen. Sardinen abspülen und gut mit Küchenpapier trockentupfen. Mehl auf einen Teller oder ein Stück Pergamentpapier geben und kräftig mit Salz und schwarzem Pfeffer würzen. Öl auf einen anderen Teller gießen. Sardinen Stück für Stück in Mehl wenden, den Überschuß abschütteln. Dann mit beiden Seiten in das Öl tauchen und die Hälfte des Fischs in eine Grillschale legen. 3 Minuten auf jeder Seite grillen. Erste Sardinenportion auf einen Teller legen und warm stellen, während der Rest gegrillt wird.

3 Sardinen mit der Walnuß-Petersilien-Mischung bestreuen und diese fest an die Haut andrücken. Erneut in zwei Portionen grillen, bis die Kruste goldbraun ist.

4 Sardinen auf einen großen Servierteller oder auf einzelne Teller legen und warmes Olivenöl in die Zwischenräume träufeln. Mit etwas schwarzem Pfeffer, Zitronenspalten und einigen Rucolablättern abrunden.

Thunfisch auf baskische Art

*Dieses baskische Gericht enthält typischerweise Paprikaschoten, Zwiebeln, Tomaten und Schinken –
alles Zutaten, die ideal zur fleischartigen Textur des frischen Thunfischs passen.*

Zubereitungszeit: **1 Std. 5 Min.**
Garzeit: **20 Min.**
Für 4 Personen

250 g reife Tomaten
3 EL Olivenöl
25 g Butter
4 Thunfischsteaks (je 185 g), ohne Haut
2 Zwiebeln, in dünne Ringe geschnitten
1 kleine rote Paprikaschote, in Streifen geschnitten
1 kleine gelbe Paprikaschote, in Streifen geschnitten
1 kleine grüne Paprikaschote, in Streifen geschnitten
3 Knoblauchzehen, feingehackt
150 ml trockener Weißwein
1 Bouquet garni (s. Tip)
Salz und schwarzer Pfeffer, nach Geschmack
**150 g Bayonne- oder Parmaschinken, zuerst in dünne
    Scheiben, dann in 3 cm große Stücke geschnitten**
½ EL gehackte frische Petersilie, zum Garnieren

1 Einen kleinen Topf mit Wasser zum Kochen bringen. Jede Tomate mit einem scharfen Messer kreuzweise einritzen. 10 Sekunden im kochenden Wasser überbrühen und mit Eiswasser abschrecken. Haut vom Kreuz aus abziehen und den Stiel herausschneiden. Tomaten vierteln, Kerne entfernen und das Fleisch grob hacken.

2 2 EL Öl und Butter in einer großen Pfanne erhitzen. Wenn das Fett schäumt, den Thunfisch zugeben und bei starker Hitze 1 Minute auf jeder Seite goldbraun braten. Aus der Pfanne nehmen. Zwiebeln hineingeben und abgedeckt bei schwacher Hitze 3–4 Minuten dünsten, ohne daß sie Farbe annehmen, dabei ständig rühren. Paprika und Knoblauch zugeben und 1 Minute vorsichtig weich dünsten. Den Fisch wieder in die Pfanne legen, Tomaten, Wein, Bouquet garni und etwas Salz zugeben und 5 Minuten köcheln lassen.

3 Thunfisch aus der Pfanne nehmen und mit Alufolie abgedeckt warm stellen. Mischung in der Pfanne aufkochen und 5 Minuten stark einkochen lassen, bis die Flüssigkeit an einem Löffelrücken haftet. Gegebenenfalls mit schwarzem Pfeffer und etwas Salz nachwürzen. Restliches Öl in einer Pfanne erhitzen, den Schinken zugeben und 10 Sekunden auf jeder Seite kurz anbraten (bei Bedarf noch etwas Öl zugeben).

4 Fisch zum Servieren auf Teller legen und die Gemüsemischung darübergeben. Schinken auf oder um den Fisch herum verteilen und mit Petersilie garnieren.

Tip Für das Bouquet garni ein Lorbeerblatt, einen Thymianzweig, einige Sellerieblätter und Petersilienzweige in das Grün einer Porreestange einwickeln und mit Garn zusammenbinden. An einem langen Faden in den Topf hängen.

Gougère mit geräuchertem Schellfisch

Ein mit Käse verfeinerter Brandteigkranz wird hier mit geräuchertem Schellfisch, Porree, Tomate und Dill gefüllt. Als Variation eignet sich auch eine Mischung aus Lachs, Forelle, Seeteufel oder Krustentieren.

Zubereitungszeit: **35 Min.**
Back- und Garzeit: **45 Min.**
Für 6 Personen

BRANDTEIG
150 g Mehl
250 ml Wasser
100 g Butter, gewürfelt
1 Prise Salz
4 Eier, leicht verquirlt
100 g Cheddar, grobgerieben
1 TL Dijon-Senf
Salz und schwarzer Pfeffer, nach Geschmack

FÜLLUNG
300 g geräuchertes Schellfischfilet
25 g Butter
1 kleine Porreestange oder 4 Frühlingszwiebeln, nur
  weißer Teil, in Ringe geschnitten
25 g Mehl
175 ml Milch
1 große Tomate, abgezogen, ohne Kerne und in 1 cm
  breite Streifen geschnitten
1 TL gehackter frischer Dill
Salz und schwarzer Pfeffer, nach Geschmack

1 Ei, verquirlt
1 EL Parmesan, gerieben
1 EL leicht geröstete frische Semmelbrösel
25 g Butter, zerlassen
frischer Dill, zum Garnieren

1 Sechs runde Auflaufformen (14,5 cm Ø, 3 cm tief) mit zerlassener Butter einfetten und kalt stellen.

2 Brandteig: Mehl auf ein sauberes Stück Pergamentpapier sieben. Wasser, Butter und Salz in einen Topf geben. Aufkochen, vom Herd nehmen und das gesamte Mehl auf einmal hineingeben. Mit einem Holzlöffel gut verrühren. Wieder auf den Herd stellen und weiterrühren, bis der Teig eine geschmeidige Kugel bildet und nicht mehr an der Topfwand haftet. Vom Herd nehmen und den Teig in eine Schüssel geben. Eier nach und nach zugeben mit einem Hölzlöffel oder dem elektrischen Handrührgerät gut unterrühren. Der Teig ist fertig, wenn er geschmeidig, dick und glänzend ist. Käse und Senf unterrühren und mit Salz und schwarzem Pfeffer würzen. Abgedeckt beiseite stellen.

3 Füllung: Schellfisch in einem flachen Topf mit kaltem Wasser bedecken. Abgedeckt langsam zum Kochen bringen, dann den Herd abstellen und den Fisch 7 Minuten ziehen lassen.

4 Butter in einem tiefen Topf zerlassen, Porree hineingeben und bei schwacher Hitze 3 Minuten weich dünsten. Mit Mehl bestreuen und 1 Minute weiterdünsten, dabei mit einem Holzlöffel umrühren. Vom Herd nehmen und die Milch einrühren. Unter ständigem Rühren zum Kochen bringen und 1 Minute einkochen lassen.

5 Backofen auf 200°C vorheizen. Fisch aus seinem Sud heben und mit Küchenpapier trockentupfen. Das Fleisch mit einer Gabel vorsichtig von der Haut lösen und zerpflücken. Fischstücke zusammen mit Tomate, Dill, etwas Salz und schwarzem Pfeffer in die Füllung einrühren.

6 Einen Spritzbeutel mit 1–1,25 cm breiter Tülle mit dem Teig füllen. Einen Kreis auf den Bodenrand der vorbereiteten Formen spritzen, dann einen weiteren Kreis daraufsetzen, so daß der Innenrand bedeckt ist. Füllung in die Mitte der Brandteigkränze geben und die Teigoberseite leicht mit verquirltem Ei bestreichen. Parmesan und Semmelbrösel mischen, über die Füllung streuen und mit zerlassener Butter beträufeln. Auf ein Backblech legen und 15–20 Minuten knusprig backen. Mit Dill garnieren.

Hechtklößchen

Hier bestehen die Klößchen aus Hechtfleisch. Es eignen sich aber auch Forelle, Weißfisch oder Seezunge.

*Zubereitungszeit: **1 Stunde 30 Minuten + 30 Minuten Kühlzeit***
*Back- und Garzeit: **2 Stunden***
Für 4 Personen

KLÖSSCHEN
400 g Hecht, ohne Haut, filetiert
   und gewürfelt
1 Prise Salz
2 Eiweiß
350 ml Crème double

FLUSSKREBSSAUCE
3 EL ÖL
20 Flußkrebse
2 EL Schalotten
4 EL Zwiebeln, feingehackt
1 EL Sellerie, feingehackt
2 EL Cognac
2 EL Tomatenmark
1 l Fischbrühe oder Wasser
1 Bouquet garni (s. S. 685)

BECHAMELSAUCE
40 g Butter
2 EL Mehl
500 ml Milch
1 Prise Muskat, gemahlen
Salz und Pfeffer, nach Geschmack

1 Für die Klößchen das Hechtfleisch mit dem Salz in die Küchenmaschine geben und auf der Momentstufe zerkleinern, den Fisch dabei gelegentlich mit einem Küchenschaber andrücken. Eiweiß in 5-Sekunden-Intervallen hinzufügen, bis eine glatte Masse entsteht. Die Mischung darf nicht zu lange verrührt werden, sonst wird sie zäh. Masse in eine Schüssel füllen und abgedeckt kalt stellen.

2 Für die Flußkrebssauce das Öl in einen großen Topf geben, Flußkrebse hineinlegen und auf höchster Stufe kochen lassen, bis sie hellrot sind. Aus dem Topf nehmen und mit einem Nudelholz zerdrücken. Temperatur auf mittlere Stufe herunterschalten, Krebse wieder in die Pfanne geben, Gemüse hinzufügen und 5 Minuten kochen lassen. Cognac zufügen und 2 Minuten weiter köcheln lassen. Tomatenmark einrühren und unter ständigem Rühren 3 Minuten köcheln lassen. Brühe zugießen, Bouquet garni zufügen und auf mittlerer Stufe ca. 30 Minuten köcheln lassen; dabei mehrmals die Oberfläche abschöpfen. Durch ein Sieb in einen sauberen Topf gießen und weitere 30 Minuten köcheln lassen, bis die Menge auf 2/3 reduziert ist. Beiseite stellen.

3 Hechtklößchenmasse in eine Schüssel mit Eis füllen. Crème double in 4 Portionen einrühren, nach jeder Zugabe gut verquirlen. Abdecken und 30 Minuten kalt stellen.

4 Für die Béchamelsauce Butter in einem Topf zerlassen. Mehl einrühren und auf mittlerer Stufe 2 Minuten erhitzen. Vollständig abkühlen lassen. Milch und Muskat zum Kochen bringen, bei geringer Hitze langsam in die abgekühlte Mischung rühren und 10 Minuten unter gelegentlichem Rühren köcheln lassen. Flußkrebssauce portionsweise durch ein Sieb in die Béchamelsauce einrühren. 5 Minuten köcheln lassen, mit Salz, Pfeffer und Muskat abschmecken, beiseite stellen und warm halten.

5 Backofen auf 200 °C vorheizen. Einen großen, tiefen Topf einfetten und mit Salz und Pfeffer ausstreuen. Hechtklößchen formen und 20 Minuten kalt stellen.

6 Hechtklößchen mit kochendem Wasser übergießen, bis sie vollständig bedeckt sind 10 Minuten ziehen lassen (dabei einmal wenden). Klößchen herausnehmen, gut abtropfen lassen und in eine leicht eingefettete, feuerfeste Auflaufform geben.

7 Béchamelsauce durch ein Sieb über die Klößchen geben, dann 10 Minuten goldbraun backen.

Ceviche

Ceviche stammt aus Südamerika und wird aus rohem Fisch zubereitet. Die Säure des Limonendressings „gart" den Fisch, bis er genau die weißliche Farbe annimmt, die er sonst durch Erhitzen erhält.

Zubereitungszeit: 55 Min. + 4 Std. Kühlzeit
Garzeit: 1 Min.
Für 6 Personen

600 g Filets von Brasse, Schnapper
　oder Seebarsch, ohne Haut (s. Tips)
Saft von 6 Limonen
Salz und schwarzer Pfeffer, nach Geschmack
1 kleine Zwiebel, feingehackt
1 grüne Paprikaschote
　ohne Kerne und feingehackt
½ rote Chilischote, ohne Kerne und feingehackt
½ Salatgurke, in 5 mm große Würfel geschnitten
1 kleine Avocado, geschält und in
　5 mm große Würfel geschnitten
4 Tomaten, abgezogen, ohne Kerne und gewürfelt
einige frische Petersilien- oder Kerbelzweige,
　zum Garnieren

BRUNNENKRESSE-VINAIGRETTE
100 g Brunnenkresse, ohne feste Stiele
1 ¼ EL Weißweinessig
100 ml Olivenöl
Salz und schwarzer Pfeffer,
　nach Geschmack

1 Filets in 5 mm breite Streifen schneiden, mit Limonensaft beträufeln und abgedeckt 2 Stunden kalt stellen.

2 Fisch abtropfen lassen, etwas Salz und schwarzen Pfeffer, Zwiebel, Paprika, Chili, Gurke und Avocado zugeben und vorsichtig verrühren. Mit Klarsichtfolie abgedeckt 1–2 Stunden kalt stellen. 6 Servierteller kühlen.

3 Brunnenkresse-Vinaigrette: Brunnenkresse in einen Topf mit kochendem Salzwasser geben und ca. 1 Minute kochen. Abgießen und mit fließendem kaltem Wasser abschrecken. Überschüssiges Wasser mit Küchenpapier abtupfen, dann die Kresse in der Küchenmaschine mit Weißweinessig und Olivenöl pürieren. Mit etwas Salz und schwarzem Pfeffer würzen.

4 Zum Servieren eine Ausstechform (8 cm Ø) auf einen gekühlten Teller legen und mit der Ceviche füllen, dabei die Füllung mit einem Löffel vorsichtig hineindrücken. Form entfernen und mit den anderen Tellern ebenso verfahren. Teller mit der Brunnenkresse-Vinaigrette dekorieren und mit Tomatenwürfeln und Petersilie bzw. Kerbel garnieren. Dazu knuspriges Brot reichen.

Tips Wenn Brasse, Schnapper oder Seebarsch nur im Ganzen erhältlich sind, kaufen Sie einen Fisch von 800 g und filetieren ihn selbst (siehe S. 689).

Für eine cremigere Variation dieses Gerichts geben Sie 250 ml Kokosmilch zum Gemüse.

Fischpfanne »Dugléré«

Seinen Namen verdankt dieses Gericht Adolphe Dugléré, einem berühmten französischen Küchenchef des neunzehnten Jahrhunderts.

*Vorbereitungszeit: **45 Minuten***
*Zubereitungszeit: **55 Minuten***
Für 4 Personen

40 g Butter
I kleine Zwiebel, feingehackt
2 TL Schalotten, feingehackt
Salz und Pfeffer
4 Plattfisch-Filets (z. B. Glattbutt, Steinbutt, Flunder oder Seezunge), à 185–250 g
185 ml trockener Weißwein
I kg geschälte Tomaten, entkernt und zerkleinert
3 EL Crème double
60 g Butter, tiefgekühlt und in Würfel geschnitten
I EL frische Petersilie, feingehackt
Salz und frisch gemahlener schwarzer Pfeffer

1 Eine große Pfanne mit Butter ausreiben. Zwiebel und Schalotten hineingeben und mit wenig Salz und Pfeffer würzen. Die Fischfilets darauf legen und den Wein zugießen. Mit gefettetem Backpapier abdecken. Bei mittlerer Hitze ca. 5–10 Minuten sieden lassen, bis das Fischfleisch weiß ist und bei leichtem Druck zerfällt. Das Backpapier entfernen, den Fisch auf einen Teller geben und zugedeckt warm stellen.

2 Die zerkleinerten Tomaten in die Pfanne geben, zum Kochen bringen und so lange kochen lassen, bis die Flüssigkeit fast vollständig verdampft ist. Dann die Crème double zufügen und wieder aufkochen lassen. Unter ständigem Umrühren die Butterwürfel zugeben. Sobald die gesamte Butter zerlassen ist, die Pfanne vom Herd nehmen und die gehackte Petersilie einrühren. Die Sauce nicht wieder aufkochen lassen.

3 Aus dem gekochten Fisch ausgetretene Flüssigkeit in die Tomatensauce geben. Die Sauce nach Geschmack mit Salz und frisch gemahlenem Pfeffer würzen, über den Fisch geben und sofort servieren.

Grünes Fisch-Curry auf thailändische Art

Dieses Curry wird mit einer grünen Currypaste zubereitet, die dem Gericht den frischen, authentischen Geschmack der Thai-Küche verleiht. Dazu serviert man gedämpften Jasminreis.

*Zubereitungszeit: **15 Min.***
*Garzeit: **20 Min***
*Für **4–6 Personen***

GRÜNE CURRYPASTE
250 ml Kokosmilch
8 kleine grüne Chilischoten, halbiert und ohne Kerne
1 Zweig Zitronengras, gehackt (in Asia-Märkten erhältlich)
2 EL Limonensaft
25 g Galgant- oder Ingwerwurzel, in Scheiben geschnitten
1 TL gemahlener Koriander
½ TL gemahlener Kreuzkümmel
5 Schalotten oder Frühlingszwiebeln, geschält und gehackt
3 Kaffir-Limettenblätter (in Asia-Märkten erhältlich)

1 EL Sonnenblumenöl
½ milde rote oder grüne Chilischote, ohne Kerne und in Streifen geschnitten
25 g eingelegte grüne Pfefferkörner, abgetropft, sowie 1 TL Einlegeflüssigkeit
1 TL Zucker
400 ml Kokosmilch aus der Dose

5 Kaffir-Limettenblätter
750 g feste Weißfischfilets, ohne Haut und in 4 cm große Würfel geschnitten
Salz und schwarzer Pfeffer, nach Geschmack
1 EL Fischsauce (in Asia-Märkten erhältlich)
2 EL grob zerpflückte Basilikumblätter, zum Garnieren

1 Grüne Currypaste: Alle Zutaten im Mixer oder in der Küchenmaschine zu einer dicken, cremigen Paste verarbeiten, dabei die Schüsselwand gelegentlich abschaben. Wenn die Paste zu dick ist, noch etwas Kokosmilch oder einige Tropfen Sonnenblumenöl zugeben. In eine Schüssel geben und abgedeckt beiseite stellen.

2 Sonnenblumenöl im Wok oder in einer großen Pfanne erhitzen, Chili hineingeben und ca. 4 Minuten goldbraun dünsten. Pfefferkörner, Einlegeflüssigkeit, Zucker und Kokosmilch zugeben, aufkochen und ca. 3 Minuten köcheln lassen.

3 4 EL grüne Currypaste, Limettenblätter und Fisch zugeben und 5–10 Minuten gar kochen. Limettenblätter entfernen und wegwerfen. Mit Salz, schwarzem Pfeffer und Fischsauce würzen und warm stellen.

4 Fisch zum Servieren in eine vorgewärmte Servierschale füllen und die Sauce darübergeben. Mit Basilikum bestreuen und mit gedämpftem Jasminreis servieren.

Diepper Eintopf

Dieser Fischeintopf stammt aus Dieppe in der Normandie,
einem für seine Fischküche berühmten Küstenort. In Diepper Gerichten finden sich meist
Miesmuscheln, Garnelen und Champignons.

*Zubereitungszeit: **1 Stunde***
*Garzeit: **25 Minuten***
Für 4 Personen

1 große Schalotte, gehackt
400 ml Weißwein
2 Zweige frischer Thymian
1 Lorbeerblatt
500 g Miesmuscheln, gesäubert (s. S. 688)
12 große Garnelen (ca. 400 g), ohne Schale
12 Kammuscheln (ca. 350 g), ohne Schale, gesäubert
  (s. S. 688)
240 g Mönchsfisch oder Lachs, in 1 cm große Würfel
  geschnitten
240 g Champignons, in Scheiben geschnitten
300 ml Crème double
Salz und Pfeffer, nach Geschmack
20 g frische glattblättrige Petersilie, feingehackt

1 Schalotte, Wein, Thymian, Lorbeerblatt und Miesmuscheln in einem großen feuerfesten Topf mit Deckel auf höchster Stufe zum Kochen bringen. Hitze reduzieren und abgedeckt 2–3 Minuten köcheln lassen, dabei mehrmals gründlich durchrühren. Alle Muscheln, die sich nicht geöffnet haben, wegwerfen. Muscheln herausnehmen und zum Abkühlen beiseite stellen. Kochflüssigkeit aufbewahren.

2 Die Kochflüssigkeit der Muscheln zum Sieden bringen und die Garnelen hineingeben. Umrühren, dann die Kammuscheln zugeben. Abdecken und 2–3 Minuten köcheln lassen. Garnelen und Muscheln aus dem Topf nehmen und beiseite stellen. Flüssigkeit wieder zum Sieden bringen und den Vorgang mit dem Fisch wiederholen (5 Minuten sieden lassen). Garzustand des Fischs durch einen Einschnitt prüfen. Miesmuscheln aus den Schalen lösen und Schalen wegwerfen.

3 Kochflüssigkeit durch ein sehr feines Sieb abgießen, um Sandreste aufzufangen. In einen Topf geben und zum Kochen bringen. Champignons zugeben und kochen lassen, bis sämtliche Flüssigkeit verdampft ist. Crème double einrühren und ca. 5 Minuten köcheln lassen, bis die Mischung eindickt. Miesmuscheln, Garnelen, Kammuscheln und Fisch zugeben und alles gut erhitzen. Mit Salz und schwarzem Pfeffer würzen. Petersilie vorsichtig unterheben und servieren.

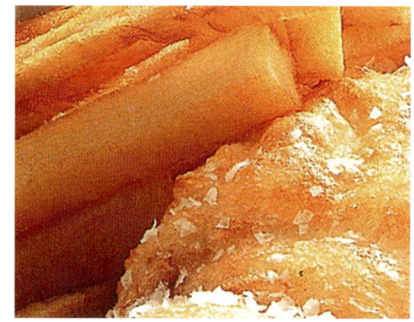

Fish and Chips

Britische Tradition vom Feinsten: Fester Weißfisch, in knuspriger Teighülle fritiert und mit selbstgemachten Pommes frites serviert. Das beste Ergebnis erzielt man mit sehr frischem Fisch, der kochendheiß verzehrt wird.

Zubereitungszeit: 20 Min. + 30 Min. Ruhezeit
Garzeit: 20 Min.
Für 4 Personen

600 g mehlige Kartoffeln, geschält
Öl, zum Fritieren
4 feste Weißfischfilets (je 150–180 g), ohne Haut
2–3 EL Mehl, etwas Salz und Pfeffer
Zitronenspalten, zum Garnieren

TEIG
150 g Maismehl
150 g Mehl
3 TL Backpulver
Salz und schwarzer Pfeffer, nach Geschmack
300–500 ml Bier

1 Kartoffeln in 5–10 mm breite, 1 cm dicke und 6–8 cm lange Stäbchen schneiden. In einer Schüssel mit kaltem Wasser bedecken.

2 Teig: Maismehl, Mehl, Backpulver und etwas Salz und schwarzen Pfeffer in eine Schüssel sieben und in die Mitte eine Mulde drücken. Nach und nach das Bier zugeben und mit einem Holzlöffel unterrühren, bis ein glatter Teig mit sahniger Konsistenz entsteht (die benötigte Flüssigkeitsmenge hängt vom verwendeten Mehl ab). Abgedeckt 30 Minuten bei Zimmertemperatur stehen lassen.

3 In der Zwischenzeit eine Friteuse oder gußeiserne Pfanne zu einem Drittel mit Öl füllen und auf 160–170°C erhitzen (ein Brotwürfel bräunt darin in 30 Sekunden). Pommes frites abtropfen lassen und trockentupfen, dann fritieren, bis kaum noch Blasen aufsteigen und die Stäbchen einen dünnen, goldgelben Überzug erhalten. Aus dem Fett heben, überschüssiges Öl abtropfen lassen und auf Küchenpapier legen.

4 Öl auf 180°C erhitzen (ein Brotwürfel bräunt darin in 15 Sekunden). Fisch abspülen und mit Küchenpapier vollständig trocknen. Mehl mit Salz und Pfeffer mischen, auf einen Teller geben und den Fisch darin wenden. Überschüssiges Mehl abschütteln. Fisch in den Teig tauchen, bis er gleichmäßig überzogen ist. Herausheben und überschüssigen Teig abtropfen lassen. Vorsichtig in die Friteuse oder Pfanne legen und gegebenenfalls portionsweise 5 Minuten goldbraun fritieren. Fisch herausheben und auf Küchenpapier abtropfen lassen. Mit Salz würzen und auf einem Kuchenrost warm stellen.

5 Pommes frites wieder ins Öl geben und goldbraun und knusprig fritieren. Herausheben und abtropfen lassen. Mit Salz würzen und mit Fisch, Zitronenspalten und Tatar- oder Tomatensauce servieren.

Coulibiac

Eine russische, mit Lachs, Reis, hartgekochten Eiern und Pilzen gefüllte Pastete, die in Blätterteig gehüllt wird.
Ein großartiges Partygericht, besonders wenn dazu warme Beurre Blanc serviert wird.

*Zubereitungszeit: **50 Min. + 15 Min. Kühlzeit***
*Back- und Garzeit: **1 Std. 40 Min.***
Für 8 Personen

50 g Langkornreis
4 Eier
50 g Butter
6 kleine Frühlingszwiebeln, in dünne Ringe geschnitten
Salz und schwarzer Pfeffer, nach Geschmack
3 große Schalotten, feingehackt
400 g Champignons, feingehackt
Saft von ½ Zitrone
500 g Lachsfilet, mit Haut
500 g küchenfertiger Blätterteig
2½ EL feingehackter frischer Dill
Salz und schwarzer Pfeffer, nach Geschmack
1 Eigelb
100 g Frischkäse oder Naturjoghurt

COURT BOUILLON
1 kleine Karotte, grobgehackt
1 kleine Zwiebel, grobgehackt
1 Lorbeerblatt
4 frische Petersilienzweige
1 frischer Thymianzweig
6 schwarze Pfefferkörner
1,5 l Wasser
1 große Prise Salz
2 EL Weißweinessig

1 Reis weich kochen und gut abtropfen lassen. 3 Eier 10 Minuten kochen, abschrecken und entweder grob reiben oder kleinschneiden.

2 Die Hälfte der Butter in einem Topf zerlassen. Frühlingszwiebeln zugeben und abgedeckt bei schwacher Hitze 4 Minuten dünsten. Mit Salz und Pfeffer würzen.

3 Restliche Butter zerlassen, Schalotten hineingeben und 2 Minuten leicht dünsten. Champignons, Zitronensaft, Salz und Pfeffer zugeben und dünsten, bis die Pilzflüssigkeit verdunstet ist.

4 Court Bouillon: Alle Zutaten außer dem Essig in einen Topf geben. Aufkochen und abgedeckt 15 Minuten köcheln lassen. Essig zugeben und weitere 5 Minuten köcheln lassen.

5 Lachs in die Court Bouillon geben und abgedeckt 5 Minuten pochieren. Vom Herd nehmen, den Lachs ohne Deckel in der Flüssigkeit abkühlen lassen und dann auf einen Teller legen. Das Fleisch in großen Stücken von der Haut abziehen und mit Klarsichtfolie abdecken. Haut und Gräten wegwerfen.

6 Blätterteig halbieren und eine Hälfte auf einer bemehlten Arbeitsfläche zu einem 3 mm dicken Rechteck ausrollen. Auf ein Backblech legen und zu einem 23 cm x 35 cm großen Rechteck schneiden. Die Teigstücke flach aufeinander legen, in Klarsichtfolie wickeln und kalt stellen. Reis auf dem Teigrechteck verteilen, dabei auf allen Seiten 2,5 cm Rand lassen. Mit ½ EL Dill bestreuen, dann Lachs, Salz und Pfeffer, die Pilzmischung, Eier und Frühlingszwiebeln schichtweise daraufgeben.

7 Restliches Ei verquirlen und die Teigränder damit bestreichen. Blätterteigrest auf ca. 45 cm x 30 cm ausrollen, mit dem Nudelholz anheben und über die Füllung legen. Die Ränder von Ober- und Unterseite fest andrücken, überschüssigen Teig abschneiden und die Ränder mit Ei bestreichen. Die abgeschnittenen Stücke ausrollen, zu Streifen schneiden und als Dekoration gitterförmig auf die Pastete legen. 10–15 Minuten kalt stellen.

8 Backofen auf 200°C vorheizen. Eigelb und restliches Ei verquirlen und die Pastete damit bestreichen. Die Pastete mit einem Spieß dreimal in der Mitte einstechen. 30 Minuten goldbraun und knusprig backen.

9 Restlichen Dill mit Frischkäse bzw. Joghurt verrühren und mit Coulibiac-Scheiben servieren.

Muscheln Provençale

*Die Küche der Provence mit ihren typischen
Zutaten Tomaten, Knoblauch und Olivenöl wird
durch die reichhaltige Mittelmeerküste beeinflußt.*

*Zubereitungszeit: **50 Minuten***
*Garzeit: **30–35 Minuten***
Für 4 Personen

2 EL Olivenöl
1 kleine Zwiebel, feingehackt
600 g Tomaten, geschält, entkernt, gewürfelt
1 EL Öl
50 g Butter
**20 frische Kammuscheln (ca. 440 g), ohne Schale,
gesäubert**
8 Knoblauchzehen, feingehackt
1 EL frische Petersilie, feingehackt
1 EL frische Semmelbrösel
frische glattblättrige Petersilie, zum Garnieren

1 Olivenöl auf mittlerer Stufe in einer beschichteten
Pfanne erhitzen. Gehackte Zwiebel zugeben und bei
aufgelegtem Deckel 5 Minuten braten. Tomaten zugeben und ohne Deckel 20 Minuten unter gelegentlichem
Rühren köcheln lassen, bis die Masse eindickt.
2 Öl in einer beschichteten Pfanne erhitzen und Butter auf höchster Stufe zugeben. Wenn die Butter ganz
zerlassen ist und siedet, Kammuscheln hinzufügen und
auf höchster Stufe 2 Minuten von jeder Seite braten.
Aus der Pfanne nehmen und auf Küchenpapier abtropfen lassen. Pfanne vom Herd nehmen, Knoblauch zum
heißen Pfanneninhalt geben und gut verrühren. Petersilie und Semmelbrösel zugeben und gut vermengen.
3 Eine Portion Tomatenmasse auf jeden Teller geben
und je 5 Muscheln ringsum anrichten. Knoblauch-
mischung darüber geben und sofort mit Petersilie garniert servieren.

Moules Marinière

*Ein klassisches französisches Miesmuschelgericht,
bei dem die Muscheln in Weißwein gekocht und mit
Crème double angereichert werden.*

Zubereitungszeit: **15 Minuten**
Garzeit: **10 Minuten**
Für 4 Personen

60 g Butter
2 Zwiebeln, gehackt
2 kg Miesmuscheln, gründlich gesäubert (s. S. 688)
400 ml trockener Weißwein
1 Lorbeerblatt
1 großer Zweig frischer Thymian
200 ml Crème double
**Salz und frisch gemahlener schwarzer Pfeffer,
    nach Geschmack**
60 g frische Petersilie, gehackt

1 Butter in einer großen Pfanne zerlassen, Zwiebeln
zugeben und auf mittlerer Stufe unter ständigem
Rühren anbraten. Miesmuscheln, Wein, Lorbeerblatt
und Thymian einrühren und den Deckel auf die Pfanne
legen. Auf höchste Stufe schalten und 2–3 Minuten
köcheln lassen. Dabei die Pfanne gelegentlich schwenken, bis alle Muscheln sich geöffnet haben. Muscheln,
die geschlossen bleiben, wegwerfen.

2 Muscheln herausnehmen und beiseite stellen. Flüssigkeit durch ein feines Sieb in einen sauberen Topf
gießen und erneut erhitzen. Crème double einrühren
und mit Salz und frisch gemahlenem schwarzem Pfeffer
abschmecken. Muscheln auf 4 Portionsschüsseln verteilen und Flüssigkeit darüber geben. Mit gehackter Petersilie bestreuen.

3 Jede Portion mit einer Fingerschale und einer Extra-
Schüssel für die Muschelschalen servieren. Dazu heißes
Röstbrot reichen.

Gegrillte Kammuscheln mit Prosciutto

Ein einfaches Gericht, dessen lecker-würzige Zutaten Ihre Gäste begeistern werden.
Der Prosciutto darf nicht zu lange garen, sonst wird er zu salzig.

Zubereitungszeit:. 20 Minuten + 20 Minuten Kühlzeit
Garzeit: 10 Minuten
Für 4 Personen, als Vorspeise

12 große Kammuscheln
60 g Zucker
100 ml Wasser
abgeriebene Schale von 1 Zitrone
1 frischer Rosmarinzweig
12 Scheiben Prosciutto
50 g schwarze Oliven, entkernt und gehackt
2 Tomaten, abgezogen, entkernt und gewürfelt
40 g Kapern, abgetropft
1 Knoblauchzehe, gehackt
2 EL frischer Schnittlauch, gehackt
etwas Olivenöl

1 Kammuscheln mit einem Messer aus ihren Schalen lösen (zwischen weißem Muskelfleisch und orangem Rogen ansetzen). Muscheln gründlich waschen und den weißen Muskel sowie den schwarzen Darm abziehen und wegwerfen. Muscheln auf Küchenpapier abtropfen lassen.

2 Zucker mit dem Wasser in einem Topf erhitzen und unter Rühren auflösen. Zitronenschale und Rosmarin zugeben, auf höchste Stufe schalten und 2 Minuten kochen lassen. Vom Herd nehmen und ca. 20 Minuten abkühlen lassen.

3 Prosciuttoscheiben auf eine Arbeitsfläche legen. Muscheln mit Zitronensaft und Rosmarin-Sirup beträufeln und je eine Muschel auf eine Scheibe Prosciutto legen. Prosciutto um die Muscheln wickeln und mit Bindfaden oder einem Holzspieß befestigen.

4 Für die Sauce Oliven, gewürfelte Tomaten, Kapern, Knoblauch und 1 EL Schnittlauch vermischen und Olivenöl zugeben, bis die Mischung bindet.

5 Muscheln mit Olivenöl bepinseln und entweder im Backofen auf höchster Stufe kurz bräunen oder in einer beschichteten Pfanne 1–3 Minuten von beiden Seiten anbraten. Bindfaden oder Spieß entfernen und die Muscheln mit ein wenig Sauce servieren.

Coquilles Saint-Jacques mit Käsesauce

Coquilles Saint-Jacques ist der französische Name für Jakobsmuscheln. Hier werden sie in der halben Schale gebacken und klassisch mit gespritztem Kartoffelpüree und einer Gruyère-Käsesauce überzogen.

Zubereitungszeit: 25 Min.
Garzeit: 45 Min.
Für 4 Personen

8 große frische Jakobsmuscheln
 in der Schale
50 g Gruyère, feingerieben
Salz und schwarzer Pfeffer,
 nach Geschmack

HERZOGINKARTOFFELN

1 kg mehlige Kartoffeln, geschält
 und kleingeschnitten
25 g Butter
2 Eigelb
1 Prise gemahlener Muskat
Salz und schwarzer Pfeffer,
 nach Geschmack

KÄSESAUCE

25 g Butter
25 g Mehl
250 ml Milch
1 Eigelb
50 g Gruyère, gerieben
Salz und schwarzer Pfeffer,
 nach Geschmack

1 Jakobsmuscheln vorbereiten *(siehe S. 688)*. Muscheln flach auf ein Arbeitsbrett legen und jeweils in drei Scheiben schneiden, dabei den orangefarbenen Rogen ganz lassen. Abgedeckt bis zur Weiterverarbeitung kalt stellen.

2 Muschelschalen säubern und in einen Topf mit kaltem Wasser legen. Aufkochen und 5 Minuten köcheln lassen. Abtropfen, abkühlen und trocknen lassen.

3 Herzoginkartoffeln: Kartoffeln in einen großen Topf mit kaltem Salzwasser geben. Abgedeckt zum Kochen bringen und bei schwacher Hitze 15–20 Minuten weich kochen (Garprobe). Abgießen und im Topf bei schwacher Hitze 1–2 Minuten schwenken, damit überschüssige Flüssigkeit verdünsten kann. Kartoffeln stampfen oder durch ein feines Sieb in eine Schüssel streichen, Butter und Eigelbe einrühren und mit Muskat, Salz und schwarzem Pfeffer würzen. Püree in einen Spritzbeutel mit 1,5 cm großer Sterntülle füllen. Backofen auf 200°C vorheizen.

4 Käsesauce: Butter bei mittlerer Hitze in einem Topf zerlassen. Mehl einstreuen und unter ständigem Rühren ca. 1 Minute dünsten. Vom Herd nehmen, Milch zugeben und gut verrühren. Topf wieder auf den Herd stellen und die Mischung unter ständigem Rühren aufkochen lassen. Bei schwacher Hitze 3–4 Minuten kochen, bis die Sauce so dickflüssig ist, daß sie an einem Löffelrücken haftet. Vom Herd nehmen, Eigelb und Gruyère einrühren und mit etwas Salz und Pfeffer würzen.

5 Das Kartoffelpüree muschelförmig oder in kleinen überlappenden Kreisen auf den Rand jeder Muschelschale spritzen. Schalen mit einer ringförmigen Unterlage auf ein Backblech legen, so daß die runde Seite jeder Schale auf der Unterlage aufliegt und die Füllung nicht auslaufen kann. Eine in Scheiben geschnittene Muschel und den gesamten Rogen in die Mitte jeder Schale geben, mit Salz und schwarzem Pfeffer würzen und die Käsesauce löffelweise darübergeben. Sauce mit dem übrigen Käse bestreuen und ca. 12–15 Minuten goldbraun überbacken.

Muscheltaschen mit Knoblauchsahne

Dünne runde Taschen aus Blätterteig umhüllen eine Mischung aus Muscheln und kleingeschnittenem Gemüse. Warm serviert schmeckt dieses Gericht am besten.

Vorbereitungszeit: **1 Stunde 10 Minuten**
+ 25 Minuten Kühlzeit
Zubereitungszeit: **50 Minuten**
Für 4 Personen

Blätterteig (¹/2 Menge Rezept S. 680)
Butter, zerlassen, zum Einfetten
1 Ei, mit 1 Prise Salz verquirlt

FÜLLUNG
30 g Butter
1 Möhre, in feine Streifen geschnitten (siehe Tip)
100 g Lauch, nur der weiße Teil, in feine Streifen geschnitten
1 Selleriestange, in feine Streifen geschnitten
Salz und Pfeffer
einige Tropfen Zitronensaft
100 ml trockener Weißwein
2 Schalotten, feingehackt
1 kg Muscheln, gebürstet und die Bärte entfernt

KNOBLAUCHSAHNE
10 Knoblauchzehen
300 ml Crème double

Salz und Pfeffer
3 Zweige frischer Kerbel, zum Garnieren

1 Den Teig auf einer leicht bemehlten Fläche 3 mm dick ausrollen. Acht 12 cm große Kreise ausstechen. Auf ein Blech legen und mindestens 10 Minuten kalt stellen. Ein Backblech mit etwas zerlassener Butter einpinseln und kalt stellen.

2 Für die Füllung Butter in einer flachen Pfanne zerlassen und Möhren-, Lauch- und Selleriestreifen zugeben. Mit etwas Salz und Pfeffer würzen. Zugedeckt bei geringer Hitze 6–10 Minuten dünsten, bis sie weich und transparent sind. Mit Zitronensaft abschmecken und abkühlen lassen.

3 Wein und Schalotten in eine Pfanne geben und Muscheln zufügen. Offene Muscheln aussortieren. Zugedeckt aufkochen und 5 Minuten köcheln lassen, bis sich die Muscheln geöffnet haben; die geschlossenen aussortieren. Anschließend abgießen und Flüssigkeit aufbewahren. Acht Muscheln in der Schale lassen, die übrigen herauslösen und abkühlen lassen.

4 Die Teigkreise auf eine bemehlte Fläche legen und den Rand 1 cm mit verquirltem Ei einpinseln. Innerhalb der Eiglasur eine Hälfte der Kreise mit dem Gemüse und den Muscheln füllen. Die andere Hälfte umfalten und die Ränder mit der Rückseite einer Gabel zusammendrücken. Die Oberseite mit einer Messerspitze zweimal einritzen, damit während des Backens Dampf entweichen kann. Mit dem Messerrücken Muster eindrücken; auf das vorbereitete Backblech etwas Wasser spritzen und die Taschen darauflegen. Die Oberflächen, jedoch nicht die Ränder, mit dem verquirlten Ei einpinseln und 15 Minuten kalt stellen. Den Ofen auf 220 °C (Gasherd: Stufe 4) vorheizen. Erneut mit Ei einpinseln. 5 Minuten backen. Die Hitze auf 200 °C (Gasherd: Stufe 3) reduzieren und die Taschen weitere 10–15 Minuten backen, bis sie goldbraun sind.

5 Für die Knoblauchsahne Knoblauch mit kaltem Wasser in einer Pfanne abgedeckt aufkochen lassen. Abgießen und den Vorgang wiederholen. Den Knoblauch wieder in die Pfanne geben, Crème double und 100 ml des Muschelfonds zufügen, zudecken und 15 Minuten köcheln lassen, bis der Knoblauch weich ist. In einer Küchenmaschine pürieren und mit Salz und Pfeffer abschmecken.

6 Die heißen Teigtaschen auf der heißen Knoblauchsahne anrichten und mit den restlichen Muscheln und mit Kerbelzweigen garnieren.

Tip Feine Gemüsestreifen, die gleichmäßig streichholzlang geschnitten wurden, heißen »Julienne-Streifen«.

Hummer américaine

Eines der berühmtesten Hummergerichte, bei dem der Hummer in der Schale in einer Tomaten-Weinsauce gegart wird. Am Ursprung des Namens scheiden sich die Geister: Soll es „armoricaine" heißen, in Anlehnung an den alten Namen der Bretagne, oder „américaine" zur Erinnerung an einen Koch, der in Amerika arbeitete?

Zubereitungszeit: **30 Min.**
Garzeit: **50 Min.**
Für 4 Personen

4 Hummer (je 500 g) oder 2 Hummer (je 800 g – I kg)
100 ml Pflanzenöl
50 g Butter
I Zwiebel, gewürfelt
I Karotte, gewürfelt
2 Selleriestangen, gewürfelt
150 ml trockener Weißwein
2½ EL Weinbrand
500 ml Fischbrühe
3 EL Tomatenmark
500 g reife Tomaten, halbiert und ohne Kerne
I Bouquet garni (s. Tips)
frische Petersilie, zum Garnieren

1 Lebende Hummer nach der empfohlenen Methode *(siehe S. 687)* für die Weiterverarbeitung vorbereiten. Auf Wunsch erledigt dies der Fischhändler.

2 Hummer für das Gericht vorbereiten *(siehe S. 687)*. Öl in einer großen Pfanne erhitzen und die Hummerscheren und -schwänze darin kurz braten, bis sich ihre Farbe von blau nach rot ändert und das Fleisch sich durch Schrumpfen sichtbar von der Schale löst. Während des Bratens mit einer langstieligen Küchenzange wenden. Hummerteile auf einen Teller legen und mit der Vorbereitung fortfahren *(siehe S. 687)*.

3 Die Hälfte der Butter in einem Topf erhitzen und die Kopfteile des Hummers darin kurz wie oben beschrieben braten, bis sich die Farbe ändert. Fleisch komplett auslösen und beiseite stellen. Aufbewahrte Schale vom Schwanz zusammen mit Zwiebel, Karotte und Sellerie in die Pfanne geben und 5 Minuten hellbraun dünsten.

Wein zugießen, um die Hälfte einkochen lassen, dann Weinbrand und Brühe zugießen. Tomatenmark einrühren, 1 Minute kochen, dann die Tomatenhälften zugeben. Tomaten abgedeckt bei mittlerer Hitze 20 Minuten zu einem Brei kochen. Währenddessen den aufbewahrten Rogen und die Leber des Hummers mit der restlichen Butter im Mixer verrühren.

4 Deckel vom Topf nehmen, Bouquet garni und gebratene Hummerzangen zugeben und 10 Minuten kochen. Zangen herausheben, abkühlen lassen und zum Auslösen des Fleischs aufbrechen.

5 Tomatenmischung durch ein Sieb in einen sauberen Topf passieren. Hummerschale, Tomatenhäute, Bouquet garni und Gemüsewürfel wegwerfen. Tomatenmischung unter ständigem Rühren 4 Minuten zu einer sirupartigen Sauce kochen.

6 Die mit Hummerrogen und -leber aromatisierte Butter in die Sauce geben und glattrühren, dann das Hummerschwanzfleisch zugeben und sehr vorsichtig eine 1 Minute köcheln lassen (nicht übergaren, da das Fleisch sonst zäh wird). Vom Herd nehmen und den Hummerschwanz 5 Minuten in der Sauce ziehen lassen. Herausnehmen und in Scheiben schneiden. Diese zusammen mit dem ausgelösten Fleisch aus Zangen und Kopf vorsichtig in der Sauce erwärmen. Zum Servieren auf vorgewärmte Teller geben und mit Petersilie garnieren.

Tips Für das Bouquet garni ein Lorbeerblatt, einen Thymianzweig, einige Sellerieblätter und Petersilienzweige in das Grün einer Porreestange einwickeln und mit Garn zusammenbinden. An einem langen Faden in den Topf hängen.

Hummer haben in der Regel zwei große Kopfzangen. In manchen Ländern werden Flußkrebse ebenfalls als Hummer bezeichnet, ihnen fehlen jedoch diese großen Kopfzangen.

Garnelen-Bouchées

Bouchées sind kleine runde gefüllte Blätterteigpastetchen. Diese Köstlichkeit war besonders in Frankreich am Hof Ludwigs XV. sehr beliebt.

Vorbereitungszeit: **15 Minuten + 35 Minuten Kühlzeit**
Zubereitungszeit: **20 Minuten**
Ergibt 8 Stück

weiche Butter, zum Einfetten
Blätterteig (¹/2 Menge Rezept S. 680)
1 Ei, verquirlt

FÜLLUNG
30 g Butter
30 g Weizenmehl
250 ml Fischfond oder Milch
250 g gekochte Garnelen, ausgelöst
2 EL gemischte frische Kräuter, gehackt
Salz und Pfeffer

1 Ein großes Backblech mit Butter einpinseln und bis zur Verwendung kalt stellen. Den Teig auf einer leicht bemehlten Fläche 5 mm dick ausrollen. Überschüssiges Mehl von der Fläche wischen und acht 7 cm große Kreise ausstechen. Das vorbereitete Backblech mit etwas kaltem Wasser besprenkeln und die Kreise umgedreht auf das Blech legen. Mit dem verquirlten Ei einpinseln und 5 Minuten kalt stellen, dann erneut einpinseln. Mit einer bemehlten Form von 5 cm Durchmesser im Teig einen inneren Kreis markieren, die Form dabei durch etwa drei Viertel des Teiges drücken. Die Teigkreise 30 Minuten kalt stellen.

2 Den Ofen auf 220 °C (Gasherd: Stufe 4) vorheizen. Die Teigkreise erneut mit etwas verquirltem Ei einpinseln. Auf der mittleren Ofenschiene 10–12 Minuten backen, bis die Teigkreise aufgegangen, knusprig und goldbraun sind. Aus dem Ofen nehmen und entlang der inneren Kreise schneiden, um die Mittelstücke (›Deckel‹) abzunehmen, solange diese warm sind. Überschüssigen weichen Teig aus dem Inneren der Pastetchen kratzen. Nach Wunsch zum Trocknen weitere 30 Sekunden in den Ofen stellen (den Ofen ausschalten und die Restwärme nutzen!).

3 Für die Füllung Butter in einer Pfanne zerlassen, Mehl zugeben und bei geringer Hitze 1 Minute anschwitzen. Von der Herdplatte nehmen und den Fond oder die Milch zugießen, mit einem Holzlöffel verrühren und wieder auf den Herd stellen. Bei geringer Hitze ständig rühren, bis die Mischung frei von Klümpchen ist. Die Temperatur erhöhen und die Mischung rühren, bis sie kocht, dann 2–3 Minuten köcheln lassen. Kurz vor dem Servieren die Garnelen zugeben, unterrühren und erwärmen. Die Kräuter zufügen und mit Salz und Pfeffer abschmecken.

4 Die heiße Füllung in die noch warmen Pastetchen gießen. Nach Wunsch mit gehackten Kräutern oder zusätzlichen Garnelen dekorieren. Die Teigdeckel können nach Belieben wieder aufgesetzt werden.

Tip Falls tiefgefrorene Garnelen verwendet werden, müssen diese ganz aufgetaut und trockengetupft werden. Sie sollten nicht gewaschen oder in kaltem Wasser aufgetaut werden, da sie sonst ihre Farbe verlieren.

Die Teigkreise nach dem Ausschneiden umgedreht auf das Backblech legen, damit die Ränder gerade aufgehen.

Falls die Pastetchen zu stark abgekühlt sind, kann man sie vor dem Eingießen der heißen Füllung 5 Minuten bei 180 °C (Gasherd: Stufe 2) wieder erwärmen.

Frische Krabbentörtchen

Diese Törtchen kann man in verschiedenen Größen zubereiten – je nachdem, ob sie als kleine Leckerbissen, Vorspeise, Teil eines Buffets oder als Abendessen gereicht werden. Damit der Teigboden nicht durchweicht, sollte er kurz vor dem Servieren gefüllt werden.

Vorbereitungszeit: **2 Stunden + 15 Minuten Kühlzeit**
Zubereitungszeit: **15 Minuten**
Ergibt 8 Stück

FÜLLUNG
1 Gurke
1/2 TL Salz
1 gelbe Paprikaschote
2 Tomaten, geschält und entkernt (s. S. 683)

weiche Butter, zum Einfetten
Mürbeteig (1/2 Menge Rezept S. 678)

MAYONNAISE
1 Eigelb
2 TL Dijon-Senf
125 ml Öl

Salz
weißer Pfeffer, gemahlen
250 g frisches Krabbenfleisch
2 EL frischer Schnittlauch, gehackt

1 Für die Füllung die Gurke schälen und die beiden Enden abschneiden. Längs halbieren und mit einem Teelöffel die Samen herauskratzen. In sehr kleine Würfel schneiden, etwa 3 mm dick. Mit Salz mischen. Die Paprikaschote waschen, die Samen entfernen und in Würfel von der gleichen Größe wie die Gurkenwürfel schneiden. Die Tomaten ebenso würfeln und auf Küchenpapier abtropfen lassen.

2 Den Ofen auf 170 °C (Gasherd: Stufe 1–2) vorheizen. Acht 7 x 1,5 cm große Tortelett-Förmchen einfetten. Den Teig auf einer leicht bemehlten Fläche 2 mm dick ausrol-len. 5 Minuten kalt stellen. Mit einer Form von 10 cm Durchmesser acht Kreise ausstechen. Jeden Teigkreis in ein Förmchen legen und am Boden gut andrücken, so daß der Teig etwas über den Rand der Form herausragt. 10 Minuten kalt stellen.

3 Überstehenden Teig abschneiden. Den Teigboden mit einer Gabel einstechen und dann 8–10 Minuten blind-backen, bis er etwas Farbe angenommen hat. Die Back-erbsen und das Papier entfernen und den Teig 2–3 Minuten backen, bis er goldbraun ist *(siehe S. 679)*. Vor dem Herausnehmen aus den Förmchen etwa 5 Minuten auf einem Kuchengitter abkühlen lassen.

4 Für die Mayonnaise die Eigelbe mit Senf in einer tiefen Schüssel verquirlen, bis sie glatt sind. Das Öl langsam zugießen und unterrühren. Sobald das Öl eingearbeitet ist, mit Salz und gemahlenem weißen Pfeffer würzen. Anschließend 3–4 Eßlöffel der Mayonnaise unter die Krab-ben mischen, bis sich beides gerade verbindet. Beiseite stellen.

5 Überschüssiges Wasser von den Gurken abgießen und diese mit Küchenpapier trockentupfen. Sämtliche Gemü-sewürfel in einer Schüssel mit 2–3 Eßlöffeln der Mayon-naise mischen. Die Füllung auf den Törtchen verteilen und mit den Krabben belegen. Mit einem Löffel etwas Mayonnaise auf jedes Törtchen geben und mit dem ge-hackten Schnittlauch bestreuen.

Tip Die einzelnen Schritte können im voraus vorbereitet werden, die Törtchenschalen sollten aber erst kurz vor dem Servieren gefüllt werden. Das Aroma kann durch die Zugabe von etwas Currypulver zur Gemüsemischung ver-ändert werden.

Bei tiefgefrorenen Krabben oder Krabbenfleisch aus Dosen die Krabben in ein sauberes Geschirrtuch ein-wickeln und überschüssiges Wasser herauspressen.

Amerikanische Krebsküchlein

Mit Salat serviert sind diese knusprigen Krebsküchlein ein perfektes leichtes Mittagessen. Man kann auch viele kleine Küchlein zubereiten und als Vorspeise zum Grillfest oder als Teil eines Sommerpicknicks reichen.

Zubereitungszeit: **55 Min. + 20 Min. Ruhezeit**
    + 30 Min. Kühlzeit
Garzeit: **20 Min.**
Für 4–6 Personen

2 EL Pflanzenöl
1 Zwiebel, feingehackt
2 Knoblauchzehen, zerdrückt
1½ EL geriebener frischer Ingwer
1 kleine rote Paprikaschote
    ohne Kerne und gewürfelt
8 Frühlingszwiebeln, feingehackt
475 g weißes Krebsfleisch, bei Tiefkühlware abgetropft
2 TL Tabasco
2 EL gehackte frische glattblättrige Petersilie
3 EL frische Semmelbrösel
½ TL Dijon-Senf
Salz und schwarzer Pfeffer, nach Geschmack
1 Ei, verquirlt
200 g Mehl, etwas Salz und Pfeffer, zum Panieren
100 g frische Semmelbrösel, zum Panieren
50 g Parmesan, gerieben, zum Panieren
2 Eier, verquirlt, zum Panieren
Öl, zum Fritieren
Zitronenspalten, zum Servieren

1 Öl in einer Pfanne erhitzen. Zwiebel, Knoblauch und Ingwer hineingeben und 1 Minute dünsten. Paprika und Frühlingszwiebeln zugeben und 2 Minuten dünsten. Auf einem Teller 20 Minuten ruhen lassen. Krebsfleisch, Tabasco, Petersilie, Semmelbrösel, Senf, etwas Salz und Pfeffer in die abgekühlte Mischung einrühren. Ei zugeben und alles zu einem Teig verarbeiten.

2 Teig je nach Größe der gewünschten Küchlein in 4, 6 oder 12 Portionen aufteilen. Mit bemehlten Händen auf einer ebenfalls mit Mehl bestreuten Arbeitsfläche zu Küchlein formen. Auf ein Tablett legen und abgedeckt 30 Minuten im Kühlschrank fest werden lassen.

3 Mehl auf ein großes Stück Pergamentpapier streuen. Semmelbrösel und Parmesan auf einem anderen Stück Papier mischen. Eier in eine flache Schale geben. Küchlein Stück für Stück im Mehl wenden, den Überschuß abklopfen. In den Eiern wenden, dabei noch zusätzlich mit einem Pinsel bestreichen. Mit einem Fisch-Vorlegemesser herausheben und rundum in der Semmelbrösel-Parmesan-Mischung wenden. Küchlein nachformen, dabei die Panade fest andrücken. Auf ein Tablett legen.

4 Eine antihaftbeschichtete Pfanne 1 cm hoch mit Öl füllen und erhitzen. Küchlein portionsweise bei mittlerer Hitze 1–2 Minuten auf beiden Seiten goldbraun fritieren. Auf Küchenpapier abtropfen lassen und mit Zitronenspalten servieren.

Meeresfrüchte-Quiche

Da Meeresfrüchte vorgekocht erhältlich sind, kann diese schmackhafte Quiche besonders schnell und leicht zubereitet werden.

Vorbereitungszeit: **35 Minuten**
Zubereitungszeit: **1 Stunde 10 Minuten**
Für 4–6 Personen

weiche Butter, zum Einfetten
Mürbeteig (¹/2 Menge Rezept S. 678)
1 Ei, verquirlt

FÜLLUNG
200 g kleine Garnelen, gekocht und ausgelöst
170 g Krabbenfleisch, gekocht
3 Eier
250 ml Crème double
Muskatnuß
Salz und frisch gemahlener Pfeffer
40 g Gruyèrekäse, gerieben

1 Den Ofen auf 170 °C (Gasherd: Stufe 1–2) vorheizen. Eine Quicheform von 20 cm Durchmesser mit Hebeboden leicht einfetten. Den Teig auf einer leicht bemehlten Fläche 3 mm dick ausrollen und die vorbereitete Form damit auslegen *(siehe S. 679)*. 25 Minuten blindbacken, bis der Teig gerade fest ist. Die Backerbsen und das Papier entfernen und den Teigboden mit dem verquirlten Ei einpinseln. Weitere 3 Minuten backen *(siehe S. 679)*.

2 Für die Füllung überschüssiges Wasser oder Saft von den Meeresfrüchten abgießen und diese auf Küchenpapier abtropfen lassen. Die Eier mit Crème double und Muskatnuß verquirlen; mit Salz und Pfeffer würzen.

3 Die Meeresfrüchte auf dem Teigboden verteilen. Die Eiermasse darüber gießen, mit geriebenem Käse bestreuen und die Quiche 35–40 Minuten backen, bis die Oberfläche goldbraun ist und ein Messer, das in die Mitte gestochen wird, sauber bleibt. Die Quiche auf einem Kuchengitter abkühlen lassen, aus der Form lösen und bis zum Anschneiden 5 Minuten ruhen lassen.

»Cioppino«

Diese maritime Köstlichkeit wurde in San Francisco von italienischen Einwanderern kreiert und schmeckt vorzüglich mit frischem, knusprigem Weißbrot.

Vorbereitungszeit: **45 Minuten**
Zubereitungszeit: **35 Minuten**
Für 6–8 Personen

750 ml Weißwein

2 Zwiebeln, feingehackt

2 Lorbeerblätter

4 Zweige frischer Thymian

1 kg Miesmuscheln, gebürstet und entbartet

30 g frisches Basilikum

4 EL Olivenöl

1 grüne Paprika, zerkleinert

1 Selleriestange, zerkleinert

1 Karotte, zerkleinert

4 Knoblauchzehen, gehackt

2 EL Tomatenmark

1,2 kg Dosentomaten, zerkleinert

500 g Hummerschwänze

500 g Weißfischfilets (Maräne, Felchen)

500 g Krabben

500 g Kammuscheln

1 kg rohe Riesengarnelen, mit Panzer

4 Knoblauchzehen, feingehackt

2 EL Olivenöl, extra vergine

Salz und Pfeffer

1 Wein, eine Zwiebel, ein Lorbeerblatt, zwei Thymianzweige und die Miesmuscheln in eine Pfanne geben. Zudecken und fünf Minuten kochen lassen. Die Muscheln aus der Pfanne schöpfen, die, die sich nicht geöffnet haben, entfernen, den Sud aufbewahren.

2 Die Basilikumblätter von den Stielen trennen und zur Seite legen. Stiele, den restlichen Thymian und das zweite Lorbeerblatt zu einem Kräuterbündel zusammenschnüren.

3 Öl in einem großen Topf erhitzen und die zweite Zwiebel, Paprika, Sellerie, Karotte und Knoblauch 3 Minuten darin dünsten. Tomatenmark zugeben und weitere 2 Minuten unter Rühren köcheln lassen. Tomaten, das Kräuterbündel und die Kochflüssigkeit der Muscheln zufügen und zum Kochen bringen. Bei verminderter Temperatur 10 Minuten sieden lassen.

4 Unterdessen die Hummerschwänze in drei oder vier und den Fisch in mundgerechte Stücke teilen, die Krabben mit einem Nußknacker aufbrechen. Die Muscheln aus der Schale lösen. Die Garnelen schälen, den Darm entfernen, dabei den Schwanz intakt lassen.

5 Das Kräuterbündel aus dem Topf nehmen, dann alle Meeresfrüchte außer den Muscheln zugeben. 10 Minuten sieden lassen, die Muscheln zufügen und erhitzen.

6 Für die Sauce die Basilikumblätter klein hacken mit Knoblauch und Olivenöl mischen, salzen, pfeffern und in den Topf einrühren.

Meeresfrüchte-Topf

Unerläßlich für diesen maritimen Schmortopf sind erstklassige frische Zutaten.
Jakobsmuscheln, Garnelen und Champignons werden in Weißwein und Sahne gekocht
und mit grünem Salat und knusprigem Weißbrot serviert.

*Vorbereitungszeit: **20 Minuten***
*Zubereitungszeit: **25 Minuten***
Für 4 Personen

16 Jakobsmuscheln, ohne Schale
16 rohe Riesengarnelen
1 große Schalotte, gehackt
250 ml Weißwein
1 Zweig frischer Thymian
1 kleines Lorbeerblatt
250 g Champignons, in Scheiben geschnitten
250 ml Crème double
Salz und Pfeffer
1 EL frische Petersilie, gehackt

1 Die Jakobsmuscheln von den dunklen Rändern befreien, die Garnelen schälen und den Darm entfernen, dabei die Schwänze ganz lassen. Die gehackte Schalotte, den Weißwein, Thymian und das Lorbeerblatt in einen großen, gut verschließbaren Topf geben. Aufkochen und 5 Minuten kochen lassen. Muscheln, Garnelen und Champignons zugeben. Bei reduzierter Hitze und geschlossenem Deckel 5–8 Minuten sieden lassen, bis die Muscheln und Garnelen noch fest, aber nicht mehr hart sind. Mit einem Schaumlöffel die Meeresfrüchte aus dem Topf nehmen und warm stellen.
2 Die Temperatur wieder erhöhen und die Sauce 5 Minuten lang kochen lassen. Crème double unterrühren und weitere 5 Minuten kochen lassen. Nach Geschmack mit Salz und Pfeffer würzen. Die Meeresfrüchte zurück in die Sauce geben und unter ständigem Umrühren 1 Minute lang erhitzen. Die Petersilie einrühren und servieren.

Lasagne mit Meeresfrüchten

Die hausgemachte Pasta mit frischem Fisch, Meeresfrüchten, Sahnesauce und Mozzarella ist ein echtes Geschmackserlebnis. Sie können auch vorgefertigte Lasagneblätter verwenden.

Zubereitungszeit: **1 Stunde 35 Minuten**
Back- und Garzeit: **1 Stunde 20 Minuten**
Für 12 Personen

PASTA
300 g Mehl
1 TL Salz
1¹/2 EL Olivenöl
3 Eier, leicht verquirlt

etwas Salz
etwas Öl
4 Schalotten, feingehackt
350 ml Weißwein
2 frische Thymianzweige
1 Lorbeerblatt
1 kg frische Miesmuscheln, gründlich gesäubert
600 g Kammuscheln, ohne Darm
600 g Schellfisch, filetiert und gesäubert
600 g Garnelen, vorgekocht, geschält und
  trockengetupft
500 g Mozzarella, in dünne Scheiben geschnitten

SAUCE
60 g Butter
100 g Mehl
600 ml Sahne
Salz und Pfeffer, nach Geschmack
500 g Ricotta

1 Die Pasta nach den Anweisungen auf S. 692 zubereiten. Nudelteig in vier Portionen mit der Nudelmaschine 1 mm dick ausrollen. Mit einem scharfen Messer in ca. 10 x 12 cm große Rechtecke schneiden.

2 Einen Topf mit Salzwasser zum Kochen bringen. Etwas Öl hineingeben und die Lasagne portionsweise 1–2 Minuten *al dente* kochen. Kalt einweichen, abtropfen lassen und zwischen saubere Geschirrtücher schichten.

3 Schalotten, Wein, Thymian und Lorbeerblatt in einen Topf geben und zum Kochen bringen. Miesmuscheln zugeben und abgedeckt 5 Minuten köcheln lassen, bis die Muscheln sich öffnen. Mit einem Schöpflöffel herausnehmen. Schalen und alle Muscheln, die sich nicht geöffnet haben, wegwerfen. Auf Küchenpapier abtropfen lassen. Kammuscheln zufügen und 3 Minuten pochieren. Auf Küchenpapier abtropfen lassen. Kochflüssigkeit durch ein mit Preßtuch ausgelegtes Sieb seihen. Topf ausspülen und die Flüssigkeit wieder hineingießen. Zum Sieden bringen und Schellfisch hineingeben. 3–5 Minuten pochieren und auf Küchenpapier abtropfen lassen. 500 ml von der Kochflüssigkeit abnehmen, wieder in den Topf geben und 10 Minuten köcheln lassen. Abschöpfen. Zum Abkühlen beiseite stellen.

4 Für die Sauce die Butter in einem kleinen Topf zerlassen, Mehl zugeben und 2 Minuten anschwitzen. Vom Herd nehmen und Kochflüssigkeit langsam und unter ständigem Rühren zum Kochen bringen. Erneut unter Rühren zum Kochen bringen. 3 Minuten köcheln lassen. Sahne einrühren und 5 Minuten köcheln lassen. Nach Geschmack mit Salz und Pfeffer würzen.

5 Backofen auf 180 °C vorheizen. Meeresfrüchte und 2¹/2 EL Sauce in einer Schüssel verrühren. Ricotta und 250 ml Sauce in einer anderen Schüssel vermischen.

6 Eine Auflaufform (ca. 35 x 25 cm) einfetten. Boden mit ein wenig Sauce bedecken. Zuerst eine Schicht Lasagne, dann ein Drittel der Meeresfrüchte-Mischung darüber geben. Ein Drittel der Ricotta-Mischung mit einem Löffel oder Spatel gleichmäßig über die Meeresfrüchte streichen, mit einer Schicht Mozzarella bedecken und ca. 125 ml Sauce darüber schöpfen. Mit Salz und Pfeffer bestreuen. Vorgang zweimal wiederholen, dabei etwas Sauce für die oberste Schicht aufbewahren. Lasagne mit einer Schicht Pasta und der aufbewahrten Sauce fertigstellen. Restlichen Mozzarella oben verteilen und ca. 25 Minuten backen. 5 Minuten abkühlen lassen.

Auflauf mit Fisch und Meeresfrüchten

Dieses klassische Familiengericht wird mit Weißfisch, Miesmuscheln und Garnelen in einer leichten Weinsauce zubereitet und trägt eine Haube aus Kartoffelpüree, die im Backofen goldgelb gebacken wird.

*Zubereitungszeit: **50 Min.***
*Garzeit: **1 Std. 10 Min.***
Für 6 Personen

500 g Miesmuscheln, gesäubert und entbartet (s. S. 688)
150 g rohe Garnelen, mit Schale
50 g Butter
2 Schalotten, feingehackt
1 Porreestange, nur weißer Teil,
   in Julienne-Streifen geschnitten
225 ml trockener Weißwein
500 ml Milch
1 Zwiebel, gespickt mit 1 Gewürznelke
1 Bouquet garni (s. Tip)
600 g gemischte feste Weißfischfilets, z. B. Seezunge,
   Scholle, Kabeljau und Heilbutt, ohne Haut, gewürfelt
25 g Mehl
Salz und schwarzer Pfeffer, nach Geschmack
1 kg mehlige Kartoffeln, geschält und in Stücke
   geschnitten
50 g Butter zusätzlich
1 Eigelb
4 EL Sahne
1 kleine Prise gemahlener Muskat

1 Miesmuscheln mit einem feuchten Geschirrtuch abgedeckt an einen kühlen Platz stellen. Garnelen schälen und den Darm entfernen *(siehe S. 686)*.

2 Die Hälfte der Butter bei schwacher Hitze in einem Topf zerlassen, Schalotten zugeben und abgedeckt 2–3 Minuten dünsten. Porree zugeben und 2 Minuten ohne Deckel mitdünsten. 1 EL Wein zugeben und köcheln lassen, bis die Flüssigkeit reduziert ist. Mischung in eine flache ovale Auflaufform (28 cm x 20 cm) geben.

3 Muscheln und restlichen Wein in einem Topf abgedeckt langsam zum Kochen bringen und 2–3 Minuten

kochen. Alle noch ungeöffneten Muscheln wegwerfen. Abtropfen lassen, dabei den Sud auffangen, dann die Muscheln aus ihren Schalen lösen und in der Form verteilen. Sud durch ein mit feuchtem Küchenpapier ausgelegtes Sieb passieren und beiseite stellen.

4 Milch, Zwiebel und Bouquet garni in einem Topf zum Sieden bringen und 5 Minuten köcheln lassen. Zwiebel und Bouquet garni herausnehmen, dann Fisch, Garnelen und aufgefangenen Muschelsud zugeben. Erneut zum Sieden bringen und den Fisch und die Meeresfrüchte 2 Minuten pochieren. Abtropfen lassen, dabei die Flüssigkeit auffangen und heiß halten. Fisch und Meeresfrüchte in die Form geben.

5 Restliche Butter bei schwacher Hitze in einem Topf zerlassen, mit Mehl bestreuen und unter Rühren 1 Minute dünsten. Vom Herd nehmen und die heiße Pochierflüssigkeit einrühren. Bei mittlerer Hitze unter ständigem Rühren aufkochen und 3–4 Minuten zu einer dickflüssigen Sauce kochen. Mit Salz und Pfeffer würzen und über den Fisch geben. Abgedeckt kalt stellen.

6 Backofen auf 180°C vorheizen. Kartoffeln in einen Topf mit kaltem Salzwasser geben und abgedeckt zum Kochen bringen. Bei reduzierter Hitze 15–20 Minuten weich kochen (Garprobe). Abgießen und im Topf bei schwacher Hitze 1–2 Minuten schwenken. Kartoffeln stampfen oder durch ein feines Sieb zurück in den Topf streichen, dann die zusätzliche Butter, Eigelb und die Sahne unterschlagen. Mit Muskat, Salz und schwarzem Pfeffer würzen, in einen Spritzbeutel mit Sterntülle füllen und den Fisch damit garnieren. 30 Minuten goldgelb backen.

Tip Für das Bouquet garni ein Lorbeerblatt, einen Thymianzweig, einige Sellerieblätter und Petersilienzweige in das Grün einer Porreestange einwickeln und mit Garn zusammenbinden. An einem langen Faden in den Topf hängen.

GEFLÜGEL

»Coq au vin«

*Dieses klassische Rezept stammt aus dem für seine Rotweine berühmten Burgund.
Das Huhn wird über Nacht mariniert, damit es zart wird und Würze annimmt,
und kann am nächsten Tag schnell zubereitet werden.*

Vorbereitungszeit: **50 Minuten + 1 Nacht Marinierzeit**
Back- und Kochzeit: **2 Stunden**
Für 6–8 Personen

MARINADE
1 Zwiebel, gehackt
1 Karotte, gehackt
5 Wacholderbeeren
10 Pfefferkörner
1 Gewürznelke
1 Knoblauchzehe
2 l Rotwein
2 1/2 EL Cognac
1 1/2 EL Rotweinessig
1 Bouquet garni (s. S. 685)

3 kg Hühnerteile
geklärte Butter oder Öl, zum Braten
50 g Mehl
800 ml Hühnerbrühe (s. S. 684)
Salz und Pfeffer, nach Geschmack
180 g durchwachsener Räucherspeck
200 g Perlzwiebeln
20 g feiner Zucker
20 g Butter
150 g Zuchtchampignons

CROUTONS
4 Scheiben Brot, ohne Kruste
150 ml geklärte Butter oder Öl
1 EL frische Petersilie, gehackt

1 Sämtliche Zutaten für die Marinade in eine Glas- oder Keramikschüssel geben, die Hühnerteile hineinlegen, und über Nacht zugedeckt im Kühlschrank marinieren lassen.

2 Die Hühnerteile aus der Marinade nehmen und abtrocknen. Die Marinade durch ein Sieb gießen, die Gewürze, von der Flüssigkeit getrennt, zur Seite stellen. Den Backofen auf 200 °C (Gasherd: Stufe 3) vorheizen.

3 Etwas geklärte Butter oder Öl in einer backofenfesten Kasserolle erhitzen und die Hühnerteile bei großer Hitze zuerst mit der Hautseite nach unten braten, bis sie gut angebräunt sind. Die Marinaden-Gewürze zugeben und unter gelegentlichem Rühren 5 Minuten braten, bis das Fleisch zart ist. Überschüssiges Fett abgießen, das Mehl einstreuen und gut verrühren. Die Marinade, die heiße Hühnerbrühe, Salz und Pfeffer zufügen. Mit Backpapier und Deckel verschließen und 45 Minuten im Backofen backen, bis das Hühnchen gar ist. Ofentemperatur auf niedrige Stufe stellen. Die Hühnerteile in eine Kasserolle geben, die Sauce durch ein Sieb passieren, überschüssiges Fett abschöpfen, nach Geschmack mit Salz und Pfeffer würzen, über das Hühnchen geben und zum Erhitzen wieder in den Backofen stellen.

4 In der Zwischenzeit den Speck in einem Topf mit Wasser bedecken und zum Kochen bringen. Abtropfen lassen, unter kaltem Wasser abspülen, die Rinde abschneiden. In kleine Stücke schneiden und in etwas Öl goldgelb anbraten. Abtropfen lassen. Zwiebeln, Zucker und Butter in einem Topf knapp mit Wasser bedecken. Zum Kochen bringen, dann weiter köcheln lassen, bis das Wasser verdampft ist und die Zwiebeln glasig sind. Zwiebeln in der Butter und dem Zucker wälzen und goldgelb glasieren. Die Champignons in heißem Öl braten, abtropfen lassen. Speck, Zwiebeln und Champignons über die Hühnerteile streuen, zudecken und warm stellen.

5 Die Brotscheiben für die Croûtons in jeweils vier Dreiecke schneiden und in sehr heißer geklärter Butter oder Öl goldbraun rösten. Die Spitzen der Croûtons in die Petersilie tauchen, auf dem Teller anrichten.

Hühnchen »Chasseur«

Dieses klassische französische Brathühnchen nach Jägerart können Sie nach Belieben mit Zwiebeln,
Wildpilzen, Tomaten, Champignons oder Räucherspeck abwandeln.
Reichen Sie Brot oder Bratkartoffeln dazu.

Vorbereitungszeit: **30 Minuten**
Back- und Kochzeit: **1 Stunde 30 Minuten**
Für 4 Personen

1 Huhn (1,2 kg), nach Wahl mit Hühnerklein
400 ml Hühnerbrühe (s. S. 684)
Öl, zum Braten
150 g Zuchtchampignons, in Scheiben geschnitten
1 große Schalotte, feingehackt
1 EL Branntwein
1 EL Weißwein
Salz und Pfeffer, nach Geschmack
2–3 große Zweige frischer Estragon
2–3 Zweige frischer Kerbel

1 Den Backofen auf 200 °C (Gasherd: Stufe 3) vorheizen. Das Huhn in vier oder acht Teile zerlegen *(siehe S. 691)*.

2 Das zerlegte Huhn und das Hühnerklein in einen Bräter geben und 25 Minuten im Ofen garen. Aus dem Backofen nehmen und mit der Hühnerbrühe ablöschen. Den Bodensatz mit einem Holzlöffel ablösen und 30 Minuten auf der Herdplatte sanft köcheln lassen. Durch ein Sieb passieren und die Flüssigkeit zurückbehalten.

Überschüssiges Fett von der Oberfläche abschöpfen, es beeinträchtigt den Geschmack.

3 Ein wenig Öl in dem Bräter erhitzen, die Hühnerteile mit der Haut nach unten hineingeben und kurz von beiden Seiten anbräunen. Anschließend im Backofen zu Ende garen: die Beine benötigen 20 Minuten, Brust und Flügel 15 Minuten. Das Fleisch mit einer Gabel oder einem dünnen Fleischspieß anstechen – wenn klarer Saft austritt, ist das Fleisch gar. Herausnehmen und warm stellen.

4 Überschüssiges Fett aus der Pfanne abgießen, dabei 1 EL Fett und den Bratensaft zurückbehalten. Auf der Herdplatte wieder erhitzen, dann die Pilze hineingeben und braten, bis sie leicht Farbe annehmen. Die Schalotte zufügen und anbraten, ohne sie zu bräunen. Die Temperatur bei Bedarf heraufsetzen, und wenn die Pfanne heiß ist, den Branntwein hineingeben. Zum Kochen bringen und mit einem Streichholz anzünden. Mit Weißwein löschen, die Temperatur reduzieren und 1–2 Minuten köcheln lassen, bis die Flüssigkeit um die Hälfte reduziert ist. Die zurückbehaltene Hühnerbrühe hineingeben und 4–5 Minuten eindicken lassen. Mit Salz und Pfeffer abschmecken. Die Kräuter fein hacken und in die Sauce geben – nicht wieder kochen lassen. Die Sauce über das Hühnchen geben und servieren.

Hühnchen Cacciatore

Dieses beliebte Geflügelgericht wird nach Jägerart mit Champignons,
Paprika und Zwiebeln mit Kräutern in einer köstlichen Tomatensauce serviert.

Zubereitungszeit: **30 Minuten**
Garzeit: **1 Stunde**
Für 4 Personen

3 EL Olivenöl
1 Hühnchen (à ca. 1,8 kg), in 8 Stücke geteilt
2 mittelgroße Zwiebeln, in dünne Ringe geschnitten
1 Knoblauchzehe, feingehackt
100 g Champignons, in dünne Scheiben geschnitten
1 kleine grüne Paprika, in dünne Scheiben geschnitten
3 EL Tomatenmark
185 ml trockener Weißwein
1 Dose (à 400 g) italienische Tomaten
¹/₂ TL Rosmarin, getrocknet
¹/₂ TL Oregano, getrocknet

1 Olivenöl in einer großen Pfanne erhitzen. Hühnchen mit Salz und Pfeffer einreiben und 5 Minuten anbraten, bis es leicht gebräunt ist. Wenden und von der anderen Seite bräunen. Aus der Pfanne nehmen und beiseite stellen.

2 Zwiebeln in die Pfanne geben und 5 Minuten dünsten, dann Knoblauch, Champignons und Paprika zugeben und 3–4 Minuten köcheln lassen, bis die Zwiebeln goldbraun sind. Tomatenmark einrühren und 1–2 Minuten ziehen lassen, dann den Weißwein zugießen. Unter ständigem Rühren zum Kochen bringen und Tomaten zugeben. Tomaten mit einem Holzlöffel zerdrücken. Rosmarin und Oregano einstreuen und Hühnchen wieder in die Pfanne geben. Mit Salz und Pfeffer abschmecken und 20 Minuten unter gelegentlichem Rühren köcheln lassen.

3 Prüfen, ob das Fleisch weich genug ist – wenn nicht, Deckel wieder auflegen und weitere 10 Minuten köcheln lassen – und auf einer Servierplatte anrichten. Wenn die Sauce zu flüssig erscheint, 5 Minuten ohne Deckel weiter kochen lassen. Mit Salz und Pfeffer abschmecken und über das Hühnchen geben. Sofort servieren.

Hühnchen auf baskische Art

Dieses traditionelle baskische Rezept bedient sich regionaler Zutaten wie Zwiebeln, Paprikaschoten, Tomaten und Knoblauch. Gepökelten Schinken und Gänsefett haben wir allerdings durch den etwas leichter erhältlichen Parmaschinken (oder auch Prosciutto) und Olivenöl ersetzt.

Vorbereitungszeit: **30 Minuten**
Kochzeit: **1 Stunde 15 Minuten**
Für 4 Personen

2 rote Paprikaschoten
2 grüne Paprikaschoten
400 g Tomaten
kochendes Wasser, zum Enthäuten
1 Huhn (1,2 kg)
Salz und Pfeffer, nach Geschmack
2 EL Öl, zum Braten
1 große Zwiebel, in dünne Streifen geschnitten
3 Knoblauchzehen, zerdrückt
100 ml Weißwein
90 g Parmaschinken oder Prosciutto, in Streifen geschnitten
1 EL frische Petersilie, gehackt, zum Garnieren

1 Die Paprikaschoten halbieren, Stege und Kerne entfernen, das Fruchtfleisch in lange Streifen schneiden. Tomaten auf der Unterseite kreuzförmig einschneiden und 10 Sekunden in kochendes Wasser tauchen. Mit kaltem Wasser abschrecken und die Haut vom Einschnitt her abziehen. Vierteln und entkernen.

2 Das Huhn in acht Teile zerlegen *(siehe S. 691)* und mit Salz und Pfeffer würzen. Das Öl in einer tiefen Bratpfanne erhitzen, die Hühnerteile mit der Haut nach unten hineingeben und von allen Seiten goldbraun anbraten. Aus der Pfanne nehmen und auf Küchenpapier abtropfen lassen.

3 Das überschüssige Öl abgießen, so daß noch etwa 1 EL in der Pfanne verbleibt. Zwiebel, Knoblauch, Paprika und Tomaten hineingeben und 10 Minuten köcheln lassen. Den Weißwein zufügen und weitere 30 Minuten zugedeckt köcheln lassen. Die Hühnerteile hineingeben, leicht mit Salz und Pfeffer würzen und 15–20 Minuten zugedeckt köcheln lassen. Das Fleisch mit einer Gabel einstechen; es ist gar, wenn klarer Saft austritt. Die Teile aus der Pfanne nehmen, mit Alufolie abdecken und warm stellen. Die Sauce nach Geschmack mit Salz und Pfeffer würzen.

4 Den Parmaschinken oder den Prosciutto in etwas Öl anbraten und dann mit dem Schaumlöffel aus der Pfanne nehmen, ohne ihn abtropfen zu lassen. Die Sauce über das Hühnchen geben, mit Parmaschinken oder Prosciutto bestreuen und mit der Petersilie garnieren.

Thailändische Hühnerflügel

Diese knusprigen Flügel tragen das kräftige Aroma von Ingwer, Koriander und Fischsauce.

Vorbereitungszeit: **15 Minuten + 1 Tag Marinierzeit**
Backzeit: **1 Stunde**
Für 4 Personen

12 Hühnerflügel
4 Knoblauchzehen, grobgehackt
4 schwarze Pfefferkörner
15 g Korianderstengel oder -wurzeln
1 EL frischer Ingwer, feingerieben
1 ¹/₂ EL Fischsauce (Naam Plah)
3 EL Sojasauce
3 EL Honig
2 EL Korianderblätter, grobgehackt
2 Frühlingszwiebeln, der Länge nach in dünne Streifen geschnitten
Chilisauce, als Dip (nach Belieben)

1   Die Hühnerflügel waschen und trockentupfen. Die Spitze jedes Flügels unter das dicke Ende stecken, so daß ein Dreieck entsteht. In eine nicht-metallene Schüssel geben und zur Seite stellen.

2   Für die Marinade Knoblauch, Pfefferkörner, Korianderstengel und Ingwer im Mörser zu einer Paste zermahlen. Fischsauce, Sojasauce und Honig zugeben und verrühren. In dieser Marinade die Hühnerflügel wälzen. Die Schüssel mit Frischhaltefolie zudecken, 24 Stunden im Kühlschrank marinieren lassen.

3   Den Backofen auf 210 °C (Gasherd: Stufe 3–4) vorheizen. Die Hühnerflügel mit reichlich Abstand in einen flachen feuerfesten Bräter geben und mit der Marinade übergießen. 1 Stunde unter regelmäßigem Übergießen backen, bis sie zart sind.

4   Die heißen Flügel auf einem Vorlegeteller anrichten und mit Koriander und Frühlingszwiebeln garnieren. Dazu nach Wunsch eine Chilisauce als Dip reichen. Fingerschalen und Servietten bereitstellen, da man die Flügel mit den Fingern ißt.

Hühnchen »Kiew«

Ob Sie das Hühnchen »Kiew« nun in Öl braten oder es fritieren, spielt für die knusprige Hülle keine Rolle und ändert nichts am Genuß dieses saftigen panierten Hühnchens.

*Vorbereitungszeit: **40 Minuten***
*Back- und Kochzeit: **40 Minuten***
Für 4 Personen

4 Hühnerbrüste, ohne Haut
Öl, zum Einfetten
120 g Mehl, mit Salz und Pfeffer gewürzt
3 Eier, geschlagen
200 g Paniermehl, gesiebt
Öl, zum Braten und Fritieren

KNOBLAUCHBUTTER
150 g weiche Butter
3 Knoblauchzehen, zerdrückt
50 g frische Petersilie, gehackt
Salz und Pfeffer, nach Geschmack

1 Die Filets von der Unterseite der Brust abschneiden und auf ein leicht eingeöltes Stück Frischhaltefolie oder Backpapier legen. Leicht flachklopfen und in den Kühlschrank stellen.

2 Die Butter mit Knoblauch, Petersilie, Salz und Pfeffer gründlich mischen. Auf der Schmalseite eines Stücks eingefetteter Frischhaltefolie oder feuchten Backpapiers verteilen, wie eine Wurst aufrollen, die

Enden richtig zudrehen. Im Kühlschrank fest werden lassen.

3 Die Oberseite jeder Hühnerbrust mit einem kurzen Schnitt öffnen und mit der Spitze eines kleinen scharfen Messers auf beiden Seiten des Einschnitts eine Tasche in das Fleisch schneiden. Eine Scheibe gekühlte Knoblauchbutter in jede Tasche schieben. Die Öffnungen mit den flachgeklopften Filets vollständig abdecken.

4 Das gewürzte Mehl, die Eier und das Paniermehl jeweils auf einzelne Teller geben. Die Hühnerbrustfilets zunächst im Mehl, dann im Ei und schließlich im Paniermehl wälzen. Ein weiteres Mal nur in Ei und Paniermehl wälzen.

5 Den Backofen auf 200 °C (Gasherd: Stufe 3) vorheizen. Zum Braten soviel Öl in einer feuerfesten Pfanne erhitzen, daß die Filets halb eintauchen. Die Filets von jeder Seite 6 Minuten bei mittlerer Temperatur braten, bis sie angebräunt und gar sind. Für einige Minuten auf einem Rost in den Backofen geben, damit die Panade noch knuspriger wird.

6 Zum Fritieren das Öl in einer Friteuse auf 160 °C erhitzen. Zwei der Hühnerbrustfilets hineingeben und etwa 12 Minuten fritieren, bis sie goldbraun sind. Aus dem Öl nehmen und abtropfen lassen. Auf dem Rost im Backofen warm stellen, bis auch die übrigen Filets fritiert sind. Mit einem knackigen Salat und frischem Brot servieren.

Hühnchen »Jalfrezi«

Dieses sehr pikante Currygericht kommt ganz ohne Currypulver aus.

Vorbereitungszeit: **20 Minuten**
Kochzeit: **55 Minuten**
Für 4 Personen

2 EL Öl, zum Braten
1 Zwiebel, feingerieben
2 Knoblauchzehen, gehackt
750 g Hühnerfilets vom Oberschenkel, ohne Haut, halbiert
3 TL Kurkuma, gemahlen
1 TL rotes Chilipulver
1 1/2 TL Salz
1 Dose Tomaten, gehackt
30 g geklärte Butter (siehe Seite 685) oder 2 EL Öl
3 TL Kreuzkümmel, gemahlen
3 TL Koriander, gemahlen
2 EL frischer Ingwer, gerieben
30 g frische Korianderblätter, grobgehackt
Basmatireis oder Fladenbrot, als Beilage

1 Das Öl in einer tiefen Bratpfanne erhitzen, darin Zwiebel und Knoblauch 2 Minuten bei großer Hitze anbraten.

2 Hühnchen, Kurkuma, Chilipulver und Salz zugeben und 5–10 Minuten auf niedriger Stufe braten, bis das Fleisch goldbraun ist. Dabei regelmäßig den Bodensatz in der Pfanne ablösen und die Filets wenden. Die Tomaten zufügen und 20 Minuten zugedeckt bei mittlerer Temperatur kochen lassen. Den Deckel abnehmen, 10 Minuten köcheln lassen, damit überschüssige Flüssigkeit verdampfen und die Sauce andicken kann.

3 Geklärte Butter oder Öl, Kümmel, gemahlenen Koriander, Ingwer und frischen Koriander zugeben und 5–7 Minuten köcheln lassen, bis sich das Fett auf der Oberfläche der angedickten Sauce absetzt. Nach Bedarf würzen. Die Filets mit der Sauce übergossen servieren. Dazu Basmatireis oder Fladenbrot reichen.

Gebratenes Hühnchen nach Südstaaten-Art

Das gebratene panierte Hühnchen ist ein Klassiker aus dem tiefen Süden
der Vereinigten Staaten – ein beliebtes Familiengericht, das Sie sogar mit den Fingern essen dürfen.

Vorbereitungszeit: **1 Stunde + 1 Nacht Marinierzeit**
Back- und Kochzeit: **1 Stunde**
Für 4 Personen

1 Huhn (1,6 kg)
1,2 l Buttermilch
2 EL Tabasco
Salz, nach Geschmack
170 g Mehl
1 TL Paprikapulver
1 TL Oregano, getrocknet
1 TL Salz
$^{1}/_{2}$ TL Cayennepfeffer
2 Eier
2 EL Öl
3 EL Wasser
250 g frische Semmelbrösel
30 g Butter
Öl, zum Braten

1 Das Huhn in acht Teile zerlegen *(siehe S. 691)*. Die Buttermilch in einer großen Schüssel mit dem Tabasco mischen und mit·Salz abschmecken. Die Hühnerteile darin 1 Stunde oder besser noch über Nacht marinieren.
2 Die Hühnerteile abtropfen lassen und trockentupfen.

Mehl, Paprika, Oregano, Salz und Cayennepfeffer auf einem Teller miteinander mischen und das Hühnchen darin wälzen. Überschüssige Gewürze abschütteln und das Hühnchen zur Seite stellen.
3 Die Eier mit dem Öl und dem Wasser verschlagen. Die Hühnerteile darin eintauchen, dann in den Semmelbröseln wälzen und die Panade gut andrücken. Auf einen mit Küchenpapier ausgelegten Teller legen. Den Backofen auf 150 °C (Gasherd: Stufe 1) vorheizen.
4 Eine große Bratpfanne etwa 2,5 cm hoch mit Öl füllen, die Butter zugeben, bei mittlerer Temperatur erhitzen, die Hühnerteile mit der Haut nach unten hineingeben und bei mittlerer Temperatur etwa 10 Minuten braten, bis sie eine schöne Farbe annehmen. Die Hühnerteile bei Bedarf in mehreren Portionen braten, damit die Pfanne nicht überfüllt wird und alle Teile gleichmäßig garen. Die Teile wenden und braten, bis auch die Unterseite Farbe annimmt. In einen Bräter umfüllen, locker mit Alufolie bedecken und 45 Minuten backen. Auf Küchenpapier abtropfen lassen und sofort servieren.

Tip Sie können diesem Gericht mit 1 EL Currypaste in der Marinade eine delikatere Note verleihen – das milde Hühnerfleisch verträgt den scharfen Kontrast ausgezeichnet.

Gefüllte Hühnerbrust mit Selleriepüree

Eine perfekte Kombination von feinen und kräftigen Aromen mit einer sämigen Mango-Chutney-Sauce – das fertige Gericht übertrifft die Summe seiner Zutaten.

Vorbereitungszeit: **40 Minuten**
Back- und Kochzeit: **1 Stunde**
Für 4 Personen

FÜLLUNG
2 Hühnerschenkel
75 g Naturjoghurt
2 EL Stangensellerie, gehackt
Salz und Pfeffer, nach Geschmack

300 g Knollensellerie, geschält und gehackt
einige Tropfen Zitronensaft
kochendes Salzwasser
3 EL Naturjoghurt
4 Hühnerbrustfilets, ohne Haut, je 120 g
1 EL Öl
1 EL Mango-Chutney
2 EL Sherryessig
500 ml Hühnerbrühe (s. S. 684)
20 g Butter
je 2 EL Karotte, Zwiebel, Stangensellerie und Apfel,
gewürfelt

1 Für die Füllung: die Schenkel enthäuten, das Fleisch von den Knochen lösen. 200 g Fleisch in der Küchen-maschine glattpürieren, den Joghurt untermischen, Stangensellerie einrühren, salzen und pfeffern.

2 Knollensellerie und Zitronensaft in einen Topf mit kochendem Salzwasser geben, 20 Minuten köcheln lassen, bis der Sellerie zart ist. Abgießen, wieder in den Topf geben und 1 Minute im heißen Topf schwenken. Mit dem Joghurt in der Küchenmaschine pürieren, nach Geschmack würzen und warm stellen.

3 Den Backofen auf 190 °C (Gasherd: Stufe 2–3) vor-heizen. In jedes Hühnerbrustfilet eine Tasche ein-schneiden, die Füllung hineingeben. Nicht überfüllen. Das Öl in einem backofenfesten Topf erhitzen und die Hühnerbrustfilets leicht anbräunen. Die Oberschenkel-knochen in den Topf geben und 10 Minuten im Back-ofen backen. Die Hühnerbrustfilets herausnehmen und warm stellen. Das Fett aus dem Topf abgießen, Mango-Chutney und Essig hineingeben und auf der Herdplatte kochen, bis die Sauce eine sirupartige Konsistenz an-nimmt. Die Brühe zufügen und 10 Minuten kochen, bis die Sauce um ein Drittel eingedickt ist. Nach Ge-schmack würzen, durch ein Sieb gießen und zur Seite stellen.

4 Die Butter in einem kleinen Topf zerlassen, Karotte, Zwiebel und Sellerie 5 Minuten leicht anbraten, bis sie zart, aber nicht gebräunt sind. Den Apfel zufügen und 2 Minuten braten. Das Gemüse auf Tellern anrichten, mit den Hühnerbrustfilets belegen und mit der Sauce über-gießen. Mit dem Selleriepüree servieren.

Hühnchen »en croûte«

Diese saftigen Hühnerbrüste mit Pilzen und Speck in einem knusprigen Teigmantel sind nicht nur eine Gaumenfreude, sondern auch ein Augenschmaus.

*Vorbereitungszeit: **1 Stunde + 40 Minuten Kühlzeit***
*Back- und Kochzeit: **1 Stunde 30 Minuten***
Für 4 Personen

Öl, zum Braten
4 Hühnerbrustfilets, ohne Haut
30 g Butter
1 Schalotte, feingehackt
1 Knoblauchzehe, feingehackt
250 g Feld- oder Wiesenchampignons, feingehackt
Salz und Pfeffer, nach Geschmack
400 g Blätterteig
4 dünne Scheiben Räucherspeck oder Pancetta, ohne Rinde
1 Ei, leicht geschlagen

SAUCE
3 EL Öl
4 Hühnerflügel, grobgehackt
1 Zwiebel, feingehackt
2 Karotten, feingehackt
1 Selleriestange, feingehackt
1 Champignon, feingehackt
1 Lorbeerblatt
1 EL Sherryessig
100 ml trockener Madeira oder Sherry
500 ml Hühnerbrühe (s. S. 684)

1 3 EL Öl in einer Bratpfanne erhitzen, die Hühnerbrustfilets 1 Minute von jeder Seite anbraten. Aus der Pfanne nehmen und zur Seite stellen.

2 Die Butter in einem mittelgroßen Topf erhitzen, Schalotte und Knoblauch hineingeben, mit Backpapier und einem Deckel zudecken und sehr langsam anbraten, bis sie glasig sind. Die Champignons zufügen, die Temperatur erhöhen. Die Pilze unabgedeckt garen, bis die Flüssigkeit fast vollständig verdampft ist. Mit Salz und Pfeffer würzen, auf einem Teller abkühlen lassen.

3 Den Blätterteig auf einer leicht bemehlten Fläche zu vier Rechtecken von je 16 x 25 cm Größe ausrollen. Auf ein leicht bemehltes Backblech legen, 20 Minuten in den Kühlschrank stellen. Vom Blech auf eine leicht bemehlte Arbeitsfläche gleiten lassen, die Rechtecke an den Schmalseiten im Abstand von jeweils 2 cm zur Mitte hin 8 cm tief einschneiden.

4 Ein Hühnerbrustfilet quer auf die Mitte jedes Teigrechtecks legen. Ein Viertel der Pilzmischung auf jedes Filet geben und leicht flachdrücken, mit Speck oder Pancetta bedecken, die Enden unter das Fleisch stecken. Die Teigstreifen mit Ei bestreichen. Nun die Streifen abwechselnd von jeder Seite überlappend über das Filet legen, dabei kleine Zwischenräume lassen, damit Dampf entweichen kann. Die Streifen am unteren Ende des Filets abschneiden oder unter den Teigmantel stecken. Auf ein gefettetes Backblech legen und 20 Minuten in den Kühlschrank stellen. Den Backofen auf 200 °C (Gasherd: Stufe 3) vorheizen.

5 Für die Sauce das Öl in einem feuerfesten Bräter auf der Herdplatte erhitzen. Die Hühnerflügel hineingeben und 30 Minuten im Backofen goldbraun backen. Auf die Herdplatte stellen, das gehackte Gemüse, das Lorbeerblatt und den Essig zugeben und 5 Minuten köcheln lassen, bis die Flüssigkeit um drei Viertel reduziert ist. Madeira oder Sherry zufügen, aufkochen, die Brühe zugeben, die Temperatur reduzieren und 10 Minuten sanft köcheln lassen, bis die Sauce um die Hälfte eingedickt ist. Schaum und Fett regelmäßig abschöpfen. Sauce durch ein Sieb in einen Topf seihen und nach Geschmack würzen.

6 Die Teigtaschen mit Ei bestreichen. Dabei die Schnittkanten auslassen, da sie sonst nicht aufgehen. 25–30 Minuten backen, bis die Taschen goldgelb und knusprig sind. Mit der Sauce und z. B. gedämpftem grünem Spargel servieren.

Hühnerbrust mit Estragon-Senf-Sauce

Der französische Estragon verfügt (im Gegensatz zu seinem russischen Verwandten)
über ein sehr feines, anisartiges Aroma. Die lateinische Bezeichnung »kleiner Drache« leitet sich
von dem Glauben ab, das Kraut könne die Bisse giftiger Tiere heilen.

*Vorbereitungszeit: **15 Minuten***
*Back- und Kochzeit: **50 Minuten***
Für 4 Personen

1 EL Öl, zum Braten
4 Hühnerbrüste, ohne Haut
4 Schalotten, in dünne Scheiben geschnitten
100 ml trockener Weißwein
500 ml Hühnerbrühe (s. S. 684)
200 ml Crème double oder Crème fraîche
80 g Dijon- oder Estragonsenf
Salz und Pfeffer, nach Geschmack
15 g frischer Estragon

1 Den Backofen auf 180 °C (Gasherd: Stufe 2) vorheizen. Das Öl in einem feuerfesten Bräter auf der Herdplatte erhitzen, die Hühnerbrüste 5 Minuten von jeder
Seite goldbraun anbraten. In den Backofen stellen und
5–10 Minuten backen, bis aus einem Einstich mit einer
Fleischnadel in der Mitte klarer Saft austritt.

2 Die Hühnerbrüste aus dem Bräter nehmen und
warm stellen. Überschüssiges Fett abgießen und den
Bräter wieder auf die Herdplatte stellen. Die Schalotten
hineingeben und braten, bis sie glasig und leicht gebräunt sind, dann mit Wein ablöschen und andicken
lassen, bis der Boden fast trocken ist. Die Brühe zugeben
und 5–10 Minuten köcheln lassen, bis die Sauce eine
sirupartige Konsistenz annimmt.

3 Die Sauce durch ein Sieb in einen Topf umfüllen,
die Crème double zugeben und 5 Minuten köcheln
lassen. Den Senf einrühren und nach Geschmack mit
Salz und Pfeffer würzen. Den Estragon hacken und
erst unmittelbar vor dem Servieren über die Sauce
streuen, damit er nicht die Farbe verliert. Die Sauce
zum Servieren über die Hühnerbrüste geben.

Tip Man kann die Schalotten mit ihrem angenehmen
Aroma auch in der Sauce lassen. Geben Sie dazu Crème
double in die Sauce, ohne sie zuvor durch ein Sieb zu
gießen.

Krönungshühnchen

Rosemary Hume von der Cordon-Bleu-Kochschule in London kreierte dieses Gericht für das Krönungsbankett von Königin Elisabeth II. Heute findet es sich auf Speisekarten in der ganzen Welt. Hier eine modernisierte Version des traditionsreichen Rezepts.

Vorbereitungszeit: **30 Minuten + Kühlzeit**
Kochzeit: **1 Stunde**
Für 4 Personen

1 Huhn (1,5 kg)
1 Karotte, in Scheiben geschnitten
1 Zwiebel, halbiert
1 Bouquet garni (s. S. 685)
6 Pfefferkörner
1 Prise Salz
Wasser, nach Bedarf
Öl, zum Braten
2 Schalotten, feingehackt
1 TL Currypulver
2 TL Tomatenmark
3 EL Rotwein
1 Prise Zucker
Salz und Pfeffer, nach Geschmack
1 Zitronenscheibe
einige Tropfen Zitronensaft
1 EL Mango-Chutney
220 g Mayonnaise
3–4 EL Sahne, leicht geschlagen
1 Frühlingszwiebel, gehackt, zum Garnieren

1 Huhn, Karotte, Zwiebel, Bouquet garni, Pfefferkörner und eine Prise Salz in einen Topf geben, knapp mit Wasser bedecken und zum Kochen bringen. Die Temperatur reduzieren und etwa 40 Minuten köcheln lassen, bis das Huhn zart ist. Das Huhn in der Flüssigkeit abkühlen lassen, dann aus dem Topf nehmen, Haut und Knochen entfernen. Das Fleisch in mundgerechte Stücke schneiden und zur Seite stellen.

2 Ein wenig Öl in einem großen Topf erhitzen und die Schalotten 3–4 Minuten sanft anbraten. Das Currypulver zugeben, weitere 1–2 Minuten braten. Tomatenmark, Wein und 2 EL Wasser zufügen und zum Kochen bringen. Zucker, Salz und Pfeffer nach Geschmack, Zitronenscheibe und -saft zugeben. Die Temperatur reduzieren, 5–10 Minuten köcheln lassen, bis die Sauce um die Hälfte eingedickt ist. Das Mango-Chutney einrühren, die Sauce durch ein Sieb passieren und abkühlen lassen.

3 Nach und nach die Mayonnaise in die abgekühlte Sauce geben. Abschmecken. Schlagsahne und Hühnerfleisch einrühren und mit der kleingehackten Frühlingszwiebel garnieren.

Tip Zum Krönungshühnchen paßt ausgezeichnet ein Reis-Gemüse-Salat.

Gefüllte Hühnerbrust mit Gurke

Schon bei den Römern war die Gurke ein beliebtes Gemüse. Ihr kühler und erfrischender Geschmack sichert ihr bis heute einen Platz in vielen leichten, sommerlichen Gerichten.

*Vorbereitungszeit: **35 Minuten + 20 Minuten Kühlzeit***
*Kochzeit: **40 Minuten***
Für 6 Personen

1 Oberschenkel vom Huhn, ohne Haut
1 Eiweiß
Salz und Pfeffer, nach Geschmack
180 ml Crème double
30 g frische Kräuter (z. B. Basilikum, Estragon, Kerbel), gehackt
6 Hühnerbrüste, ohne Haut, je 180 g
etwas Öl, zum Einfetten
etwas Butter, zum Einfetten
1 Salatgurke
Salzwasser
3 Schalotten, feingehackt
100 ml trockener Weißwein
500 ml Hühnerbrühe (s. S. 684)
400 ml Crème double (zusätzlich)
Salz und Pfeffer, nach Geschmack

1 Das Fleisch des Oberschenkels vom Knochen lösen und in der Küchenmaschine pürieren. Das Eiweiß leicht schlagen, etwas mehr als die Hälfte davon zum Püree geben (den Rest wegwerfen). Mit Salz und Pfeffer abschmecken, dann Crème double und Kräuter nach und nach untermixen. Nicht zu lange mixen, da die Crème double sonst gerinnt. Zudecken und 15–20 Minuten im Kühlschrank fest werden lassen.

2 Die Filets von der Unterseite der Brust abschneiden und auf ein leicht eingeöltes Stück Frischhaltefolie oder Backpapier legen. Mit dem Fleischklopfer oder einer kleinen Bratpfanne leicht flachklopfen, dann in den Kühlschrank stellen.

3 Die Oberseite jeder Hühnerbrust mit einem kurzen Schnitt öffnen und mit der Spitze eines kleinen scharfen Messers auf beiden Seiten des Einschnitts eine Tasche in das Fleisch schneiden. Das vorbereitete Hühnerpüree mit einem Löffel oder einem Spritzbeutel in die Taschen füllen; nicht überfüllen, da die Taschen sonst beim Kochen aufplatzen können. Die Öffnungen mit den flachgeklopften Filets vollständig abdecken. Jede Hühnerbrust in mit Butter eingefettete Alufolie wickeln und die Enden fest zudrehen. 20–30 Minuten in sanft köchelndem Wasser garen. Vom Herd nehmen und in der heißen Flüssigkeit ruhen lassen.

4 Die ungeschälte Gurke der Länge nach halbieren und die Samenkörner mit der Spitze eines Teelöffels herausschaben. Drei Viertel der Gurke zunächst in 5 cm lange Stücke, dann in fingerdicke Streifen schneiden. 2–3 Minuten in einem kleinen Topf mit kochendem Salzwasser blanchieren, unter kaltem Wasser abschrecken und abtropfen lassen. Die restliche Gurke grob hacken und zur Seite stellen.

5 Für die Sauce Schalotten, Wein und Hühnerbrühe in einen Topf geben und zum Kochen bringen. 5 Minuten kochen lassen, bis die Sauce eine leicht sirupartige Konsistenz annimmt. Zusätzlich Crème double einrühren und kochen, bis die Mischung etwas andickt. Die gehackte Gurke zufügen und weitere 5 Minuten kochen lassen. Die Sauce in eine Küchenmaschine geben und gründlich pürieren. Mit Salz und Pfeffer abschmecken und durch ein Sieb passieren.

6 Die Hühnerbrüste sofort – ganz oder in Scheiben geschnitten – mit den Gurkenstreifen und der Sauce servieren.

Scharfes »Spatchcock«-Hühnchen

Im Mittelalter wurde in englischen Gasthäusern für einen späten Gast rasch ein Huhn di»spatched«: hingerichtet.

Vorbereitungszeit: **30 Minuten**
Kochzeit: **1 Stunde**
Für 4 Personen

4 Junghühner, je ca. 440 g
zerlassene Butter oder Öl, zum Braten und Beträufeln
Salz und Pfeffer, nach Geschmack
60 g Dijon- oder Englischer (scharfer) Senf
60 g frische Semmelbrösel
frische Petersilie, gehackt, zum Garnieren

1 Die Gabelbeine der Hühnchen entfernen *(siehe S. 691)* und den Backofen auf 180 °C (Gasherd: Stufe 2) vorheizen.

2 Das Innere der Hühnchen gründlich ausspülen, dann mit der Geflügelschere beidseitig entlang des Rückgrats schneiden, das Rückgrat herausnehmen. Die Hühnchen auf den Rücken legen und mit beiden Händen auf die Brust drücken, um das Brustbein zu brechen. Die spitzen Flügelenden unter die Brust stecken und mit einer Fleischnadel beide Flügel an die Brust heften. Mit einer weiteren Fleischnadel beide Oberschenkel feststecken. Die Hühnchen flach mit der Brust nach oben auf ein mit Öl eingefettetes Backblech legen.

3 Die Hühnchen mit Butter oder Öl bestreichen und leicht mit Salz und Pfeffer würzen. Auf höchster Backstufe kurz anbräunen lassen, dann 40–50 Minuten im Backofen backen, bis klarer Saft austritt.

4 Die Hühnchen gleichmäßig mit Senf bestreichen, mit Semmelbröseln bestreuen und mit etwas Öl oder zerlassener Butter beträufeln. Auf höchster Backstufe goldbraun grillen und zum Servieren mit Petersilie garnieren.

Fritiertes Hühnchen mit Kümmel und Sesam

Die Sesamkörner und die würzige Dipsauce geben diesem Gericht seinen asiatischen Charakter.

*Vorbereitungszeit: **20 Minuten***
*Kochzeit: **20 Minuten***
Für 4 Personen

80 g Mehl
60 g Kartoffelmehl
1 TL Backpulver
1 großzügige Prise Salz
2 TL Öl
150 ml Wasser
90 g Sesamkörner
$^1/_4$ TL Kreuzkümmel, gemahlen
3 kleine Hühnerbrustfilets, ohne Haut
Salz und Pfeffer, nach Geschmack
Öl, zum Fritieren

DIPSAUCE
$^1/_2$ TL frischer Ingwer, gerieben
1 TL Frühlingszwiebel, feingehackt
1 EL Essig
1 EL Sojasauce
2 EL Tomatenketchup
1 TL Sesamöl

1 Mehl, Kartoffelmehl, Backpulver und Salz in eine Schüssel sieben. Das Öl zufügen und das Wasser gleichmäßig einschlagen. Weiterschlagen, bis der Teig glatt ist, die Sesamkörner zufügen und mit Frischhaltefolie abdecken.
2 Alle Zutaten für die Dipsauce miteinander mischen und zur Seite stellen.
3 Die Hühnerbrustfilets von überschüssigem Fett befreien und längs in dünne Streifen schneiden. Mit Salz und Pfeffer würzen, in den Teig tauchen und in heißem Öl goldgelb fritieren. Abtropfen lassen und sofort mit der Dipsauce servieren.

Apfelhühnchen mit Pilzsauce

Der französische Name dieser Köstlichkeit lautet »Poulet Vallée d'Auge«.
Dieses Rezept bedient sich zahlreicher regionaler Zutaten aus der Normandie,
wie Calvados, Cidre, Crème double und Äpfel.

*Vorbereitungszeit: **25 Minuten***
*Kochzeit: **1 Stunde***
Für 4 Personen

1 Huhn (1,8 kg)
Salz und Pfeffer
60 g Butter
Öl, zum Braten
3 EL Calvados
2 Schalotten, feingehackt
500 ml Cidre
150 g Zuchtchampignons, in Scheiben geschnitten
250 ml Crème double
200 g Äpfel (Golden Delicious)
50 g geklärte Butter (siehe Tip)
4 EL frische Petersilie, gehackt

1 Das Huhn in vier oder acht Teile zerlegen *(siehe S. 691)* mit Salz und Pfeffer würzen. Die Hälfte der Butter mit etwas Öl in einem Topf erhitzen, die Teile in Etappen mit der Haut nach unten kurz anbraten, bis sie leicht gebräunt sind. Überschüssiges Fett abgießen, alle Hühnerteile in den Topf geben, dann den Calvados darüber geben und mit einem Streichholz anzünden.

Die Schalotten zufügen und sanft andünsten, bis sie glasig, aber nicht gebräunt sind. Mit dem Cidre ablöschen, abdecken und 15 Minuten kochen lassen. Dabei die Hühnerteile nach 10 Minuten wenden.

2 In der Zwischenzeit die Pilze in der restlichen Butter 4 Minuten zugedeckt sautieren. Mit dem Bratfett und der Crème double zum Hühnchen geben und 5 Minuten kochen lassen. Die Hühnerteile aus dem Topf nehmen und warm stellen.

3 Die Sauce 10 Minuten weiterkochen, bis sie so dickflüssig ist, daß sie an einem Löffelrücken haftet. Nach Geschmack würzen. Die Hühnerteile wieder in den Topf geben, zum Kochen bringen und bei reduzierter Temperatur 2 Minuten köcheln lassen.

4 Die ungeschälten Äpfel entkernen und in dünne Scheiben schneiden. In der geklärten Butter von beiden Seiten goldbraun anbraten. Die Hühnerteile mit den Äpfeln und der Petersilie garnieren.

Tip Geklärte Butter erreicht höhere Temperaturen, ohne anzubrennen. Für 50 g zerlassen Sie 90 g Butter in einem kleinen Topf bei geringer Hitze, ohne zu rühren oder den Topf zu bewegen. Schöpfen Sie den Schaum ab, und füllen Sie die klare Butter (ohne den weißen Bodensatz) in ein anderes Gefäß um.

Mariniertes Limonenhuhn mit mediterranem Brot

Dieses erfrischende Gericht kombiniert den Geschmack des Mittelmeers mit dem der Tropen. Die Aromen von Limone, Joghurt und Koriander werden durch das leichte, knusprige Brot noch ergänzt.

Vorbereitungszeit: **50 Minuten + 3 Stunden Gehzeit +**
   20 Minuten Ruhezeit + 30 Minuten Marinierzeit
Back- und Kochzeit: **55 Minuten**
Für 4 Personen

MEDITERRANES BROT *(siehe Tip)*
440 ml lauwarmes Wasser
30 g Frischhefe
680 g Vollkornmehl
140 ml Olivenöl (Extra Vergine)
3 TL Salz
100 g schwarze Oliven, entkernt und grobgehackt
100 g sonnengetrocknete Tomaten, eingeweicht,
   abgetropft und grobgehackt (siehe Tip)
Butter und Mehl für die Backbleche
etwas kaltes Wasser

400 g Naturjoghurt
2 frische grüne Chilischoten, entkernt und gehackt
2 Knoblauchzehen, gehackt
3 EL frischer Koriander, grobgehackt
abgeriebene Schale von 3 Limonen
Saft von ¹/₂ Limone
Salz und Pfeffer, nach Geschmack
8 Oberschenkelfilets vom Huhn, ohne Haut

1 Wasser und Hefe für das Brot in einer kleinen Schüssel glattrühren. 440 g des Mehls in eine Schüssel sieben, und eine Mulde in der Mitte formen. Hefe, Wasser und Olivenöl in die Mulde gießen. Mit leicht gespreizten Fingern nach und nach das Mehl in die Flüssigkeit in der Mitte ziehen, bis das gesamte Mehl vermischt ist und ein lockerer Teig entsteht. Den Teig 5 Minuten kräftig kneten und auf die Arbeitsfläche schlagen, damit er elastisch wird und sich Mehlklümpchen auflösen. An der Schüsselwand haftenden Teig mit einem Schaber lösen, die Schüssel mit einem feuchten Tuch bedecken und den Teig 1–1¹/₂ Stunden bei Zimmertemperatur gehen lassen, bis sich sein Volumen verdoppelt hat. Das restliche Mehl, Salz, Oliven und sonnengetrocknete Tomaten zugeben und gut verkneten. Erneut an der Schüsselwand haftenden Teig abschaben, mit einem feuchten Tuch bedecken und gehen lassen, bis sich das Teigvolumen verdoppelt hat.

2 Den Backofen auf 200 °C (Gasherd: Stufe 3) vorheizen. Zwei mittelgroße Backbleche leicht mit Butter einfetten und mit Mehl bestreuen. Den sehr weichen Teig halbieren. Den Teig sehr vorsichtig anfassen, da er sonst zusammenfällt. Die Teighälften auf die Backbleche geben und mit nassen Händen vorsichtig zu einem etwa 2¹/₂ cm dicken Rechteck formen. Mit kaltem Wasser besprenkeln und mit reichlich zusätzlichem Mehl bestäuben. 35–40 Minuten im Backofen backen, bis kein Teig mehr an einem in die Mitte gestochenen Holzspieß kleben bleibt. Vor dem Servieren 20 Minuten auf einem Kuchengitter ruhen lassen.

3 Für die Marinade Joghurt, Chillies, Knoblauch, Koriander, Limonenschale und Limonensaft in der Küchenmaschine glattrühren. Mit Salz und Pfeffer abschmecken. Die Hälfte der Mischung in eine Form geben, die Hühnerfilets darauf legen, mit der restlichen Mischung bedecken und 30 Minuten an einem kühlen Ort marinieren lassen. Die Filets in eine Grillpfanne geben und 15 Minuten langsam unter regelmäßigem Wenden grillen, bis sie gar sind. Mit dem frischen Brot servieren.

Tip Das mediterrane Brot paßt ausgezeichnet zum marinierten Hühnerfleisch. Beginnen Sie aber rechtzeitig mit der Zubereitung, damit der Teig ausreichend Zeit zum Gehen hat. Charakteristisch für dieses Brot ist seine ungleichmäßige, knusprige Konsistenz. Das Olivenöl bewirkt die Knusprigkeit, während das ungestörte Gehen des Teigs für seine Luftigkeit sorgt.

Die sonnengetrockneten Tomaten müssen nicht eingeweicht werden, wenn sie in Öl eingelegt sind.

Apfelwein-Hühnchen mit Champignonsauce

Der französische Name dieses Gerichts lautet »Poulet Vallée d'Auge«. Das Auge-Tal liegt in der Normandie, und in diesem Rezept kommen die regionstypischen Zutaten zu ihrem vollendeten Einsatz: Butter, Calvados, Apfelwein und Äpfel aus den reichhaltigen Obstgärten der Normandie.

*Zubereitungszeit: **25 Minuten***
*Garzeit: **1 Stunde***
Für 4 Personen

1 Hühnchen (ca. 1,8 kg)
Salz und schwarzer Pfeffer, nach Geschmack
60 g Butter
Öl, zum Braten
3 EL Calvados
2 Schalotten, feingehackt
500 ml Apfelwein
150 g Champignons, in Scheiben geschnitten
250 ml Crème double
200 g Äpfel (»Golden Delicious«)
50 g geklärte Butter (s. Tip)
4 EL frische Petersilie, gehackt

1 Hühnchen in 4 oder 8 Stücke zerlegen und mit Salz und schwarzem Pfeffer würzen. Die Hälfte der Butter und ein wenig Öl in einer Pfanne erhitzen und das Hühnchen darin portionsweise mit der Hautseite nach unten anbräunen. Überschüssiges Fett abgießen, das Hühnerfleisch in die Pfanne geben, Calvados zugießen und zum Flambieren die Flüssigkeit anzünden. Schalot-

ten zufügen und leicht köcheln lassen. Apfelwein zugießen, Deckel auflegen und 15 Minuten kochen lassen. Hühnchen nach 10 Minuten wenden.

2 Champignons in der restlichen Butter 4 Minuten abgedeckt sautieren. Champignons und Kochflüssigkeit zufügen, Crème double zum Hühnchen geben und 5 Minuten kochen lassen. Hühnchen vom Herd nehmen und warm halten.

3 Sauce 10 Minuten weiter köcheln lassen. Mit Salz und Pfeffer abschmecken. Hühnchen wieder in die Pfanne geben, zum Kochen bringen, Hitze reduzieren und 2 Minuten köcheln lassen, um alles gut zu erhitzen.

4 Ungeschälte Äpfel vom Gehäuse befreien und quer in dünne Scheiben schneiden. In der geklärten Butter goldbraun braten. Hühnchen mit Apfelringen und gehackter Petersilie garnieren.

Tip Geklärte Butter brennt auch bei höheren Temperaturen nicht an. Für 50 g geklärte Butter brauchen Sie 90 g Butter. Zerlassen Sie diese auf unterster Stufe in einer kleinen Pfanne, ohne zu rühren oder die Pfanne zu bewegen. Oberfläche abschöpfen und geklärte Butter vorsichtig in einen anderen Behälter umfüllen; dabei die weißlichen Rückstände am Pfannenboden zurücklassen. Abgedeckt bis zu 4 Wochen im Kühlschrank haltbar.

Gebackene Hähnchen mit Kräuterbutter

Eine sehr delikate Abwandlung des vertrauten gebackenen Huhns. Verwenden Sie für Hähnchen und Butter einfach die frischen Kräuter, die Ihnen gerade zur Verfügung stehen.

*Vorbereitungszeit: **40 Minuten***
*Back- und Kochzeit: **1 Stunde 15 Minuten***
Für 4 Personen

2 kleine Grillhähnchen, je ca. 440 g
100 g weiche Butter
3 EL gemischte frische Kräuter (Estragon, Kerbel, Petersilie), gehackt
Salz und Pfeffer, nach Geschmack
2 EL Öl
3–4 Hühnerflügel
2 EL Karotte, gehackt
2 EL Schalotten, gehackt
2 EL Zwiebel, gehackt
I EL Stangensellerie, gehackt
500 ml Wasser

1 Den Backofen auf 200 °C (Gasherd: Stufe 3) vorheizen. Zur Vorbereitung der Hähnchen den Finger an der Halsöffnung unter die Haut schieben und die Haut vorsichtig vom Fleisch lösen, ohne sie zu zerreißen.

2 Butter und Kräuter in einer kleinen Schüssel miteinander mischen und mit Salz und Pfeffer abschmecken. Etwa 1 ½ EL Butter mit dem Spritzbeutel unter die Haut jedes Hähnchens drücken und mit den Fingern durch Druck so weit wie möglich verteilen. Steht kein Spritzbeutel zur Verfügung, kann man auch den Griff einer Gabel oder eines Löffels verwenden. Die Hähnchen dressieren *(siehe S. 690)*. Die verbleibende Kräuterbutter für die Sauce zurückbehalten.

3 Einen Bräter auf der Herdplatte bei mittlerer Temperatur erhitzen. Das Öl hineingeben und die Hähnchen in Seitenlage in den Bräter legen. Wenn das Öl heiß ist, den Bräter in den Backofen stellen und die Hähnchen 10 Minuten backen. Dabei alle 5 Minuten mit Bratensaft übergießen. Die Hähnchen auf die andere Seite drehen, 10 Minuten backen und weiterhin alle 5 Minuten übergießen. Die Hähnchen auf den Rücken drehen, die Flügel zugeben und 10 Minuten unter regelmäßigem Übergießen backen, bis aus einem Einstich klarer Saft austritt.

4 Hähnchen und Flügel auf einen feuerfesten Teller legen, mit Alufolie abdecken und im Backofen bei sehr niedriger Einstellung warm stellen. Den Bräter bei geringer Hitze auf die Herdplatte stellen, um, falls nötig, das Fett zu klären *(siehe Tip S. 685)*. Das Fett sollte nach 5–10 Minuten klar sein (nicht rühren). Die Hühnerflügel abtropfen lassen und wieder in den Bräter legen. Das Gemüse zugeben und 2 Minuten anbraten, dann mit 500 ml Wasser ablöschen. Umrühren, um den Bratensaft vom Bräter zu lösen, und in einen Topf umfüllen. Zum Kochen bringen, dann die Temperatur reduzieren und das Fett abschöpfen. 35 Minuten köcheln lassen, bis die Sauce um drei Viertel reduziert ist. Durch ein Sieb in einen kleineren Topf umfüllen und die Hühnerflügel entfernen. Die restliche Kräuterbutter einrühren, abschmecken und in eine Sauciere füllen. Das Garn entfernen und die Hähnchen halbieren. Mit der Sauce servieren.

Gebackenes Huhn

Der verführerische Duft, die knusprige goldene Haut und das weiße Fleisch machen das gebackene Huhn zu einem klassischen Familiengericht. Freilaufende Hühner schmecken am besten.

Vorbereitungszeit: **30 Minuten**
Back- und Kochzeit: **1 Stunde 40 Minuten**
Für 4 Personen

1 Huhn (1,8 kg)
3 EL Öl
Salz und Pfeffer, nach Geschmack
60 g Butter
4–6 Hühnerflügel (ca. 220 g)
1 Schalotte, gehackt
1 EL Stangensellerie, gehackt
1 EL Karotte, gehackt
1 EL Zwiebel, gehackt
500 ml Wasser
1 Bouquet garni (s. S. 685)
Pfeffer und Salz, für die Sauce

1 Den Backofen auf 200 °C (Gasherd: Stufe 3) vorheizen. Das Huhn dressieren *(siehe S. 690)*. In einen feuerfesten Bräter 1 EL Öl geben. Das Huhn pfeffern und salzen, mit dem restlichen Öl einreiben, in Seitenlage in den Bräter legen, die Butter darauf geben. In den Backofen stellen und backen; alle 5 Minuten mit dem Bratensaft übergießen. Nach 15 Minuten auf die andere Seite legen, weiter übergießen, nach weiteren 15 Minuten auf den Rücken wenden, die Flügel zugeben. Noch

20–30 Minuten unter regelmäßigem Übergießen backen, bis klarer Saft austritt.

2 Huhn und Flügel auf einen feuerfesten Teller geben, mit Alufolie bedecken und im Backofen bei niedriger Temperatur warm stellen. Den Bräter bei geringer Hitze auf die Herdplatte stellen, nach 10 Minuten (dabei nicht rühren) das überschüssige Fett abgießen. Die Hühnerflügel abtropfen lassen und wieder in den Bräter geben. Das gehackte Gemüse hineingeben und 2 Minuten kochen lassen, dann mit Wasser ablöschen und das Bouquet garni hinzugeben. Den Bodensatz mit dem Löffel lösen, dann in einen Topf umfüllen. Zum Kochen bringen, die Temperatur reduzieren und etwa 35 Minuten köcheln lassen, bis die Sauce um zwei Drittel reduziert ist. Dabei gelegentlich das Fett von der Oberfläche abschöpfen. Die Sauce durch ein Sieb gießen und mit Salz und Pfeffer abschmecken.

3 Zum Servieren das Garn entfernen und das Huhn auf einen Vorlegeteller legen. Die Bratensauce in einer Sauciere bereitstellen.

Tip Um festzustellen, ob das Huhn gar ist, heben Sie es einfach mit einer Fleischgabel aus dem Bräter und lassen den Saft abtropfen. Wenn er klar ist, ist das Huhn gar. Hat der Saft eine rosa Färbung, benötigt das Huhn noch weitere 5–10 Minuten im Backofen.

Hühnerbrochettes mit Gemüsereis

Die französische Brochette unterscheidet sich nicht von dem Kebab-Spieß.
Durch das Marinieren am Spieß werden Fleisch und Gemüse sehr zart und geschmackvoll.

Vorbereitungszeit: **30 Minuten + Kühlzeit (1 Stunde**
oder über Nacht)
Back- und Kochzeit: **1 Stunde**
Für 4 Personen

4 Hühnerbrustfilets, ohne Haut
1 große rote Paprikaschote, halbiert und entkernt
12 Zuchtchampignons
1 Zwiebel
200 ml Maisöl
100 ml Sojasauce
Saft von 1 Zitrone
2 Tomaten
kochendes Wasser, zum Enthäuten
1 Zwiebel, gehackt
100 ml Weißweinessig
500 ml Hühnerbrühe (s. S. 684)
1 TL frischer Thymian, gehackt
30 g Kapern, gewaschen und grobgehackt
Gewürze (z. B. Basilikum, Majoran), nach Geschmack

GEMÜSEREIS
Öl, zum Braten
1 Zwiebel, in feine Streifen geschnitten
200 g Langkornreis
400 ml Wasser
Salz und Pfeffer, nach Geschmack
¹/₂ rote Paprikaschote, in Würfel geschnitten
¹/₂ grüne Paprikaschote, in Würfel geschnitten
60 g junge Tiefkühlerbsen, aufgetaut
Gewürze (z. B. Majoran, Oregano), nach Geschmack

1 Jedes Hühnerbrustfilet in sechs Teile schneiden. Die Paprika in zwölf Rechtecke teilen. Pilzstiele abtrennen und wegwerfen. Die Zwiebel halbieren und in gleich große Stücke wie die Paprika schneiden. Abwechselnd Hühnchen, Paprika, Champignons und Zwiebel auf Holzspieße stecken und in eine flache Form legen. Maisöl, Sojasauce und Zitronensaft mischen, die Brochettes gründlich damit übergießen. Mindestens 1 Stunde oder über Nacht zugedeckt in den Kühlschrank stellen.

2 Den Backofen für den Gemüsereis auf 200 °C (Gasherd: Stufe 3) vorheizen. 2–3 EL Öl in einem backofenfesten Topf auf der Herdplatte erhitzen, die Zwiebel leicht anbraten, bis sie glasig, aber nicht gebräunt ist. Den Reis mit einem Holzlöffel einrühren und 1 Minute anbraten. Das Wasser zugeben, unter ständigem Rühren zum Kochen bringen. Mit Salz und Pfeffer abschmecken. Den Topf 15 Minuten zugedeckt in den Backofen stellen, bis der Reis gar ist. Paprika und Erbsen locker untermischen, nach Geschmack würzen. Den Backofen auf sehr niedrige Stufe stellen, den Reis zudecken und im Backofen warm stellen.

3 Wasser zum Kochen bringen, jede Tomate auf der Unterseite kreuzförmig einschneiden. Die Tomaten 10 Sekunden ins kochende Wasser tauchen, dann in kaltem Wasser abschrecken. Die Haut abziehen, die Tomaten vierteln, entkernen, den Stiel entfernen, das Fruchtfleisch würfeln.

4 Die Brochettes aus der Marinade nehmen, auf jeder Seite 4 Minuten grillen, bis aus einem Einstich klarer Saft aus dem Fleisch austritt. Auf ein Backblech legen, mit Alufolie abdecken und im Backofen warm stellen.

5 Die Zwiebel zum Fleischsaft in die Grillpfanne geben, auf der Herdplatte bei mittlerer Temperatur unter Rühren leicht anbräunen. Mit dem Essig übergießen und rühren, bis die Flüssigkeit um die Hälfte reduziert ist. Die zurückbehaltene Marinade zufügen und 2 Minuten kochen. Die Brühe zugeben und weitere 10–15 Minuten kochen, bis die Sauce zu einem Sirup eingedickt ist. Tomaten, Thymian und Kapern einrühren und nach Geschmack würzen. Reis und Brochettes zum Servieren mit der Sauce übergießen.

Hühnchen-Koriander-Roulade
mit Kurkuma und Mandeln

*Eine raffinierte Zubereitung – die Hühnerbrust wird aufgeklappt und um den frischen Koriander eingerollt.
Geschmort und aufgeschnitten zeigt die Roulade ihre saftige Füllung.*

*Vorbereitungszeit: **30 Minuten***
*Back- und Kochzeit: **15 Minuten***
Für 4 Personen

4 Hühnerbrustfilets, ohne Haut, je 150 g
30 g frische Korianderblätter
Salz und Pfeffer, nach Geschmack
2–3 EL Öl, zum Braten
1 EL Kurkuma, gemahlen
500 ml Hühnerbrühe (s. S. 684)
100 g ganze Mandeln, abgezogen

1 Den Backofen auf 200 °C (Gasherd: Stufe 3) vorheizen. Die Hühnerbrustfilets ausgebreitet auf ein Schneidebrett legen und mit der flachen Hand sanft festhalten. Jedes Filet von der Seite her zwei Drittel weit einschneiden und aufklappen. Eine Lage Koriander auf jedes Filet geben (genügend Blätter für die Garnitur zurückbehalten), mit Salz und Pfeffer würzen. Die Filets vom Ende her um den Koriander einrollen und die Rouladen mit Garn zubinden.

2 Das Öl in einer backofenfesten Kasserolle stark erhitzen und die Rouladen kurz im sehr heißen Öl von allen Seiten anbräunen. Aus dem Topf nehmen, das Öl abgießen und die Kurkuma hineingeben. Die Rouladen wieder in die Kasserolle geben und schwenken, bis sie vollständig mit Kurkuma überzogen sind. Mit der Brühe ablöschen und zum Kochen bringen. Die Mandeln zufügen und die Kasserolle zugedeckt 8–10 Minuten in den Backofen stellen, bis die Rouladen gar sind.

3 Die Rouladen aus der Flüssigkeit nehmen, abdecken (um Austrocknen zu vermeiden) und warm stellen. Die Kochflüssigkeit durch ein Sieb passieren. Die Mandeln mit 100 ml der Kochflüssigkeit in eine Küchenmaschine geben und glattpürieren. Nach und nach mehr Flüssigkeit zugeben und mixen, bis die Sauce flüssig ist. Mit Salz und Pfeffer würzen.

4 Das Garn entfernen und die Rouladen in jeweils sechs Scheiben schneiden. Die Scheiben auf einem vorgewärmten Teller anrichten und mit etwas Sauce umgießen. Mit Korianderblättern garnieren.

Hühnerschmortopf mit Estragon und Tomaten

*Dieses Rezept stammt aus Lyon, der gastronomischen Hauptstadt Frankreichs,
nahe den Weinbergen Burgunds.*

Vorbereitungszeit: **20 Minuten**
Zubereitungszeit: **45 Minuten**
Für 4 Personen

1 Huhn, ca. 1,2 kg
Salz und Pfeffer
Öl oder Butter, zum Braten
200 ml Estragonessig (siehe Tip)
1 kg Tomaten
kochendes Wasser, zum Enthäuten
1 EL weiche Butter
1 EL Mehl
1 frischer Estragonzweig, zum Garnieren

1 Das Huhn in vier oder acht Teile zerlegen, wie auf S. 691 beschrieben, und nach Geschmack salzen und pfeffern. Ein wenig Öl oder Butter in einer Pfanne erhitzen und die Hühnerteile von allen Seiten bräunen, zuerst mit der Hautseite nach unten. Um die Pfanne nicht zu überfüllen, das Fleisch portionsweise anbraten. Aus der Pfanne nehmen und überschüssiges Fett aus der Pfanne abgießen.

2 Alle Hühnerteile wieder in die Pfanne legen, die Hälfte des Estragonessigs darüber geben und mit geschlossenem Deckel 10 Minuten sieden lassen. Dann das Fleisch wenden und weitere 10 Minuten zugedeckt sieden lassen, bis bei einem Einstich mit einer Gabel der austretende Fleischsaft klar ist. Die Hühnerteile aus der Pfanne nehmen, die Pfanne zudecken und die Sauce warm stellen.

3 Die Tomaten auf der unteren Seite kreuzförmig einschneiden und 10 Sekunden in kochendes Wasser geben. Mit kaltem Wasser abschrecken und vom Einschnitt aus die Haut abziehen. Halbieren, entkernen und anschließend achteln. Den restlichen Essig 4 Minuten in einem Topf kochen lassen. Die weiche Butter und das Mehl miteinander mischen, in den eingekochten Essig rühren und alles zusammen unter die Sauce ziehen. Die Hühnerteile wieder in die Sauce geben, die Tomaten zufügen und 10 Minuten sieden lassen, bis die Sauce an einem Löffelrücken haften bleibt. Nach Wunsch erneut pfeffern und salzen. Den frischen Estragon erst kurz vor dem Servieren hacken, dann sofort über den Schmortopf geben. Mit Reis servieren.

Tip Estragonessig ist leicht selbst herzustellen: Geben Sie einen Zweig frischen Estragon in gewöhnlichen Weiß- oder Rotweinessig. Nach einer Woche den Essig durch ein Sieb umfüllen, und er ist fertig. Natürlich können Sie auch mit allen anderen Gewürzen Ihrer Wahl so verfahren.

Geschmortes Huhn mit Pilzen und Zwiebeln

Zwiebeln, Pilze und Speck verleihen diesem Hühnertopf sein besonderes Aroma. Während das Gericht langsam im Ofen schmort, bleibt Ihnen Zeit für andere Dinge.

Vorbereitungszeit: 25 Minuten
Zubereitungszeit: 1 Stunde 20 Minuten
Für 4–6 Personen

12 Silberzwiebeln
60 g durchwachsener Speck ohne Schwarte, in 1 cm
  breite Streifen geschnitten
Wasser
80 g Butter (vorzugsweise geklärt, s. S. 685)
1 Huhn (1,5 kg), in 8 Teile zerlegt (s. S. 691)
100 g frische Pilze (z. B. Champignons), ganz oder
  geviertelt (je nach Größe)
30 g Mehl
600 ml Hühnerbrühe (s. S. 684)
1 Bouquet garni (s. S. 685)
Salz und Pfeffer
frische Petersilie, gehackt, zum Garnieren

1 Den Ofen auf 170 °C (Gasherd: Stufe 2) vorheizen. Die Zwiebeln und die Speckstreifen in eine kleine Pfanne geben, mit kaltem Wasser bedecken und zum Kochen bringen. Abgießen und mit kaltem Wasser abspülen. 60 g Butter in einer tiefen feuerfesten Kasserolle (2,5 l Fassungsvermögen) zerlassen. Die Hühnerteile mit der Haut nach unten zugeben und 10 Minuten braten, bis sie braun sind. Aus der Kasserolle nehmen und mit Küchenpapier trockentupfen.

2 Das überschüssige Fett bis auf ca. 2 Teelöffel abgießen. Speck, Zwiebeln und die Pilze hineingeben, 3 Minuten anbraten, bis sie leicht gebräunt sind, dann auf einen Teller geben. Die übrige Butter in der Kasserolle zerlassen, das Mehl zugeben und unter Rühren 3 Minuten erhitzen, bis die Mischung eine goldbraune Farbe annimmt. Nach und nach die Hühnerbrühe zugeben und ständig rühren, bis die Sauce gleichmäßig erhitzt und glatt ist. Nicht kochen lassen.

3 Hühnerteile zusammen mit dem Bouquet garni wieder in die Kasserolle legen, salzen, pfeffern und den Speck, die Zwiebeln und die Pilze darüber geben. Zum Sieden bringen, die Kasserolle verschließen und 45 Minuten im Ofen backen, bis das Fleisch zart ist. Zur Probe einstechen, der austretende Saft darf nicht mehr rosa, sondern muß klar sein.

4 Die Hühnerteile auf einem Vorlegeteller anrichten, mit einem Schaumlöffel den Speck und das Gemüse aus der Kasserolle nehmen, über dem Fleisch verteilen und das Gericht warm stellen. Die Sauce eindicken lassen, abschmecken und über das Huhn geben. Mit Petersilie bestreuen und mit Reis, Nudeln, Klößen oder gekochten Kartoffeln servieren.

Pastete von geräuchertem Hähnchen
mit Oliven-Kapern-Relish

Pasteten sind ein Glanzpunkt bei jedem Diner oder Buffet, aber einige Scheiben auf einem knackigen Salat ergeben auch eine hervorragende Vorspeise oder ein Hauptgericht.

*Vorbereitungszeit: **1 Stunde 20 Minuten** +*
      1 Nacht Kühlzeit
*Backzeit: **1 Stunde 30 Minuten***
Für 12 Personen

1 geräuchertes Hähnchen (etwa 1 kg)
4 große Hühnerbeine
2 Eiweiß
Eiswürfel
300 ml Crème double
Salz und Pfeffer, nach Geschmack
100 g sonnengetrocknete Tomaten, geraspelt
100 g frische Kräuter (z.B. Basilikum, Estragon, Kerbel), gehackt

OLIVEN-KAPERN-RELISH
100 g schwarze Oliven, entkernt und in Scheiben geschnitten
100 g Kapern, grobgehackt
1 Knoblauchzehe, gehackt
30 g frischer Schnittlauch, gehackt
3 TL Olivenöl

1 Mit einem scharfen Messer beidseitig entlang des Brustbeins des Hähnchens schneiden, die Flügel abtrennen, und die beiden Brusthälften beiseite legen. Die Haut abziehen, das Fleisch von den Beinen ablösen, die Knochen wegwerfen. Das Beinfleisch in der Küchenmaschine fein hacken und zur Seite legen.
2 Das Fleisch von den rohen Hühnerbeinen ablösen *(siehe S. 691)*. Die dünnen, glänzend-weißen Nerven und Sehnen entfernen – sie werden beim Backen nicht zart und ruinieren die Konsistenz der Pastete. Das rohe Fleisch in der Küchenmaschine fein pürieren, dann mit dem Eiweiß mischen. In eine Schüssel umfüllen und 15 Minuten zugedeckt in den Kühlschrank stellen. Den Backofen auf 160 °C (Gasherd: Stufe 1–2) vorheizen.
3 Die Schüssel mit dem pürierten Hühnerfleisch auf Eiswürfel stellen und langsam Crème double unterziehen. Mit Salz und Pfeffer abschmecken. Vorsichtig das geräucherte Beinfleisch, die sonnengetrockneten Tomaten und die Kräuter untermischen.
4 Eine Pastetenform (1,5 l Inhalt) mit doppelt gefaltetem Backpapier (oder Alufolie) so auslegen, daß es über die Seiten hinausragt und später das Herausnehmen der Pastete erleichtert. Die Form zur Hälfte mit der Fleischmischung füllen, die geräucherten Hähnchenbrüste darauf legen und mit der übrigen Fleischmischung bedecken. Die Form vollständig mit Alufolie abdecken.
5 Die Pastetenform in eine halb mit handwarmem Wasser gefüllte feuerfeste Form stellen und 1 1/2 Stunden im Backofen backen, bis aus einem Einstich mit einer Fleischnadel klarer Saft austritt. Die Pastete aus dem Wasserbad nehmen und in der Form abkühlen lassen. Am besten stellt man die Pastete über Nacht in den Kühlschrank, damit sie leichter aufzuschneiden ist.
6 Die Oliven für das Relish mit Kapern, Knoblauch und Schnittlauch mischen, dann das Olivenöl zum Binden zufügen. Die Ränder der Pastete mit einem scharfen Messer lösen, dann herausheben und in 12 Scheiben schneiden. Mit dem Relish servieren.

Tip Bei Schritt 3 ist es sehr wichtig, daß Crème double und püriertes Fleisch gekühlt sind, da die Crème double sonst gerinnen kann. Wenn dies geschieht, ist die glatte und lockere Konsistenz der Pastete ruiniert.

Gedeckte Hühnerpastete

Servieren Sie diese attraktive Pastete mit gekochten oder pürierten Kartoffeln, um die Sauce aufzunehmen.
Auch Rosenkohl oder Spinat eignen sich hervorragend als Beilagen. Als Alternative bietet sich
ein knackig frischer, gemischter Salat an.

*Vorbereitungszeit: **45 Minuten** + **30 Minuten Kühlzeit***
*Back- und Kochzeit: **1 Stunde 35 Minuten***
*Für **4–6 Personen***

1 Huhn (1,5 kg)
Salz und Pfeffer, nach Geschmack
8 Scheiben Pancetta (etwa 180 g), ohne Rinde
  oder Räucherspeck
60 g Butter
1 hartgekochtes Ei, grobgehackt
100 g Zuchtchampignons, geviertelt
1 Zwiebel, feingehackt
60 ml Weißwein
250 ml Hühnerbrühe (s. S. 684)
250 g Blätterteig
1 Ei, geschlagen
1 großzügige Prise frische Kräuter (z. B. Petersilie,
  Estragon oder Kerbel), gehackt

1 Das Huhn in acht Teile zerlegen *(siehe S. 691)* und Haut und Knochen entfernen. Mit Salz und Pfeffer würzen, jedes Teil in eine Scheibe Pancetta wickeln und mit einem Zahnstocher oder Garn feststecken.

2 Die Hälfte der Butter in einer Bratpfanne bei mittlerer Temperatur erhitzen und die Hühnerteile in mehreren Portionen leicht von allen Seiten bräunen, um den Saft einzuschließen. Die Teile aus der Pfanne nehmen und auf Küchenpapier abtropfen lassen. Zahnstocher oder Garn entfernen und die Teile mit dem hartgekochten Ei in eine Pastetenform (1,5 l Inhalt) geben. Überschüssiges Fett aus der Pfanne abgießen, die restliche Butter hineingeben und Champignons und Zwiebel 5 Minuten bei geringer Hitze anbraten, ohne sie zu bräunen.

3 Mit dem Weißwein ablöschen und köcheln lassen, bis nur noch wenig Flüssigkeit übrig ist. Über die Hühnerteile in der Form gießen. Ausreichend Brühe zugeben, so daß die Teile fast bedeckt sind.

4 Den Blätterteig ausrollen, so daß er etwas größer ist als die Form. Den Rand der Form mit dem geschlagenen Ei bestreichen, einen 1 cm breiten Teigstreifen rundherum darauf drücken und mit Ei bestreichen. Den Teig über eine Teigrolle legen und über der Form abrollen, dabei nicht strecken, da er sich sonst beim Backen zusammenzieht. Die Ränder fest andrücken und überragenden Teig mit einem kleinen scharfen Messer abschneiden. Das Messer nicht in Richtung der Form neigen, da der Teig beim Backen sonst am Rand abreißen kann. Den Teigrand mit dem Messerrücken einkerben. Die Oberfläche (ohne den Rand) mit Ei bestreichen. Ein kleines Loch in den Deckel stechen, damit der Dampf entweichen kann, dann mit Teigresten dekorieren und diese mit Ei bestreichen.

5 Die Pastete 30 Minuten in den Kühlschrank stellen, damit sie während des Backens nicht schrumpft und den Backofen auf 190 °C (Gasherd: Stufe 2–3) vorheizen. Die Pastete 20 Minuten backen, bis der Teig aufgegangen und goldgelb ist. Die Backofentemperatur auf 120 °C (Gasherd: Stufe 1/2) reduzieren und die Pastete mit Alufolie abdecken, damit sie nicht zu stark bräunt, während das Hühnerfleisch gart. 45 Minuten backen. Die Kruste in der Mitte aufbrechen oder an den Rändern lösen und abheben und die gehackten frischen Kräuter hineingeben. Sofort servieren.

Tip Diese Pastete liefert eine äußerst gehaltvolle, dünnflüssige Sauce, zu der Kartoffeln am besten passen. Wenn Sie eine dickere Sauce bevorzugen, hacken Sie die Champignons feiner, oder wälzen Sie die Hühnerteile nach dem Anbraten in gewürztem Mehl, bevor Sie sie in die Form geben.

Hühnerfrikassee mit Frühlingsgemüse

Das Wort Frikassee stammt aus dem Französischen und vereint vermutlich zwei Begriffe aus der Küche:
»frire« heißt braten und »casse« Schöpfkelle oder Tropfenpfanne.

Vorbereitungszeit: **25 Minuten**
Kochzeit: **1 Stunde**
Für 4 Personen

1 Huhn (1,8 kg)
30 g Mehl, mit Salz und Pfeffer gewürzt
Öl, zum Braten
35 g Butter
6 Schalotten, in dünne Scheiben geschnitten
100 ml trockener Weißwein
250 ml Hühnerbrühe (s. S. 684)
1 Bouquet garni (s. S. 685)
1 Eigelb
150 g saure Sahne
300 g Baby-Karotten
300 g weiße Baby-Rüben
150 g große Frühlingszwiebeln
3 mal 1 Prise Salz
3 mal 1 Prise Zucker
Butter, zum Einfetten
200 g Zuckererbsen, geputzt
250 g grüner Spargel
100 g Zuchtchampignons

1 Das Huhn in acht Teile zerlegen *(siehe S. 691)*. Die Teile in dem gewürzten Mehl wälzen, leicht abschütteln und das nicht benötigte Mehl zur Seite stellen. Ein wenig Öl in einer großen Bratpfanne bei mittlerer Temperatur erhitzen, 15 g Butter zufügen und die Hühnerteile kurz anbraten, ohne sie zu bräunen, um den Saft einzuschließen; aus der Pfanne nehmen und zur Seite stellen. Die Temperatur reduzieren und die Schalotten langsam anbraten, ohne sie zu bräunen, bis sie glasig sind. Das zurückbehaltene Mehl einrühren, dann mit dem Wein ablöschen und rühren, bis

die Mischung aufkocht und andickt. Die Temperatur reduzieren und 2 Minuten köcheln lassen, dann die Brühe und das Bouquet garni zufügen. Das Huhn in die Pfanne geben und 15 Minuten zugedeckt köcheln lassen. Die Flügel und das Brustfleisch herausnehmen, zudecken und warm stellen und den Rest weitere 5 Minuten kochen lassen. Schenkel und Beine aus der Pfanne nehmen, jedoch die Kochflüssigkeit in der Pfanne belassen.

2 Die Temperatur erhöhen und die Flüssigkeit 5–10 Minuten kochen lassen, bis sie um die Hälfte eingedickt ist. Dabei das Fett mit einem Löffel von der Oberfläche abschöpfen. Das Eigelb in einer Schüssel mit 1 EL saurer Sahne mischen. Die restliche saure Sahne in die Kochflüssigkeit einrühren, zum Kochen bringen und dann 2 Minuten köcheln lassen. Vom Herd nehmen, ein wenig heiße Sauce mit der Eigelbmischung verschlagen, wieder in die Pfanne geben und weiter schlagen, bis die Sauce gleichmäßig erhitzt ist (nicht wieder kochen lassen). Durch ein Sieb gießen, nach Geschmack würzen und zur Seite stellen.

3 Karotten, Rüben und Frühlingszwiebeln in getrennten Töpfen knapp mit Wasser bedecken. Salz, Zucker und ein Drittel der verbliebenen Butter in jeden Topf geben, dann zum Abdecken ein mit Butter eingefettetes Blatt Backpapier darauf drücken. Unter gelegentlichem Schwenken des Topfes sanft kochen lassen, bis das Wasser fast vollständig verdampft und das Gemüse gar ist. In getrennten Portionen auf einem leicht eingebutterten Teller anrichten und warm stellen.

4 Zuckererbsen, Spargel und Pilze 3–5 Minuten in kochendem Salzwasser garen, bis sie zart sind, aber noch »Biß« haben. Gut abtropfen lassen.

5 Je ein Stück Hühnerbrust und dunkles Fleisch auf einem Teller anrichten, mit der Sauce übergießen und mit dem Gemüse servieren.

Hühnerleber-Terrine

Zur Milde und Cremigkeit der Hühnerleber bietet der Speck einen herzhaften Kontrast.
Backen Sie die Pastete nicht zu lange – sie sollte noch richtig saftig sein.

Vorbereitungszeit: **35 Minuten + 20 Minuten Kühlzeit**
 + zweimal 1 Nacht Ruhezeit

Back- und Kochzeit: **1 Stunde 15 Minuten**

Für 4–6 Personen

20 g Butter

1 kleine Schalotte, feingehackt

180 g Hühnerleber, halbiert

300 g Schweinenacken, in Würfel geschnitten

1 TL Branntwein

1 TL Portwein

1 großzügige Prise fertige Gewürzmischung (für Geflügel)

6 Streifen Frühstücksspeck

3 EL Sahne

1 kleines Ei, verquirlt

1 Die Butter in einem Topf zerlassen, die Schalotte hineingeben und auf niedriger Stufe 2 Minuten dünsten. Vom Herd nehmen, Leber und Schweinefleisch hineingeben und 3 Minuten bei sehr niedriger Temperatur unter Rühren erwärmen. Branntwein, Portwein und Gewürzmischung einrühren. Abkühlen lassen und mit Frischhaltefolie abgedeckt über Nacht in den Kühlschrank stellen.

2 Den Backofen auf 250 °C (Gasherd: Stufe 5) vorheizen. Eine tiefe Pastetenform (Fassungsvermögen: 600 ml) mit der Hälfte des Frühstücksspecks auslegen und bis zur Verwendung in den Kühlschrank stellen. Die marinierte Leber und das Fleisch im Fleischwolf oder in der Küchenmaschine zerkleinern, Sahne und Ei untermischen, in die Pastetenform füllen und mit dem verbliebenen Speck bedecken.

3 30 Minuten backen, bis die Oberfläche zu bräunen beginnt, dann den Backofen auf niedrigste Temperatur stellen. 30–40 Minuten weiterbacken, bis eine in die Mitte der Pastete gestochene Nadel heiß ist. Aus dem Backofen nehmen und 20 Minuten abkühlen lassen. Ein Stück Karton oder Holz so zurechtschneiden, daß es etwas kleiner als die Form ist, und in Frischhaltefolie einschlagen. Auf die Pastete legen, mit Konservendosen beschweren und die Pastete für 8 Stunden oder über Nacht in den Kühlschrank stellen.

4 Zum Herauslösen zunächst den Rand mit einem Messer von der Form lösen, die Form dann 30 Sekunden in heißes Wasser stellen. Auf einen Vorlegeteller stürzen, die Form abheben und die aufgeschnittene Terrine mit kleinen Gewürzgurken und Salat servieren.

Tip Die Pastete beschweren, nicht pressen!

Ente à l'Orange

Das schwere, reichhaltige Entenfleisch wird in diesem klassischen französischen Rezept durch den säuerlichen Orangengeschmack perfekt ergänzt. Die Orangensauce kann im voraus zubereitet werden.

*Zubereitungszeit: **30 Minuten***
*Garzeit: **1 Stunde 45 Minuten***
Für 4 Personen

4 unbehandelte Orangen
1 unbehandelte Zitrone
30 g Butter
180 g feiner Zucker
1 EL Grand Marnier, nach Geschmack
500 ml Geflügelbrühe
100 ml Wasser
4 Entenbrustfilets (je ca. 200 g)
Salz und Pfeffer, nach Geschmack
1 TL Speisestärke
frischer Kerbel, gehackt, zum Garnieren
Zitronensaft, nach Geschmack

1 Mit einem Gemüseschäler die äußere gefärbte Schale von 2 Orangen und der Zitrone in Streifen abschälen. Den weißen Teil mit einem kleinen scharfen Messer entfernen und wegwerfen. Orangen- und Zitronenfleisch würfeln und in einer kleinen Schüssel beiseite stellen. Butter in einem Topf erhitzen, Orangen- und Zitronenschale zugeben und 2–3 Minuten bei geringer Hitze vorsichtig verrühren. 80 g feinen Zucker zufügen, Temperatur auf mittlere Stufe erhöhen und weiter köcheln lassen, bis der Zucker geschmolzen und hellbraun karamelisiert ist. Orangen- und Zitronenfleisch sowie Grand Marnier einrühren und einkochen lassen, bis alle Flüssigkeit verdampft ist.

2 Geflügelbrühe zugießen und alles gut verrühren. Zum Kochen bringen, Hitze reduzieren, Deckel auflegen und 1 Stunde köcheln lassen. Durch ein feines Sieb gießen, dabei Zitrusschale und -reste wegwerfen. Sauce abdecken und beiseite stellen.

3 Die Schale der restlichen 2 Orangen ohne den weißen Teil in langen dünnen Streifen abschälen. In einem Topf mit kaltem Wasser bedecken und langsam zum Kochen bringen. Schale abtropfen lassen, Topf erneut mit kaltem Wasser füllen und den Vorgang zwei weitere Male wiederholen, damit die Schale weicher wird und an Bitterkeit verliert. Schale mit einem kleinen scharfen Messer in sehr dünne, schmale Streifen schneiden (ca. 1 mm dick) und beiseite stellen. Wasser und restlichen Zucker in einem kleinen Topf zum Kochen bringen und rühren, bis der Zucker sich aufgelöst hat. Zitrusschale zugeben und 20 Minuten köcheln lassen, um die Schale zu kandieren. Schale mit einer Gabel aus dem Sirup herausnehmen und die einzelnen Streifen zum Abtropfen auf ein umgedrehtes Sieb legen.

4 Eine große Pfanne auf mittlerer Stufe erhitzen. Entenbrustfilets mit Salz und frisch gemahlenem schwarzem Pfeffer würzen und mit der Hautseite nach unten in die heiße Pfanne legen. Braten, bis der größte Teil des Fettes ausgelaufen ist und die Haut knusprig braun aussieht. Entenbrüste wenden und 1–2 Minuten von der anderen Seite braten. Pfanne vom Herd nehmen, Deckel auflegen und vor dem Servieren 5–10 Minuten ruhen lassen.

5 Sauce wieder zum Kochen bringen. Speisestärke in einer kleinen Schüssel mit 1 EL Wasser verrühren, ein wenig heiße Sauce dazugeben, dann zur Sauce im Topf geben und gut verrühren. Sollte die Sauce zu dick sein, ein wenig mehr Wasser zugeben; wenn sie zu dünn ist, mehr Stärke einrühren. Bei Bedarf ein wenig Zitronensaft zufügen und mit Salz und Pfeffer abschmecken.

6 Die Entenbrust in Scheiben schneiden und auf den vorgewärmten Tellern einige Scheiben kreisförmig anrichten. Mit Sauce übergießen und anschließend mit der kandierten Zitrusschale und etwas Kerbel garniert servieren.

FLEISCH

Entrecôte Bordelaise

Entrecôte bedeutet wörtlich »zwischen den Rippen«. Diese erstklassige zarte Fleischsorte wird aus dem Rippenbereich geschnitten. In diesem Rezept wird das Fleisch sautiert, es kann aber auch gegrillt und mit einer Sauce Bordelaise aus Rotwein und Kräutern serviert werden.

Zubereitungszeit: **30 Minuten**
Garzeit: **40 Minuten**
Für 4 Personen

1 Schalotte, gehackt

200 ml Rotwein

1 Lorbeerblatt

4 Zweige frischer Thymian

¹/₂ EL schwarze Pfefferkörner, zerstoßen

400 ml Rinderbrühe (s. S. 685)

Salz und frisch gemahlener schwarzer Pfeffer, nach Geschmack

40 g Butter

100 g Rinderknochenmark, feingewürfelt

2 EL Öl

4 Entrecôte-Steaks (je ca. 240 g)

1 EL frische Petersilie, gehackt, zum Garnieren

1 Schalotte, Rotwein, Lorbeerblatt, Thymian und zerstoßene Pfefferkörner in einem kleinen Topf zum Kochen bringen. Auf mittlere Stufe schalten und köcheln lassen, bis sich die Flüssigkeitsmenge um ³/4 reduziert hat. Brühe zugeben, erneut zum Kochen bringen und köcheln lassen, bis die Menge sich halbiert hat. Durch ein feines Sieb in einen sauberen Topf gießen, wieder auf den Herd stellen und mit Salz und frisch gemahlenem schwarzem Pfeffer abschmecken. Butter einrühren und warm halten, aber nicht aufkochen lassen.

2 Gut gesalzenes Wasser in einem Topf zum Kochen bringen. Rinderknochenmark zugeben und ca. 10 Sekunden verrühren. Das Mark anschließend sofort mit kaltem Wasser abspülen, abtropfen lassen und trockentupfen. Zur Sauce geben.

3 Öl in einer Pfanne auf höchster Stufe erhitzen. Steaks mit Salz und Pfeffer würzen und 2 Minuten von jeder Seite braten. Mit Petersilie bestreuen und mit der heißen Sauce servieren.

Rinder-Estouffade mit Oliven

Eine Estouffade ist eine Art Eintopf, den man lange sachte ziehen läßt. Sie wird meist mit Rindfleisch, Wein, Karotten und Zwiebeln zubereitet. Die reifen Oliven verleihen diesem Rezept seine provenzalische Note.

*Zubereitungszeit: **40 Minuten***
*Back- und Garzeit: **2 Stunden 30 Minuten***
Für 4–6 Personen

2 kg Rindfleisch, gewürfelt
Salz und schwarzer Pfeffer, nach Geschmack
etwas Olivenöl
2 Karotten, gehackt
1 große Zwiebel, gehackt
2 EL Mehl
2 EL Tomatenmark
750 ml Weißwein
1 l Rinderbrühe (s. S. 685)
3 frische Tomaten, halbiert, entkernt, gehackt
3 Knoblauchzehen, gehackt
1 Bouquet garni (s. S. 685)
200 g Champignons, in dünne Scheiben geschnitten
1 Dose (425 g) Tomaten, zerkleinert
200 g Schinkenspeck, ohne Kruste, in Streifen geschnitten
80 g grüne Oliven, entsteint, gehackt
80 g schwarze Oliven, entsteint, gehackt
2 EL frische Petersilie, gehackt

1 Backofen auf 180 °C vorheizen. Rindfleisch mit Salz und schwarzem Pfeffer würzen. Eine feuerfeste Kasserolle 2,5 cm tief mit Olivenöl füllen und erhitzen. Rindfleisch portionsweise hineingeben, von allen Seiten bräunen und aus dem Topf nehmen. Karotten und Zwiebel zugeben und goldbraun braten. Hitze reduzieren, Mehl darüber streuen und unter Rühren 2 Minuten kochen lassen. Tomatenmark einrühren und 1 weitere Minute kochen lassen. Wein hineingießen, glattrühren, zum Kochen bringen und 3–4 Minuten köcheln lassen. Brühe, frische Tomaten, Knoblauch und Bouquet garni zugeben. Fleisch wieder in den Topf geben, zum Kochen bringen und abgedeckt 1 Stunde 45 Minuten backen.

2 Etwas Öl in einer Pfanne erhitzen und Champignons auf höchster Stufe 3–4 Minuten braten. Champignons salzen und pfeffern und herausnehmen. Pfanne säubern, mit ein paar Tropfen Olivenöl erhitzen und Dosentomaten hineingeben. Köcheln lassen, bis die Flüssigkeit verdampft ist. Beiseite stellen. Schinkenspeck in einen Topf mit kaltem Wasser geben, zum Kochen bringen, abtropfen lassen, abspülen und trocknen lassen. In etwas Öl goldbraun braten, abtropfen lassen.

3 Weiches Rindfleisch aus dem Ofen nehmen und die Sauce durch ein Sieb darüber geben. Gemüse und Bouquet garni wegwerfen, Fleisch und Sauce mit Champignons, Tomaten, Schinkenspeck und Oliven in die gesäuberte Kasserolle geben. Zum Kochen bringen und nachsalzen und -pfeffern. Mit Petersilie bestreut servieren.

Flämische Karbonade

Dieses Gericht stammt aus der flämischen Region Nordfrankreichs. Das Rindfleisch wird mit Zwiebeln in Bier gekocht.

Zubereitungszeit: *30 Minuten*
Back- und Garzeit: *2 Stunden 30 Minuten*
Für 4 Personen

3 EL Schweineschmalz oder Öl
1 kg Rindersteak oder Rindfleisch aus der Oberschale,
   in 8 Scheiben von ca. 1 cm Dicke geschnitten
4 kleine Zwiebeln, in dünne Ringe geschnitten
3 EL Mehl
1 EL Tomatenmark
1 l Bier (vorzugsweise Dunkelbier)
1 Bouquet garni (s. S. 685)
3 Wacholderbeeren
1 EL brauner Zucker
1¼ l Rinderbrühe (s. S. 685)
Salz und schwarzer Pfeffer, nach Geschmack

1 Backofen auf 180 °C vorheizen. Fett in einer Pfanne erhitzen und Rindfleisch auf höchster Stufe von beiden Seiten anbraten. Aus der Pfanne nehmen. Hitze herunterschalten, Zwiebeln zugeben und 10 Minuten braten.
2 Zwiebeln in einen 6-Liter-Topf füllen, Mehl einstreuen und unter Rühren 2 Minuten auf mittlerer Stufe erhitzen. Tomatenmark zugeben und weitere 1–2 Minuten rühren. Bier, Bouquet garni, Wacholderbeeren und Zucker zugeben und unter Rühren zum Kochen bringen. Brühe zugießen und erneut zum Kochen bringen. Rindfleisch hineingeben und 5 Minuten köcheln lassen; dabei mehrmals die Oberfläche abschöpfen. Salzen und pfeffern und abgedeckt 1 Stunde 45 Minuten backen.
3 Wenn das Fleisch nicht weich ist, etwas weiter garen. Fleisch in eine Servierschüssel geben. Sauce zum Kochen bringen, Schaum abschöpfen und 10 Minuten köcheln lassen. Über das Rindfleisch gießen und servieren.

Bœuf Bourguignon

Die Bourgogne ist berühmt für ihre großartige Küche und ihre feinen Weine.
Zu Gerichten mit dem Zusatz »bourguignon« gehören üblicherweise eine Rotweinsauce
und eine Beilage aus Zwiebeln, Champignons und Schinkenspeck.

*Zubereitungszeit: **1 Stunde + 1 Nacht Marinierzeit***
*Back- und Garzeit: **2 Stunden 30 Minuten***
Für 4 Personen

MARINADE

1 große Karotte, in ca. 1 cm dicke Scheiben geschnitten
1 Zwiebel, in ca. 1 cm dicke Ringe geschnitten
1 Selleriestange, in ca. 1 cm dicke Scheiben geschnitten
2 Knoblauchzehen
1 Bouquet garni (s. S. 685)
3 EL Weinbrand
10 schwarze Pfefferkörner
1 1/2 l guter Rotwein
2 EL Öl
Öl und Butter, zusätzlich, zum Braten

1 kg Rindersteak, von Fett befreit, gewürfelt
1 gehäufter EL Tomatenmark
2 gestrichene EL Mehl
400 ml Rinderbrühe (s. S. 685)
32 Silber- oder Cocktailzwiebeln, geschält
1 EL Butter
1/2 EL Zucker
etwas Salz
150 g Champignons, geviertelt
Salz und schwarzer Pfeffer, nach Geschmack
2 EL Knoblauch, feingehackt
240 g Schinkenspeck, in Würfel geschnitten
2 Scheiben Weißbrot, ohne Rinde, in Dreiecke geschnitten
2 EL frische Petersilie, gehackt

1 Alle Zutaten für die Marinade mit den Rindfleischwürfeln in eine Schüssel geben. Abdecken und über Nacht kalt stellen.

2 Backofen auf 200 °C vorheizen. Marinade durch ein Sieb in einen Topf gießen, Rindfleisch herausnehmen. Das Gemüse sowie das Bouquet garni getrennt beiseite stellen. Marinade zum Kochen bringen, Oberfläche abschöpfen und 6–8 Minuten kochen lassen. Durch ein Sieb abgießen. Etwas Öl und Butter in einem feuerfesten Topf erhitzen. Fleisch von allen Seiten bräunen, aus dem Topf nehmen. Abgetropftes Gemüse zufügen, Hitze reduzieren und Gemüse unter Rühren bräunen. Fleisch mit dem Tomatenmark in den Topf geben und bei mittlerer Hitze 3 Minuten verrühren. Mit dem Mehl bestreuen, 6–8 Minuten backen, aus dem Ofen nehmen und das Mehl unterrühren. Marinade zugeben und unter Rühren zum Kochen bringen. Mit Brühe und Bouquet garni aufkochen lassen. 1 1/2 Stunden abgedeckt backen.

3 Silberzwiebeln, Butter, Zucker und Salz in einem Topf mit Wasser bedecken. Bei mittlerer Hitze kochen lassen, bis das Wasser fast vollständig verdampft ist und den Topf mit den Zwiebeln schwenken. Champignons in siedender Butter goldbraun braten, salzen und pfeffern, abtropfen lassen und zu den Zwiebeln geben. Knoblauch und Schinkenspeck in etwas Öl anbraten und zu den Zwiebeln und Champignons geben.

4 Weißbrot mit zerlassener Butter bestreichen und 3–5 Minuten im Backofen bräunen.

5 Wenn das Fleisch gar ist, überschüssiges Fett abschöpfen. Fleisch abgedeckt in einem feuerfesten Topf warm stellen. Sauce durch ein Sieb in den Topf gießen, Gemüse und Bouquet garni wegwerfen. Sauce zum Kochen bringen und 15 Minuten köcheln lassen. Oberfläche abschöpfen. Salzen und pfeffern, über das Fleisch gießen und weiter köcheln lassen oder weitere 5 Minuten backen. Zwiebeln, Champignons und Schinkenspeck zugeben. Weißbrotcroûtons mit jeder Ecke in die Sauce und anschließend in die Petersilie dippen. Rindfleisch mit restlicher Petersilie bestreut servieren.

Rinderschmorbraten in Dillsauce

Zu diesem besonders schonend geschmorten Braten in cremiger Dillsauce passen am besten neue Kartoffeln und frisches Gemüse.

*Vorbereitungszeit: **25 Minuten***
*Zubereitungszeit: **2 Stunden 15 Minuten***
Für 4 Personen

Öl, zum Braten
1 kg Rollbraten vom Rind (Roastbeef, Hüfte oder Schwanzstück)
1 große Karotte, geviertelt und in 4 cm dicke Stücke geschnitten
3 Zwiebeln, geviertelt
1 Selleriestange, in 4 cm dicke Scheiben geschnitten
1 große Knoblauchzehe, geviertelt
600 ml Rinder- oder Kalbsfond (s. S. 685)
Salz und frisch gemahlener schwarzer Pfeffer
1 kleines Lorbeerblatt
35 g Butter
30 g Mehl
150 g saure Sahne (siehe Tip)
1 EL frischer Dill, gehackt oder 1 TL getrocknete Dillspitzen

1 Den Backofen auf 180 °C (Gasherd: Stufe 2) vorheizen. Auf dem Herd ein wenig Öl in einer feuerfesten Kasserolle (2,5 l Fassungsvermögen) erhitzen.

2 Das Fleisch in der Kasserolle von allen Seiten anbraten, dann auf einen Teller geben. Die Temperatur reduzieren, Karotte, Zwiebeln und Sellerie in die Form geben und unter häufigem Wenden anbräunen. Knoblauch zufügen, das Fleisch auf das Gemüse geben und den Fond darüber gießen, bis das Fleisch etwa zur Hälfte bedeckt ist. Mit Salz und Pfeffer würzen und das Lorbeerblatt zufügen. Zum Kochen bringen, dann die Temperatur reduzieren, mit Backpapier abdecken und den Deckel auf die Kasserolle legen. Entweder auf der

Herdplatte sieden lassen oder im Ofen backen, dabei das Fleisch alle 30 Minuten wenden. Nach 1 ½ Stunden das Fleisch mit einem scharfen Messer einstechen – wenn es noch nicht zart genug ist, weitere 15–30 Minuten schmoren lassen.

3 Für die Sauce die Butter in einer Pfanne zerlassen, das Mehl zugeben und bei geringer Hitze köcheln lassen, bis die Mischung eine goldbraune Farbe annimmt. Vom Herd nehmen und abkühlen lassen.

4 Das Fleisch aus der Form nehmen, auf einen Teller geben und mit dem Backpapier abdecken, um die Feuchtigkeit zu bewahren. 600 ml der Bratenflüssigkeit durch ein Sieb gießen, Gemüse und Lorbeerblatt entfernen und das Fett von der Oberfläche abschöpfen.

5 Nach und nach den Großteil der abgemessenen Bratenflüssigkeit in die Butter-Mehl-Mischung rühren, bis die Sauce glatt ist. Wieder auf den Herd stellen, sanft erhitzen, bis die Sauce leicht andickt, dann bei erhöhter Temperatur unter ständigem Rühren aufkochen lassen. Ca. 3 Minuten köcheln lassen, bis die Sauce einzukochen beginnt. Die saure Sahne unterrühren und die Sauce weitere 3 Minuten bei geringer Hitze weiterkochen lassen, bis sie so dickflüssig ist, daß sie an einem Löffelrücken haftet. Den Dill unterrühren, salzen, pfeffern und zudecken.

6 Die Schnur des Bratens entfernen und das Fleisch in dünne Scheiben schneiden, dann die verbleibende Bratenflüssigkeit darüber geben, um die Feuchtigkeit zu bewahren. Etwas Sauce in eine andere Kasserolle oder eine flache Schüssel geben, das Fleisch darin anrichten und mit der restlichen Sauce bedecken. Einen Deckel darauf legen und vor dem Servieren fünf Minuten warm stellen.

Tip Für eine kalorienärmere Sauce statt saurer Sahne Crème fraîche verwenden.

Steaks mit Schalotten, Crème fraîche und Anchovis

Diese saftigen Rindersteaks in einer cremigen, mit einem Schuß Weinbrand verfeinerten Anchovissauce sind ein schnell zubereitetes und doch erlesenes Abendessen.

Vorbereitungszeit: **10 Minuten + 15 Minuten Einweichzeit**
Zubereitungszeit: **10 Minuten**
Für 4 Personen

6 Anchovisfilets
125 ml Milch
1 EL Öl
4 Lendensteaks vom Rind, à 175 g
30 g Butter
3 Schalotten, feingehackt
1 EL Weinbrand
125 ml Crème fraîche
3 EL Rinder- oder Kalbsfond (s. S. 685)
frisch gemahlener schwarzer Pfeffer

1 Die Anchovisfilets in eine kleine Schüssel geben und mit der Milch bedecken. 15 Minuten ruhen lassen, dann abgießen. Die Milch gut abspülen und die Filets fein hacken. Öl in einer großen gußeisernen Pfanne stark erhitzen. Die Steaks hineingeben und von beiden Seiten ca. 2 Minuten braten (innen rosa). Aus der Pfanne nehmen und warm stellen.

2 Butter zerlassen und Schalotten zugeben. 2–3 Minuten unter Rühren glasig dünsten. Den Weinbrand einrühren und 30 Sekunden kochen lassen, dann die Pfanne vom Herd nehmen. Crème fraîche, die gehackten Anchovis, den Fond und etwas frisch gemahlenen Pfeffer zufügen. Gut umrühren, dann die Pfanne wieder auf den Herd stellen und die Sauce ca. 2 Minuten köcheln lassen. Vom Herd nehmen.

3 Zum Servieren die Steaks auf vier vorgewärmten Tellern anrichten und die heiße Sauce darüber geben.

Tip Statt der Lendensteaks können auch Filetsteaks oder dünne Scheiben Rumpsteak verwendet werden.

Rind nach flämischer Art

Die kulinarische Tradition der Flamen ließ eine ebenso deftige wie feine Küche entstehen.
Bei diesem Gericht werden Rindfleisch und Zwiebeln in einer Mischung aus Bier und Zucker gegart.

*Vorbereitungszeit: **30 Minuten***
*Zubereitungszeit: **3 Stunden***
Für 4 Personen

1 kg Nackensteak vom Rind oder Roastbeef,
  in acht 1 cm dicke Scheiben geschnitten
Salz und Pfeffer
3 EL Schweineschmalz oder Öl
4 kleine Zwiebeln, in dünne Ringe geschnitten
3 EL Mehl
1 EL Tomatenmark
1 l Bier
1 Bouquet garni (s. S. 685)
3 Wacholderbeeren
1 EL Zucker
1¼ l Rinder- oder Kalbsfond (s. S. 685)

1 Den Ofen auf 180 °C (Gasherd: Stufe 2) vorheizen. Die Fleischscheiben mit Salz und Pfeffer würzen. Öl oder Schmalz in einer großen feuerfesten Kasserolle (3 l Fassungsvermögen) zergehen lassen und die Fleischscheiben darin bei hoher Hitze anbraten, bis sie gleichmäßig angebräunt sind. Aus der Kasserole nehmen und beiseite stellen. Die Temperatur reduzieren, Zwiebeln in die Kasserolle geben und 5–10 Minuten zart und goldbraun dünsten.

2 Mehl und Tomatenmark zugeben und unter Rühren ca. 3 Minuten bei geringer Hitze köcheln lassen. Nach und nach Bier, Bouquet garni, Wacholderbeeren und Zucker zufügen und aufkochen lassen, dabei ständig umrühren. Den Fond zugeben, erneut aufkochen lassen. Das Fleisch zufügen und 5 Minuten sieden lassen. Schaum von der Oberfläche abschöpfen. Mit Deckel 1½ – 2 Stunden im Ofen backen.

3 Das Fleisch aus der Kasserolle nehmen, abdecken und zur Seite stellen. Die Sauce auf einer Herdplatte zum Kochen bringen, Schaum abschöpfen. Ca. 10 Minuten eindicken lassen, bis sie an einem Löffelrücken haften bleibt. Die Fleischscheiben auf einem Vorlegeteller anrichten, die Sauce kurz vor dem Servieren darüber geben.

Pökelfleisch mit Gemüse und Knödeln

Rosiges Pökelfleisch wird hier zusammen mit Zwiebeln, Karotten und weißen Rüben in einer schmackhaften Rinderbrühe gekocht. Die köstlichen Knödel, die wir Ihnen hier als Beilage empfehlen, können Sie natürlich auch zu anderen Schmorgerichten servieren.

*Vorbereitungszeit: **20 Minuten + 3 Stunden Einweichzeit***
*Zubereitungszeit: **4 Stunden 30 Minuten***
Für 6 Personen

1 kg gepökeltes Rindfleisch
Wasser, zum Einweichen und zum Kochen
Wasser, zum Kochen
1 Bouquet garni (s. S. 685)
6 Pfefferkörner
1/2 Zwiebel
6 Zwiebeln, geviertelt
4 große Karotten, geviertelt
2 weiße Rüben, geviertelt
2 TL frische Petersilie, gehackt

FÜR DIE KNÖDEL
230 g Mehl
2 TL Backpulver
1 Prise Salz
50 g Rindertalg oder Nierenfett, grobgerieben
120 ml kaltes Wasser

1 Das Rindfleisch in kaltem Wasser mindestens 3 Stunden einweichen lassen, dann gut abspülen.

2 Das Fleisch in einen großen Topf geben, mit Wasser bedecken und langsam zum Kochen bringen, dabei aufsteigenden Schaum abschöpfen.

3 Hitze reduzieren, Bouquet garni, Pfefferkörner und die halbe Zwiebel zugeben und mit Deckel 3 Stunden sieden lassen. Regelmäßig Fett und Schaum von der Oberfläche abschöpfen. Bouquet garni, Pfefferkörner und die halbe Zwiebel entfernen, die geviertelten Zwiebeln, Karotten und weißen Rüben zugeben und weitere 40 Minuten sieden lassen.

4 Unterdessen für die Knödel Mehl, Backpulver und Salz in eine Schüssel sieben und den Talg einrühren. In der Mitte eine Mulde formen, wenig Wasser zugeben und das Mehl unterziehen. Soviel Wasser zugeben, bis der Teig weich, aber nicht mehr klebrig ist. Den Teig geschmeidig kneten. Mit bemehlten Händen ca. 20 Knödel formen. In den Topf zu dem Fleisch geben und ca. 20 Minuten kochen lassen, bis sie an die Oberfläche aufsteigen und aufgegangen sind. Mit einem Schaumlöffel herausnehmen.

5 Das Rindfleisch in eine große Schüssel geben und das Gemüse und die Knödel ringsherum anrichten. Abdecken und warm stellen. Die Brühe ohne Deckel weitere 30 Minuten kochen lassen, wenn nötig, Fett abschöpfen. Über das Fleisch geben, mit Petersilie bestreuen.

Steaks »au poivre«

Der Ursprung des legendären französischen Pfeffersteaks ist unklar: Mindestens vier Küchenchefs nehmen für sich in Anspruch, diesen Klassiker zwischen 1905 und 1930 kreiert zu haben!

*Vorbereitungszeit: **10 Minuten***
*Zubereitungszeit: **30 Minuten***
Für 4 Personen

4 Rinderfilets oder Rumpsteaks, à 150–180 g
Salz
100 g geklärte Butter oder Öl (siehe Tip)
800 ml Rinder- oder Kalbsfond (s. S. 685)
50 g Zwiebel oder Schalotte, feingehackt
20 schwarze Pfefferkörner, zerstampft
2¹/₂ EL Weißwein
2¹/₂ EL Weinbrand
glatte Petersilie, zum Garnieren

1 Die Steaks salzen. In einer flachen Pfanne die geklärte Butter oder das Öl stark erhitzen. Die Steaks darin von jeder Seite 3–4 Minuten anbräunen, wenn sie innen rosa sein sollen, oder etwas länger, um sie Medium zu braten. Aus der Pfanne nehmen, mit Aluminiumfolie abdecken, um sie warm zu halten, und zur Seite stellen.
2 Den Fond in einem mittelgroßem Topf so lange kochen lassen, bis die Flüssigkeit um die Hälfte reduziert ist. Die Zwiebel oder Schalotte in der Bratpfanne 3–4 Minuten leicht anbräunen, dann die Pfefferkörner zugeben. Mit dem Wein und der Hälfte des Weinbrand abschrecken, aufkochen lassen, dabei mit einem Holzlöffel den Fleischsaft vom Boden der Pfanne lösen, alles gut mischen und 1 Minute lang sprudelnd kochen lassen, bis die Sauce eine sirupähnliche Konsistenz hat. Die Brühe unterrühren und zum Kochen bringen. 7 Minuten kochen lassen, bis die Sauce dickflüssig wird, dann den restlichen Weinbrand zufügen.
3 Die Steaks zurück in die Pfanne geben und in der Sauce 3–4 Minuten erhitzen, ohne sie erneut aufkochen zu lassen. Auf Portionstellern oder einem großen Vorlegeteller anrichten. Mit Petersilie garnieren und mit Pommes Frites oder Bratkartoffeln servieren.

Tip Geklärte Butter erreicht höhere Temperaturen als normale Butter, ohne dabei anzubrennen. Für 100 g geklärte Butter zerlassen Sie 180 g Butter in einem kleinen Topf bei geringer Hitze, ohne zu rühren oder den Topf zu schwenken. Schöpfen Sie den Schaum ab, und füllen Sie die klare Butter ohne den weißen Bodensatz in ein anderes Gefäß um. Abdecken und im Kühlschrank aufbewahren. Die geklärte Butter ist bis zu 4 Wochen haltbar.

Rindfleisch-Curry

In der asiatischen Küche spielen Schmorgerichte eine große Rolle.
Dieses pikante Curry, mit dunklem, aromatisch gewürztem Fleisch, servieren Sie
am besten mit Basmati-Reis und Mango-Chutney.

Vorbereitungszeit: 20 Minuten
Zubereitungszeit: 2 Stunden
Für 4 Personen

750 g Rinderschmorbraten
2 EL geklärte Butter oder Öl
1 große Zwiebel, in dünne Ringe geschnitten
1 Knoblauchzehe, gepreßt
2 grüne Chilischoten, entkernt und in Scheiben
   geschnitten
¹/₄ TL Gewürznelken, gerieben
1 ¹/₂ TL Koriander, gerieben
1 TL Kurkuma, gerieben
1 TL Garam Masala
¹/₂ TL Chilipulver
1 ¹/₂ TL Kreuzkümmel, gerieben
1 TL Salz
375 ml Rinder- oder Kalbsfond (s. S. 685)
2 große Tomaten, gehäutet und kleingeschnitten
150 ml Kokosmilch
200 g Blattspinat
Salz und Pfeffer
100 g Naturjoghurt, glattgerührt

1 Das Fleisch von Fett und Sehnen befreien und in mundgerechte Würfel schneiden. Die geklärte Butter oder das Öl bei großer Hitze in einer feuerfesten Kasserolle (2,5 l Fassungsvermögen) erhitzen. Die Fleischwürfel portionsweise ca. 3 Minuten anbräunen, dann herausnehmen und zur Seite stellen. Zwiebel und Knoblauch in der Kasserolle 2–3 Minuten weich dünsten. Die Temperatur verringern, Chillies, Nelken, Koriander, Kurkuma, Garam Masala, Chilipulver, Kreuzkümmel und Salz einrühren. Unter ständigem Rühren ca. 2 Minuten andünsten. Wenn die Gewürze anzubrennen drohen, ein paar Teelöffel Fond zugeben.

2 Die zerkleinerte Tomate und das Fleisch zugeben. Die Kasserolle mit dem Fond bis knapp unter die obere Fleischschicht auffüllen, zum Kochen bringen. Mit Deckel 1 Stunde 20 Minuten bei geringer Hitze kochen lassen oder im Backofen bei 170 °C (Gasherd: Stufe 2) backen. Wenn das Curry zu trocken wird, etwas Fond nachfüllen. Sobald das Fleisch zart ist, Kokosmilch und Spinat zugeben und nochmals 10 Minuten kochen lassen. Nach Bedarf abschmecken.

3 Kurz vor dem Servieren den Joghurt unterrühren.

Rinderschmortopf mit Kräuter-Scones

»Scones« sind ein berühmtes englisches Gebäck. Hier krönen sie goldbraun einen schmackhaften Schmortopf aus zartem Rindfleisch und Pilzen.

Vorbereitungszeit: **30 Minuten**
Zubereitungszeit: **2 Stunden**
Für 4–6 Personen

2 EL Olivenöl
750 g Nackensteak vom Rind oder
   Rinderschmorbraten, in 2,5 cm großen Würfeln
2 Zwiebeln, in dünne Scheiben geschnitten
I Knoblauchzehe, gepreßt
I EL Mehl
200 ml Rotwein
200 ml Wasser
I TL Tomatenmark
Salz und frisch gemahlener schwarzer Pfeffer
250 g Steinpilze, geviertelt

FÜR DIE KRÄUTER-SCONES
250 g Mehl
2 TL Backpulver
¹/₄ TL Salz
60 g Butter, gefroren und in Würfel geschnitten
I EL frische Kräuter, gehackt, z. B. Petersilie,
   Rosmarin oder Thymian
120 ml Buttermilch (siehe Tip)
I Ei, geschlagen

1 Den Backofen auf 150 °C (Gasherd: Stufe 1–2) vorheizen. Das Öl in einer feuerfesten Kasserolle (2,5 l Fassungsvermögen) stark erhitzen. Die Fleischwürfel von allen Seiten 6–8 Minuten darin anbraten, dann aus der Pfanne nehmen und beiseite stellen.
2 Zwiebeln und Knoblauch in der Kasserolle 2 Minuten anbraten. Das Mehl darüber streuen und unterrühren, nicht anbrennen lassen. Die Mischung ca. 1 Minute unter ständigem Umrühren goldbraun werden lassen. Nach und nach den Wein, Wasser und Tomatenmark unterrühren und mit Salz und Pfeffer würzen. Rühren, bis der Sud dickflüssig wird, Fleischwürfel und Pilze zugeben, aufkochen lassen und umrühren. Mit Deckel 1 ½ Stunden entweder auf der Herdplatte schmoren oder im Backofen backen.
3 Mit der Zubereitung der Scones erst 10 Minuten, ehe das Fleisch fertig ist, beginnen. Das Mehl und das Backpulver in eine große Schüssel sieben und mit Salz mischen, dann die Butter zufügen und mit den Fingerspitzen rasch vermengen. Sobald der Teig krümelig ist, die Kräuter untermischen. Die Buttermilch unterziehen, bis das Mehl aufgelöst ist und sich der Teig zu großen Klumpen formt. Dann zügig zu einem Teigball formen. Auf einer leicht bemehlten Oberfläche rasch kneten, bis der Teig geschmeidig ist. Ungefähr 1,5 cm dick ausrollen oder mit der Handfläche flachklopfen, dann mit einer Ausstechform (Durchmesser 5 cm) ca. 10 Scheiben ausstechen.
4 Die Kasserolle aus dem Backofen bzw. vom Herd nehmen, die Ofentemperatur auf 200 °C (Gasherd: Stufe 3) erhöhen. Die Scones auf dem Braten verteilen und ihre Oberflächen mit dem geschlagenen Ei bepinseln. Auf der oberen Schiene unbedeckt 12 Minuten backen, bis die Scones aufgegangen sind und eine goldbraune Farbe angenommen haben.

Tip Statt der Buttermilch können Sie auch 120 ml frische Milch, mit einem Teelöffel Zitronensaft verrührt, verwenden.
Die Kräuter-Scones passen auch ausgezeichnet als Beilage zu anderen Schmorgerichten.

Italienische Fleischklößchen

Diese pikanten Fleischklößchen werden in Tomatensauce gekocht und mit Spaghetti serviert. Man kann sie nach Belieben aus Rinderhack oder aus einer Mischung aus Rinder- und Schweinehack zubereiten.

Zubereitungszeit: **50 Minuten**
Garzeit: **1 Stunde 25 Minuten**
Für 4 Personen

4 EL Olivenöl
1 Zwiebel, feingehackt
2 Knoblauchzehen, feingehackt
¹/4 TL frischer Oregano, gehackt
500 g Rinder- oder gemischtes Hack
Salz und Pfeffer, nach Geschmack
1 Ei, leicht verquirlt
etwas Öl
500 g Spaghetti
frisch geriebener Parmesan,
    zum Servieren

SAUCE
2 EL Olivenöl
1 große Zwiebel, feingehackt
4 Dosen (à 425 g) abgezogene italienische
    Tomaten, püriert, mit Flüssigkeit
5 Knoblauchzehen, feingehackt
1 Lorbeerblatt
2 frische Thymianzweige
Salz und Pfeffer, nach Geschmack

1 Die Hälfte des Öls auf mittlerer Stufe erhitzen und die Zwiebel 5 Minuten darin dünsten. Vom Herd nehmen und Knoblauch und Oregano zugeben. Gut verrühren. Überschüssiges Öl abgießen und zum Abkühlen beiseite stellen. Dann gut mit dem Fleisch vermengen. Mit Salz und Pfeffer würzen und so viel verquirltes Ei dazugeben, daß die Mischung bindet.

2 Fleischmasse in 8 Portionen aufteilen und zu glatten Klößchen rollen. Restliches Olivenöl in einer Pfanne erhitzen und die Fleischklößchen darin gleichmäßig bräunen. Auf einem mit Küchenpapier ausgelegtem Teller abtropfen lassen.

3 Für die Sauce Olivenöl erhitzen und Zwiebel darin 5 Minuten dünsten. Tomaten, Knoblauch, Lorbeerblatt, Thymian und die Fleischklößchen zugeben und auf unterer Stufe abgedeckt 20 Minuten köcheln lassen. Deckel abnehmen und weitere 30–40 Minuten köcheln lassen, dabei mehrmals abschöpfen. Lorbeerblatt und Thymian herausnehmen und mit Salz und Pfeffer abschmecken.

4 Einen großen Topf mit Salzwasser zum Kochen bringen. Einen Schuß Öl hineingeben und die Spaghetti gemäß den Angaben auf der Packung kochen.

5 Pasta gut abtropfen lassen und auf eine Servierplatte oder auf Servierteller geben. Sauce und Fleischklößchen darüber verteilen und mit Parmesan servieren.

»Blanquette« vom Kalb

Die Bezeichnung »Blanquette« geht auf das Wort »blanc«, »weiß«, zurück. Dieses klassische französische Gericht wird stets mit weißem, in klarer Brühe gekochtem Fleisch zubereitet und mit Sahne verfeinert.

Vorbereitungszeit: **20 Minuten**
Zubereitungszeit: **2 Stunden 10 Minuten**
Für 4 Personen

1 ¹/₂ kg Kalbsschmorbraten, z. B. aus der Schulter
1 Karotte, geviertelt
1 kleine Zwiebel, geviertelt
1 Selleriestange, längs geviertelt
1 Bouquet garni (s. S. 685)
1 TL Salz
10 Pfefferkörner
500 ml kaltes Wasser
150 g Silberzwiebeln
Salzwasser
250 g Champignons, in Scheiben geschnitten
1 TL Zitronensaft
60 g Butter
30 g Mehl
300 ml Crème double
Salz und Pfeffer

1 Das Fleisch von überschüssigem Fett befreien. In 3 cm dicke Würfel schneiden. Zusammen mit Karotte, Zwiebel, Selleriestange, Bouquet garni, Salz und Pfefferkörnern in eine große feuerfeste Kasserolle (3 l Fassungsvermögen) geben. Mit Wasser bedecken, zum Kochen bringen, aufsteigenden Schaum abschöpfen. Bei mittlerer Temperatur ca. 1 ¹/₂ Stunden sieden lassen, bis das Fleisch zart ist. Dabei regelmäßig Schaum abschöpfen. Wenn nötig, kochendes Wasser zufügen – das Fleisch muß immer von genügend Flüssigkeit bedeckt sein.

2 Die Zwiebeln 10 Minuten in Salzwasser kochen, gut abtropfen lassen und beiseite stellen. Die Champignons ca. 5 Minuten in 2–3 EL kochendem Salzwasser und im Zitronensaft andünsten, die Hälfte der Butter einrühren. Gut abgetropft zur Seite stellen.

3 Das Fleisch aus der Kasserolle nehmen. Die Kochflüssigkeit durch ein Sieb gießen, alle festen Bestandteile entfernen und weitere 30 Minuten kochen lassen, bis ungefähr zwei Drittel der Flüssigkeit verkocht sind. Überschüssiges Fett abschöpfen. Langsam abkühlen lassen. Die restliche Butter in einer Pfanne zerlassen, das Mehl einstreuen und 1 Minute andünsten. Die Kochflüssigkeit zugeben und bei geringer Hitze unter ständigem Umrühren kochen lassen, bis die Sauce dickflüssig ist. Crème double unterrühren, bis die Sauce glatt wird, nach Geschmack mit Salz und Pfeffer würzen.

4 Fleisch, Zwiebeln und Champignons zufügen und 5 Minuten sieden lassen. In einer tiefen Schüssel servieren.

Kalbsnieren in Weißweinsauce

Dieses Gericht vereint gleich zwei Vorzüge: Es ist einfach zuzubereiten und schmeckt auch noch unwiderstehlich. Außerdem können Sie es mit Senf oder Sahne verfeinern oder mit zusätzlichen Kräutern ganz nach Ihrem persönlichen Geschmack abstimmen.

Vorbereitungszeit: **25 Minuten**
Zubereitungszeit: **25 Minuten**
Für 4 Personen

3 Kalbsnieren (ohne äußere Fettschicht)
60 g Butter
4 Schalotten, feingehackt
250 ml Weißwein
500 ml Rinder- oder Kalbsfond (s. S. 685)
Salz und Pfeffer
1 EL frische Petersilie, gehackt

1 Die Nieren halbieren und die Kernstücke entfernen. Die Nieren in mundgerechte Stücke schneiden. 40 g Butter in einer feuerfesten Kasserolle (2,5 l Fassungsvermögen) bei großer Hitze zerlassen und die Nieren darin nicht länger als 2–3 Minuten anbraten. Aus der Kasserolle nehmen und warm stellen.

2 Die restliche Butter bei mittlerer Temperatur in der Kasserolle zerlassen. Die Schalotten zugeben, glasig dünsten, ohne sie anzubräunen, dann mit dem Wein ablöschen und köcheln lassen, bis die Flüssigkeit fast vollständig verdampft ist. Den Fond zugeben und weiter kochen lassen, bis die Sauce so dickflüssig ist, daß sie an einem Löffelrücken haften bleibt. Nach Geschmack mit Salz und Pfeffer würzen. Die Nieren zugeben und 1 Minute lang erhitzen, nicht aufkochen lassen. Vom Herd nehmen, die Petersilie einrühren und servieren.

Tip Geben Sie vor dem Würzen einen Eßlöffel Senf in die Sauce, oder ersetzen Sie den Fleischfond durch Sahne – mit oder ohne Senf.

Kalbskoteletts nach Großmutter-Art

*Nach Großmutters Art werden hier zarte Koteletts in eine rustikale Garnierung
aus Zwiebeln, Speck, Champignons und Kartoffeln gebettet.*

*Vorbereitungszeit: **30 Minuten***
*Zubereitungszeit: **1 Stunde 15 Minuten***
Für 4 Personen

4 EL Öl
30 g Butter
4 Kalbskoteletts, à ca. 200 g
250 g durchwachsener Speck, kleingewürfelt
300 g Champignons
300 g Silberzwiebeln
1 TL Zucker
800 g Kartoffeln
1½ EL Weißwein
100 ml Rinder- oder Kalbsfond (s. S. 685)
100 ml Wasser
Salz und frisch gemahlener schwarzer Pfeffer

1 Den Backofen auf 170 °C (Gasherd: Stufe 2) vorheizen. In einer großen feuerfesten Kasserolle (3 l Fassungsvermögen) 1 EL Öl erhitzen, dann die Butter zugeben. Die Koteletts von jeder Seite 2–3 Minuten gut anbräunen. Herausnehmen und beiseite stellen. Mit dem Speck ebenso verfahren. Die Champignons unter gelegentlichem Rühren ca. 2 Minuten andünsten, herausnehmen und zur Seite stellen. In einer kleinen Pfanne die Zwiebeln mit dem Zucker goldbraun anbraten, dabei gelegentlich umrühren. Vom Herd nehmen und beiseite stellen.

2 Die Kartoffeln schälen und mit einem Melonenausstecher kleine Kugeln ausstechen. Das restliche Öl in einer Bratpfanne erhitzen und die Kartoffelkugeln darin goldbraun braten, anschließend auf Küchenpapier abtropfen lassen.

3 Den Wein in die Kasserolle geben und gut umrühren, dabei die Fleischsäfte vom Boden lösen und mit dem Wein mischen. So lange kochen, bis die Flüssigkeit um drei Viertel reduziert ist. Den Fond und das Wasser zugeben, aufkochen und so lange kochen lassen, bis sich die Flüssigkeit um die Hälfte verringert hat.

4 Fleisch und Gemüse wieder in die Kasserolle geben und in der Flüssigkeit schwenken. Mit Salz und Pfeffer würzen. Zugedeckt ca. 30–40 Minuten backen, bis die Koteletts zart sind. Sofort servieren.

Kalbskoteletts mit Chablis »en cocotte«

Eine Cocotte ist eine runde oder ovale Auflaufform, in der traditionell langsam schmorende Gerichte zubereitet wurden. Heute bedeutet »en cocotte«, daß Fleisch zunächst braun angebraten und dann in einer Sauce bei geringer Hitze im Backofen oder auf dem Herd gegart wird.

*Vorbereitungszeit: **15 Minuten***
*Zubereitungszeit: **50 Minuten***
Für 4 Personen

4 Kalbskoteletts, à 200 g
Salz und Pfeffer
60 g Butter
300 g Kalbsknochen
250 ml Chablis (trockener frz. Weißwein)
500 ml Wasser
1 Bouquet garni (s. S. 685)
70 g durchwachsener Speck, feingewürfelt
1 kleine Zwiebel, feingehackt
1 Karotte, feingewürfelt
1 weiße Rübe, feingewürfelt
1 EL frische Petersilie, feingehackt

1 Die Kalbskoteletts mit Salz und Pfeffer würzen. In einer großen Pfanne bei mittlerer Hitze zwei Drittel der Butter zerlassen und die Koteletts von beiden Seiten 2–3 Minuten bräunen, dann auf einen Teller geben. Die Knochen in der Pfanne bräunen und die Koteletts wieder zugeben. Den Deckel aufsetzen, die Hitze reduzieren und sachte von beiden Seiten 4 Minuten dünsten lassen. Die Koteletts und die Knochen auf den Teller zurücklegen und beiseite stellen. Die Temperatur erhöhen und den Bratensaft unter ständigem Rühren 3–4 Minuten köcheln lassen, bis er auf dem Pfannenboden karamelisiert. Die Knochen in ein Sieb geben und überschüssiges Fett abtropfen lassen, dann zurück in die Pfanne legen. Den Chablis zugießen und gut umrühren, bis sich der Bratensaft auflöst. Ca. 5 Minuten köcheln lassen, bis die Flüssigkeit um drei Viertel reduziert ist. Wasser und das Bouquet garni zugeben und 30 Minuten sieden lassen. Die Sauce in ein Gefäß seihen, die Knochen und das Bouquet garni entfernen.

2 In der Zwischenzeit die restliche Butter in einer zweiten Pfanne zerlassen und den Speck darin 2–3 Minuten bräunen. Zwiebel und Karotte zugeben und weitere 2 Minuten köcheln lassen, dann die Rübe zufügen. Die Temperatur reduzieren und mit Deckel 8 Minuten köcheln lassen.

3 Die Sauce über das Gemüse geben, aufkochen und 10 Minuten kochen lassen. Die Koteletts in die heiße Sauce legen und bei verminderter Hitze ca. 5 Minuten sieden lassen, bis das Fleisch wieder erwärmt ist. Mit der gehackten Petersilie bestreuen und sofort servieren.

Kalbsschnitzel Parmigiana

*Dieser norditalienische Klassiker kombiniert zartes Kalbfleisch
geschickt mit kräftigem Parmesangeschmack.*

Zubereitungszeit: **45 Minuten**

Back- und Garzeit: **1 Stunde 45 Minuten**

Für 4 Personen

1 kg große, reife Tomaten
15 g frisches Basilikum
1 Lorbeerblatt
2 Thymianzweige
4 EL Olivenöl
1 Zwiebel, feingehackt
3 Knoblauchzehen, feingehackt
Salz und Pfeffer, nach Geschmack
4 Kalbsschnitzel (à ca. 120 g)
Mehl, mit Salz und Pfeffer gewürzt, zum Wälzen
2 Eier, leicht verquirlt
150 g Semmelbrösel
125 ml Olivenöl
30 g Parmesan, gerieben
1 EL frische Petersilie, feingehackt
120 g Butter
250 g Mozzarella, in Scheiben geschnitten

1 Tomaten unten mit einem Messer kreuzweise einritzen. 10 Sekunden in kochendes Wasser legen, kalt abschrecken und die Haut vom Einschnitt her abziehen. Tomaten halbieren und die Kerne entfernen. Grob hacken.

2 Basilikumblätter von den Stielen zupfen. Stiele mit Lorbeerblatt und Thymian zu einem Bouquet garni binden. Olivenöl in einen Topf gießen und Zwiebel darin 5 Minuten glasig dünsten. Tomaten, Knoblauch und Bouquet garni zugeben. Mit Salz und Pfeffer abschmecken und abgedeckt 20 Minuten, dann ohne Deckel weitere 45 Minuten köcheln lassen. Bouquet garni herausnehmen und nach Geschmack mit Salz und Pfeffer nachwürzen.

3 Kalbsschnitzel mit dem Fleischklopfer ca. 2 mm dünn klopfen. In gewürztem Mehl wälzen, Überschuß abschütteln. In die Eimasse tauchen.

4 Semmelbrösel, Parmesan und Petersilie in einer flachen Schüssel vermengen. Überschüssiges Ei von den Schnitzeln abtropfen lassen und in den Semmelbröseln wälzen. Semmelbrösel dabei gut mit den Fingern andrücken.

5 Backofen auf 200 °C vorheizen. Olivenöl in einer großen, beschichteten Pfanne erhitzen. Die Hälfte der Butter zugeben und zwei Kalbsschnitzel darin 3 Minuten goldbraun braten. Einmal wenden. Auf Küchenpapier abtropfen lassen. Öl und Butter aus der Pfanne abgießen und die beiden anderen Schnitzel in frischem Fett braten. Schnitzel in eine feuerfeste Auflaufform legen, mit Mozzarella bedecken und ca. 10 Minuten backen. Tomatensauce und Basilikumblätter darüber geben und servieren.

Kalbsschnitzel mit Zitrone und Kapern

Kapern und Zitrone bieten in diesem italienischen Klassiker einen anregenden Kontrast zur Buttersauce.

Zubereitungszeit: **30 Minuten**
Garzeit: **25 Minuten**
Für 4 Personen

4 Kalbsschnitzel (à ca. 125 g)
etwas Mehl, mit Salz und Pfeffer gewürzt
2 Eier, verquirlt
2 EL Wasser
2 El Öl
40 g Butter
250 ml Weißwein
3 EL Kapern, gewaschen und abgetropft
250 ml Hühner- oder Rinderbrühe
1–2 EL Zitronensaft
Salz und Pfeffer, nach Geschmack
125 g gekühlte Butter, gewürfelt

1 Kalbsschnitzel mit dem Fleischklopfer 3 mm dünn klopfen, in je drei Teile schneiden und in gewürztem Mehl wälzen. Verquirlte Eier in eine Schüssel geben und mit dem Wasser vermischen. Fleisch in die Eimasse tauchen und Überschuß abtropfen lassen.

2 Öl und Butter in einer beschichteten Pfanne erhitzen. Fleisch darin portionsweise 3–5 Minuten von beiden Seiten goldbraun braten. Auf Küchenpapier abtropfen lassen, abdecken und warm halten, während das restliche Fleisch brät.

3 Öl aus der Pfanne abgießen, Wein und Kapern zugeben und 8 Minuten köcheln lassen, bis die Flüssigkeit fast verdampft ist. Brühe zugeben und 5 Minuten um die Hälfte einkochen lassen. 1 EL Zitronensaft zugeben und die Sauce in einen kleinen Topf geben. Butterwürfel einrühren, dabei die Sauce nicht aufkochen lassen. Salzen und pfeffern. Fleisch in die Pfanne geben, Sauce darüber schöpfen und vor dem Servieren abgedeckt 2 Minuten ruhen lassen.

Ossobuco

Diese italienische Kalbshaxe ist eine Spezialität aus Mailand. Am besten eignet sich ein Stück Fleisch aus der Hinterhaxe, das dünn geschnitten sein sollte, damit es zart bleibt.

*Zubereitungszeit: **45 Min.***
*Back- und Garzeit: **2 Stunden 30 Minuten***
Für 4 Personen

4 Scheiben Kalbshaxe, in 4 cm lange Stücke geschnitten
etwas Mehl, mit Salz und Pfeffer gewürzt
etwas Öl
40 g Butter
1 Karotte, in Scheiben geschnitten
1 Selleriestange, in Scheiben geschnitten
1 Zwiebel, in Ringe geschnitten
4 Knoblauchzehen, gehackt
8 Tomaten, abgezogen, entkernt und gehackt
250 ml Weißwein
1 Bouquet garni
1 l Rinderbrühe oder Wasser
Salz und Pfeffer, nach Geschmack
2 EL frische Petersilie, gehackt
Schale von 1/4 Orange, feingehackt
Schale von 1/4 Zitrone, feingehackt

1 Backofen auf 180 °C vorheizen. Fleisch von Sehnen und Haut befreien und leicht im gewürzten Mehl wälzen. Etwas Öl in einer beschichteten Pfanne erhitzen und das Kalbfleisch von beiden Seiten, falls nötig portionsweise, bräunen. Beiseite stellen.

2 Butter in einer feuerfesten Auflaufform zerlassen und Karotte, Sellerie und Zwiebel bei mittlerer Hitze 3 Minuten köcheln lassen. Knoblauch zugeben und gut verrühren, dann Tomaten einrühren und 5 Minuten köcheln lassen. Weißwein und Bouquet garni zufügen und weitere 5 Minuten köcheln lassen. Brühe und angebräuntes Fleisch zugeben, zum Sieden bringen, mit Salz und Pfeffer abschmecken. Die Form mit Alufolie abdecken und 1 Stunde 30 Minuten backen, bis das Fleisch weich ist.

3 Fleisch auf eine Servierplatte heben, abdecken und warm halten. Kochflüssigkeit und Gemüse zum Kochen bringen. Abschöpfen und 20–25 Minuten köcheln lassen, bis die Sauce eindickt. Petersilie, Orangen- und Zitronenschale einrühren und nach Geschmack mit Salz und Pfeffer würzen. 5 Minuten weiter köcheln lassen, über das Fleisch gießen und sofort servieren.

Tip Sollten Sie einen milderen Zitrusgeschmack bevorzugen, blanchieren Sie die Schale vor Gebrauch. Dazu geben Sie sie in einen kleinen Topf, bedecken sie mit kaltem Wasser, bringen dies 30 Sekunden zum Kochen, gießen es ab und schrecken die Schale dann mit kaltem Wasser ab.

Leber nach venezianischer Art

*Der milde Geschmack zarter Kalbsleber kommt in diesem venezianischen Rezept
durch die karamelisierten Zwiebeln erst richtig zur Geltung.*

*Zubereitungszeit: **20 Minuten***
*Garzeit: **30 Minuten***
Für 4 Personen

500 g Kalbsleber
etwas Öl
250 g Zwiebeln, in dünne
  Ringe geschnitten
¹/₂ TL Salz
Salz und Pfeffer, nach Geschmack

1 Leber gründlich säubern und von Haut befreien. In dünne Streifen schneiden.

2 2–3 EL Öl in einer großen beschichteten Pfanne erhitzen, Salz und Zwiebeln zugeben. 20–30 Minuten auf mittlerer Stufe goldbraun braten. Zwiebeln mit einem Schöpflöffel herausnehmen. Öl in der Pfanne lassen.

3 Falls nötig, ein wenig mehr Öl zugeben und auf höchster Stufe erhitzen, bis das Fett zu rauchen beginnt. Leber darin portionsweise 1 Minute anbräunen. Wenden und kurz weiter braten. Jede Portion auf einen angewärmten Teller geben und nach Geschmack mit Salz und Pfeffer würzen.

4 Leber wieder in die Pfanne geben, gebratene Zwiebeln zufügen und umrühren, aber nicht mehr erhitzen. Auf eine vorgewärmte Servierplatte geben und heiß mit gedünstetem Spinat und einfachem Risotto servieren.

Tip Damit die Leber nicht trocken wird, darf sie nur sehr kurz angebraten werden, daher muß die Pfanne besonders heiß sein. Leber stets nur in kleinen Portionen braten – bei zu viel Fleisch in der Pfanne sinkt die Temperatur und die Leber wird nicht gebraten, sondern gedünstet.

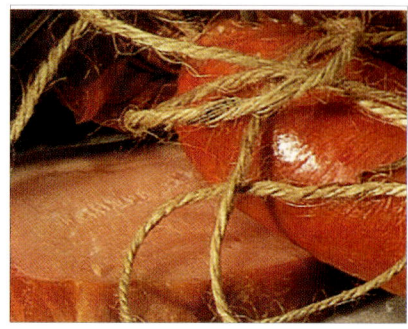

Elsässer Sauerkraut

Sauerkraut, die Hauptzutat dieses herzhaften Gerichts,
ist eine der zahlreichen kulinarischen Spezialitäten
aus dem Elsaß.

Zubereitungszeit: 25 Minuten
Back- und Garzeit: 3 Stunden 15 Minuten
Für 6 Personen

1 kg Sauerkraut
60 g Gänseschmalz
1 Zwiebel, in dünne Ringe geschnitten
1 Karotte, in dünne Scheiben geschnitten
1 Knoblauchzehe, geschält
1/2 TL Pfefferkörner, zerstoßen
1/2 TL Wacholderbeeren
1 Nelke
1 Bouquet garni (s. S. 685)
1 kleine Schweinshaxe
500 ml trockener Elsässer Weißwein
1/2 TL Salz
1 1/2 l Wasser
1 1/4 kg Räucherschinken oder Schinkenspeck, in Schei-
** ben oder am Stück**
12 kleine Kartoffeln, geschält
1 Räucherwürstchen
6 Frankfurter Würstchen

1 Backofen auf 190 °C vorheizen. Sauerkraut in kaltes

Wasser legen, ausdrücken und mit der Hand auflockern.
2 Gänseschmalz in einem großen, feuerfesten Topf auf mittlerer Stufe erhitzen, Zwiebel und Karotte 20 Minuten darin köcheln lassen. Knoblauchzehe, zerstoßene Pfefferkörner, Wacholderbeeren und Nelke in einem Stück Küchenmusselin zu einem kleinen Bündel binden und mit Sauerkraut und Bouquet garni in den Topf geben. Alles gut vermengen, dann die Schweinshaxe, den Wein, das Salz und Wasser zufügen. Zum Kochen bringen, Deckel auflegen und 1 Stunde 30 Minuten backen. Räucherschinken oder Schinkenspeck zufügen und 1 weitere Stunde backen, bis das Fleisch weich ist. Zuerst die Kartoffeln, dann das Räucherwürstchen unter das Sauerkraut schieben. Weitere 20 Minuten backen.
3 Frankfurter Würstchen auf das Sauerkraut legen und alles weitere 10 Minuten backen.
4 Fleisch und Würstchen herausnehmen, abdecken und warm halten. Sauerkraut mit einem Schöpflöffel herausnehmen, in eine große Schüssel legen und Kochflüssigkeit, Gewürzbündel und Bouquet garni wegwerfen. Schinkenspeck und Räucherwürstchen in Scheiben schneiden. Fleisch von der Schinkenhaxe lösen und den Knochen wegwerfen oder zum Zubereiten einer Suppe aufbewahren. Fleisch und Würstchen auf dem Sauerkraut anrichten und servieren.

Schweinefilet mit Pflaumen

Eine vereinfachte Version des französischen Klassikers. Anstatt unter hohem Zeitaufwand einen ganzen Braten zuzubereiten, werden hier nur die zarteren Schweinemedaillons verwendet.

Zubereitungszeit: **30 Minuten**
Garzeit: **1 Stunde 10 Minuten**
Für 4–6 Personen

2 Schweinefilets (je ca. 600 g)
1 EL Öl
40 g Butter
Salz und schwarzer Pfeffer,
   nach Geschmack
1 Zwiebel, gehackt
1 Karotte, gehackt
1 Zweig frischer Thymian
1 Lorbeerblatt
225 ml Weißwein
225 ml Kalbs- oder Rinderbrühe (s. S. 685)
225 ml Crème double
200 g Backpflaumen,
   entsteint

1 Schweinefilets von Fett und Sehnen befreien (kann auch beim Metzger erledigt werden), die Reste aufbewahren. Fleisch in ca. 2,5 cm dicke Scheiben schneiden, etwa 6 Stücke pro Filet.

2 Öl in einer gußeisernen Pfanne erhitzen und Butter hinein geben. Fleisch salzen und pfeffern und auf mittlerer Stufe 3–5 Minuten goldbraun braten. Aus der Pfanne nehmen, beiseite stellen, mit Alufolie abdecken und warm halten. Fleischreste in die Pfanne geben und ca. 5–7 Minuten goldbraun braten. Gemüse, Thymian und Lorbeerblatt zugeben und 5 Minuten bei geringer bis mittlerer Hitze köcheln lassen. Überschüssiges Fett abtupfen. Weißwein zugießen und kochen lassen, bis die Flüssigkeit bis auf ca. 1 EL verdampft ist. Brühe zugeben, Hitze reduzieren und 30 Minuten köcheln lassen. Durch ein Sieb in eine kleinere Pfanne gießen, Crème double und Backpflaumen zugeben. Ca. 15 Minuten bei geringer Hitze köcheln lassen, bis die Sauce eindickt. Mit Salz und Pfeffer abschmecken.

3 Alufolie entfernen und das Fleisch in eine Pfanne geben. Heiße Sauce darüber gießen und 2–3 Minuten köcheln lassen, bis alles gut erhitzt ist. Sofort auf einer Servierplatte angerichtet servieren.

Tip Damit die Medaillons gleichmäßiger und runder werden, kann man die Schweinefilets vor dem Schneiden mit Küchengarn umbinden. Das Garn kurz vor dem erneuten Erhitzen entfernen.

Weiße-Bohnen-Eintopf mit Würstchen

Getrocknete weiße Bohnen haben einen hohen Gehalt an Proteinen, Kalzium und Eisen. Mit Mettwürstchen und einer sahnigen Kräutersauce kombiniert, entsteht eine komplette Mahlzeit.

*Vorbereitungszeit: **25 Minuten***
*Zubereitungszeit: **1 Stunde 30 Minuten***
Für 4 Personen

375 g getrocknete weiße Bohnen
1 kleine Zwiebel, gewürfelt
1 kleine Karotte, gewürfelt
1 kleine Selleriestange, gewürfelt
1 Zweig frischer Thymian
1 Zweig frischer Rosmarin
1 TL schwarze Pfefferkörner
1¹/₂ l kaltes Wasser
Öl, zum Braten
4 Mettwürstchen
3 EL Crème double
frische Petersilie, gehackt, zum Garnieren

FÜR DIE KRÄUTERBUTTER
1 Knoblauchzehe, grobgehackt
1 EL frische Petersilie, gehackt
1 EL frischer Rosmarin
1 EL frischer Thymian
120 g weiche Butter
Salz und Pfeffer

1 Bohnen, Gemüse, Thymian und Rosmarin in eine große feuerfeste Kasserolle (3 l Fassungsvermögen) geben. Pfefferkörner (in ein Stück Tuch gewickelt) und Wasser zufügen. Zum Kochen bringen, dann bei geringer Temperatur 55 Minuten sieden lassen.

2 Für die Kräuterbutter Knoblauch, Petersilie, Rosmarin, Thymian und Butter entweder mit Mörser und Stößel oder in einem Mixer pürieren, bis die Mischung glatt ist. Nach Geschmack mit Salz und Pfeffer würzen und zur Seite stellen.

3 Den Backofen auf 180 °C (Gasherd: Stufe 2) vorheizen. Wenig Öl in einer Pfanne erhitzen und die Würstchen darin anbraten, bis sie gebräunt sind. Diagonal in jeweils 4 Stücke schneiden und zu den gekochten Bohnen geben. Mit Deckel 30 Minuten im Ofen backen, bis die Bohnen weich sind. Sind sie nicht vollständig mit Flüssigkeit bedeckt, etwas kaltes Wasser zufügen.

4 Die Würstchen aus der Kasserolle nehmen und beiseite legen. Kräuter und Pfeffer entfernen, dann die Kräuterbutter und die Crème double unterrühren. Die Würstchen auf dem Eintopf anrichten, mit gehackter Petersilie bestreuen und servieren.

Cassoulet

Diesem Gericht aus dem Languedoc verleihen die weißen Bohnen seine Sahnigkeit. Wenn sie fast gar sind, wird die in der jeweiligen Region bevorzugte Fleischsorte zugegeben und anschließend alles überbacken.

Zubereitungszeit: **1 Stunde 30 Minuten + 1 Nacht Einweichzeit**

Back- und Garzeit: **3 Stunden 30 Minuten**

Für 4–6 Personen

250 g getrocknete weiße Bohnen, über Nacht in kaltem Wasser eingelegt

100 g frische Schweinefleischkruste

100 g Schinkenspeck

1/2 Karotte

1/2 Zwiebel, mit einer hineingestochenen Nelke

2 Bouquets garnis (s. S. 685)

1 Knoblauchzehe

25 g Gänse-, Enten- oder Schweineschmalz

200 g Lammschulter, ohne Knochen, in 8 Stücke geschnitten

200 g Schweineschulter, ohne Knochen, in 8 Stücke geschnitten

Salz und Pfeffer, nach Geschmack

1 kleine Zwiebel, gehackt

2 Tomaten, abgezogen, entkernt und in Würfel geschnitten oder 1 EL Tomatenmark

1 Knoblauchzehe, zerdrückt

300 g frische Knoblauchwurst, in Scheiben geschnitten

4 kleine Schweinefleischwürstchen

2 Enten- oder Gänsebeine (ca. 360 g insgesamt), in zwei Stücke geschnitten

90 g Semmelbrösel

etwas Schmalz, zusätzlich

1 Backofen auf 180 °C vorheizen. Eingeweichte Bohnen abspülen und in einem großen Topf mit reichlich kaltem Wasser bedecken. Schweinefleischkruste und Schinkenspeck zugeben und zum Kochen bringen. Vom Herd nehmen, durch ein Sieb geben und in kaltem Wasser abkühlen lassen. Mit frischem kaltem Wasser be-

decken, wieder auf den Herd stellen und Karotte, nelkengespickte Zwiebel, 1 Bouquet garni und Knoblauch zugeben. Ca. 1 1/2 Stunden köcheln lassen (kein Salz zugeben, sonst werden die Bohnen zäh).

2 Schmalz in einem großen feuerfesten Topf zerlassen. Lamm- und Schweineschulter mit Salz und Pfeffer würzen und im Topf bräunen. Vom Herd nehmen und beiseite stellen. Im selben Topf die gehackte Zwiebel glasig dünsten. Tomaten, zerdrückten Knoblauch und das zweite Bouquet garni zugeben. Erhitzen, bis alles zu köcheln beginnt, Fleisch wieder in den Topf geben, abdecken und 1 bis 1 1/2 Stunden backen. Fleisch aus dem Topf herausnehmen.

3 Backofentemperatur auf 160 °C herunterschalten. Knoblauchwurst, Schweinefleischwürstchen und Geflügelbeine in den Topf geben, zum Sieden bringen und anschließend im Ofen 20 Minuten backen. Geflügelbeine und Würstchen in eine Schüssel geben und warm halten. Sauce beiseite stellen. Backofentemperatur auf 150 °C herunterschalten.

4 Die fast weichen Bohnen (ein leichter Widerstand sollte noch spürbar sein) abtropfen lassen und die Kochflüssigkeit zur aufbewahrten Sauce gießen. Gemüse und Bouquet garni entfernen und wegwerfen. Schinkenspeck und Schweinefleischkruste herausnehmen und separat in mundgerechte Stücke schneiden. Abkühlen lassen.

5 Eine große feuerfeste Auflaufform vorwärmen. Etwas Schweinefleischkruste auf den Boden streuen und mit einer Schicht Bohnen bedecken. Lamm- und Schweineschulter, Würstchen, Geflügelbeine und 250–375 ml aufbewahrte Kochflüssigkeit zugeben. Eine weitere Schicht Bohnen darüber geben und schließlich Schinkenspeck, restliche Schweinefleischkruste und Flüssigkeit darauf verteilen. Mit Semmelbröseln bestreuen und ein wenig zusätzlichen Schmalz darüber träufeln. 1 Stunde backen und sofort servieren.

Lammrippchen in Kräuterkruste

Die Provence ist für ihr sonniges Klima, das leckere Gemüse und die Kräuter, die darin gedeihen, bekannt. Für die folgende provenzalische Kräuterkruste verwendet man Thymian, der dort wild in den Bergen wächst.

*Zubereitungszeit: **1 Stunde***
*Back- und Garzeit: **1 Stunde 30 Minuten***
Für 4 Personen

Lammvorderrippenstücke (je 6 Rippchen), gesäubert, von Fett und Sehnen befreit, Knochen und Reste aufbewahren (s. Tip)
2 EL Öl
Salz und schwarzer Pfeffer, nach Geschmack

LAMM-JUS
¹/₂ Zwiebel, gehackt
3 Knoblauchzehen, grobgehackt
400 ml Wasser

KRÄUTERKRUSTE
120 g frische Semmelbrösel
5 Knoblauchzehen, feingehackt
4 EL frische Petersilie, feingehackt
1 EL frische Thymianblätter
Salz und Pfeffer, nach Geschmack
80 g weiche Butter

1 Backofen auf 200 °C vorheizen. Das Fett um die Rippenstücke herum kreuzweise anordnen. Öl in einer Pfanne auf mittlerer Stufe erhitzen, Lamm mit Salz und Pfeffer würzen, in die Pfanne geben und kurz von beiden Seiten anbräunen. Aus der Pfanne nehmen und beiseite stellen. Knochen und Fleischreste in einen Bräter geben und 20–30 Minuten backen. Zum Abkühlen aus dem Ofen nehmen. Backofentemperatur auf 250 °C erhöhen.

2 Für den Lamm-Jus Knochen und Fleischreste aus der Pfanne nehmen (Fett darin belassen) und mit Zwiebel, Knoblauch und Wasser in einen Topf geben. Zum Sieden bringen und 30 Minuten köcheln lassen.

3 Für die Kräuterkruste Semmelbrösel, gehackten Knoblauch, Petersilie und Thymianblätter in einer großen Schüssel vermengen. Salzen, pfeffern und weiche Butter einrühren, so daß eine Paste entsteht.

4 Eine Schicht Kräuterkruste auf die Fettseite der Rippenstücke drücken, dabei Knochen und Boden freilassen. Rippen in einen Bräter geben und 20–25 Minuten im Backofen bräunen. Beiseite stellen und warm halten.

5 Jus durch ein Sieb in einen anderen Topf gießen und köcheln lassen, bis die Flüssigkeit sich um ³/₄ reduziert hat; Oberfläche mehrmals abschöpfen. Jus getrennt in einer Sauciere reichen.

Tip Lassen Sie die Lammrippenstücke bereits beim Metzger von Fett und Sehnen befreien und säubern.

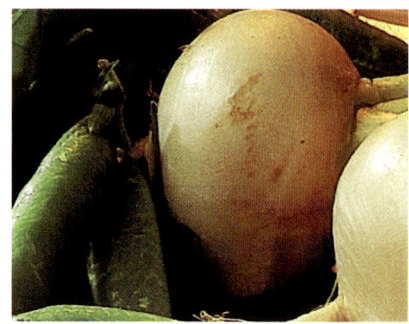

»Navarin« vom Lamm

Dieses berühmte Lamm-Kartoffel-Ragout wird seit über einhundertachtzig Jahren zubereitet und verdankt seinen Namen einer besonderen Zutat: der weißen Rübe – französisch »Navet«. Welches Gemüse Sie darüber hinaus verwenden, bleibt Ihrem persönlichen Geschmack überlassen.

Vorbereitungszeit: **45 Minuten**
Zubereitungszeit: **2 Stunden**
Für 4 Personen

1 kg Lammschulter, entbeint

4 EL Öl

40 g Butter

1 große Zwiebel, feingehackt

1 EL Tomatenmark

2 große geschälte Tomaten, entkernt und zerkleinert

3 Knoblauchzehen, gehackt

1 EL Mehl

1,5 l kochendes Wasser

1 Bouquet garni (s. S. 685)

Salz und Pfeffer

150 g Erbsen, geschält

Salzwasser

1 große Karotte, in 5 cm breite Stücke geschnitten

2 weiße Rüben, geschält und geviertelt

12 neue Kartoffeln

1 EL frische Petersilie, gehackt

1 Den Backofen auf 200 °C (Gasherd: Stufe 3) vorheizen. Das Fleisch von überschüssigem Fett befreien und in 2,5 cm große Würfel schneiden. Öl in einer Pfanne erhitzen und das Fleisch darin anbräunen. Aus der Pfanne nehmen, das Öl abtropfen lassen und beiseite legen.

2 In einer feuerfesten Kasserolle (3 l Fassungsvermögen) die Butter zerlassen und darin die Zwiebel glasig dünsten. Tomatenmark zufügen, bei mittlerer Hitze 2 Minuten köcheln lassen. Tomaten zugeben und weitere 3 Minuten kochen lassen. Knoblauch und die Lammstücke samt Bratensaft zufügen und mit Mehl bestäuben. 5 Minuten im Ofen backen.

3 Die Kasserolle aus dem Ofen nehmen. Auf dem Herd bei mittlerer Hitze das Mehl, dann nach und nach das kochende Wasser einrühren. Einige Minuten köcheln lassen, den Schaum abschöpfen, das Bouquet garni zufügen, nach Geschmack salzen und pfeffern, abdecken und wieder in den Ofen stellen. 1 Stunde backen lassen. In einem großen Topf mit Salzwasser die Erbsen 3 Minuten kochen lassen. Abgießen, mit kaltem Wasser abschrecken, abspülen und zur Seite stellen.

4 Die Kasserolle aus dem Backofen nehmen. Auf der Herdplatte bei mittlerer Temperatur Karotte, Rüben und Kartoffeln zugeben, 15 Minuten kochen lassen, dann die Erbsen zufügen. Weiter kochen lassen, bis Fleisch und Kartoffeln zart sind. Das Bouquet garni entfernen, kurz vor dem Servieren die Petersilie einrühren.

Lammgulasch in Tomatensauce

Ideale Beilage zu diesem schmackhaften Lammschmorgericht mit Knoblauch, Speck und Tomaten sind Reis oder frische Nudeln.

*Vorbereitungszeit: **25 Minuten***
*Zubereitungszeit: **1 Stunde 45 Minuten***
Für 4 Personen

1,2 kg Lammschulter, ohne Knochen, in mundgerechte
 Stücke geschnitten
Salz und Pfeffer
2 EL Öl
40 g Butter
60 g durchwachsener Speck
1 kleine Zwiebel, gehackt
1 kleine Karotte, gehackt
2 EL Tomatenmark
1 EL Mehl
500 g Tomaten, gehäutet, entkernt und zerkleinert
1 Bouquet garni (s. S. 685)
4 Knoblauchzehen, gehackt
500 ml Rinder- oder Kalbsfond (s. S. 685) oder
 Wasser
1 EL frische Petersilie oder Basilikum, gehackt

1 Den Ofen auf 180 °C (Gasherd: Stufe 2) vorheizen. Das Fleisch mit Salz und Pfeffer würzen. Das Öl bei mittlerer Hitze in einer gußeisernen Pfanne erhitzen und das Fleisch portionsweise jeweils 6–8 Minuten von allen Seiten gut anbräunen. Auf Küchenpapier abtropfen lassen.

2 Bei mittlerer Hitze die Butter in einer großen feuerfesten Kasserolle (3 l Fassungsvermögen) zerlassen. Speck zugeben und goldbraun braten. Zwiebel und Karotte zufügen und 3 Minuten andünsten. Tomatenmark einrühren und weitere 2 Minuten köcheln lassen. Mit dem Mehl bestäuben und 5 Minuten zugedeckt schmoren lassen. Vom Herd nehmen und das Mehl unterrühren. Tomaten, Bouquet garni und Knoblauch zufügen. Wieder auf die Herdplatte stellen und unter ständigem Rühren 5 Minuten köcheln lassen, dann den Fond oder das Wasser zugeben. Zum Kochen bringen, dabei ständig umrühren. Das Fleisch wieder in die Kasserolle geben und 1 Stunde im Backofen backen.

3 Fleisch aus der Sauce nehmen, abdecken und warm stellen. Die Sauce durch ein feines Sieb gießen, dann in einen Topf geben.

4 Die Sauce aufkochen lassen, falls nötig, Schaum abschöpfen. 10 Minuten sieden lassen, bis sie so dick ist, daß sie an einem Löffelrücken haften bleibt. Fleisch hineingeben und unter Umrühren warm werden lassen. Nach Wunsch abschmecken. Mit Petersilie oder Basilikum garnieren und servieren.

Eintopf »Lancashire«

Bei diesem bekannten englischen Eintopf wird das Lammfleisch mitsamt den Knochen geschmort – wodurch sich der typische Lammgeschmack intensiviert.

*Vorbereitungszeit: **30 Minuten***
*Zubereitungszeit: **2 Stunden 20 Minuten***
Für 4 Personen

Butter, zum Einfetten
1 kg Nackenkotelett, vom Lamm
20 g Butter
900 g Kartoffeln, geschält
Salz und Pfeffer
2 große Zwiebeln, in feine Ringe geschnitten
2 Karotten, in 2 mm dicke Scheiben geschnitten
1/2 TL frischer Thymian, gehackt
1 Lorbeerblatt
400 ml Rinder- oder Kalbsfond (s. S. 685)
60 g Butter, zerlassen

1 Den Backofen auf 180 °C (Gasherd: Stufe 2) vorheizen. Eine feuerfeste Kasserolle (3,5 l Fassungsvermögen) mit etwas Butter einfetten. Überschüssiges Fett von den Koteletts entfernen, die Butter in einer Pfanne zerlassen und das Fleisch bei großer Hitze kurz anbraten, bis es leicht gebräunt ist und sich die Haut zusammenzieht. Die Koteletts aus der Pfanne nehmen und auf einen Teller legen.

2 Die Kartoffeln in 2 mm dünne Scheiben schneiden und den Boden der Kasserolle mit einem Drittel der Scheiben auslegen. Leicht salzen und pfeffern. Die Koteletts auf die Kartoffeln schichten, Zwiebeln, Karotten und Thymian darüber verteilen, erneut würzen und das Lorbeerblatt zugeben. Die übrigen Kartoffelscheiben sorgfältig darüber schichten. Den Fond vorsichtig von einer Seite langsam in die Kasserolle gießen, so daß die Flüssigkeit bis knapp unter die oberste Schicht Kartoffeln aufsteigt. Diese obere Schicht sollte nicht bedeckt werden. Reichlich mit zerlassener Butter bepinseln, erneut würzen. Mit Deckel auf mittlerer Schiene 1 1/2 Stunden backen.

3 Den Deckel abnehmen, etwas Fond oder Wasser zufügen, falls die Flüssigkeit bereits vollständig von den Kartoffeln aufgenommen wurde. Unbedeckt nochmals 45 Minuten backen, bis das Fleisch gar ist und die oberen Kartoffeln knusprig braun gebacken sind. Heiß zusammen mit Gemüse nach Wahl servieren.

Tip Die geschälten Kartoffeln erst im letzten Moment in Scheiben schneiden, da sie sich sonst verfärben. Die Scheiben auch nicht in kaltes Wasser geben, da dabei die Stärke verloren geht, die benötigt wird, um das Gericht zu binden.

Hirschragout

Hirschfleisch hat einen unverwechselbaren Geschmack. Hier wird es behutsam
mit Zwiebeln, Champignons und Knoblauch in Rotwein gekocht und
mit Johannisbeergelee und Wacholderbeeren verfeinert.

*Vorbereitungszeit: **30 Minuten***
*Zubereitungszeit: **2 Stunden***
Für 4 Personen

750 g Schmorbraten vom Hirsch, ohne Knochen
  oder 2 kg Hirschkoteletts
185 g Silberzwiebeln
Wasser
2 EL Olivenöl
250 g Champignons
1 Knoblauchzehe, gepreßt
1 EL Mehl
250 ml Rotwein
250 ml Wasser
Salz
1 EL rotes Johannisbeergelee
6 Wacholderbeeren, gepreßt
Salz und frisch gemahlener schwarzer Pfeffer

1 Den Backofen auf 170 °C (Gasherd: Stufe 2) vorheizen. Wenn Sie ein Bratenstück verwenden, das Fleisch in 4 cm dicke Scheiben schneiden.

2 Die Zwiebeln in einen kleinen Topf geben, mit kaltem Wasser bedecken. Zum Kochen bringen, die Hitze reduzieren, 2 Minuten köcheln lassen, dann abgießen und abtropfen lassen. In einer feuerfesten Kasserolle (2,5 l Fassungsvermögen) das Öl stark erhitzen. Die Fleischscheiben jeweils von beiden Seiten 1–2 Minuten anbraten. Fleisch herausnehmen und warm stellen.

3 Die Zwiebeln in die Kasserolle geben und im Öl schwenken, bis sie leicht angebräunt sind. Champignons und Knoblauch zufügen und 1 Minute andünsten. Mehl einstreuen und unter ständigem Umrühren 1 Minute kochen lassen. Rotwein, Wasser und etwas Salz zugeben und zum Kochen bringen. Das Fleisch dazugeben, die Kasserolle abdecken und 1 1/2 Stunden im Ofen backen.

4 Die Kasserolle aus dem Backofen nehmen, den Bratensaft in einen kleinen Topf abgießen. Aufkochen und etwa 1 Minute einkochen lassen, Johannisbeergelee und Wacholderbeeren unterrühren und erneut aufkochen lassen. Nach Wunsch mit Salz und Pfeffer würzen, dann die Sauce über das Fleisch geben und erneut 15 Minuten im Ofen backen. Das Ragout heiß servieren.

Kaninchen-Topf mit Champignons

Kaninchenfleisch ist sehr mager. In einer feinen Weißweinsauce mit Champignons,
Schalotten und Tomaten zubereitet und mit frischen Kräutern abgerundet,
ist dieser delikate Schmortopf ein Muß für besondere Anläße.

*Vorbereitungszeit: **25 Minuten***
*Zubereitungszeit: **1 Stunde 20 Minuten***

Für 4 Personen

1,8 kg Kaninchen, in 8 Teile zerlegt
Salz und Pfeffer
80 g Butter
130 g Champignons, in Scheiben geschnitten
2 Schalotten, gehackt
250 ml Weißwein
3 große geschälte Tomaten, entkernt und zerkleinert
500 ml Rinder- oder Kalbsfond (s. S. 685)
1 Bouquet garni (s. S. 685)
1–2 TL frischer Estragon, gehackt
1 EL frischer Kerbel, gehackt

1 Den Backofen auf 180 °C (Gasherd: Stufe 2) vorheizen, das Kaninchenfleisch salzen und pfeffern. Die Hälfte der Butter in einer großen feuerfesten Kasserolle (3 l Fassungsvermögen) bei mittlerer Hitze zerlassen und die Fleischstücke darin nacheinander anbräunen. Das Fleisch aus der Kasserolle nehmen und zur Seite stellen. Die Butter abgießen, die Kasserolle wieder auf den Herd stellen und die restliche Butter hineingeben. Die Champignons 3 Minuten anbraten, dann die Schalotten zufügen. Nach 3 Minuten den Wein zugießen und weitere 3 Minuten kochen lassen, bis der Großteil der Flüssigkeit verdampft ist.

2 Die Tomaten zugeben, unter Rühren zum Kochen bringen, dann die Temperatur reduzieren und 10 Minuten sieden lassen. Fond und Bouquet garni zugeben und aufkochen lassen. 5 Minuten kochen lassen, Schaum und Fett von der Oberfläche abschöpfen.

3 Kaninchenteile wieder in die Kasserolle legen und zum Sieden bringen. Mit Deckel 20–25 Minuten im Ofen backen. Das Fleisch ist gar, wenn es sich mühelos vom Knochen lösen läßt. Die Teile auf einem Vorlegeteller anrichten, abdecken und warm stellen. Die Kasserolle auf eine Herdplatte stellen und das Bouquet garni entfernen. Die Sauce zum Kochen bringen, 5–10 Minuten eindicken lassen, dabei überschüssiges Fett abschöpfen.

4 Den gehackten Estragon und Kerbel unterrühren, dann die Sauce über das Kaninchenfleisch geben. Sofort servieren.

Kaninchen-Auflauf mit Kräuter-Scones

*In Italien ißt man gern Wild, und Kaninchen ist mit seinem leichten, zarten Fleisch
ein besonders beliebter Leckerbissen. Hier unterstützen frische Kräuter in Sauce
und »Scones« nach angloamerikanischem Rezept den Geschmack.*

Zubereitungszeit: **40 Minuten**
Back- und Garzeit: **1 Stunde 30 Minuten**
Für 4 Personen

1 Kaninchenbraten (ca. 1,25 kg), in 8 Stücke geteilt
etwas Mehl, mit Salz und Pfeffer gewürzt
etwas Butter oder Öl
1 Zwiebel, feingehackt
150 g Champignons, in Scheiben geschnitten
1 TL Tomatenmark
1 Knoblauchzehe, gehackt
Salz und Pfeffer, nach Geschmack
500 ml Hühnerbrühe
8 reife Tomaten, abgezogen, entkernt und gehackt
1 EL frischer Rosmarin, gehackt
2 EL frischer Majoran, gehackt
1 EL frische Petersilie, gehackt

KRÄUTER-SCONES
250 g Mehl
1/2 Päckchen Backpulver
1/4 TL Salz
60 g gekühlte Butter, gewürfelt
1 EL frisch gehackte Kräuter, wie z. B. Petersilie,
  Rosmarin, Thymian oder Majoran
125 ml Buttermilch
1 Ei, verquirlt

1 Kaninchen in gewürztem Mehl wälzen. Ein wenig Butter oder Öl in einer Pfanne erhitzen, Fleisch von beiden Seiten bräunen, aus der Pfanne nehmen und auf Küchenpapier abtropfen lassen. Zwiebel zugeben und bei mittlerer Hitze glasig dünsten. Champignons zufügen, auf höchste Stufe schalten und Tomatenmark und Knoblauch einrühren. In eine feuerfeste Auflaufform geben, Kaninchenfleisch darüber legen und mit Salz und Pfeffer würzen.

2 Brühe zugießen (sie sollte das Fleisch knapp bedecken) und 30 Minuten auf dem Herd köcheln lassen. Tomaten zugeben und 10 Minuten weiter köcheln lassen. Rosmarin, Majoran und Petersilie zufügen. Prüfen, ob das Fleisch weich genug ist, und mit Salz und Pfeffer abschmecken.

3 Für die Scones den Backofen auf 200 °C vorheizen. Mehl, Backpulver und Salz in eine große Schüssel sieben, Butter zugeben und zu einer krümeligen Masse verkneten. Kräuter zugeben und die Milch mit einem Messer einrühren, bis eine Masse mit Mehlklumpen entsteht. Auf einer leicht bemehlten Arbeitsfläche ausbreiten und zu einer glatten Kugel formen. Ca. 1,5 cm dick ausrollen. Arbeiten Sie zügig – der Teig soll erst im Ofen aufgehen und nicht schon während des Ausrollens. Teig in Kreise von ca. 4 cm Ø schneiden, mit Ei bestreichen und sofort auf den Kaninchen-Auflauf geben. 12 Minuten backen, bis die Scones goldbraun werden.

NUDELN & REIS

Pasta al Pomodoro

Pomodoro, der italienische Begriff für Tomaten, bezeichnet die Hauptzutat in diesem Rezept. Da Sie nicht auf frische Tomaten angewiesen sind, können Sie dieses traditionelle Gericht das ganze Jahr über genießen.

*Zubereitungszeit: **20 Minuten***
*Garzeit: **1 Stunde 15 Minuten***
Für 4–6 Personen

15 g frisches Basilikum
2 frische Thymianzweige
1 Lorbeerblatt
2 EL Olivenöl
1 große Zwiebel, feingehackt
2 Dosen (à 425 g) italienische abgezogene
   Tomaten, püriert, mit Flüssigkeit
5 Knoblauchzehen, feingehackt
Salz und Pfeffer, nach Geschmack
etwas Öl
500 g Rigatoni (gerillte Röhrennudeln)
frisch geriebener Parmesan,
   zum Garnieren

1 Basilikumblätter von den Stielen zupfen. Die Stiele für die Sauce aufbewahren und mit Thymianzweigen und Lorbeerblatt zusammenbinden.
2 Olivenöl in einem großen Topf erhitzen und die Zwiebel darin 5 Minuten dünsten. Tomaten, Knoblauch und das Kräuterbündel zugeben. Zum Kochen bringen,

Hitze reduzieren und abgedeckt 40 Minuten köcheln lassen. Deckel abnehmen und weitere 20 Minuten unter gelegentlichem Rühren köcheln lassen. Nach Geschmack mit Salz und Pfeffer würzen.
3 Einen großen Topf mit Salzwasser zum Kochen bringen. Einen Schuß Öl hineingeben und die Rigatoni gemäß den Angaben auf der Packung kochen. Gut abtropfen lassen, mit ein wenig Olivenöl beträufeln und warm halten.
4 Wenn die Sauce fertig ist, das Kräuterbündel herausnehmen und wegwerfen. Basilikumblätter fein hacken und in die Sauce rühren. Nicht wieder aufkochen lassen.
5 Sauce mit den gekochten Nudeln vermengen und mit Parmesan bestreut servieren.

Tip Wenn Tomaten Saison haben, läßt sich dieses Gericht natürlich auch mit frischen Tomaten zubereiten. Verwenden Sie aber keine Winter-Tomaten, da es ihnen an Farbe und Geschmack fehlt. Nehmen Sie ca. 850 g frische Tomaten, ziehen Sie sie ab und entfernen Sie die Kerne. Evtl. ist es ratsam, einen EL Tomatenmark für eine schönere Färbung und einen intensiveren Geschmack zuzugeben. Tomatenmark einrühren und 1–2 Minuten köcheln lassen, bevor die anderen Zutaten zugegeben werden.

Fusilli mit Minze-Basilikum-Pesto

Italienischer Pesto wird traditionell mit Mörser und Stößel zubereitet. Das klassische Rezept wird hier um frische Minze bereichert.

*Zubereitungszeit: **10 Minuten***
*Garzeit: **10 Minuten***
Für 4 Personen

30 g frische Minze
30 g frisches Basilikum
3 EL Parmesan, frisch gerieben
2 Knoblauchzehen
30 g Pinienkerne
200 ml Olivenöl
100 g Parmesan, am Stück
etwas Öl
500 g Fusilli (Spiralnudeln)
einige Blätter frisches Basilikum, zum Garnieren

1 Für den Pesto Minze, Basilikum, geriebenen Parmesan, Knoblauch und Pinienkerne im Mixer oder in der Küchenmaschine mit der Hälfte des Öls zu einer glatten Paste verarbeiten. Bei laufendem Gerät restliches Öl zugießen. Mit einem Gemüseschäler dünne Scheiben vom Parmesanstück hobeln und beiseite stellen.
2 Salzwasser in einem großen Topf zum Kochen bringen. Einen Schuß Öl zugeben und die Fusilli gemäß den Angaben auf der Packung kochen. Gut abtropfen lassen und wieder in den Topf geben.
3 Ca. zwei Drittel des Pesto, nach Geschmack auch mehr, zur Pasta geben. 10 Sekunden erhitzen, möglichst nicht länger. Mit gehobeltem Parmesan und Basilikumblättern garniert servieren.

Tip Für den klassischen Pesto verwenden Sie nur Basilikum, ohne Minze. Die Sauce hält sich im Kühlschrank mit einem Ölfilm versehen bis zu 1 Woche.

Fusilli mit Minze-Basilikum-Pesto (oben) und
Farfalle mit rotem Pesto

Farfalle mit rotem Pesto

Die sonnengetrockneten Tomaten ersetzen in diesem Rezept das Basilikum des klassischen grünen Pesto.

*Zubereitungszeit: **10 Minuten***
*Garzeit: **15 Minuten***
Für 4–6 Personen

100 g sonnengetrocknete Tomaten in Öl
30 g Pinienkerne
2 Knoblauchzehen
35 g Parmesan, frisch gerieben
frisch gemahlener schwarzer Pfeffer, nach Geschmack
125 ml Olivenöl
etwas Salz
etwas Öl, zusätzlich
500 g Farfalle (Schleifennudeln)

1 Für den roten Pesto Tomaten abtropfen lassen und mit Pinienkernen und Knoblauch in eine beschichtete Pfanne geben. Bei schwacher Hitze unter ständigem Rühren 6 Minuten braten, bis die Pinienkerne goldbraun sind.
2 Tomaten, Pinienkerne und Knoblauch in den Mixer oder die Küchenmaschine geben und fein zerkleinern. Parmesan zugeben, 1 Minute verrühren und mit etwas frisch gemahlenem schwarzem Pfeffer abschmecken. Bei laufendem Gerät langsam Olivenöl zugießen.
3 Salzwasser in einem großen Topf zum Kochen bringen. Einen Schuß Öl zugeben und die Farfalle gemäß den Angaben auf der Packung kochen. Gut abtropfen lassen und mit dem roten Pesto verrühren.

Tip Nach Geschmack mit zusätzlichem Knoblauch, Sardellen oder Peperoni würzen.

Pasta Primavera

*Mit diesem Pasta-Gericht mit frischem Frühlingsgemüse, Petersilie und Minze
läßt sich der Frühlingsanfang gebührend feiern.*

Zubereitungszeit: **40 Minuten**
Garzeit: **35 Minuten**
Für 4 Personen

500 ml Gemüsebrühe
12 Frühlingszwiebeln, in 5 cm lange
  Stücke geschnitten
12 Silberzwiebeln
30 g Saubohnen
12 Spargelspitzen, in 5 cm lange
  Stücke geschnitten
12 junge Karotten, in 5 cm lange
  Stücke geschnitten
100 g junge Erbsen
etwas Öl
500 g frische Spaghetti
3 Eigelb
200 ml Crème double
30 g Butter
50 g Parmesan, frisch gerieben
2 EL frische glattblättrige Petersilie, gehackt
1 EL frische Minze, gehackt
Salz und Pfeffer, nach Geschmack
etwas frisch geriebener Parmesan, zum Garnieren

1 Gemüsebrühe in einem Topf zum Kochen bringen. Gemüse darin portionsweise *al dente* kochen. Gemüse mit einem Schöpflöffel aus der Brühe nehmen, in kaltes Wasser legen und beiseite stellen. Brühe warm halten.

2 Einen großen Topf mit Salzwasser zum Kochen bringen. Einen Schuß Öl zugeben und die Spaghetti 2–3 Minuten *al dente* kochen. Gut abtropfen lassen und warm halten.

3 Einen großen Topf mit Wasser zum Kochen bringen und vom Herd nehmen. Eine große Schüssel darüber stellen, sp daß der Boden der Schüssel das Wasser nicht berührt. Die Eigelbe und 2¹/2 EL der beiseite gestellten Brühe in die Schüssel geben. Verrühren, bis die Mischung leicht eindickt. Crème double, Butter und Parmesan zu weiteren 200 ml der Brühe geben und langsam in die Eigelbmischung einrühren. Die Sauce sollte sehr dünnflüssig sein. Abgetropftes Gemüse in die Sauce geben und erwärmen.

4 Spaghetti in die Sauce geben und mit Petersilie und Minze darin verrühren, bis alles gut erhitzt ist. Nach Geschmack mit Salz und Pfeffer würzen und mit Parmesan bestreut in angewärmten Suppentellern servieren.

Tip Das Gericht kann auch mit Fertig-Spaghetti zubereitet werden.

Spaghetti Bolognese

Die für das norditalienische Bologna charakteristischen Spaghetti Bolognese kennt und liebt man in der ganzen Welt.

*Zubereitungszeit: **50 Minuten***
*Garzeit: **1 Stunde 10 Minuten***
Für 6–8 Personen

125 ml Olivenöl
1 kg Rinderhack
Salz und Pfeffer, nach Geschmack
1 große Zwiebel, feingehackt
2 EL Tomatenmark
4 EL Rotwein
8 Knoblauchzehen, feingehackt
2¹/₂ kg frische Tomaten, abgezogen, entkernt und in der Küchenmaschine püriert
4 frische Thymianzweige
1 Lorbeerblatt
etwas Öl
750 g Spaghetti
frisch geriebener Parmesan, zum Garnieren

1 Die Hälfte des Öls in einem großen Topf stark erhitzen. Hackfleisch zugeben, mit Salz und Pfeffer würzen und 10 Minuten bräunen, bis die Fleischsäfte verdampft sind. Fett abgießen und das Fleisch beiseite stellen. Restliches Öl erhitzen, Zwiebel hineingeben und 5 Minuten darin dünsten. Tomatenmark zugeben und 1–2 Minuten köcheln lassen. Wein zugießen und weitere 5 Minuten köcheln lassen. Fleisch wieder in den Topf geben, Knoblauch, Tomaten, Thymian und Lorbeerblatt zugeben und ca. 45 Minuten ziehen lassen. Thymian und Lorbeerblatt herausnehmen.

2 Inzwischen einen großen Topf mit Salzwasser zum Kochen bringen. Einen Schuß Öl zugeben und die Spaghetti gemäß den Angaben auf der Packung kochen. Gut abtropfen lassen und auf Servierteller geben. Sauce darüber schöpfen und mit Parmesan bestreut servieren.

Fettuccine Alfredo

Ein köstlich sahniges Gericht, das kaum Aufwand erfordert. Verwenden Sie möglichst frisch geriebenen Parmesan.

*Zubereitungszeit: **5 Minuten***
*Garzeit: **15 Minuten***
Für 4 Personen

400 ml Crème double
200 g Parmesan, frisch gerieben
3 EL frische glattblättrige Petersilie, gehackt
Salz und frisch gemahlener schwarzer Pfeffer, nach Geschmack
etwas Öl
500 g Fettuccine (Bandnudeln)
frisch geriebener Parmesan, zum Servieren

1 Crème double in eine gußeiserne Pfanne geben und zum Kochen bringen. Parmesan langsam einrühren. Petersilie, Salz und frisch gemahlenen schwarzen Pfeffer zugeben und alles gut verrühren.

2 Inzwischen einen großen Topf mit Salzwasser zum Kochen bringen. Einen Schuß Öl hineingeben und die Fettuccine gemäß den Angaben auf der Packung kochen. Gut abtropfen lassen und mit der Sahnesauce vermengen. Mit frisch geriebenem Parmesan servieren.

Safran-Nudeln mit getrockneten Tomaten und grünen Saubohnen

Die hellgelbe Pasta wird mit dem tiefroten Tomaten und grünen Saubohnen zu einem ebenso bunten wie köstlichem Gericht kombiniert. Für die Mischung können Sie Frischkäse oder italienischen Ricotta verwenden.

*Zubereitungszeit: **1 Stunde + 15 Minuten Einweichzeit***
*Back- und Garzeit: **1 Stunde 40 Minuten***
*Für **6 Personen** als Vorspeise*

PASTA
1 Messerspitze Safranfäden
1¹/₂ EL heißes Wasser
300 g Mehl
1 TL Salz
2 EL Olivenöl
3 Eier, leicht verquirlt

250 g Kirschtomaten
2–3 frische Thymianzweige
etwas Salz
400 g Saubohnen
etwas Öl
4 EL Olivenöl, zusätzlich
2 Knoblauchzehen, zerdrückt
60 g Frischkäse oder Ricotta
200 ml Gemüse- oder Hühnerbrühe
60 g Parmesan, frisch gerieben
Salz und Pfeffer, nach Geschmack

1 Backofen auf 150 °C vorheizen. Safran 15 Minuten im heißem Wasser einweichen.

2 Pasta nach den Anweisungen auf S. 692 zubereiten, dabei die Safranfäden samt Flüssigkeit zusammen mit den Eiern zugeben. Nudelteig in 4 Portionen in der Nudelmaschine (feinste Einstellung) ausrollen und mit der Maschine ca. 6 mm breite Bandnudeln (Tagliatelle) herstellen (s. S. 693).

3 Kirschtomaten waagerecht halbieren und auf ein Backblech legen. Mit Thymianblättern und etwas Salz bestreuen und ca. 1 Stunde 30 Minuten backen. Aus dem Ofen nehmen und abkühlen lassen.

4 Bohnen in einen Topf mit kochendem Wasser geben und ca. 6 Minuten weich kochen. Abtropfen und abkühlen lassen. Bohnen sorgfältig von ihrer Haut befreien.

5 Einen großen Topf mit Salzwasser zum Kochen bringen. Einen Schuß Öl hineingeben und die Tagliatelle 2–3 Minuten *al dente* kochen. Gut abtropfen lassen.

6 Die Hälfte des Öls in einer Pfanne erhitzen und den Knoblauch darin leicht bräunen. Frischkäse oder Ricotta und Brühe in der Küchenmaschine verrühren, Knoblauch zugeben und alles glattrühren. Mischung wieder in die Pfanne geben und erhitzen. Die Hälfte der Tomaten, die Bohnen, den Parmesan, das verbleibende Olivenöl und die Tagliatelle zufügen, alles vermengen und nach Geschmack mit Salz und Pfeffer würzen. Restliche Tomaten darüber verteilen und servieren.

Parmesan-Gruyère-Pasta

Ein unkompliziertes Gericht, das Sie wahlweise mit trockener oder frischer Pasta zubereiten können. Schmeckt auch als Beilage zu Grillfleisch.

Zubereitungszeit: **20 Minuten**
Garzeit: **25 Minuten**
Für 4 Personen

PASTA
400 g Mehl
1 TL Salz
2 EL Olivenöl
4 Eier, leicht verquirlt

etwas Öl
3 EL Olivenöl, zusätzlich
etwas Salz und Pfeffer
40 g Gruyère, frisch gerieben
100 g Parmesan, frisch gerieben
etwas Parmesan am Stück, zum Abhobeln
  der Garnierung
frisch gemahlener schwarzer Pfeffer, nach Geschmack

1 Die Pasta nach den Anweisungen auf S. 692 zubereiten. Nudelteig in vier Portionen mit der Nudelmaschine (feinste Einstellung) ausrollen. Anschließend mit der Maschine ca. 6 mm breite Bandnudeln (Tagliatelle) herstellen *(s. S. 693)*.

2 Einen großen Topf mit Salzwasser zum Kochen bringen. Einen Schuß Öl hineingeben und die Tagliatelle 2–3 Minuten *al dente* kochen.

3 Pasta gut abtropfen lassen, in eine große Schüssel geben und das Olivenöl zugießen. Mit Salz und Pfeffer abschmecken und mit Gruyère und geriebenem Parmesan vermengen. In eine Servierschüssel geben. Mit abgehobelten Parmesanspänen garnieren und mit frisch gemahlenem schwarzem Pfeffer bestreuen.

Tip Die Parmesanspäne lassen sich leicht mit einem Gemüseschäler abhobeln.

Spaghetti Carbonara

Die Spaghetti müssen gut abgetropft und sehr heiß sein, wenn man sie zur Sauce gibt, da das Eigelb durch die Hitze, die sie abgeben, gegart werden soll.

Zubereitungszeit: **10 Minuten**
Garzeit: **20 Minuten**
Für 4–6 Personen

4 EL Öl
250 g Schinkenspeck, in ca. 1 cm dicke
  Würfel geschnitten
etwas Öl, zusätzlich
500 g Spaghetti
8 Eigelb
frisch gemahlener schwarzer Pfeffer, nach Geschmack
3 EL kochendes Wasser
100 g Parmesan, frisch gerieben
2 EL frische Petersilie, gehackt

1 Öl in einer Pfanne erhitzen und Schinkenspeck zugeben. 5–10 Minuten knusprig anbraten. Abtropfen lassen und auf Küchenpapier ausbreiten. Beiseite stellen.

2 Einen großen Topf mit Salzwasser zum Kochen bringen. Einen Schuß Öl hineingeben und Spaghetti gemäß den Angaben auf der Packung kochen.

3 Kurz vor Ende der Garzeit Eigelbe in einer großen Schüssel verquirlen und mit frisch gemahlenem schwarzem Pfeffer abschmecken. Kochendes Wasser und Parmesan einrühren. Spaghetti gut abtropfen lassen und die heiße Pasta mit der Ei-Käse-Mischung vermengen. Schinkenspeck zugeben und sofort mit Petersilie garniert servieren.

Penne Piselli

*Das italienische Wort für »Erbsen« verleiht diesem
Gericht seinen Namen. Die Pasta wird mit
Schinkenspeck und Erbsen in Sahnesauce serviert.*

Zubereitungszeit: **15 Minuten**
Garzeit: **40 Minuten**
Für 4 Personen

**300 g Schinkenspeck, in ca. 1 cm große
   Würfel geschnitten**
2 EL Öl
1 große Zwiebel, feingehackt
500 ml Crème double
150 g Erbsen, frisch oder tiefgekühlt
etwas Salz
etwas Öl
500 g Penne (Rohrnudeln)
2 EL Parmesan, frisch gerieben
frische Parmesanspäne, zum Garnieren

1 Schinkenspeck in einem Topf mit kaltem Wasser
bedecken. Zum Kochen bringen, abtropfen lassen und
wieder in kaltes Wasser legen, dann erneut abtropfen
lassen und trockentupfen. Öl in einer beschichteten
Pfanne auf mittlerer Stufe erhitzen und den Schinkenspeck 3–4 Minuten anbräunen. Zwiebel zugeben und
ca. 3–5 Minuten glasig dünsten. Überschüssiges Fett
abtropfen lassen, Schinkenspeck und Zwiebel in einen
Topf geben und Crème double zufügen. Zum Kochen
bringen, Hitze reduzieren und 10 Minuten köcheln lassen.
2 Erbsen ca. 3–5 Minuten in Salzwasser weich kochen.
Abtropfen und in Eiswasser abkühlen lassen. Wieder
abtropfen lassen, in die heiße Crème-double-Mischung
geben und 3–5 Minuten köcheln lassen.
3 Einen großen Topf mit Salzwasser zum Kochen bringen. Einen Schuß Öl hineingeben und die Penne gemäß
den Angaben auf der Packung kochen. Gut abtropfen
lassen.
4 Sauce und geriebenen Parmesan vermischen.

Tomaten-Nudeln mit Fenchel und Paprika

Eine verführerische Mischung mediterraner Aromen mit einem erfrischenden Schuß Zitrone.
Diese Sauce können statt mit selbstgemachten auch mit Fertig-Tagliatelle servieren.

Zubereitungszeit: **1 Stunde**
Back- und Garzeit: **1 Stunde 10 Minuten**
Für 4 Personen

PASTA
300 g Mehl
1 TL Salz
1¹/₂ EL Olivenöl
20 g sonnengetrocknete Tomaten oder Tomatenmark
3 Eier, leicht verquirlt

450 g Fenchelknollen
1 EL Olivenöl
1 rote Paprika
2 EL Olivenöl, zusätzlich
2 Knoblauchzehen, zerdrückt
1 kleine Dose (400g) italienische Tomaten, zerkleinert
abgeriebene Schale von 1 Zitrone
1 Zweig frischer Thymian
Salz und Pfeffer, nach Geschmack
etwas Öl

1 Pasta nach den Anweisungen auf S. 692 zubereiten. Tomatenmark und Eier zufügen. Nudelteig in vier Portionen mit der Nudelmaschine (feinste Einstellung) ausrollen. Mit der Maschine ca. 6 mm breite Tagliatelle herstellen *(s. S. 693)*. Backofen auf 200 °C vorheizen.

2 Grünen Teil des Fenchels entfernen. Knollen längs halbieren, dann in ca. 2 cm lange Stücke schneiden. In einem Topf mit kochendem Wasser ca. 8–10 Minuten köcheln lassen. Abtropfen lassen, auf der Hälfte eines eingefetteten Backblechs verteilen und mit Olivenöl beträufeln. Paprika halbieren, Kerne und das Weiße entfernen. Mit Öl bepinseln und mit der Schnittseite nach unten auf die andere Hälfte des Backblechs legen. 15 Minuten backen, bis der Fenchel goldbraun ist, dabei einmal wenden. Fenchel vom Blech nehmen. Backofentemperatur auf 220 °C erhöhen und Paprika weitere 10 Minuten backen, bis die Oberseite schwarz ist und Blasen wirft. In einem Gefrierbeutel abkühlen lassen.

3 2 EL Olivenöl in einem kleinen Topf auf mittlerer Stufe erhitzen, Knoblauch zugeben und darin anbräunen. Tomaten, Zitronenschale und Thymian zufügen und 20–25 Minuten köcheln lassen, bis die Mischung eindickt. Thymian herausnehmen und mit Salz und Pfeffer nachwürzen.

4 Fenchel kleinschneiden. Paprika abziehen und in feine Streifen schneiden. Zur Tomatenmischung geben und mit Salz und Pfeffer abschmecken.

5 Einen großen Topf mit Salzwasser zum Kochen bringen. Einen Schuß Öl hineingeben und die Tagliatelle 2–3 Minuten *al dente* kochen. Gut abtropfen lassen, mit der Sauce vermengen und servieren.

Karottennudeln mit Paprika, Zuckererbsen und Parmesan

Die Kombination aus Nudeln in einer leichten Karottensauce mit Gemüse, schwarzen Oliven und ein wenig Parmesan ergibt ein köstliches, etwas ausgefalleneres Pastagericht.

Zubereitungszeit: **1 Stunde**
Back- und Garzeit: **30 Minuten**
Für 4 Personen

KAROTTENNUDELN
400 g Karotten, in Scheiben geschnitten
200 ml Wasser
250 g Mehl
1 TL Salz
3 TL Olivenöl
4 Eigelb, leicht verquirlt

etwas Öl
1 große rote Paprika
120 g Zuckererbsen
100 g gekühlte Butter, gewürfelt
1 große Prise Muskat, gemahlen
Salz und Pfeffer, nach Geschmack
1¹/₂ EL Basilikumblätter, zerkleinert
30 g schwarze Oliven, entkernt und halbiert
100 g Parmesan, frisch gerieben

1 Karotten mit dem Wasser in der Küchenmaschine oder im Mixer zu Saft verrühren. Ein Viertel des Saftes in einen Topf geben und auf mittlerer Stufe 10 Minuten köcheln lassen. Vom Herd nehmen und abkühlen lassen.

2 Die Pasta nach den Anweisungen auf S.692 zubereiten, dabei das Karottenpüree mit den Eiern zugeben. Nudelteig in vier Portionen mit der Nudelmaschine (feinste Einstellung) ausrollen. Anschließend mit der Maschine ca. 6 mm breite Bandnudeln (Tagliatelle) herstellen (s. S. 693).

3 Backofen auf 200 °C vorheizen. Paprika leicht einölen und im Backofen grillen, bis die Haut schwarz ist und Blasen wirft. In einem Gefrierbeutel abkühlen lassen. Paprika abziehen, halbieren, entkernen und in 5 mm breite Streifen schneiden. Beiseite stellen und warm halten.

4 Einen großen Topf mit Salzwasser zum Kochen bringen. Einen Schuß Öl hineingeben und die Nudeln 2–3 Minuten *al dente* kochen. Gut abtropfen lassen, kalt abspülen und erneut abtropfen lassen. Einen Topf ca. 5 mm hoch mit Öl füllen und die Nudeln kurz darin wenden. Herausnehmen und abgedeckt beiseite stellen.

5 Zuckererbsen in einen großen Topf mit Salzwasser geben, abtropfen lassen und warm halten. Beiseite gestellten Karottensaft zum Kochen bringen. Hitze herunterschalten, Butter einrühren, bis eine dicke Sauce entsteht und mit Muskat, Salz und Pfeffer abschmecken. Nudeln wieder in den Topf geben, erneut erhitzen, dann Zuckererbsen, Paprika, Basilikum, Oliven und die Hälfte des Parmesan zufügen. Mit dem restlichen Parmesan bestreut servieren.

Spaghetti »Diavolo«

Den Zusatz »Diavolo« erhalten italienische Gerichte mit einer »teuflischen« Würze aus Chilischoten und Knoblauch. Hier ein ebenso scharfes wie gutes und einfaches Beispiel.

Zubereitungszeit: **15 Minuten**
Garzeit: **15 Minuten**
Für 4 Personen

etwas Öl
500 g Spaghetti
250 ml Olivenöl
2 Knoblauchknollen, geschält und
in Scheiben geschnitten
¹/₂–I TL Chilipulver (je nach Geschmack auch weniger)
Salz und Pfeffer, nach Geschmack
frische glattblättrige Petersilie, gehackt, zum Garnieren
frisch gemahlener Parmesan, zum Garnieren

1 Einen großen Topf mit Salzwasser zum Kochen bringen. Einen Schuß Öl hineingeben und die Spaghetti gemäß den Angaben auf der Packung kochen.
2 Inzwischen das Öl auf mittlerer Stufe erhitzen. Knoblauch und Chilipulver zufügen und 10–15 Minuten köcheln lassen, bis der Knoblauch leicht gebräunt ist. Spaghetti abtropfen lassen und mit der heißen Sauce vermengen. Mit Salz und Pfeffer abschmecken.
3 Mit gehackter Petersilie und mit frisch geriebenem Parmesan bestreut servieren.

Tip Chilipulver mit Vorsicht verwenden. Wer scharfe Gerichte nicht gut verträgt, sollte sehr sparsam damit umgehen.

Linguine in Gorgonzola-Sauce

Statt des Gorgonzola läßt sich hier auch beliebig eine andere milde Blauschimmelkäsesorte verwenden.

Zubereitungszeit: **10 Minuten**
Garzeit: **15 Minuten**
Für 4–6 Personen

etwas Salz
etwas Öl
500 g Linguine (lange Bandnudeln)
300 ml Crème double, zimmerwarm
300 g Gorgonzola oder eine ähnliche
Blauschimmelkäsesorte, gewürfelt

1 Einen großen Topf mit Salzwasser zum Kochen bringen. Einen Schuß Öl hineingeben und die Linguine gemäß den Angaben auf der Packung kochen.
2 Inzwischen Crème double in einem Topf zum Kochen bringen. Vom Herd nehmen und Käse einrühren, bis die Sauce eindickt. Durch ein feines Sieb streichen.
3 Linguine abtropfen lassen und mit der heißen Sauce vermengen. Heiß servieren.

Safran-Nudeln mit Spinat und Ricotta

Die leuchtendgelbe Safranpasta ist ebenso rasch wie einfach zubereitet.
Mit der Spinat-Ricotta-Sauce eine besondere Köstlichkeit für Vegetarier.

Zubereitungszeit: **50 Minuten + 15 Minuten Einweichzeit**
Garzeit: **10 Minuten**
Für 4 Personen

PASTA
1 Messerspitze Safranfäden
3 TL heißes Wasser
300 g Mehl
1 TL Salz
2 TL Olivenöl
3 Eier, leicht verquirlt

125 ml Sahne
100 g Ricotta oder Frischkäse
75 g Butter
2 Knoblauchzehen, feingehackt
300 g Tiefkühlspinat, aufgetaut,
  abgetropft und feingehackt
etwas Salz und frisch gemahlener schwarzer Pfeffer
1 Prise Muskat, frisch gerieben
etwas Öl
Parmesan, frisch gerieben, zum Servieren

1 Für die Pasta den Safran 15 Minuten in dem heißen Wasser einweichen lassen. Dann den Anweisungen auf S. 62 folgen, dabei die Safranfäden und die Einweichflüssigkeit mit den Eiern zugeben. Nudelteig in vier Portionen mit der Nudelmaschine (feinste Einstellung) ausrollen. Mit der Maschine ca. 6 mm breite Bandnudeln (Tagliatelle) herstellen *(s. S. 693)*.

2 Sahne und Ricotta oder Frischkäse im Mixer oder in der Küchenmaschine verrühren. Butter in einer Pfanne auf mittlerer Stufe mit dem Knoblauch zerlassen. Gehackten Spinat zugeben und 2–3 Minuten sautieren. Vom Herd nehmen, leicht abkühlen lassen und Ricotta-Sahne-Mischung einrühren. Mit Salz, frisch gemahlenem schwarzem Pfeffer und gemahlenem Muskat abschmecken.

3 Einen großen Topf mit Salzwasser zum Kochen bringen. Einen Schuß Öl hineingeben und die Tagliatelle darin 2–3 Minuten *al dente* kochen. Gut abtropfen lassen.

4 Pasta wieder in den Topf geben, mit Spinat-Ricotta-Sauce vermengen und kurz erhitzen. Auf vier vorgewärmten Tellern mit einer Schüssel geriebenem Parmesan servieren.

Kräuter-Tagliatelle mit Champignons und Olivenöl

Hier werden für dieses Rezept Kräuter-Tagliatelle zubereitet. Sollte es Ihnen aber einmal an der nötigen Zeit fehlen, können Sie auch fertige Spinat-Tagliatelle aus dem Feinkostgeschäft verwenden.

*Zubereitungszeit: **30 Minuten***
*Garzeit: **15 Minuten***
Für 6 Personen

KRÄUTER-TAGLIATELLE
300 g Mehl
1 TL Salz
3 EL Olivenöl
3 Eier, leicht verquirlt
2 EL frische Kräuter (z. B. Estragon, Petersilie oder Basilikumblätter), feingehackt

20 g Butter
3 Schalotten, gehackt
400 g Champignons oder eine Mischung aus Wildpilzen und Champignons, in Scheiben geschnitten
1 EL Sherry oder Marsala
Salz und Pfeffer, nach Geschmack
100 ml Olivenöl und etwas Öl, zusätzlich
5 große Tomaten, abgezogen, entkernt und gehackt
30 g gemischte frische Kräuter, gehackt
Salz und frisch gemahlener schwarzer Pfeffer, nach Geschmack
2 EL zerkleinerte Basilikumblätter oder gehackter Oregano, zum Garnieren
Parmesan, gehobelt, zum Garnieren

1 Die Pasta nach den Anweisungen auf S. 692 zubereiten, dabei die gehackten Kräuter mit den Eiern zugeben. Nudelteig in vier Portionen mit der Nudelmaschine (feinste Einstellung) ausrollen. Anschließend mit der Maschine ca. 6 mm breite Bandnudeln (Tagliatelle) herstellen *(s. S. 693)*.

2 Butter in einer Pfanne auf mittlerer Stufe erhitzen, Schalotten zugeben und kurz darin dünsten. Auf höchste Stufe schalten, Champignons hineingeben und bräunen. 2–3 Minuten weiter garen. Sherry oder Marsala zugießen und 30 Sekunden köcheln lassen. Mit Salz und Pfeffer abschmecken und beiseite stellen.

3 Einen großen Topf mit Salzwasser zum Kochen bringen. Einen Schuß Öl hineingeben und Tagliatelle 2–3 Minuten *al dente* kochen. Gut abtropfen lassen und beiseite stellen.

4 Olivenöl in einem großen Topf auf mittlerer Stufe erhitzen und Champignonmischung, Kräuter-Tagliatelle, Tomaten sowie gemischte Kräuter zugeben. Mischung gut erhitzen und großzügig mit Salz und frisch gemahlenem schwarzem Pfeffer würzen. Mit zerkleinertem Basilikum oder gehacktem Oregano bestreuen und sofort mit gehobeltem Parmesan garniert servieren.

Spaghetti Puttanesca

Die beliebte italienische Sauce wird aus einer pikanten Kombination aus Knoblauch, Tomaten, Kapern, Oliven und Sardellen zubereitet.

Zubereitungszeit: **35 Minuten**
Garzeit: **50 Minuten**
Für 4 Personen

3 EL Olivenöl
4 Knoblauchzehen, gehackt
800 g Tomaten, abgezogen, entkernt und gehackt
1/4–1/2 TL Paprika, gemahlen
2 EL Kapern, abgetropft
125 g schwarze Oliven, entsteint
200 ml Hühnerbrühe oder Wasser
1 kleine Dose (à 40 g) Sardellenfilets, abgetropft und grobgehackt
2 EL frisches Basilikum, gehackt
2 EL frische Petersilie, gehackt
etwas Salz
etwas Öl
500 g Spaghetti

1 Öl auf unterer Stufe in einem mittelgroßen Topf erhitzen und Knoblauch darin 1 Minute dünsten. Tomaten, Paprikapulver, Kapern, Oliven und Brühe oder Wasser zugeben. Zum Kochen bringen und auf mittlerer Stufe abgedeckt 20 Minuten erhitzen. Deckel abnehmen und weitere 25 Minuten köcheln lassen. Wenn die Sauce fertig ist, Sardellen, Basilikum und Petersilie einrühren.

2 Einen großen Topf mit Salzwasser zum Kochen bringen. Einen Schuß Öl hineingeben und Spaghetti gemäß den Angaben auf der Packung kochen. Abtropfen lassen und mit der heißen Sauce sofort servieren.

Sizilianische Pasta

Thunfisch und Sardinen sind in Sizilien die verbreitetesten Fischsorten, daher der Name.

Zubereitungszeit: **30 Minuten**
Garzeit: **50 Minuten**
Für 6 Personen

125 ml Olivenöl
2 kleine Zwiebeln, feingehackt
700 g Tomaten, abgezogen, entkernt und gehackt
3 Knoblauchzehen, zerdrückt
1 Bouquet garni (s. Tip S. 409)
80 g schwarze Oliven, entkernt und gehackt
200 g Champignons, in Scheiben geschnitten
500 g frischer Thunfisch, in ca. 1 cm dicke Würfel geschnitten
Salz und Pfeffer, nach Geschmack
etwas Öl, zusätzlich
500 g Pappardelle (breite Bandnudeln)
2 EL frische Petersilie, gehackt
2 EL frisch geriebener Parmesan

1 Ein Drittel des Olivenöls in einer Pfanne erhitzen und die Zwiebeln darin dünsten. Tomaten, Knoblauch und Bouquet garni zugeben und 30–35 Minuten auf unterer Stufe köcheln lassen. Schwarze Oliven einrühren. Champignons in einem anderen Topf in einem Drittel des Olivenöls sautieren. Mit Salz und Pfeffer abschmecken und durch ein Sieb abtropfen lassen.

2 Restliches Öl auf höchster Stufe in einer Pfanne erhitzen, Thunfisch leicht salzen und pfeffern und anschließend im heißen Öl sautieren.

3 Einen großen Topf mit Salzwasser zum Kochen bringen. Einen Schuß Öl hineingeben und die Pappardelle gemäß den Angaben auf der Packung kochen. Abtropfen lassen und in eine große Schüssel geben. Tomatensauce, Thunfisch und Champignons zugeben und alles gut vermengen. Mit Petersilie und Parmesan bestreuen und sofort servieren.

Tagliatelle mit Wildpilzen

Zweifellos schmeckt dieses Gericht mit frisch hausgemachter Pasta am besten. Wenn es Ihnen einmal an Zeit fehlt, läßt es sich jedoch auch mit Fertig-Tagliatelle aus Hartweizenmehl zubereiten.

*Zubereitungszeit: **45 Minuten***
*Garzeit: **15 Minuten***
Für 4 Personen

PASTA
300 g Mehl
1 TL Salz
2 EL Olivenöl
3 Eier, leicht verquirlt

60 g Butter
200 g Wildpilze, z. B. Shiitake- oder Steinpilze, in Scheiben geschnitten
3 Schalotten, gehackt
Saft von 1/2 Zitrone
20 g frische Petersilie, gehackt
2 EL Sherry
Salz und Pfeffer, nach Geschmack
2 mittelgroße Porreestangen, in Scheiben geschnitten
100 ml kochendes Wasser
200 g gekühlte Butter, gewürfelt

1 Die Pasta nach den Anweisungen auf S. 692 zubereiten. Nudelteig in 4 Portionen mit der Nudelmaschine (feinste Einstellung) ausrollen und mit der Maschine zu 6 mm breiten Tagliatelle verarbeiten.

2 Butter in einer Pfanne erhitzen, Pilze zugeben und darin anbraten, bis sie sich zu bräunen beginnen. Schalotten zufügen und 2–3 Minuten dünsten. Zitronensaft, Petersilie und Sherry zugeben. Mit Salz und Pfeffer abschmecken und warm halten. Porree 2 Minuten in kochendem Salzwasser kochen, dann abtropfen lassen.

3 Einen kleinen Topf zur Hälfte mit Wasser füllen, zum Kochen bringen und vom Herd nehmen. Eine feuerfeste Schüssel über den Topf stellen und kochendes Wasser hineingießen. Butterwürfel portionsweise einrühren. Schüssel entfernen und Sauce 1 Minute verquirlen. Nach Geschmack mit Salz und Pfeffer würzen, Porree zugeben und warm halten.

4 Salzwasser zum Kochen bringen und Tagliatelle darin *al dente* kochen. Abtropfen lassen, auf Servierteller verteilen, Pilze darüber geben und mit Porree-Butter-Sauce übergießen.

Tip Wenn Sie die Tagliatelle von Hand schneiden, teilen Sie den Nudelteig nach dem Kneten und Kaltstellen in 4 Portionen auf, rollen jedes Stück so dünn wie möglich zu einem Rechteck aus und schneiden es mit einem scharfen Messer in Streifen. In einer Lage auf ein leicht bemehltes Geschirrtuch legen und bis zur weiteren Verwendung über einer Stuhllehne ausgebreitet trocknen lassen.

Prosciutto-Parmesan-Pasta

Das Gericht verbindet zwei der berühmtesten Zutaten der italienischen Küche:
den salzigen Prosciutto und den kräftig-würzigen Parmesan.
Zusätzliches Salz sollte nur sehr sparsam verwendet werden.

*Zubereitungszeit: **20 Minuten***
*Garzeit: **20 Minuten***
Für 4 Personen

3 EL Olivenöl
400 g Farfalle (Schleifennudeln)
1 große Zwiebel, in dünne Ringe
   geschnitten
200 g Champignons, in dünne Scheiben
   geschnitten
3 Zucchini, in Stäbchen geschnitten
1 große Knoblauchzehe, gehackt
150 g Prosciutto, in Streifen geschnitten
300 ml Crème frâiche
Salz und frisch gemahlener schwarzer Pfeffer,
   nach Geschmack
100 g Parmesan, gerieben
frische Basilikumblätter, zum Garnieren

1 Einen großen Topf zu zwei Dritteln mit Salzwasser füllen und zum Kochen bringen. Eine Prise Salz und 1 EL Olivenöl zugeben. Farfalle hineingeben, umrühren und gemäß den Angaben auf der Packung *al dente* kochen. Sofort in ein Abtropfsieb geben und unter laufendem kaltem Wasser abschrecken. Im Sieb beiseite stellen.

2 Restliches Olivenöl in einer Pfanne auf höchster Stufe erhitzen. Zwiebel, Champignons, Zucchini und Knoblauch hineingeben und ca. 2 Minuten anbraten, bis das Gemüse leicht gebräunt ist. Herunterschalten, Prosciuttostreifen zugeben und 2–3 Minuten köcheln lassen. Crème frâiche einrühren und die Mischung weitere 2 Minuten erhitzen. Geriebenen Parmesan zugeben und mit Salz und frisch gemahlenem schwarzem Pfeffer nach Geschmack verrühren.

3 Farfalle in den Topf geben, gut verrühren und kurz aufkochen lassen. Heiß mit frischen Basilikumblättern garniert servieren.

Pasta Marinara

*Für dieses Rezept eignen sich praktisch
alle Meeresfrüchte.*

Zubereitungszeit: **20 Minuten**
Garzeit: **1 Stunde 40 Minuten**
Für 4–6 Personen

2 frische Thymianzweige
2 frische Petersilienzweige
1 Lorbeerblatt
125 ml Olivenöl
1 große Zwiebel, feingehackt
125 ml Weißwein
**3 Dosen (à 425 g) abgezogene italienische Tomaten, in
   der Küchenmaschine püriert, mit Flüssigkeit**
5 Knoblauchzehen, feingehackt
8–10 kleine Miesmuscheln, gründlich gesäubert
250 g Kammuscheln, ohne Darm, gesäubert, getrocknet
500 g Kalmarmäntel, in Ringe geschnitten
500 g mittelgroße Garnelen, gekocht und ohne Schale
3 EL frische glattblättrige Petersilie, gehackt
etwas Öl
500 g Spaghetti
Salz und Pfeffer, nach Geschmack

1 Kräuter mit dem Lorbeerblatt zusammenbinden.
Zwei Drittel des Öls in einem Topf erhitzen und die
Zwiebel 5 Minuten dünsten. Weißwein zugeben und
köcheln lassen, bis die Menge deutlich reduziert ist. Mit
Tomaten, Knoblauch und Kräuterbündel 20 Minuten
abgedeckt köcheln lassen. Weitere 40 Minuten offen köcheln lassen. Miesmuscheln zugeben und 5 Minuten ziehen
lassen. Muscheln, die sich nicht geöffnet haben, wegwerfen.
2 Restliches Öl erhitzen. Kammuscheln und Kalmarmäntel 1 Minute anbraten. Mit den Garnelen zur Sauce
geben. Kräuter herausnehmen und Petersilie einrühren.
3 Einen Topf mit Salzwasser zum Kochen bringen.
Einen Schuß Öl hineingeben und Spaghetti gemäß den
Angaben auf der Packung kochen. Sauce mit Salz und
Pfeffer abschmecken und über die Spaghetti geben.

Linguine mit Venusmuscheln

Linguine (»kleine Zungen«) sind lange Bandnudeln. Hier werden sie mit frischen Venusmuscheln in einer sahnigen Weißwein-Petersilien-Sauce serviert. Ein etwas aufwendigeres Rezept, das die Mühe aber lohnt.

*Zubereitungszeit: **25 Minuten + 1 Stunde Einweichzeit***
*Garzeit: **50 Minuten***
Für 4–6 Personen

2 kg Venusmuscheln
100 g Butter
1 große Zwiebel, feingehackt
1 große Selleriestange, in dünne Scheiben geschnitten
2 frische Thymianzweige
1 Lorbeerblatt
8 frische Petersilienzweige
8 Knoblauchzehen, gehackt
100 g Champignons, in Scheiben geschnitten
750 ml trockener Weißwein
500 g Linguine (lange Bandnudeln)
etwas Öl
2 EL Mehl
400 ml Crème double
4 EL frische glattblättrige Petersilie, gehackt
Salz und Pfeffer, nach Geschmack

1 Venusmuscheln waschen und 1 Stunde in kaltem Wasser einweichen lassen, dabei das Wasser mehrmals wechseln. Inzwischen 80 g Butter in einem großen Topf zerlassen. Zwiebel zugeben und bei schwacher Hitze 5 Minuten dünsten. Sellerie, Thymian, Lorbeerblatt, Petersilienzweige, Knoblauch, Champignons und Wein zugeben. Zum Kochen bringen und 5 Minuten köcheln lassen. Abgetropfte Muscheln hineingeben und 5–8 Minuten (große Muscheln 15–20 Minuten) abgedeckt ziehen lassen, bis sie sich öffnen. Muscheln mit einem Schöpflöffel herausnehmen. Alle Muscheln, die sich nicht geöffnet haben, wegwerfen. Beiseite stellen und abkühlen lassen. Die Hälfte der Muscheln aus den Schalen lösen, unter kaltem Wasser abspülen, abtropfen lassen und grob hacken. Sauce weitere 10 Minuten kochen lassen, dann durch ein mit einem Preßtuch ausgelegtes Sieb streichen. 400 ml Flüssigkeit abmessen.

2 Einen großen Topf mit Salzwasser zum Kochen bringen. Einen Schuß Öl hineingeben und die Linguine gemäß den Angaben auf der Packung kochen. Gut abtropfen lassen, mit etwas Öl verrühren und warm halten.

3 Restliche Butter auf mittlerer Stufe in einem Topf zerlassen. Mehl einrühren und 2 Minuten köcheln lassen. Vom Herd nehmen und die abgenommene Kochflüssigkeit langsam zugeben. Auf untere Stufe herunterschalten und die Mischung 5 Minuten köcheln lassen. Crème double unterrühren und weitere 5 Minuten ziehen lassen. Alles mit den gehackten Muscheln, der Petersilie und etwas Salz und Pfeffer zur Sauce geben. 30 Sekunden aufkochen lassen und mit den Linguine servieren.

Riesenmuschelnudeln mit Ricotta-Füllung

Die lange Backzeit dieses Gerichts sollte Sie nicht abschrecken: Die Tomatensauce
und die gefüllten Riesenmuschelnudeln garen im Backofen,
ohne Ihre Aufmerksamkeit zu beanspruchen.

Zubereitungszeit: **1 Stunde**
Back- und Garzeit: **2 Stunden 30 Minuten**
Für 4 Personen

40 g Butter
60 g Schinkenspeck, in Scheiben geschnitten
I kleine Zwiebel, gehackt
I kleine Karotte, gehackt
2 EL Tomatenmark
I EL Mehl
500 g Tomaten, abgezogen, entkernt und gehackt
I Bouquet garni (s. Tip)
4 Knoblauchzehen, gehackt
500 ml Hühnerbrühe oder Wasser
etwas Öl
32–40 Riesenmuschelnudeln
etwas Olivenöl, zum Beträufeln
500 g Ricotta
25 g Parmesan, frisch gerieben
2 Eier
I EL frische Petersilie, gehackt
I EL frisches Basilikum, gehackt
¹/4 TL Muskat, gemahlen
etwas Salz und Pfeffer
250 g frischer Mozzarella, in Scheiben geschnitten
   oder gerieben

1 Backofen auf 180 °C vorheizen. Für die Tomatensauce die Butter bei mittlerer Hitze in einem großen feuerfesten Topf bei aufgelegtem Deckel zerlassen. Schinkenspeck zugeben und goldbraun braten. Zwiebel und Karotte zugeben und 3 Minuten köcheln lassen. Tomatenmark einrühren und weitere 2 Minuten köcheln lassen. Mit dem Mehl bestreuen und 5 Minuten backen. Aus dem Ofen nehmen und gut verrühren, bis das Mehl bindet. Tomaten, Bouquet garni und Knoblauch zufügen. Unter Rühren 5 Minuten kochen lassen. Hühnerbrühe oder Wasser zugießen, erneut zum Kochen bringen und 2 Minuten unter Rühren köcheln lassen. Abgedeckt 1 Stunde backen.

2 Einen großen Topf mit Salzwasser zum Kochen bringen. Einen Schuß Öl hineingeben und die Riesenmuschelnudeln gemäß den Angaben auf der Packung kochen. Abtropfen lassen und mit ein wenig Olivenöl beträufeln. Auf einem sauberen, angefeuchteten Geschirrtuch ausbreiten.

3 Eine große feuerfeste Auflaufform leicht einfetten. Ricotta, Parmesan, Eier, Kräuter und Muskat in einer Schüssel vermengen und mit Salz und Pfeffer abschmecken. Mischung in einen Spritzbeutel mit Lochtülle geben, Muschelnudeln damit füllen und in einer Schicht in der vorbereiteten Auflaufform verteilen.

4 Tomatensauce durch ein Sieb streichen. Reste wegwerfen. Sauce wieder zum Kochen bringen und, falls nötig, abschöpfen. 20 Minuten köcheln lassen, bis die Sauce eindickt. Über die gefüllten Nudeln geben und 30–40 Minuten backen, bis der Käse geschmolzen und gebräunt ist.

Tip Für das Bouquet garni ein Lorbeerblatt, einige Sellerieblätter und Petersilienzweige in das Grün einer Porreestange einwickeln und mit Garn zusammenbinden. An einem langen Faden in den Topf hängen.

Römische Gnocchi

Die beliebten italienischen Gnocchi lassen sich aus Kartoffel- oder Kürbismehl oder auch aus Grieß zubereiten. Gnocchi werden oft als Vorspeise serviert, ergeben aber z. B. mit Salat auch eine leckere Hauptmahlzeit.

Zubereitungszeit: 35 Minuten + 30 Minuten Kühlzeit
Back- und Garzeit: 2 Stunden 20 Minuten
Für 4 Personen, als Vorspeise

40 g Butter
60 g Schinkenspeck, gewürfelt
1 kleine Zwiebel, gehackt
1 kleine Karotte, gehackt
2 EL Tomatenmark
1 EL Mehl
500 g Tomaten, abgezogen, entkernt und gehackt
1 Bouquet garni
4 Knoblauchzehen, gehackt
500 ml Hühnerbrühe oder Wasser
Salz und Pfeffer, nach Geschmack

GNOCCHI
500 ml Milch
60 g Butter
150 g Hartweizengrieß
30 g Mehl
2 EL Crème double
1 Ei
2 Eigelb
4 EL Parmesan, frisch gerieben
80 g Butter, zerlassen

1 Backofen auf 180 °C vorheizen. Butter in einem Topf zerlassen und den Schinkenspeck darin auf mittlerer Stufe goldbraun braten. Zwiebel und Karotte zugeben und 3 Minuten köcheln lassen. Tomatenmark einrühren und weitere 2 Minuten köcheln lassen. Mit dem Mehl bestäuben, alles in eine Auflaufform geben und 5 Minuten backen. Herausnehmen und verrühren, bis das Mehl bindet. Tomaten, Bouquet garni und Knoblauch zufügen, zurück in den Topf geben und 5 Minuten unter Rühren aufkochen lassen. Brühe einrühren und 2 Minuten köcheln lassen. Abgedeckt 1 Stunde backen. In einen Topf abgießen und die Reste wegwerfen. Sauce aufkochen lassen und abschöpfen. Herunterschalten und 20 Minuten köcheln lassen. Salzen und pfeffern.

2 Für die Gnocchi Milch und Butter in einem großen Topf zum Kochen bringen, Mehl und Grieß zugeben und auf unterer Stufe verrühren. 5 Minuten weiter rühren, vom Herd nehmen. Crème double, Ei, Eigelbe und die Hälfte des Parmesan zugeben und glattrühren. Nach Geschmack salzen und pfeffern und 1 cm dick auf einem mit Backpapier ausgelegten Backblech verstreichen. 30 Minuten abkühlen lassen und mit einem angefeuchteten scharfen Messer Kreise von ca. 4 cm Ø ausschneiden. In eine Auflaufform füllen. Mit zerlassener Butter beträufeln und mit restlichem Parmesan bestreuen. 20 Minuten backen und mit Tomatensauce servieren.

Tortellini in Champignon-Sahne-Sauce

Frische Tortellini mit Fleisch-, Käse- oder Gemüsefüllung sind mittlerweile in den meisten Supermärkten erhältlich. So zaubern Sie dieses leckere Gericht in nur wenigen Minuten.

Zubereitungszeit: **15 Minuten**
Garzeit: **35 Minuten**
Für 4 Personen

40 g Butter
2 Schalotten, in dünne Ringe geschnitten
etwas Salz
500 g Champignons,
  in dünne Scheiben geschnitten
1 EL Zitronensaft
2 EL Portwein
500 ml Crème double
Salz und frisch gemahlener schwarzer Pfeffer,
  nach Geschmack
etwas Öl
500 g frische Tortellini

1 Die Butter bei schwacher Hitze in einer Pfanne zerlassen und die Schalotten mit einer Prise Salz 3–5 Minuten andünsten. Die Schalotten sollten sich nicht verfärben. Champignons im Zitronensaft wälzen, mit einer weiteren Prise Salz in die Pfanne geben und bei mittlerer Hitze 10–15 Minuten braten, bis die Champignons trocken sind und sämtliche Flüssigkeit verdampft ist. Portwein zugeben und 2–3 Minuten weiter braten, dabei darauf achten, daß die Mischung nicht anbrennt. Crème double einrühren und 5–10 Minuten köcheln lassen, bis die Sauce eindickt. Mit Salz und frisch gemahlenem schwarzem Pfeffer abschmecken.

2 Inzwischen Salzwasser in einem großen Topf zum Kochen bringen. Einen Schuß Öl zugeben und Tortellini gemäß den Angaben auf der Packung kochen. Gut abtropfen lassen und auf 4 vorgewärmte Teller verteilen. Sauce darüber geben und mit frisch gemahlenem schwarzem Pfeffer bestreut servieren.

Tip Soll die Pilzsauce etwas kräftiger werden, geben Sie einige eingeweichte Trockenpilze hinzu, z. B. Porcini- oder Shiitake-Pilze.

Champignon-Ravioli in Rosmarin-Knoblauch-Creme

*Ideal als Vorspeise oder leichte Mittagsmahlzeit. Die Sahnesauce ergänzt die Ravioli
mit der würzigen Champignon-Füllung perfekt.*

Zubereitungszeit: 1 Stunde + 20 Minuten Kühlzeit
Garzeit: 45 Minuten
Für 4 Personen, als Vorspeise

PASTA
100 g Mehl
1 Prise Salz
1 TL Öl
1 Ei, leicht verquirlt

CHAMPIGNON-FÜLLUNG
etwas Olivenöl
2 Schalotten, feingehackt
150 g Champignons, gehackt
1 Prise Salz
Salz und Pfeffer, nach Geschmack
2 EL Semmelbrösel
je 10 g frischer Kerbel, Thymian, glattblättrige
   Petersilie und Basilikum, gehackt
etwas Olivenöl, zusätzlich

500 ml Hühnerbrühe
8 Knoblauchzehen, grobgehackt
1 großer frischer Rosmarinzweig, in Stücke geschnitten
500 ml Crème double

1 Ei, verquirlt, zum Bestreichen
Parmesan, gehobelt, zum Garnieren

1 Pasta nach den Anweisungen auf S. 692 zubereiten. Teig in 2 Portionen mit der Nudelmaschine ausrollen.

2 Für die Füllung Öl auf mittlerer Stufe erhitzen und die Schalotten darin 3 Minuten dünsten. Champignons und Salz zugeben. Unter Rühren 10 Minuten köcheln lassen, bis die Champignons trocken sind. Mit Salz und Pfeffer abschmecken und mit Semmelbröseln, Kräutern und etwas Olivenöl verrühren. Beiseite stellen.

3 Für die Sauce die Hühnerbrühe und den Knoblauch auf höchster Stufe 20 Minuten einkochen lassen. Vom Herd nehmen, Rosmarin zugeben und ca. 20 Minuten abkühlen lassen. Rosmarin herausnehmen, Sauce in den Mixer oder die Küchenmaschine geben und glattrühren. Durch ein Sieb in einen kleinen Topf streichen, Crème double zufügen und 5 Minuten köcheln lassen. Mit Salz und Pfeffer abschmecken und warm halten.

4 Auf einem Nudelteigstreifen mit einem runden Förmchen Kreise von 4 cm Ø markieren. Auf jeden Kreis ein wenig Füllung geben und den Teig an den Rändern mit Ei bestreichen. Das zweite Stück Nudelteig darüber legen, fest über jedem Käsestück andrücken und versiegeln. Ravioli mit einem Teigrädchen oder Keksförmchen an den Markierungen ausschneiden.

5 Einen großen Topf mit Salzwasser zum Kochen bringen und die Ravioli darin 2–3 Minuten *al dente* kochen. Abgießen, mit gehobelten Parmesanspänen garnieren und heiß mit der Sauce servieren.

Ravioli mit Ziegenkäse und Fenchelpüree

*Für dieses raffinierte Gourmet-Gericht sind ein wenig Mühe
und Geduld erforderlich.*

Zubereitungszeit: 1 Stunde + 15 Minuten Gefrierzeit
Garzeit: 1 Stunde
Für 4 Personen

PASTA
100 g Mehl
1 Prise Salz
2 TL Olivenöl
1 Ei, leicht verquirlt
200 g Ziegenkäse, in 18–20 Scheiben geschnitten
1 Ei, leicht verquirlt
etwas Öl

FENCHELPÜREE
375 g Fenchel, in Scheiben geschnitten
1 Schalotte, in Ringe geschnitten
225 ml Hühnerbrühe
1 frischer Thymianzweig
1 Lorbeerblatt

TOMATENSAUCE
etwas Öl
1 Schalotte, feingehackt
2 Knoblauchzehen, feingehackt
4 Tomaten, abgezogen, entkernt und geviertelt
1 frischer Thymianzweig
1 Prise Zucker
Salz und Pfeffer, nach Geschmack

BUTTERSAUCE
1 EL Butter
1 Schalotte, gehackt
4 EL Weißwein
1 frischer Thymianzweig
1/2 Lorbeerblatt
2 1/2 EL Sahne
125 g Butter, gekühlt und gewürfelt
1 TL Zitronensaft

1 Die Pasta nach den Anweisungen auf S. 692 zubereiten. Den Nudelteig in 2 Portionen in der Nudelmaschine (feinste Einstellung) ausrollen, so daß zwei mindestens 16 cm breite Stücke entstehen.

2 Ziegenkäse auf eine Teigplatte geben, dabei sowohl zwischen den einzelnen Scheiben als auch zum Teigrand hin 4 cm Abstand lassen. Pasta um den Käse herum mit Ei bestreichen. Das zweite Stück Nudelteig darüber legen und fest über jedem Käsestück andrücken. Mit einem Teigrädchen 6–8 cm große Ravioli ausschneiden. Nebeneinander zwischen zwei Blätter Backpapier legen und 15 Minuten tiefgefrieren *(s. S. 693)*.

3 Für das Fenchelpüree den Fenchel mit der Schalotte in einigen EL Hühnerbrühe abgedeckt 10 Minuten kochen lassen. Kräuter und restliche Brühe zugeben, abdecken und 15 Minuten köcheln lassen. Überschüssige Flüssigkeit abgießen, Kräuter wegwerfen und Fenchel und Schalotte in der Küchenmaschine pürieren.

4 Für die Tomatensauce das Öl in einem Topf erhitzen, alle Zutaten zugeben und mit Salz und Pfeffer abschmecken. Unter gelegentlichem Rühren 10 Minuten kochen lassen, bis die Sauce eindickt.

5 Für die Buttersauce Butter in einem Topf erhitzen, Schalotte zugeben und 3 Minuten darin dünsten. Wein und Kräuter hineingeben und 5 Minuten köcheln lassen, bis sich die Flüssigkeit um die Hälfte reduziert hat. Sahne zugießen, auf mittlerer Stufe zum Sieden bringen und auf untere Stufe herunterschalten. Butter langsam einrühren, ohne daß die Sauce zu kochen beginnt. Zitronensaft einrühren, abdecken und warm stellen.

6 Einen großen Topf mit Salzwasser zum Kochen bringen. Einen Schuß Öl hineingeben und die Ravioli 3–4 Minuten *al dente* kochen. Gut abtropfen lassen. Vor dem Servieren das Fenchelpüree in eßlöffelgroßen Portionen auf 4 Servierteller verteilen, einige Ravioli darauf geben, mit Buttersauce übergießen und ein wenig Tomatensauce um den Rand herum arrangieren.

Kürbis-Ravioli mit Kräuterbutter

*Für selbstgemachte Ravioli muß der Nudelteig so dünn wie möglich ausgerollt werden,
ohne daß er bei der weiteren Verarbeitung reißt.*

Zubereitungszeit: 1 Stunde 30 Minuten
Back- und Garzeit: 1 Stunde 20 Minuten
Für 6–8 Personen

400 g Kürbis
1¹/₂ EL Olivenöl
75 g Parmaschinken, feingehackt
50 g Parmesan, frisch gerieben
2 EL frisches Basilikum, gehackt
3 EL frischer Salbei, gehackt
1 Eigelb
1¹/₂ EL Crème double
1 Prise Muskat
Salz und Pfeffer, nach Geschmack
etwas Öl

PASTA
400 g Mehl
1 TL Salz
2 EL Olivenöl
4 Eier, leicht verquirlt

KRÄUTERBUTTER
160 g Butter oder Olivenöl
6 Knoblauchzehen, halbiert
30 g frisches Basilikum

1 Backofen auf 190 °C vorheizen. Kürbis auf ein leicht eingefettetes Backblech legen und mit Olivenöl bestreichen. Ca. 1 Stunde backen, bis der Kürbis auf Druck leicht nachgibt. Beiseite stellen.

2 Die Pasta nach den Anweisungen auf S. 692 zubereiten. Nudelteig in 4 Portionen in der Nudelmaschine (feinste Einstellung) ausrollen. Die Nudelteigplatten sollten mindestens 16 cm breit sein. In Querrichtung in 12 cm breite Streifen schneiden.

3 Wenn der Kürbis abgekühlt ist, Fruchtfleisch auskratzen und in einer Schüssel zerdrücken. Parmaschinken, Parmesan, Basilikum, Salbei, Eigelb und Crème double einrühren. Mit Muskat, Salz und Pfeffer abschmecken.

4 Kürbismischung teelöffelweise mit 6 cm Abstand auf die Pastastreifen setzen. Um die Kürbishäufchen herum leicht mit Wasser befeuchten. Eine zweite Pastaschicht darüber legen und um den Kürbis herum fest andrücken. Mit einem Keksförmchen oder Teigrädchen 6 cm große Ravioli ausschneiden. Nebeneinander zwischen Backpapierblätter legen und bis zur weiteren Verwendung kalt stellen *(s. S. 693)*.

5 Einen großen Topf mit Salzwasser zum Kochen bringen. Einen Schuß Öl hineingeben und die Ravioli portionsweise 5–6 Minuten *al dente* kochen. Gut abtropfen lassen.

6 Für die Kräuterbutter das Fett auf mittlerer Stufe zerlassen, dann den Knoblauch zugeben und einige Minuten ziehen lassen. Je länger der Knoblauch in der Pfanne bleibt, desto intensiver schmeckt die Sauce danach. Achten Sie aber darauf, daß die Zehen nicht braun werden. Topf vom Herd nehmen und den Knoblauch mit einem Schöpflöffel herausnehmen. Basilikum zerkleinern und in die Sauce einstreuen.

7 Ravioli mit der Kräuterbutter vermengen, erneut erhitzen und auf vorgewärmten Tellern servieren.

Tip Als besondere Garnierung können Sie einige Kürbiskerne goldbraun rösten, leicht salzen und um die Ravioli herum arrangieren.

Cannelloni

Diese großen Röhrennudeln mit saftiger Fleischfüllung werden mit einer Käse-Sahne-Sauce goldbraun überbacken. Mit grünem Salat serviert, sind sie eine köstliche Mahlzeit.

Zubereitungszeit: **50 Minuten**
Back- und Garzeit: **55 Minuten**
Für 4 Personen

30 g Semmelbrösel
1 EL Milch
20 g Butter
1 Zwiebel, feingehackt
100 g Schweinefilet oder
  magere Schweineschulter
160 g Hähnchenbrustfilet
4 EL Sahne
3 EL frische Petersilie, gehackt
30 g Parmesan, frisch gerieben
1 Eiweiß, leicht verquirlt
30 g Prosciutto, gewürfelt
Salz und Pfeffer, nach Geschmack
Oregano, gehackt, nach Geschmack
12 Cannelloni (große Röhrennudeln)

SAUCE
60 g Butter
40 g Mehl
500 ml Milch

70 g Gruyère, gerieben

1 Backofen auf 180 °C vorheizen. Semmelbrösel in der Milch einweichen. Butter in einer kleinen Pfanne erhitzen, Zwiebel zugeben und darin glasig dünsten. Schweine- und Hähnchenfleisch im Mixer oder mit dem Fleischwolf zerkleinern und in eine Schüssel geben. Eingeweichte Semmelbrösel, Sahne, Petersilie, Parmesan und so viel Eiweiß zufügen, daß die Mischung bindet. Prosciutto und gedünstete Zwiebel zugeben. Nach Geschmack mit Salz, Pfeffer und Oregano würzen.

2 Die Fleischmischung in einen Spritzbeutel mit großer Lochtülle geben. Cannelloni damit füllen.

3 Für die Sauce 40 g Butter auf mittlerer Stufe in einem Topf zerlassen. Mehl zugeben und 3 Minuten verrühren. Vom Herd nehmen und Milch langsam zugießen. Erneut erhitzen und unter Rühren kochen lassen, bis die Mischung eindickt. Käse einrühren, bis er schmilzt, dann die restliche Butter zugeben. Den Boden einer hohen Auflaufform (ca. 20 x 30 cm) mit einer dünnen Schicht Sauce bedecken und gefüllte Cannelloni darauf geben. Restliche Sauce darüber verteilen und 25 Minuten abgedeckt backen. Deckel abnehmen und weitere 15–20 Minuten backen.

Tip Statt das Fleisch selbst zu zerkleinern, können Sie auch fertig vorbereitetes Schweinehack verwenden.

Spinat-Cannelloni

Cannelloni lassen sich mit Fleisch-, Käse- oder Gemüsefüllung verfeinern.
Hier werden sie mit Spinat gefüllt und mit Sahnesauce goldbraun überbacken.

Zubereitungszeit: **1 Stunde + 20 Minuten Kühlzeit**
Back- und Garzeit: **55 Minuten**
Für 8–10 Personen

PASTA
200 g Mehl
¹/₂ TL Salz
1 EL Olivenöl
2 Eier, leicht verquirlt

1 kleine Zwiebel, gespickt mit 1 Nelke
1 l Milch
1 Lorbeerblatt
100 g Butter
50 g Mehl
1 TL Senfpulver
Salz und Pfeffer, nach Geschmack
1 Knoblauchzehe, feingehackt
1 kg Spinat, grobgehackt
1 Prise Muskat, gerieben
2 Eigelb
30 g Parmesan, gerieben
30 g Semmelbrösel

1 Die Pasta nach den Anweisungen auf S. 692 zubereiten. Nudelteig in 2 Portionen mit der Nudelmaschine ausrollen. Nudelteig dünn auf einer leicht bemehlten Arbeitsfläche ausrollen und in 16 Stücke (ca. 10 x 8 cm) schneiden. Portionsweise 1 Minute in kochendem Salzwasser einweichen. Mit einem Schöpflöffel herausnehmen und mit kaltem Wasser abschrecken. Die Teigplatten auf einem sauberen Geschirrtuch trocknen lassen.

2 Zwiebel mit Milch und Lorbeerblatt in einen Topf geben und langsam bis fast an den Siedepunkt erhitzen. Vom Herd nehmen, abgießen und beiseite stellen. 50 g Butter in einem Topf erhitzen, vom Herd nehmen und Mehl einrühren. 1–2 Minuten auf mittlerer Stufe köcheln lassen, dann vom Herd nehmen und Senfpulver sowie Salz und Pfeffer nach Geschmack einrühren. Langsam heiße Milch einrühren, bis eine glatte Mischung entsteht. Unter Rühren 10 Minuten bei mittlerer Hitze köcheln lassen, bis die Sauce eindickt. Vom Herd nehmen. Einen Bogen eingefettetes Pergamentpapier auf die Oberfläche legen, damit sich keine Haut bildet, abdecken und beiseite stellen. Den Backofen auf 190 °C vorheizen.

3 Restliche Butter bei mittlerer Hitze zerlassen und Knoblauch darin glasig dünsten. Spinat zugeben und abgedeckt köcheln lassen, bis er leicht zusammenfällt. Mit Salz, Pfeffer und Muskat abschmecken. Abgießen, wieder in den Topf geben und Eigelbe, die Hälfte des Parmesans und so viel weiße Sauce zugeben, daß alles gut bindet.

4 Nudelteigplatten auf eine Arbeitsfläche legen. Die Füllung auf die Mitte jeder Teigplatte geben und aufrollen. In eine eingefettete Auflaufform geben und mit der restlichen weißen Sauce übergießen. Restlichen Parmesan mit Semmelbröseln mischen und die Cannelloni damit bestreuen. Anschließend 20–25 Minuten goldbraun backen.

Klassische Lasagne

Natürlich kann dieser Klassiker unter den italienischen Gerichten mit fertigen Lasagneblättern zubereitet werden, doch das besondere Geschmackserlebnis hausgemachter Pasta lohnt die Mühe ganz gewiß.

*Zubereitungszeit: **1 Stunde + 20 Minuten Ruhezeit***
*Back- und Garzeit: **2 Stunden 15 Minuten***
Für 10–12 Personen

etwas Olivenöl
1 kg Rinderhack
1 große Zwiebel, feingehackt
3 EL Tomatenmark
125 ml Rotwein
8 Knoblauchzehen, feingehackt
4 Dosen (à 425 g) italienische Tomaten, abgezogen, in der Küchenmaschine püriert, mit Flüssigkeit
4 frische Thymianzweige
1 Lorbeerblatt
etwas Öl, zusätzlich
650 g Ricotta
100 ml Crème double
4 Eier
Salz und Pfeffer, nach Geschmack
400 g Mozzarella, in dünne Scheiben geschnitten
50 g Parmesan, frisch gerieben

PASTA
400 g Mehl
1 TL Salz
2 EL ml Olivenöl
4 Eier, leicht verquirlt

1 2 EL Olivenöl in einer Pfanne erhitzen, Hackfleisch zugeben und ca. 10 Minuten bräunen. Fett abgießen und das Fleisch beiseite stellen. Herunterschalten, etwas Öl zugeben und die Zwiebel 5 Minuten darin dünsten. Tomatenmark zugeben und 1–2 Minuten erhitzen, dann Wein, Knoblauch, Tomaten, Kräuter und Hackfleisch zugeben und ca. 1 Stunde köcheln lassen.

2 Pasta nach den Anweisungen auf S. 692 zubereiten. Nudelteig in 4 Portionen in der Nudelmaschine 1–2 mm dick ausrollen. In 4 Rechtecke (10 x 12 cm) schneiden.

3 Einen großen Topf mit Salzwasser zum Kochen bringen. Einen Schuß Öl hineingeben und die Lasagneblätter portionsweise 2–3 Minuten *al dente* kochen. In eine Schüssel mit kaltem Wasser legen, abtropfen lassen und zwischen saubere Geschirrtücher schichten.

4 Ricotta in einem Küchensieb abtropfen lassen, dann mit Crème double und Eiern in einer Schüssel vermischen. Mit Salz und Pfeffer abschmecken und abgedeckt beiseite stellen. Backofen auf 190 °C vorheizen.

5 200 g Hackfleischmischung in eine große Auflaufform (3½ Liter Fassungsvermögen) geben. Ein Lasagneblatt darüber legen, dann ein Drittel der Ricotta-Mischung darauf verstreichen. Vorgang zweimal wiederholen und mit einer Lage Fleisch abschließen. Den Parmesan darüber verteilen. 45 Minuten goldbraun backen. 20 Minuten ruhen lassen.

Gemüse-Lasagne

Versuchen Sie einmal als Alternative diese vegetarische Lasagne mit knusprigem Gemüse,
Käsesauce und einem Hauch Muskat.

Zubereitungszeit: *1 Stunde + 30 Minuten Ruhezeit*
Back- und Garzeit: *1 Stunde 30 Minuten*
Für 6 Personen

PASTA
300 g Mehl
I TL Salz
I¹/₂ EL Olivenöl
3 Eier, leicht verquirlt
etwas Öl

KÄSESAUCE
25 g Butter
25 g Mehl
500 ml Milch
Salz und Pfeffer, nach Geschmack
¹/₄ TL Muskat, gemahlen
75 ml Sahne
100 g Gruyère, gerieben

TOMATENSAUCE
25 g Butter
I kleine Zwiebel, in Scheiben geschnitten
4 reife Tomaten, abgezogen, entkernt und gehackt
I frischer Thymianzweig
I Lorbeerblatt
Salz und Pfeffer, nach Geschmack
200 g Karotten, gewürfelt
250 g kleine Brokkoli-Röschen
¹/₂ Blumenkohl, in Röschen geschnitten
80 g Gruyère, gerieben

1 Die Pasta nach den Anweisungen auf S. 692 zubereiten. Nudelteig in vier Portionen mit der Nudelmaschine 1–2 mm dick ausrollen. Mit einem scharfen Messer in ca. 8 x 15 mm große Stücke schneiden.

2 Einen großen Topf mit Salzwasser zum Kochen bringen. Einen Schuß Öl hineingeben und die Lasagne portionsweise 2–3 Minuten *al dente* kochen. Pasta in eine Schüssel mit kaltem Wasser legen, gut abtropfen lassen und zwischen sauberen Geschirrtüchern übereinander schichten.

3 Für die Käsesauce die Butter in der Pfanne zerlassen, Mehl mit einem Holzlöffel unterrühren und unter ständigem Rühren 3 Minuten kochen lassen. Vom Herd nehmen und langsam die kalte Milch einrühren. Mit Salz und Pfeffer abschmecken und Muskat zugeben. Unter ständigem Rühren langsam wieder zum Kochen bringen. Hitze herunterschalten und unter Rühren ca. 7 Minuten eindicken lassen. Sahne und Käse einrühren. Vom Herd nehmen und die Oberfläche mit eingefettetem Pergamentpapier abdecken.

4 Für die Tomatensauce Butter in einer Pfanne erhitzen und die Zwiebel darin kurz andünsten. Tomaten, Thymian und Lorbeerblatt zufügen. 15 Minuten köcheln lassen. Lorbeerblatt und Thymian wegwerfen und mit Salz und Pfeffer abschmecken.

5 Einen großen Topf mit Salzwasser zum Kochen bringen. Karotten zugeben, Hitze herunterschalten und 4 Minuten köcheln lassen. Brokkoli und Blumenkohl hineingeben und weitere 3 Minuten köcheln lassen. Gemüse abtropfen und in kaltem Wasser abkühlen lassen. Abtropfen lassen und beiseite stellen.

6 Backofen auf 190 °C vorheizen. Käse- und Tomatensauce mischen und 15 Minuten auf unterer Stufe köcheln lassen. Gemüse zur Sauce geben und mit Salz und Pfeffer abschmecken. Eine feuerfeste Auflaufform (Fassungsvermögen 2–2¹/₂ Liter) einfetten und Pasta und Gemüse in abwechselnden Schichten hineingeben, dabei mit einer Pastaschicht abschließen Käse darüber streuen und 35 Minuten backen.

Gebackenes Pilzrisotto

Traditionell wird ein Risotto auf der Herdplatte unter ständigem Rühren zubereitet. Die gebackene Variante ist weniger aufwendig und bewahrt doch den typischen Geschmack dieses Klassikers.

*Vorbereitungszeit: **15 Minuten + 2 Stunden Einweichzeit***
*Zubereitungszeit: **1 Stunde***
Für 6 Personen

15 g getrocknete Morcheln oder andere Trockenpilze
875 ml Hühner- (s. S. 684) oder Gemüsebrühe
60 g Butter
1 Zwiebel, feingehackt
1 Knoblauchzehe, feingehackt
200 g Steinpilze, in dicke Scheiben geschnitten
220 g Arborio-Reis (italienischer Langkornreis)
4 EL trockener Sherry
Salz und Pfeffer
1 Zweig frischer Rosmarin
2–3 TL Parmesan, feingerieben
Salz und frisch gemahlener schwarzer Pfeffer
2 TL Parmesan, grobgerieben

1 Die getrockneten Pilze in eine tiefe Schüssel geben und die kochende Brühe darüber gießen. 2 Stunden einweichen lassen, dann durch ein feines Sieb geben, die Flüssigkeit aufbewahren. Die Pilze fein hacken. Den Ofen auf 150 °C (Gasherd: Stufe 1–2) vorheizen. Eine 6 cm tiefe, feuerfeste Auflaufform (1,75 l Fassungsvermögen) im Ofen vorwärmen.

2 Die Butter in einem Topf zerlassen, Zwiebel und Knoblauch zugeben und 7 Minuten leicht andünsten. Die getrockneten Pilze zusammen mit den frischen Pilzen einrühren. Weitere 15 Minuten sanft kochen lassen. Reis zugeben und 1 Minute rühren. Die zurückbehaltene Einweichflüssigkeit zufügen, dabei eventuell vorhandenen Bodensatz in der Schüssel lassen. Den Sherry einrühren, mit Salz und Pfeffer würzen und den Rosmarinzweig zugeben. Die Temperatur erhöhen und, sobald Blasen an die Oberfläche steigen, das Risotto in die vorgewärmte Auflaufform geben. Auf mittlerer Schiene ungefähr 15 Minuten backen. Dann den feingeriebenen Parmesan einrühren und weitere 20 Minuten backen.

3 Das Risotto aus dem Ofen nehmen und sofort umrühren. Den Rosmarinzweig entfernen, nach Geschmack mit Salz und frisch gemahlenem Pfeffer würzen. Den grobgeriebenen Parmesan über das Risotto streuen und sofort servieren.

Paella

*Der Name dieses klassischen spanischen Gerichts, das eine Vielzahl erlesener
Zutaten vereint, stammt von der großen Pfanne, in der die Paella
traditionell zubereitet und serviert wird.*

*Vorbereitungszeit: **30 Minuten***
*Zubereitungszeit: **1 Stunde***
Für 4–6 Personen

3 EL Olivenöl
**4 kleine Hähnchenschenkelfilets, gehäutet, jeweils in
    zwei lange Stücke geschnitten**
1 große Zwiebel, in Ringe geschnitten
300 g Langkorn-Reis
**3 geschälte Tomaten, entkernt und grobgehackt oder
    250 g Dosentomaten, zerkleinert und abgetropft**
2 Knoblauchzehen, gepreßt
**550 ml Hühnerbrühe (s. S. 684) oder
    Gemüsebrühe**
300 g Miesmuscheln, geputzt
8 rohe Riesengarnelen, mit Panzer
**150 g Lachs, Kabeljau oder Schellfisch, in 3 cm große
    Stücke geschnitten**
90 g Erbsen, tiefgefroren
**80 g Chorizo (spanische Hartwurst), ersatzweise roher
    Schinken oder geräucherter Speck, in 5 mm feine
    Streifen geschnitten**
**1 rote Paprika, in 2,5 cm lange, dünne Scheiben
    geschnitten**
2 Prisen Safran
Salz und Pfeffer
frische Petersilie, gehackt, zum Garnieren

1 In einer großen, tiefen, feuerfesten Pfanne oder einer
speziellen Paella-Pfanne (Durchmesser 30–35 cm) das
Öl erhitzen, die Hähnchenfilets hineingeben und bei
mittlerer Hitze ca. 10 Minuten von allen Seiten
goldbraun braten. Aus der Pfanne nehmen und beiseite
stellen.

2 Die Temperatur reduzieren, dann die Zwiebel
ca. 3–4 Minuten andünsten. Den Reis zugeben und
unter Umrühren 2 Minuten mitdünsten lassen. Tomaten, Knoblauch und Brühe zufügen und zum Kochen
bringen. Die Temperatur verringern und jeweils die
Hälfte des Hähnchenfleisches, der Muscheln, der
Garnelen und des Fisches zusammen mit den Erbsen,
der Chorizo, der Paprika und dem Safran einrühren.
Reichlich mit Salz und Pfeffer würzen.

3 Das übrige Fleisch und die restlichen Meeresfrüchte
darauf geben und mit dem Deckel abdecken. Entweder
bei geringer Hitze auf der Herdplatte oder im Backofen
bei 160 °C (Gasherd: Stufe 1–2) 30 Minuten backen,
bis der Reis weich und die Flüssigkeit komplett aufgenommen ist. Alle Muscheln, die sich nicht geöffnet
haben, entfernen.

4 Die Paella während des Schmorens nicht umrühren,
da der Fisch sonst in Stücke zerfällt. Ist die Flüssigkeit
absorbiert, der Reis aber noch zu fest, noch etwas
Wasser zufügen. Mit gehackter Petersilie garnieren und
sofort servieren.

Tip Muscheln, die ungewöhnlich schwer erscheinen,
aussortieren, da sie mit Sand gefüllt sein können.

Risotto mit Meeresfrüchten

Obwohl dieses Gericht ein wenig mehr Zeit erfordert,
lohnt das Ergebnis aus frischen Meeresfrüchten mit sahnigem Risotto am Ende die Mühe.

Zubereitungszeit: **55 Minuten**
Garzeit: **1 Stunde 20 Minuten**
Für 8 Personen

500 g Miesmuscheln
250 g Kammuscheln, ohne Schale
500 g rohe Garnelen
750 ml Weißwein
1 Zwiebel, grobgehackt
1 Lorbeerblatt
2 frische Thymianzweige
etwas Olivenöl
4 Schalotten, grobgehackt
1 Selleriestange, grobgehackt
1 kleine Karotte, grobgehackt
8 Knoblauchzehen, grobgehackt
500 ml Wasser
1 Zwiebel, feingehackt
440 g Reis
125 ml Crème double
60 g Parmesan, gerieben
Salz und Pfeffer, nach Geschmack
2 EL frische Petersilie, gehackt
Parmesan, gehobelt, zum Garnieren
einige Zitronenschnitze, zum Servieren

1 Miesmuscheln gründlich säubern, entbarten und alle Muscheln wegwerfen, die sich bereits geöffnet haben. Kammuscheln gründlich waschen und den weißen Muskel sowie den schwarzen Darm abziehen und wegwerfen. Kammuscheln auf Küchenpapier abtropfen lassen. Garnelen aus der Schale lösen und den Darm entfernen. Köpfe und Schalen aufbewahren.

2 Miesmuscheln, 500 ml Weißwein, grobgehackte Zwiebel, Lorbeerblatt und Thymian in einen großen Topf geben, abdecken und zum Kochen bringen. 5 Minuten kochen lassen, bis die Muscheln sich öffnen. Miesmuscheln herausnehmen und beiseite stellen. Alle Muscheln wegwerfen, die sich nach dem Kochen nicht geöffnet haben. Kochflüssigkeit durch ein mit Preßtuch ausgelegtes feines Sieb streichen.

3 Ca. 4 EL des Olivenöls in einem großen Topf erhitzen und die Garnelen auf höchster Stufe ca. 2 Minuten darin anbraten. Mit einem Schöpflöffel herausnehmen und beiseite stellen. Garnelenköpfe und -schalen zugeben und 2–3 Minuten unter Rühren aufkochen. Schalotten, Sellerie, Karotte und die Hälfte des Knoblauchs zugeben und 2 Minuten kochen lassen. Kochflüssigkeit der Miesmuscheln zugießen und 15 Minuten köcheln lassen. Das Wasser zugeben, zum Kochen bringen und 10 Minuten köcheln lassen. Flüssigkeit durch ein Sieb seihen, dabei die festen Bestandteile leicht andrücken. Mit etwas mehr Wasser auf 1,75 Liter aufgießen und wieder in den Topf geben. Zum Kochen bringen, herunterschalten und die Brühe auf unterster Stufe köcheln lassen.

4 Ca. 4 El des Öls auf mittlerer Stufe in einem großen Topf erhitzen und die feingehackte Zwiebel 3–5 Minuten glasig dünsten. Reis und restlichen Knoblauch zufügen und mit einem Holzlöffel verrühren. Der Reis muß vollständig mit Öl überzogen sein. 2 Minuten kochen lassen, dann den Rest Weißwein zugeben und auf unterer Stufe gut verrühren, bis der Wein ganz aufgenommen ist. 250 ml von der Meeresfrüchte-Brühe unter Rühren zugießen, bis die Flüssigkeit beinahe vollständig aufgenommen ist, dann weitere 250 ml zufügen. 30–35 Minuten lang wiederholen, bis die Brühe ganz verbraucht und der Reis weich gekocht ist. Ständig weiter rühren. Crème double und Parmesan einrühren, mit Salz und Pfeffer abschmecken und vom Herd nehmen. Garnelen, Kammuscheln, Miesmuscheln und gehackte Petersilie einrühren und mit Parmesanspänen und einigen Zitronenschnitzen servieren.

Risotto mit Fisch und Meeresfrüchten

Bei diesem Rezept erhält ein cremiges Safran-Risotto eine Vielzahl verschiedener Aromen durch Muscheln und Fisch. Frischer Fisch und Meeresfrüchte können beliebig kombiniert und ersetzt werden.

Zubereitungszeit: 35 Min.
Garzeit: 1 Std.
Für 4 Personen

150 g kleine Klaffmuscheln
2 Meerbarben (je 220–250 g), filetiert, abgeschuppt
Salz und schwarzer Pfeffer, nach Geschmack
150 g rohe Garnelen, mit Schale
200 ml trockener Weißwein
5 EL Olivenöl
I kleine Zwiebel, feingehackt
250 g Miesmuscheln, gesäubert und entbartet (s. S. 688)
I Lorbeerblatt
I frischer Thymianzweig
500 ml Fischbrühe
500 ml Wasser
I Prise Safranfäden
I Knoblauchzehe, feingehackt
250 g Arborio-Reis (ersatzweise Milchreis)
50 g Parmesan, gerieben
geriebene Schale von I Limone
1½ EL Crème fraîche oder saure Sahne
100 g weißes Krebsfleisch, Tiefkühlware gut abgetropft
einige frische Basilikumblätter, zum Garnieren

1 Klaffmuscheln unter fließendem Wasser gründlich säubern. Alle offenen oder beschädigten Muscheln wegwerfen. Meerbarbe filetieren und einzelne Gräten entfernen *(siehe S. 689)*. Garnelen schälen und den Darm entfernen, Köpfe und Schalen aufbewahren *(siehe S. 686)*.
2 Klaffmuscheln mit der Hälfte des Weins in einen Topf geben und abgedeckt 3 Minuten kochen, bis sich die Muscheln öffnen. Durch ein mit feuchtem Küchenpapier ausgelegtes Sieb abgießen und den Sud auffangen. Alle ungeöffneten Muscheln wegwerfen, dann die Muscheln aus den Schalen auslösen und abdecken.

3 1 EL Öl in einem Topf erhitzen, die Hälfte der Zwiebel hineingeben und bei schwacher Hitze 4 Minuten glasig dünsten. Restlichen Wein, Miesmuscheln, Lorbeerblatt und Thymian zugeben und abgedeckt 2–3 Minuten kochen, bis sich die Muscheln öffnen. Ebenso wie die Klaffmuscheln abgießen und den Sud auffangen. Alle ungeöffneten Muscheln wegwerfen, dann die Muscheln aus den Schalen lösen und abdecken.
4 Brühe, Wasser, Klaff- und Miesmuschelsud, Garnelenköpfe und -schalen und Safran in einem Topf zum Kochen bringen. 10 Minuten köcheln lassen, dann durch ein feines Sieb passieren. Flüssigkeit zurück in den ausgespülten Topf geben und warm stellen.
5 1 EL Öl in einem Topf erhitzen. Knoblauch und restliche Zwiebel zugeben und bei schwacher Hitze 2–3 Minuten dünsten. Reis zugeben und 2 Minuten rühren, bis er mit Öl überzogen ist. So viel Brühe zugießen, daß der Reis knapp damit bedeckt ist. Bei schwacher Hitze unter ständigem Rühren kochen, bis die Brühe vollständig aufgenommen ist. Weitere 15–20 Minuten kochen, dabei stets etwas Brühe zugeben. Das Risotto ist fertig, wenn der Reis bißfest ist (es sollte auch etwas Brühe im Topf zurückbleiben). Vom Herd nehmen, Parmesan, Limonenschale und Crème fraîche bzw. saure Sahne unterheben und abdecken. Restliche Brühe aufbewahren.
6 In der Zwischenzeit den Grill vorheizen und den Fisch mit etwas Olivenöl bestreichen. Mit Salz und schwarzem Pfeffer würzen und mit der Hautseite nach oben 2 Minuten grillen. Abgedeckt warm stellen. Restliches Öl in einem großen Topf erhitzen und die Garnelen darin bei starker Hitze 2 Minuten schwenken, bis sie gar sind und eine rötliche Farbe annehmen.
7 Restliche Brühe in einen Topf geben, Miesmuscheln, Klaffmuscheln und Krebsfleisch zugeben und gut erhitzen. Meeresfrüchte mit Flüssigkeit unter das Risotto mischen und alles in eine Servierschüssel geben. Meerbarbe darauflegen und mit und Basilikum garnieren.

GEMÜSE

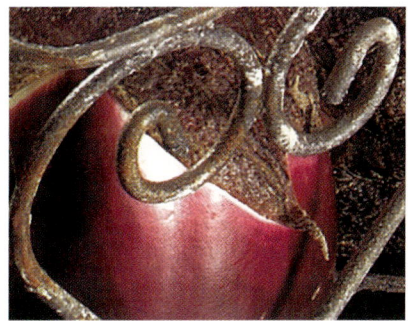

Ratatouille

Für dieses klassische Gericht aus der sonnigen Provençe werden frische Tomaten, Zucchini, Auberginen, Paprikaschoten und Zwiebeln kurz in Olivenöl und Kräutern angebraten.

*Vorbereitungszeit: **40 Minuten***
*Back- und Kochzeit: **1 Stunde***
Für 4 Personen

1 Zwiebel, gewürfelt
4 EL Olivenöl, zum Braten
250 g Tomaten, abgezogen, entkernt und gehackt

2 Knoblauchzehen, gehackt
1 rote Paprikaschote, entkernt und in kurze Streifen
  geschnitten
1 Bouquet garni (siehe Tip)
250 g Zucchini, in Stifte geschnitten
250 g Auberginen, in Stifte geschnitten
Salz und Pfeffer, nach Geschmack
60 g frische Basilikumblätter, gehackt

1 Den Backofen auf 180 °C (Gasherd: Stufe 2) vorheizen. Die Zwiebel 3–5 Minuten mit dem Olivenöl in einer für den Backofen geeigneten Bratpfanne bei mittlerer Temperatur anbraten, ohne daß sie Farbe annimmt. Tomaten und Knoblauch zugeben, 15 Minuten unter gelegentlichem Rühren kochen lassen.

2 Die rote Paprika in einer zweiten Bratpfanne 2–3 Minuten bei mittlerer bis hoher Temperatur in Öl anbraten. Das überschüssige Öl abgießen, die Paprika mit dem Bouquet garni zur Tomatenmischung geben.

3 Die vorbereiteten Zucchini und Auberginen 3–4 Minuten getrennt in Öl anbraten, zur Tomatenmischung zugeben, mit Salz und Pfeffer abschmecken. Die Pfanne zudecken und die Ratatouille 30 Minuten im Backofen backen. Kurz vor dem Servieren das Bouquet garni entfernen, gehackte frische Basilikumblätter einrühren und nach Bedarf erneut mit Salz und Pfeffer abschmecken.

Tip In einem Bouquet garni sind frische Kräuter zusammengebunden, was ihren Einsatz beim Kochen erleichtert. Man wickelt das Grün einer Lauchstange um Sellerieblätter, einen Thymianzweig, ein Lorbeerblatt und Petersilienzweige und bindet alles mit Garn zusammen. Verlangt ein Rezept (wie hier) Basilikum, kann man die Petersilie auch durch Basilikumzweige ersetzen, um den Geschmack zu verstärken.

Dieses Gericht kann auch statt im Backofen auf der Herdplatte bei geringer Hitze unter häufigem Rühren zubereitet werden.

Gemüse in Weißwein

Bereiten Sie das Gericht nach dem traditionellen Rezept zu oder verleihen Sie ihm
mit Kräutern Ihrer Wahl eine asiatische Note.

Vorbereitungszeit: 1 Stunde
Kochzeit: 50 Minuten
Für 4 Personen

2 EL Olivenöl

100 g Speck, in Streifen geschnitten

3 Schalotten, feingehackt

1 Prise Salz

1 große Karotte, in Stifte geschnitten

1 Selleriestange, in Stifte geschnitten

¹/₂ Fenchelknolle, in Stifte geschnitten

1 Prise Salz

100 ml Weißwein

100 ml Hühnerbrühe (s. S. 684) oder Wasser

2 große Tomaten, abgezogen, entkernt und in Würfel
geschnitten (s. S. 683)

100 g frische Erbsen, geschält

100 g grüne Bohnen, geputzt

Salz und Pfeffer, nach Geschmack

kochendes Salzwasser (in 2 Töpfen)

Eiswasser, zum Abschrecken

60 g Pinienkerne, geröstet

1 Das Öl in einer großen Bratpfanne bei mittlerer Temperatur erhitzen, den Speck goldbraun anbraten. Die Temperatur reduzieren, die Schalotten mit einer Prise Salz zufügen, 2 Minuten weiter braten, ohne die Schalotten zu bräunen. Karotten, Sellerie und Fenchel mit einer Prise Salz in die Pfanne geben und 5 Minuten leicht köcheln lassen.

2 Weißwein und Hühnerbrühe oder Wasser zugeben, bei mittlerer Temperatur kochen lassen, bis die Flüssigkeit nahezu vollständig verkocht ist. Die Tomaten zufügen, 5–10 Minuten kochen lassen, bis sie gar sind.

3 Erbsen und Bohnen 8–10 Minuten in zwei getrennten Töpfen mit kochendem Salzwasser zart kochen. Abgießen und in eiskaltem Wasser abschrecken, bis sie kalt sind. Gut abgetropft zu den anderen Gemüsen geben. 3–5 Minuten köcheln lassen, nach Geschmack mit Salz und Pfeffer würzen. Unmittelbar vor dem Servieren mit den gerösteten Pinienkernen bestreuen und heiß oder kalt servieren.

Tip Bei diesem Rezept kommt es darauf an, daß die Zutaten langsam gegart werden, damit sie ihre Feuchtigkeit behalten. Wenn Sie einen eher asiatischen Geschmack wünschen, ersetzen Sie die Pinienkerne durch Sesamkörner und das Salz durch ein wenig Sojasauce.

Gegrillte mediterrane Paprika

Dieses farbenfrohe Gericht eignet sich als Vorspeise ebenso gut wie als Beilage zu Meeresfrüchten, Fleisch oder Geflügel.

Vorbereitungszeit: **10 Min. + 3–4 Stunden Marinierzeit**
Backzeit: **10–15 Minuten**
Für 6 Personen

I rote Paprikaschote
I grüne Paprikaschote
I gelbe Paprikaschote
Öl, zum Bestreichen
2 TL Kapern, feingehackt
4 Sardellenfilets, feingehackt
3 EL frische Basilikumblätter, in Streifen geschnitten
4 EL Olivenöl
Salz und Pfeffer, nach Geschmack
Fladenbrot und grüner Salat, als Beilage

1 Die Paprikaschoten halbieren, Kerne und Stege entfernen, die Hälften mit der Schnittseite nach unten auf ein Backblech legen.

2 Die Schoten mit ein wenig Öl bestreichen und im Backofen grillen, bis sich die Haut schwärzt und Blasen wirft. Aus dem Ofen nehmen, mit einem Küchenhandtuch bedecken oder in einen Gefrierbeutel geben und abkühlen lassen. Die Haut läßt sich dann leichter abziehen.

3 Die Haut entfernen, das Fruchtfleisch in dicke Streifen schneiden und in eine Schüssel geben.

4 Kapern, Sardellen und Basilikum in eine kleine Schüssel geben, das Olivenöl einrühren und die Mischung über die Paprikastreifen gießen. Nach Geschmack mit Salz und Pfeffer würzen, 3–4 Stunden im Kühlschrank marinieren lassen. Mit Fladenbrot und grünem Salat servieren.

Spargel mit Sauce hollandaise

Vor dem ersten Weltkrieg hieß diese Sauce nach der für ihre Butter berühmten normannischen Stadt Isigny. Während des Krieges brach die Butterproduktion zusammen, und Butter mußte aus Holland importiert werden. Der Name der Sauce wurde geändert und hat sich seitdem erhalten.

*Vorbereitungszeit: **45 Minuten***
*Kochzeit: **35 Minuten***
Für 4 Personen

SAUCE HOLLANDAISE
3 Eigelb
3 EL Wasser
200 g geklärte Butter, zerlassen
Salz, nach Geschmack
I kleine Prise Cayennepfeffer
Saft von ¹/₂ Zitrone

32 Spargelstangen
4 EL Steinsalz

1 Für die Sauce hollandaise die Eigelbe in einer mittelgroßen feuerfesten Schüssel mit dem Wasser schaumig schlagen. Die Schüssel auf einen größeren Topf mit köchelndem Wasser stellen, die Mischung bei geringer Hitze schlagen, bis sie andickt und der Schneebesen eine sichtbare Spur in ihr hinterläßt. Vom Herd nehmen und nach und nach die Butter unter ständigem Schlagen zufügen. Die Sauce durch ein Sieb gießen, mit Salz nach Geschmack, einer Prise Cayennepfeffer und

dem Zitronensaft würzen. Die Sauce auf einem Topf mit warmem Wasser warm stellen. (Man kann auch die Küchenmaschine verwenden: Eigelb und Wasser verschlagen und die zerlassene Butter bei laufendem Mixwerk langsam zugeben.)

2 Einen großen Topf mit Wasser zum Kochen bringen. Mit einem Spargelschäler die äußere Schicht von den unteren zwei Dritteln jeder Spargelstange entfernen. Die Stangen aufreihen und zu Bündeln von jeweils 8 Stück zusammenbinden.

3 Zunächst das Steinsalz, dann die Spargelstangen ins Wasser geben, bei reduzierter Temperatur 10 Minuten köcheln lassen, bis die Spargelspitzen zart sind. Aus dem Topf heben und abtropfen lassen. Den Faden entfernen und jedes Bündel Spargel auf einem vorgewärmten Teller anrichten. Mit der Sauce hollandaise übergießen und sofort servieren.

Tip Sauce hollandaise ist eine Emulsion wie Mayonnaise, wird aber mit warmer geklärter Butter hergestellt, wodurch sie glatt wird. Die fertige Sauce sollte lauwarm gehalten werden. Erhitzt man sie zu stark, trennen sich die Bestandteile wieder. Dies kann man beheben, indem man ein wenig kaltes Wasser hinzugibt und mit der Sauce verschlägt.

Glasiertes Gemüse

Das zu Kugeln geformte farbenfrohe Gemüse
wird durch das Glasieren besonders appetitlich.

Vorbereitungszeit: **40 Minuten**
Kochzeit: **30 Minuten**
Für 4 Personen

20 Perlzwiebeln
2 Zucchini
kochendes Salzwasser
Eiswasser, zum Abschrecken
3 weiße Rüben
3 Karotten
60 g Butter
3 TL Zucker
1 ¹/₂ TL Salz
1 ¹/₂ EL Wasser

1 Die Perlzwiebeln 5 Minuten in einer Schüssel mit warmem Wasser einweichen, damit sie leichter zu schälen sind. Die Wurzelenden so vorsichtig und sparsam wie möglich abschneiden, da die Zwiebeln auf dieser Seite zusammengehalten werden.

2 Mit einem 2 cm großen Kugelausstecher jeweils 20 Kugeln aus Zucchini, Rüben und Karotten ausstechen. Die Zucchinikugeln 1 Minute in kochendem Salzwasser garen, dann in eiskaltem Wasser abschrecken. Abgetropft in einen kleinen Topf geben. Ein Drittel der Butter, 1 TL Zucker, ¹/₂ TL Salz und 30 ml Wasser zugeben und kochen, bis das Wasser verdampft ist und eine sirupartige Glasur zurückbleibt. Sind die Zucchini noch zu fest, ein wenig Wasser zufügen und etwas länger kochen. Anschließend die Zucchini rundum im Sirup wälzen, zur Seite stellen und warm halten.

3 Die Rüben- und Karottenkugeln zusammen mit der Hälfte der verbliebenen Butter, 1 TL Zucker, ¹/₂ TL Salz und soviel Wasser in einen Topf geben, daß sie gerade bedeckt sind. Auf die gleiche Weise kochen wie die Zucchini, dann warm stellen. Den Vorgang mit den geschälten Perlzwiebeln wiederholen.

4 Die Gemüse zusammen in einen Topf geben und etwa 3–5 Minuten bei mittlerer Temperatur hin und her schwenken, ohne sie zu bräunen. Auf einem Vorlegeteller anrichten.

Tip Stellen Sie das Gemüse etwa 1 Stunde vor der Zubereitung bei Zimmertemperatur zurecht.

Wenn Sie keine Perlzwiebeln bekommen können, verwenden Sie Einlegezwiebeln, von denen Sie ein paar äußere Schichten entfernen sollten.

Geschmorter Chicorée

Entgegen einem gängigen Vorurteil schmeckt Chicorée nicht nur als Salat,
sondern auch geschmort hervorragend, wie dieses Gericht beweist.

*Vorbereitungszeit: **15 Minuten***
*Zubereitungszeit: **1 Stunde 30 Minuten***
Für 4 Personen

60 g Butter
4 Chicoréekolben
500 ml Hühnerbrühe
1 EL Zitronensaft
Salz und Pfeffer
¹/₂ TL Zucker
1 TL frische Petersilie, gehackt

1 Den Backofen auf 180 °C (Gasherd: Stufe 2) vorheizen. Eine Auflaufform mit einem Drittel der Butter einfetten. Die äußeren Blätter des Chicorées entfernen, die Wurzelenden abschneiden und die Strünke auslösen. Waschen und in die Form geben.

2 Brühe oder Wasser zusammen mit dem Zitronensaft zugeben, mit etwas Salz, Pfeffer und dem Zucker würzen und zum Kochen bringen. Vom Herd nehmen, mit einem Stück gefettetem Backpapier und Alufolie abdecken. Im Backofen ca. 1–1¹/₄ Stunden backen. Die Chicoréekolben herausnehmen und abtropfen lassen; die Kochflüssigkeit bei großer Hitze so lange kochen, bis sie eine sirupähnliche Konsistenz angenommen hat. Vom Herd nehmen und warm stellen.

3 Den abgekühlten Chicorée in der Mitte mit Küchengarn locker zusammenbinden, damit er nicht auseinander fällt. Die restliche Butter in einer beschichteten Pfanne erhitzen und den Chicorée darin von allen Seiten anbräunen.

4 Das Garn entfernen, den Chicorée in einer Schüssel anrichten, die Sauce darüber geben und mit gehackter Petersilie bestreuen.

Tip Wickeln Sie, ehe Sie den Chicorée zusammenbinden (siehe Schritt 3), um jeden Kolben eine Scheibe Speck – so entsteht eine etwas deftigere Geschmacksnote.

Grüne Bohnen mit Speck

Eine sehr beliebte Beilage zu gegrilltem oder gebackenem Fleisch oder Geflügel.
Der salzige Geschmack des Specks paßt hervorragend zu den grünen Bohnen.

*Vorbereitungszeit: **10 Minuten***
*Kochzeit: **15 Minuten***
Für 4–6 Personen

500 g grüne Bohnen
1 TL Salz
300 g Räucherspeck
50 g Butter
Salz und Pfeffer, nach Geschmack
3 EL frische Petersilie, feingehackt

1 Die Bohnen putzen. Einen großen Topf mit Wasser zum Kochen bringen, Salz und Bohnen hineingeben und 10 Minuten köcheln lassen, bis sie zart sind. Abgießen und in kaltem Wasser abschrecken, um den Garprozeß zu unterbrechen. Gut abtropfen lassen.
2 In der Zwischenzeit die Rinde vom Speck abtrennen und den Speck in kurze Streifen schneiden. Eine Bratpfanne vorheizen, den Speck hineingeben und bei mittlerer Temperatur braten. Fett wird nicht benötigt, da das Eigenfett des Specks beim Braten schmilzt. Den Speck aus der Pfanne nehmen und auf Küchenpapier abtropfen lassen.
3 Das Fett aus der Pfanne gießen, die Pfanne mit Küchenpapier auswischen, dann die Butter zerlassen. Die Bohnen in der Butter schwenken, den Speck hineingeben, mit Salz und Pfeffer würzen. Sobald Bohnen und Speck durchgewärmt sind, auf einen Teller geben, mit gehackter Petersilie bestreuen und servieren.

Tip Geben Sie die Bohnen und das Salz gleichzeitig in das Kochwasser, damit die Bohnen ihre grüne Farbe behalten. Durch das Salz sprudelt das Wasser stärker und das Chlorophyll wird fixiert.
Als Abwandlung können Sie den Speck auch durch zwei oder drei Sardellenfilets aus der Dose ersetzen, die Sie in Milch einweichen, abgießen und abtrocknen. Hacken Sie nun die Filets und schwenken Sie sie dann in Butter.

Vichy-Karotten

Das Wasser für dieses Rezept sollte eigentlich Vichy-Wasser sein, ein natürliches Quellwasser aus Vichy in Frankreich. Die Karotten sind ein hübscher Farbtupfer für Kalb- und Hühnerfleischgerichte.

Vorbereitungszeit: *15–20 Minuten*
Kochzeit: *20–30 Minuten*
Für 4 Personen

600 g Karotten
1 Prise Salz
30 g Zucker
60 g Butter
30 g frische Petersilie, gehackt

1 Die Karotten schälen, in dünne Scheiben schneiden und in einem Topf knapp mit Wasser bedecken. Eine Prise Salz, Zucker und Butter zugeben und mit einem runden Blatt Backpapier abdecken (siehe Tip).
2 Bei großer Hitze kochen, bis beinahe das gesamte Wasser verdampft ist und ein sirupartiger Fond zurückbleibt. Die Karotten sollten nun gar sein. Wenn dies nicht der Fall ist, noch ein wenig Wasser (etwa 60 ml) zufügen und weiter kochen. Die Karotten im Topf schwenken, um sie rundum im Fond zu wälzen. Mit der gehackten frischen Petersilie bestreuen und in einem tiefen Teller servieren.

Tip Sie können die Karotten auch in dekorative Formen schneiden.

Der Papierdeckel verlangsamt das Entweichen des Wasserdampfs, so daß die Karotten feucht gehalten werden und nicht zu schnell garen. Schneiden Sie ein Blatt Backpapier so zurecht, daß es größer ist als der Durchmesser der Pfanne. Falten Sie das Blatt in der Mitte zu einem Halbkreis, dann zu einem Viertelkreis und abschließend so, daß ein Fächer entsteht. Legen Sie den Fächer mit der Spitze in die Mitte der Pfanne und schneiden Sie das Papier dort ab, wo er über den Pfannenrand hinausragt. Schneiden Sie auch die Spitze ab und entfalten Sie das Blatt. Das Papier sollte jetzt einen Kreis mit dem Durchmesser der Pfanne und einem kleinen Loch in der Mitte bilden.

Gebackene Pastinaken mit Honig und Ingwer

Dank ihres angenehm süßen Geschmacks war die Pastinake schon in der Antike sehr beliebt.

Vorbereitungszeit: **10 Minuten**
Back- und Kochzeit: **20 Minuten**
Für 6 Personen

6 Pastinaken (etwa 750 g)
1 Prise Salz
3 EL Öl
20 g Butter
1 EL klarer Honig
1 EL frischer Ingwer, feingerieben oder gehackt

1 Den Backofen auf 220 °C (Gasherd: Stufe 4) vorheizen. Die geschälten Pastinaken der Länge nach halbieren oder – wenn sie größer sind – vierteln, so daß 8 cm lange und 2,5 cm dicke Stücke entstehen. Holzige Teile entfernen. In einem großen Topf mit Wasser bedecken. Eine Prise Salz zufügen, bei großer Hitze zum Kochen bringen. 1 Minute kochen lassen, dann abgießen. Wieder in den Topf geben und den Topf etwa 1 Minute lang bei geringer Hitze schwenken, um die Pastinaken zu trocknen.

2 Das Öl in einem Bräter auf dem Herd erhitzen und die Pastinaken schnell bei großer Hitze von allen Seiten gleichmäßig anbraten. Butter in die Pfanne geben, 10 Minuten in den Backofen stellen. Überschüssiges Öl herauslöffeln oder abgießen.

3 Honig und Ingwer zugeben, die Pastinaken von allen Seiten im Sud wälzen und weitere 5 Minuten backen.

4 Die Pastinaken aus dem Bräter nehmen und heiß zu einem Schweine- oder Hühnerfleischgericht servieren.

Auberginenkaviar

Das Gericht verdankt seinen Namen den kleinen, dunklen und glänzenden
Auberginenstückchen, die an Kaviar erinnern.

Vorbereitungszeit: 10 Minuten + 1 Stunde Kühlzeit
Backzeit: 30 Minuten
Für 6 Personen

800 g Auberginen
Olivenöl, zum Bestreichen
Salz und Pfeffer, nach Geschmack
50 g schwarze Oliven, entkernt und gehackt
1 Knoblauchzehe, zerdrückt
4 EL frischer Schnittlauch, feingehackt
150 ml Olivenöl
¹/₂ TL Paprikapulver
geröstete Weißbrotscheiben, als Beilage

1 Den Backofen auf 180 °C (Gasherd: Stufe 2) vorheizen. Die Auberginen der Länge nach halbieren. Die Schnittflächen mit ein wenig Olivenöl bestreichen und mit Salz und Pfeffer bestreuen. 25–30 Minuten backen, bis das Fruchtfleisch sehr weich ist.

2 Die Auberginen gründlich abtropfen lassen. Das Fruchtfleisch mit einem Löffel herauslösen, fein hacken und in eine Schüssel geben.

3 Oliven, Knoblauch und die Hälfte des Schnittlauchs zugeben. Alles mit einer Gabel mischen, das Fruchtfleisch dabei gegen die Schüsselwand drücken, um es zu zerkleinern. Sehr langsam das Olivenöl zufügen und mit der Gabel unter die Mischung rühren. Das Paprikapulver zugeben, mit Salz und Pfeffer abschmecken und 1 Stunde in den Kühlschrank stellen.

4 In eine gekühlte Schale geben, mit dem restlichen Schnittlauch bestreuen und mit gerösteten Weißbrotscheiben servieren.

Tip Formen Sie aus der Mischung mit zwei Löffeln kleine Klößchen und arrangieren Sie sie, mit gehacktem Schnittlauch bestreut, auf den Tellern.

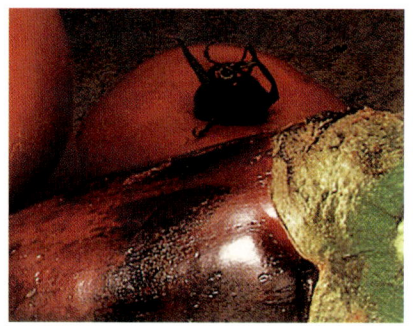

Überbackene Aubergine

Die Aubergine wird oft mit Tomaten, Knoblauch und Kräutern kombiniert. Unsere gefüllten
Auberginen haben ihren Ursprung in der Türkei, wo sie »Imam bayildi« genannt werden.

*Vorbereitungszeit: **40 Minuten***
*Back- und Kochzeit: **1 Stunde***
Für 4 Personen

Olivenöl, zum Braten
2 große Schalotten, feingehackt
800 g Tomaten, abgezogen, entkernt und in Würfel
  geschnitten (s. S. 683)
6 Knoblauchzehen, feingehackt
Salz, nach Geschmack
1 kleine Prise Cayennepfeffer
60 g frische Basilikumblätter, gehackt
2 kleine Auberginen
Öl und Salz, zum Einreiben
4 kleine Tomaten
100 g Gruyère oder Emmentaler, gerieben
Wasser oder Hühnerbrühe, nach Bedarf

1 Den Backofen auf 150 °C (Gasherd: Stufe 1) vorheizen. Ein wenig Öl in einer gußeisernen Bratpfanne bei mittlerer Temperatur erhitzen, darin die Schalotten 2–3 Minuten anbraten, ohne sie zu bräunen. Gewürfelte Tomaten und Knoblauch zugeben, mit Salz und Cayennepfeffer abschmecken und 15 Minuten köcheln

lassen, bis die Mischung andickt. Das gehackte Basilikum einrühren, die Pfanne warm stellen.

2 Die Auberginen der Länge nach halbieren, das Fruchtfleisch mehrfach einschneiden, ohne die Haut zu verletzen. Die Haut einölen und salzen. Die Auberginen mit der Schnittseite nach unten in eine feuerfeste Form oder einen Bräter legen, in 15 Minuten weich backen. Abkühlen lassen. Die Backofentemperatur auf 200 °C (Gasherd: Stufe 3) erhöhen.

3 Die kleinen Tomaten längs halbieren, in dünne Scheiben schneiden, zur Seite stellen.

4 Das Fruchtfleisch aus den gebackenen Auberginen lösen, die leeren Häute zur Seite legen. Fruchtfleisch klein hacken und 5–10 Minuten bei geringer Hitze in einer Pfanne braten, um einen Teil der Flüssigkeit zu verkochen. Das Fruchtfleisch in eine Schüssel geben, mit der Hälfte des Tomatensuds aus Schritt 1 mischen, würzen und in die Auberginenhäute füllen. Die Auberginen in eine feuerfeste Form geben und mit den Tomatenscheiben belegen. Mit geriebenem Käse bestreut goldbraun backen.

5 Den restlichen Tomatensud pürieren und nach Bedarf mit etwas Wasser oder Hühnerbrühe verdünnen. In einem kleinen Topf erhitzen, nach Wunsch noch einmal mit Salz und Cayennepfeffer abschmecken. Jeweils eine Auberginenhälfte auf etwas Tomatensauce servieren.

Überbackener Blumenkohl

Der gebackene Blumenkohl ergänzt sich mit dem Käse zu einem herzhaften Wintergericht,
das wohl kaum den nächsten Tag erleben wird.

*Vorbereitungszeit: **10 Minuten***
*Back- und Kochzeit: **30 Minuten***
Für 4–6 Personen

1 ganzer Blumenkohl (geputzt etwa 470 g)
kaltes Salzwasser
30 g Butter
30 g Mehl
500 ml Milch
1 Prise Muskatnuß, gemahlen
Salz und Pfeffer, nach Geschmack
100 ml Sahne
130 g Gruyère, gerieben
2 Eigelb
etwas Butter, zum Einfetten
Pfeffer und Muskat, nach Geschmack

1 Den Backofen auf 180 °C (Gasherd: Stufe 2) vorheizen. Die äußeren Blätter des Blumenkohls entfernen, den Kopf in mundgerechte Stücke zerteilen. In kaltes Salzwasser geben, langsam zum Kochen bringen, bei reduzierter Temperatur etwa 10 Minuten köcheln lassen, bis der Blumenkohl gar ist, aber noch »Biß« hat. Abgießen, in kaltem Wasser abschrecken und erneut abgießen.

2 Die Butter für die Käsesauce in einem Topf zerlassen, das Mehl mit einem Holzlöffel oder einem Schneebesen einrühren, 3 Minuten bei geringer Hitze kochen lassen. Vom Herd nehmen und nach und nach die kalte Milch einrühren. Wieder auf den Herd stellen und unter ständigem Rühren zum Kochen bringen. Die Muskatnuß zugeben und nach Geschmack mit Salz und Pfeffer würzen. Die Sahne zufügen. Vom Herd nehmen und 100 g Käse und die Eigelbe einrühren. Auf die Seite stellen, die Oberfläche mit Frischhaltefolie oder befeuchtetem Butterbrotpapier abdecken, damit sich keine Haut bildet.

3 Eine feuerfeste Form leicht mit Butter einfetten. Den Boden der Form mit nur wenig Sauce bedecken, den Blumenkohl hineingeben und mit der restlichen Sauce übergießen, so daß er vollständig überzogen ist. Mit dem restlichen Käse und etwas Pfeffer und Muskat bestreuen und 15 Minuten backen, bis der Käse goldbraun ist.

Tip Ist die Sauce vor der Zugabe der Sahne klumpig, schlagen Sie sie glatt, bevor Sie den Käse zufügen, da sonst Fäden am Schneebesen kleben bleiben.

Gruyère ist ein recht kräftiger Käse. Wenn Sie eine mildere Sorte verwenden, können Sie den Geschmack mit ein wenig Senf verstärken.

Gemüseauflauf

Die mit Kräutern und Knoblauch verfeinerten Gemüseschichten werden in einer flachen Form gebacken und direkt aus dem Ofen auf den Tisch gebracht.

*Vorbereitungszeit: **30 Minuten***
*Back- und Kochzeit: **1 Stunde***
Für 4 Personen

Olivenöl, zum Braten
1 kleine Zwiebel, in dünne Scheiben geschnitten
1 Prise Salz
750 g Tomaten, abgezogen, entkernt und in Würfel geschnitten (s. S. 683)
Gewürze (z. B. Basilikum, Majoran), nach Geschmack
400 g große Champignons, in dünne Scheiben geschnitten
400 g Kartoffeln, in dünne Scheiben geschnitten
2 Knoblauchzehen, feingehackt
Salz und frisch gemahlener schwarzer Pfeffer, nach Geschmack
500 g Spinatblätter, ohne Stiele
1 frischer Rosmarinzweig
3 EL frische Petersilie, gehackt

1 Den Backofen auf 190 °C (Gasherd: Stufe 3) vorheizen. Ein wenig Olivenöl in einer gußeisernen Pfanne bei mittlerer Temperatur erhitzen, darin die Zwiebelscheiben mit etwas Salz 3 Minuten anbraten, ohne sie zu bräunen. Die entkernten und gewürfelten Tomaten zufügen und 7 Minuten köcheln lassen. Nach Geschmack würzen und zur Seite stellen.

2 Die Champignons in ein wenig Olivenöl 3–4 Minuten bei großer Hitze anbraten. Überschüssige Flüssigkeit abtropfen lassen, nach Geschmack würzen und zur Seite stellen.

3 Etwas Olivenöl in einer Pfanne erhitzen. Die Kartoffelscheiben zunächst in mehreren Portionen 3 Minuten bei mittlerer Temperatur anbraten, dann komplett in die Pfanne geben, den Knoblauch zufügen und 1 weitere Minute braten. Mit Salz und Pfeffer würzen und abtropfen lassen.

4 Den Boden einer runden (ca. 20 cm Durchmesser) oder ovalen feuerfesten Form (ca. 2 l Inhalt) mit einer Lage Kartoffelscheiben auslegen und darüber je eine Lage Champignons, Spinat und Tomaten schichten. 30–45 Minuten mit Backpapier zugedeckt backen. Vor dem Servieren mit Rosmarinblättern und Petersilie bestreuen.

Tip Bestreuen Sie das Gemüse vor dem Backen mit geriebenem Parmesan- oder zerbröckeltem Fetakäse.

Florentiner Eier

Ein klassisches Gericht mit Spinat und leicht pochierten Eiern, übergossen mit cremiger Käsesauce. Damit die pochierten Eier gut gelingen, müssen sie so frisch wie möglich sein.

Vorbereitungszeit: **25 Minuten**
Zubereitungszeit: **30 Minuten**
Für 4 Personen

SAUCE MORNAY
15 g Butter
2 EL Weizenmehl
250 ml Milch
1 Prise Muskatnuß, gemahlen
40 g Gruyère, gerieben
2 Eigelb
Salz und Pfeffer

60 g Butter
500 g Blattspinat, geputzt
2 l Wasser
3 EL Essig
8 frische Eier

1 Für die Sauce mornay Butter bei mittlerer Hitze in einer gußeisernen Pfanne zerlassen. Mehl darüber streuen und 1–2 Minuten unter ständigem Rühren mit einem Holzlöffel anschwitzen, ohne daß es sich färbt. Die Pfanne vom Herd nehmen und langsam unter kräftigem Schlagen die Milch zugießen. Bei mittlerer Hitze unter ständigem Rühren aufkochen lassen, dann 3–4 Minuten köcheln lassen, bis die Sauce so eingedickt ist, daß sie einen Löffelrücken bedeckt. Muskatnuß einrühren, die Pfanne vom Herd nehmen und abgedeckt warm halten.

2 Die Butter bei geringer Hitze in einem großen, flachen Topf zerlassen und den Spinat darin 5–8 Minuten dünsten, bis die Flüssigkeit verdampft ist. Warm halten.

3 Erst den Käse, dann die Eigelbe in die Sauce schlagen und mit Salz und Pfeffer abschmecken. Bei geringer Hitze rühren, bis der Käse geschmolzen ist, dann stark erhitzen, aber nicht kochen. Die Oberfläche mit Backpapier abdecken und warm halten.

4 2 Liter Wasser in einem großen Topf bei starker Hitze zum Sieden bringen. Die Temperatur reduzieren und Essig zugeben. Das Wasser sollte nur leise köcheln.

5 Die Eier einzeln in eine Tasse oder Schüssel schlagen und je 2 oder 3 Eier auf einmal vorsichtig in das köchelnde Wasser gleiten lassen. 2–3 Minuten im Wasser lassen, bis das Eiweiß fest, nicht aber hart ist. Die Eier vorsichtig mit einem Schaumlöffel herausnehmen und gründlich abtropfen lassen.

6 Den Spinat auf 4 vorgewärmte Teller verteilen. Jeweils 2 pochierte Eier in die Mitte geben und mit der heißen Sauce mornay übergießen. Sofort servieren.

Geschmorter Rotkohl

In Frankreich heißt diese gestandene Beilage zu Schweinefleisch oder Wild
»Chou rouge à la flamande«. Sie verlangt langsames Kochen.

*Vorbereitungszeit: **20 Minuten***
*Back- und Kochzeit: **1 Stunde 45 Minuten***
Für 8 Personen

1 Rotkohl
kochendes Salzwasser
50 g Butter
1 Zwiebel, in Streifen geschnitten
2 Kochäpfel
2 EL Weißweinessig
1 EL Zucker
2 EL Wasser
Salz und Pfeffer, nach Geschmack
1 ¹/₂ EL Mehl
Gewürze (z. B. Kümmel, Piment), nach Geschmack

1 Den Backofen auf 170 °C (Gasherd: Stufe 2) vorheizen. Den Kohl vierteln, den Strunk heraustrennen, die Blätter in dünne Streifen schneiden. In einen großen Topf mit sprudelndem Salzwasser geben (der Kohl sollte mehr als nur bedeckt sein), wieder zum Kochen bringen und abgießen. Der Kohl hat nun eine tintenblaue Färbung; er erhält seine Röte später wieder. Steht kein großer Topf zur Verfügung, den Kohl in mehreren Portionen kochen.

2 15 g Butter in einem großen Topf zerlassen, die Zwiebel hineingeben und zugedeckt dünsten, bis sie glasig ist. Die Äpfel vierteln, schälen, entkernen und zu der Zwiebel geben. Einige Minuten kochen, aus dem Topf nehmen und zur Seite stellen.

3 Den Rotkohl mit der Apfel-Zwiebel-Mischung in den Topf schichten und mit Essig, Zucker und Wasser besprenkeln. Mit Salz und Pfeffer würzen. Die rote Farbe kehrt zurück, sobald der Essig zugefügt wird. Mit dick gebuttertem Papier und dem Topfdeckel abdecken und 1 ¹/₂ Stunden backen, bis der Kohl durch und durch zart ist. Gelegentlich umrühren, nach Bedarf mit etwas Wasser anfeuchten.

4 Die restliche Butter in einer Schüssel weichkneten und mit dem Mehl mischen. Den Kohl auf eine Seite des Topfes schieben. Es sollte sich etwas Flüssigkeit auf dem Boden befinden. Ein Viertel der Butter-Mehl-Mischung hineingeben und einrühren. Die Flüssigkeit wird etwas andicken. Den Vorgang auf der anderen Topfseite wiederholen. Durchrühren; nur dann mehr Butter und Mehl zugeben, wenn sich noch wässrige Flüssigkeit zeigt. Sie enthält viel Aroma und Würze, darum wird sie angedickt, um besser am Kohl zu haften. Nicht zu stark andicken. Nach Belieben würzen, der Kohl sollte einen leicht süßsauren Geschmack haben. Je nach Vorliebe kann man noch etwas Zucker oder Essig zugeben.

Gefüllter Grünkohl

In einigen Ländern betrachtet man Grünkohl nicht als eigenständige Mahlzeit,
aber das folgende Rezept wird jeden Zweifler umstimmen.

Vorbereitungszeit: 45 Minuten
Kochzeit: 1 Stunde 35 Minuten
Für 6 Personen

1 Grünkohl (etwa 500–800 g)
kochendes Wasser
60 g Butter
1 kleine Zwiebel, feingehackt
120 g frische Semmelbrösel
4 EL frische Petersilie, gehackt
1 EL frische Thymianblätter, gehackt
Schale von ¹/₂ Zitrone, gerieben
2 Eier, geschlagen
Salz und Pfeffer, nach Geschmack
kochendes Salzwasser oder Gemüsebrühe
20 g geklärte Butter (s. S. 685)
Tomatensauce oder passierte Tomaten, als Beilage

1 Alle welken Kohlblätter entfernen, ohne den Kopf zu zerteilen. Den Kohlkopf 3–4 Minuten in einem großen Topf mit kochendem Wasser brühen. Das Wasser abgießen, den Kohl in einem Sieb gut abtropfen und leicht abkühlen lassen. Vorsichtig vier bis sechs äußere Blätter ablösen und beiseite legen. Den Kohlkopf vierteln, den Strunk entfernen, dann den Kohl in Streifen schneiden und fein hacken.

2 Die Butter in einem großen Topf zerlassen und die Zwiebel 1–2 Minuten zugedeckt dünsten. Den Kohl zugeben, ein Blatt eingefettetes Backpapier darauf drücken, zudecken und 25–30 Minuten bei geringer Hitze unter ein- oder zweimaligem Rühren kochen lassen. Der Kohl sollte zart und durchgehend goldgelb sein. Vom Herd nehmen, 90 g der Semmelbrösel, die Kräuter, geriebene Zitronenschale und Eier einrühren, mit Salz und Pfeffer würzen.

3 Eine große Puddingform mit einem eingebutterten Preßtuch oder einem Küchenhandtuch auslegen. Die zurückbehaltenen äußeren Kohlblätter mit den Stielenden nach oben in der Form arrangieren. Die Mischung einfüllen, die Ecken des Tuchs fest zusammendrehen und verschnüren, so daß eine rundliche Form entsteht. Aus der Puddingform heben, den Kohl in einen Topf mit kochendem Salzwasser (oder Gemüsebrühe) setzen. 45 Minuten bis 1 Stunde beständig kochen lassen, während des Kochens ein- oder zweimal wenden. In ein Sieb setzen, gut abtropfen lassen, das Tuch aufknoten und den Kohl auf einen vorgewärmten Teller stürzen.

4 Die geklärte Butter in einem kleinen Topf zerlassen, darin die verbliebenen Semmelbrösel goldgelb braten. Den Kohl mit den Semmelbröseln bestreuen und sofort mit einer Tomatensauce oder gut gewürzten passierten Tomaten servieren.

Kartoffel-Spinat-Kroketten

Die innige Verbindung zwischen Kartoffeln, Spinat und Parmesan
macht diese Beilage unwiderstehlich.

Vorbereitungszeit: **30 Minuten**
Koch- und Fritierzeit: **45 Minuten**
Ergibt 14 Kroketten

500 g Kartoffeln, mehlig kochend
kaltes Salzwasser
Salz und Pfeffer, nach Geschmack
1 Prise Muskatnuß, gemahlen
20 g Butter
1 Eigelb
Öl, zum Fritieren oder Ausbacken
40 g Parmesankäse, frisch gerieben
50 g gekochter Blattspinat, feingehackt
60 g Mehl, mit Salz und Pfeffer gewürzt
3 Eier, geschlagen
1 EL Erdnußöl
150 g Paniermehl

1 Die Kartoffeln vierteln, in einem Topf mit kaltem Wasser bedecken, salzen. Zum Kochen bringen und bei reduzierter Temperatur mindestens 20 Minuten kochen lassen, bis sie weich sind.

2 Die Kartoffeln abgießen und 2 Minuten in der Bratpfanne bei geringer Hitze schwenken, um sie zu trocknen. Durch ein Sieb drücken oder mit dem Kartoffelstampfer fein pürieren. Mit Salz, Pfeffer und Muskat abschmecken, Butter und Eigelb zufügen. Auf einem Tablett ausgebreitet abkühlen lassen. Das Öl in einer Friteuse oder einer großen Bratpfanne auf 180 °C erhitzen; es ist heiß genug, wenn ein Stück Brot in 15 Sekunden bräunt.

3 Den Parmesankäse mit dem gut abgetropften Spinat in einer Schüssel mischen. Kartoffeln zugeben und verrühren. Die Mischung auf einer bemehlten Fläche mit bemehlten Händen zu 6 x 2 cm großen Zylindern rollen. Die Enden flachdrücken.

4 Das gewürzte Mehl auf ein Tablett geben. Die Eier in einer Schüssel mit dem Erdnußöl mischen und das Paniermehl auf ein großes Stück Backpapier geben. Die Kroketten vorsichtig durch das Mehl rollen, überschüssiges Mehl abklopfen. Gründlich in das Ei tauchen, abtropfen lassen und durch das Paniermehl rollen, das Papier dazu an den Rändern anheben. Wenn die Mischung zu weich ist, um die Form zu halten, die Kroketten ein zweites Mal in Ei tauchen und im Paniermehl wälzen. Die Kroketten portionsweise fritieren, bis sie gleichmäßig gebräunt sind, dann herausheben, das überschüssige Öl abschütteln, auf Küchenpapier abtropfen lassen.

Tip Der Kartoffelteig darf nicht zu feucht sein, da die Kroketten sonst brechen und das Öl aufnehmen.

Rösti

*Die etwas vornehmere Verwandte
des Reibekuchens hat es zu weltweiter
Berühmtheit gebracht.*

Vorbereitungszeit: **15 Minuten**
Back- und Kochzeit: **40 Minuten**
Für 6 Personen

500 g Kartoffeln, mehlig kochend
kaltes Salzwasser
Öl, zum Braten
25 g Butter
1 Zwiebel, in feine Ringe geschnitten
Salz und Pfeffer, nach Geschmack

1 Den Backofen auf 180 °C (Gasherd: Stufe 2) vorheizen. Die ungeschälten Kartoffeln abbürsten, in einen Topf geben. Mit kaltem Wasser bedecken, Salz zufügen, zum Kochen bringen. Die Temperatur reduzieren, 10 Minuten köcheln lassen, abgießen und vollständig abkühlen lassen.

2 Die Kartoffeln schälen und entweder in dünne Streifen schneiden oder grob reiben. Nicht abspülen.

3 Ein wenig Öl in einer feuerfesten Bratpfanne erhitzen, die Butter hineingeben. Die Zwiebel auf niedriger Stufe anbraten, bis sie glasig ist. Die Kartoffeln zugeben, mit Salz und Pfeffer würzen, einige Minuten durchrühren, dann mit dem Löffelrücken oder einem breiten Pfannenwender zu einem dicken Pfannkuchen flachdrücken. Bei mittlerer bis hoher Temperatur von einer Seite bräunen, dann die Pfanne 15 Minuten in den Backofen stellen. Den Pfannkuchen lösen und auf einen Teller stürzen. Mit der gebräunten Seite nach oben vom Teller wieder in die Pfanne gleiten lassen. Darauf achten, daß der Pfannkuchen nicht zerreißt. Erneut in den Backofen stellen und weitere 10 Minuten backen. Zum Servieren wie einen Kuchen in Stücke schneiden.

Artischockenböden mit Blauschimmelkäse

*Die zarten Böden oder Herzen sind
der beste Teil der Artischocken.*

Vorbereitungszeit: **20 Minuten**
Back- und Kochzeit: **20 Minuten**
Für 4 Personen

6 Artischockenböden, gekocht
30 g Blauschimmelkäse, zerbröckelt
2 gehäufte EL frische Semmelbrösel
50 g Butter, zerlassen

1 Den Backofen auf 200 °C (Gasherd: Stufe 3) vorheizen. Die gekochten Artischockenböden mit kaltem Wasser abspülen, vier Stück zur Seite legen.

2 Die anderen beiden Böden in Würfel schneiden und in die Küchenmaschine geben. Mit dem zerbröckelten Blauschimmelkäse glattpürieren, dann mit frisch gemahlenem schwarzen Pfeffer abschmecken. Das Püree so in die vier Artischockenböden füllen, daß eine Wölbung entsteht. Die Böden in eine Auflaufform stellen.

3 Die Semmelbrösel und die Hälfte der Butter in einer kleinen Schüssel mischen und über die Füllung geben. Mit der restlichen Butter beträufeln und in 20 Minuten goldbraun backen. Die gefüllten Böden auf dem Bild sind mit Brunnenkresse garniert.

Tip Wenn Sie keine großen frischen Artischocken bekommen können, nehmen Sie Böden aus dem Glas oder der Dose.

Rösti (oben) und *Artischockenböden mit Blauschimmelkäse*

Gemüse mit Polenta-Küchlein

Polenta (Maisgrieß) ist ein wichtiger Bestandteil der norditalienischen Küche. Hier werden die Küchlein in zerlassener Butter gebraten und mit einer mediterranen Gemüsemischung serviert.

Zubereitungszeit: **35 Minuten + Kühlzeit**
Garzeit: **1 Stunde**
Für 6 Personen

550 ml Milch
200 g Polenta (Maisgrieß)
30 g Butter
30 g Parmesan, gerieben
1 kleine rote Paprika, halbiert und entkernt
1 kleine grüne Paprika, halbiert und entkernt
1 kleine gelbe Paprika, halbiert und entkernt
etwas Olivenöl und Butter
1 kleine Zucchini, gewürfelt
1 kleine Auberginen, gewürfelt
1 kleine rote Zwiebel, gewürfelt
120 g sonnengetrocknete Tomaten, gewürfelt
4 Knoblauchzehen, zerdrückt
30 g passierte Tomaten

MINZE-PISTAZIEN-DRESSING
3 EL Milch
30 g Pistazien, ohne Schale und Haut
30 g frische Minze
3 EL Pistazien- oder Olivenöl
1 Knoblauchzehe, gehackt

1 Milch in einem hohen Topf zum Kochen bringen und Polenta einrühren. Herunterschalten und unter gelegentlichem Rühren 5 Minuten köcheln lassen. Butter, Parmesan und Salz und Pfeffer nach Geschmack zugeben. Auf einem eingefetteten Backblech ca. 1,5 cm dick verstreichen. Abkühlen und im Kühlschrank fest werden lassen.

2 Paprika mit etwas Öl bepinseln und mit der Schnittseite nach unten im Backofen auf höchster Stufe backen, bis die Haut schwarz wird und Blasen wirft. In einen Klarsichtbeutel gewickelt 5 Minuten abkühlen lassen. Haut abziehen und Paprika würfeln.

3 Für das Dressing Milch bis fast an den Siedepunkt erhitzen. Vom Herd nehmen, mit Pistazien, Minze, Knoblauch und Öl mischen und in der Küchenmaschine zerkleinern.

4 Etwas Olivenöl in einer großen Pfanne erhitzen, Gemüse, sonnengetrocknete Tomaten und Knoblauch zugeben und 8 Minuten auf mittlerer Stufe im Fett wenden. Ein wenig Dressing und 20 g der passierten Tomaten zufügen. Salzen, pfeffern und warm halten.

5 Polentateig mit einem Teigrädchen oder einem Tassenrand in Kreise von ca. 8 cm Ø schneiden und in etwas zerlassener Butter von beiden Seiten goldbraun braten. Gemüsemischung und ein wenig Minze-Pistazien-Dressing auf die Polenta-Küchlein geben. Restliches Dressing und passierte Tomaten um die Küchlein herum anrichten und mit Minzeblättern garniert servieren.

Scharfer Kichererbsen-Eintopf

Genau das Richtige für kalte Wintertage ist dieser delikate Eintopf mit Chili, Paprika und Tomaten – und das nicht allein für Vegetarier.

*Vorbereitungszeit: **20 Minuten + 1 Nacht Einweichzeit***
*Zubereitungszeit: **1 Stunde 40 Minuten***
Für 4–6 Personen

275 g getrocknete Kichererbsen
Wasser, zum Einweichen
2 EL Olivenöl
1 große Zwiebel, gehackt
3 Knoblauchzehen, gepreßt
¹/₂–1 TL rotes Chilipulver
1 große gelbe Paprika, zerkleinert
1 große rote Paprika, zerkleinert
400 g Dosentomaten, zerkleinert
250 ml Gemüsebrühe
3 EL frische glatte Petersilie, gehackt

1 Die Kichererbsen in eine Schüssel geben und mit reichlich kaltem Wasser bedecken. Über Nacht einweichen lassen, dann abgießen. In einem großen Topf Wasser zum Kochen bringen und die Kichererbsen darin ca. 1 Stunde weich kochen. Gut abtropfen lassen.

2 Öl in einem großen Topf erhitzen und die Zwiebel darin bei mittlerer Hitze ca. 5 Minuten andünsten, bis sie goldfarben ist. Gepreßte Knoblauchzehen zugeben und 1 Minute andünsten.

3 Chilipulver einrühren, die zerkleinerten Paprika zufügen und unter gelegentlichem Rühren ca. 5 Minuten köcheln lassen, bis die Paprikastücke weich sind. Tomaten, Gemüsebrühe und Kichererbsen zugeben und zum Kochen bringen.

4 Die Temperatur reduzieren und den Eintopf 25 Minuten sieden lassen, bis die Sauce leicht eindickt. Kurz vor dem Servieren die Petersilie unterrühren.

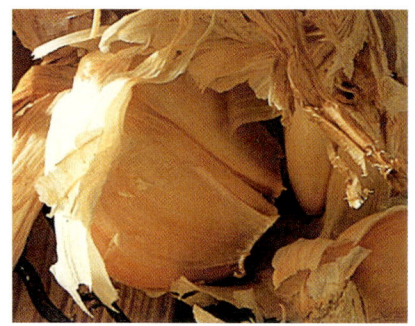

Kichererbsen-Sesam-Beignets mit Knoblauch-Oliven-Sauce

Kichererbsen finden sich in vielen Gerichten Südfrankreichs, des Nahen Ostens und Spaniens.
Diese Beignets harmonieren hervorragend mit dem Knoblaucharoma der Sauce.

Vorbereitungszeit: 55 Minuten + 30 Minuten Einweichzeit
Koch- und Fritierzeit: 2 Stunden
Ergibt 20 Beignets (Krapfen)

170 g Kichererbsen, getrocknet
4 EL Sesamöl
Salz und Pfeffer, nach Geschmack
2 Eier, geschlagen
125 g Sesamkörner
Öl, zum Fritieren

KNOBLAUCH-OLIVEN-SAUCE
$^1/_2$ Knoblauchzwiebel, in Zehen aufgeteilt und geschält
15 g Butter
$^1/_2$ Zwiebel, gehackt
200 ml Milch
2 $^1/_2$ EL Sahne, nach Wunsch
Salz und Pfeffer, nach Geschmack
100 g schwarze Oliven, gehackt

1 EL frische glattblättrige Petersilie, gehackt, oder
frische Korianderblätter, gehackt, nach Wunsch

1 Die Kichererbsen 30 Minuten in warmem Wasser einweichen, abgießen, in einem hohen Topf mit frischem Wasser bedecken und etwa 1 $^1/_2$ Stunden weich köcheln lassen.

2 Die Kichererbsen abgießen und noch heiß in der Küchenmaschine fein pürieren. Nach und nach das Sesamöl einrühren, mit Salz und Pfeffer nach Geschmack würzen.

3 Jeweils 1 TL des Pürees zu einer Kugel rollen, in das geschlagene Ei tauchen und in den Sesamkörnern wälzen. Das Öl auf 180 °C erhitzen und die Kugeln in kleinen Portionen goldgelb fritieren. Auf Küchenpapier abtropfen lassen und warm stellen.

4 Für die Knoblauch-Oliven-Sauce den Knoblauch in Butter goldbraun braten. Die Zwiebel zugeben und glasig braten. Die Milch zufügen, zum Kochen bringen und 10 Minuten kochen lassen. Die Mischung in der Küchenmaschine pürieren, die Sahne zufügen und nach Geschmack mit Salz und Pfeffer würzen. Die Sauce durch ein Sieb gießen und die gehackten schwarzen Oliven zugeben.

5 Drei oder vier der Beignets auf einem Teller anrichten, mit der Knoblauch-Oliven-Sauce umgießen, mit gehackter frischer Petersilie oder Korianderblättern bestreuen und sofort servieren.

Spargel in Blätterteig mit Schnittlauch-Butter-Sauce

Blätterteig ist sehr vielseitig – man kann ihn mit Fleisch, Gemüse oder Meeresfrüchten füllen und in ganz unterschiedliche dekorative Formen bringen. Bei diesem Rezept wird der Blätterteig mit Spargel und Brie gefüllt und mit einer verführerischen Schnittlauch-Butter-Sauce serviert.

*Vorbereitungszeit: **20 Minuten + 20 Minuten Kühlzeit***
*Zubereitungszeit: **25 Minuten***

Ergibt 8 Stück

FÜLLUNG
etwas Salzwasser
16 frische Spargelspitzen, etwa 6 cm lang
Eiswasser, zum Abschrecken
80 g Brie, in 8 Scheiben geschnitten

Blätterteig (¹/2 Menge Rezept S. 680)
1 Ei, verquirlt

SCHNITTLAUCH-BUTTER-SAUCE
100 ml Wasser
150 g Butter, gekühlt und in Würfel geschnitten
Salz und Pfeffer
1 TL Zitronensaft
2 EL frischer Schnittlauch, gehackt

1 Für die Füllung die Spargelspitzen in einer Pfanne mit Salzwasser 2–3 Minuten kochen lassen. Den Spargel abgießen, 5 Minuten in Eiswasser abschrecken, erneut abgießen und auf einem Blech abkühlen lassen *(siehe S. 683)*.

2 Den Teig auf einer bemehlten Fläche zu einem etwa 21 x 26 cm großen und 5 mm dicken Rechteck ausrollen. Die langen Seiten begradigen, den Teig dann in acht 7 cm große Quadrate schneiden. Mit etwas Abstand auf ein feuchtes Backblech legen und 20 Minuten kalt stellen.
3 Den Ofen auf 200 °C (Gasherd: Stufe 3) vorheizen. Die Teigoberfläche mit dem verquirlten Ei einpinseln. Die Seitenränder auslassen, damit der Teig gleichmäßig aufgeht. Mit einem dünnen Messer den Teig kreuzförmig leicht einritzen. Ungefähr 15 Minuten backen, bis der Teig aufgegangen, knusprig und goldbraun ist. Horizontal mit einem scharfen Messer halbieren und weichen Teig herauskratzen. Jeweils eine Scheibe Brie in den Teig legen und mit Spargel belegen, so daß die Spargelspitzen gerade herausragen. Die Teigdeckel wieder auflegen und im Ofen bei 160 °C (Gasherd: Stufe 1) warm halten.
4 Für die Sauce das Wasser in einem Topf aufkochen. Die Temperatur reduzieren und die Butter portionsweise unterrühren, bis die Sauce eingedickt ist. Mit Salz und Pfeffer würzen und Zitronensaft und Schnittlauch unterrühren.
5 Zum Servieren etwas Sauce in jede Teigschale füllen und etwas davon auf die Teller träufeln. Warm servieren.

Tip Blätterteigreste können für die Zubereitung von Sardellenstangen verwendet werden.

Gemüsestrudel

Eine köstliche Vorspeise und ein hervorragender Imbiß. Ein Hauch von Curry betont den Charakter des Gemüses in der Teighülle.

*Vorbereitungszeit: **40 Minuten***
*Back- und Kochzeit: **1 Stunde***
Für 4–6 Personen (ergibt 10 Stück)

Öl, zum Braten
1 Zwiebel, gehackt
¹/₂ TL mildes Currypulver
450 g geschältes Gemüse, wie feingewürfelte Karotte,
    Pastinake, weiße Rübe und Knollensellerie; grüne
    Bohnen, in kurze Stücke geschnitten; je ein Viertel
    eines Blumenkohls und eines Brokkolis, in kleine
    Röschen zerteilt; eine kleine Lauchstange, in dünne
    Scheiben geschnitten
2 EL frische Semmelbrösel
Salz und Pfeffer, nach Geschmack
20 Blätter Filo-Teig (ersatzweise Blätterteig)
Öl oder zerlassene Butter, zum Bestreichen

TOMATEN-KORIANDER-SAUCE
20 g Butter
1 Zwiebel, in dünne Streifen geschnitten
450 g Tomaten, abgezogen, entkernt und geviertelt
              oder 400 g Tomaten aus der Dose
3 EL Gemüse- oder Hühnerbrühe (s. S. 684)
1 Lorbeerblatt
1 frischer Thymianzweig
Salz und Pfeffer, nach Geschmack
3 EL frische Korianderblätter, gehackt
1 Prise Zucker, nach Geschmack

1 Den Backofen auf 190 °C (Gasherd: Stufe 2–3) vorheizen. Ein wenig Öl in einer Bratpfanne oder einem Wok erhitzen, darin die Zwiebel auf niedriger Stufe glasig anbraten. Das Currypulver zufügen und unterrühren. Karotte, Pastinake, Rübe und Sellerie hineingeben, 2 Minuten bei großer Hitze durchrühren.

Bohnen, Blumenkohl und Lauch in die Pfanne geben, 1 Minute rühren, den Brokkoli zugeben und 2 Minuten braten. Das Gemüse in eine große Schüssel füllen, die Semmelbrösel kurz untermischen, nach Geschmack mit Salz und Pfeffer würzen.

2 Ein Blatt Filo-Teig mit Öl oder zerlassener Butter bestreichen und mit einem weiteren Blatt belegen. Erneut mit Öl oder zerlassener Butter bestreichen. In der Mitte falten und mit Gemüse belegen. Dabei an den Seiten einen 2,5 cm breiten Rand lassen. Diese Ränder einschlagen, den Strudel vorsichtig einrollen. Auf diese Weise Teig und Gemüse vollständig verarbeiten. Die Strudel auf ein leicht mit Butter eingefettetes Backblech legen, den Teig dünn mit Öl oder zerlassener Butter bestreichen. 15–20 Minuten backen, bis die Strudel knusprig und goldbraun sind.

3 Die Butter für die Tomaten-Koriander-Sauce in einem Topf zerlassen, darin die Zwiebel 10 Minuten glasig braten. Tomaten, Brühe, Lorbeerblatt und Thymian hineingeben, mit Salz und Pfeffer abschmecken. Aufkochen lassen, die Temperatur reduzieren, zudecken und 20 Minuten köcheln lassen, bis die Sauce sämig ist (bei der Verwendung von Dosentomaten den Saft mitverwenden und die Sauce eindicken lassen). Vom Herd nehmen, Lorbeerblatt und Thymian entfernen, den Koriander zufügen und nach Geschmack würzen. Eine Prise Zucker zugeben, wenn die Tomaten zu scharf sind. Die Strudel sofort mit der Tomaten-Koriander-Sauce servieren, da der Teig sonst weich wird.

Tip Dieses Rezept bietet eine gute Möglichkeit, alle noch in Ihrem Kühlschrank lagernden Gemüse aufzubrauchen. Verwenden Sie aber kein Gemüse, das wässerig wird und den Teig durchweicht. Wenn Sie gekochtes Gemüse verwenden, schneiden Sie es in Würfel und fügen Sie es nach dem Anbraten der Zwiebel hinzu, garen Sie es aber nicht mehr weiter.

Provenzalische Torte

Die Füllung dieser Torte vereint verführerische Aromen der südfranzösischen Küche – in Olivenöl gedünstete und mit frischem Basilikum gewürzte Zwiebeln, Knoblauch, Tomaten, Zucchini und Auberginen.

*Vorbereitungszeit: **1 Stunde 15 Minuten***
*   **+ 40 Minuten Ruhezeit***
*Zubereitungszeit: **1 Stunde***
Für 4–6 Personen

TEIG
200 g Weizenmehl
1 TL Salz
1 TL feiner Zucker
3 EL warmes Wasser
10 g frische Hefe oder 5 g Trockenhefe
1 Ei
2 EL Olivenöl
weiche Butter, zum Einfetten

FÜLLUNG
Olivenöl, zum Dünsten
1 kleine Zwiebel, in Würfel geschnitten
1 Prise Salz
200 g Tomaten, geschält, entkernt und gehackt
**   (s. S. 683)**
2 Knoblauchzehen, feingehackt
1 Zucchini, in Würfel geschnitten
1 Aubergine, in Würfel geschnitten
Salz und Pfeffer
weiche Butter, zum Einfetten
1 Ei
1 Eigelb
100 ml Sahne
2 EL frisches Basilikum, gehackt

1 Für den Teig Mehl zusammen mit Salz und Zucker in eine große Schüssel sieben. In der Mitte eine Mulde bilden. In einer zweiten Schüssel die Hefe in warmem Wasser auflösen. Eier und Olivenöl einrühren, in die Mulde gießen und die Mehlmischung nach und nach mit einem Holzlöffel unterrühren. Sobald sich ein grober Teig gebildet hat, diesen auf eine bemehlte Fläche stürzen und Teigreste aus der Schüssel kratzen. Den Teig etwa 5 Minuten kneten, bis er glatt ist und nicht mehr an der Arbeitsfläche kleben bleibt. Mit eingefetteter Frischhaltefolie bedecken und an einem warmen Ort 30–40 Minuten auf die doppelte Größe gehen lassen.

2 Für die Füllung etwas Olivenöl in einer tiefen Pfanne erhitzen. Zwiebel und Salz hineingeben und bei mittlerer Hitze 3–5 Minuten dünsten, bis die Zwiebel weich, aber nicht gebräunt ist. Tomaten und Knoblauch zufügen und bei geringer Hitze etwa 3 Minuten mitdünsten lassen, bis die Flüssigkeit verdampft ist, dabei gelegentlich rühren. Zucchini und Aubergine separat in etwas Olivenöl dünsten. Die Tomatenmasse zugeben und zugedeckt bei schwacher Hitze 15 Minuten kochen lassen. Die Füllung mit Salz und Pfeffer abschmecken und in eine mit Eis gefüllte Schüssel stellen. Abkühlen lassen, dabei gelegentlich umrühren.

3 Den Ofen auf 170 °C (Gasherd: Stufe 1–2) vorheizen. Eine Quicheform von 20 cm Durchmesser mit Hebeboden leicht einfetten. Ei mit Eigelb und Sahne in einer kleinen Schüssel verquirlen. Mit Salz und Pfeffer würzen.

4 Den Teig flachdrücken, auf einer bemehlten Fläche etwa 3 mm dick ausrollen und die vorbereitete Form damit auslegen *(siehe S. 679)*. Mit einem feuchten Geschirrtuch zudecken und beiseite stellen.

5 Die Eiermasse und gehacktes Basilikum in das kalte Gemüse mischen. Auf den Teigboden gießen und etwa 30–35 Minuten backen, bis sich der Teig goldgelb färbt. Die Torte auf einem Kuchengitter etwas abkühlen lassen, aus der Form lösen und bis zum Anschneiden 5 Minuten ruhen lassen.

Spinat-Ricotta-Quiche

Diese vegetarische Quiche besticht durch ihre köstliche Füllung – die klassische Kombination von Spinat und Ricottakäse wird durch Muskatnuß zusätzlich verfeinert.

Vorbereitungszeit: **30 Minuten**
Zubereitungszeit: **1 Stunde 10 Minuten**
Für 4–6 Personen

FÜLLUNG
500 g Spinat
20 g Butter
weiche Butter, zum Einfetten
3 Eier
200 g Ricottakäse
100 ml Crème double
Salz und Pfeffer
Muskatnuß

Mürbeteig (¹/2 Menge Rezept S. 678)
1 Ei, verquirlt

1 Für die Füllung den Spinat gründlich waschen, die Stiele entfernen und die Blätter mit einem Küchentuch trockentupfen. Die Butter in einer tiefen Pfanne bei mittlerer Hitze zerlassen. Den Spinat zugeben und etwa 8 Minuten dünsten, bis er leicht zusammenfällt und das Wasser verdampft ist. Zum Abkühlen in ein Sieb geben, überschüssige Flüssigkeit herauspressen und dann fein hacken.

2 Den Ofen auf 180 °C (Gasherd: Stufe 2) vorheizen. Eine Quicheform von 20 cm Durchmesser mit Hebeboden leicht einfetten. Den Teig auf einer leicht bemehlten Fläche 3 mm dick ausrollen und die vorbereitete Form damit auslegen *(siehe S. 679)*. 25 Minuten blindbacken, bis der Teig fest ist. Die Backerbsen und das Papier entfernen und den Teigboden mit dem verquirlten Ei einpinseln. Weitere 7 Minuten backen *(siehe S. 679)*.

3 Eier mit Käse und Sahne in einer Schüssel vermengen, den Spinat zugeben und mit Salz, Pfeffer und Muskatnuß würzen. Auf den Teigboden gießen und 25–30 Minuten backen, bis ein Messer, das in die Mitte gestochen wird, sauber bleibt. Die Quiche auf einem Kuchengitter etwas abkühlen lassen, aus der Form nehmen und bis zum Anschneiden 5 Minuten ruhen lassen.

Lauchtörtchen

Diese kleinen Törtchen mit einer Füllung aus Lauch und Kreuzkümmel schmecken besonders gut, wenn man sie warm zu einem Aperitif reicht. Man kann diese Vorspeise auch als große Torte servieren.

Vorbereitungszeit: **45 Minuten + 15 Minuten Kühlzeit**
Zubereitungszeit: **40 Minuten**
Ergibt 30 Stück

FÜLLUNG
40 g Butter
I große Lauchstange, nur den weißen Teil, in
   dünne Scheiben geschnitten (s. S. 683)
I Lorbeerblatt
I Prise getrockneter Thymian
I Prise Salz
1/4 TL Kreuzkümmel, gemahlen
weiche Butter, zum Einfetten
160 ml Crème double
I Ei
I Eigelb
Salz und Pfeffer

Mürbeteig (Menge Rezept S. 678)

1 Für die Füllung die Butter in einem Kochtopf bei geringer Hitze zerlassen. Lauch, Lorbeerblatt, Thymian und Salz zugeben. Zudecken und 5 Minuten dünsten, dann ohne Deckel 5–10 Minuten weiterkochen lassen, bis die Mischung trocken ist. Das Lorbeerblatt entfernen. Kreuzkümmel zugeben, gut verrühren und zum Abkühlen beiseite stellen.

2 Drei Muffin- oder Pastetchenformen mit je 12 Vertiefungen einfetten. Den Teig auf einer leicht bemehlten Fläche etwa 3 mm dick ausrollen und 5 Minuten kalt stellen. Den Ofen auf 170 °C (Gasherd: Stufe 1–2) vorheizen. 30 Kreise von 7 cm Durchmesser ausstechen. Die Teigkreise in die vorbereiteten Muffin- oder Pastetchenformen legen und den Teig am Boden gut andrücken, so daß er etwas über den Rand der Vertiefungen herausragt. Die ausgelegten Formen anschließend etwa 10 Minuten kalt stellen.

3 Crème double mit Ei und Eigelb verquirlen und mit Salz und Pfeffer würzen. 1/2 Teelöffel der Lauchmischung in jedes Teigförmchen geben und diese anschließend vorsichtig mit der Crème-double-Mischung füllen. Dann 10–15 Minuten backen, bis die Füllung gestockt ist. Die Törtchen noch warm aus den Formen nehmen. Für den Fall, daß sie an der Form kleben, behutsam mit einer Messerspitze herauslösen.

Tourte Provençale

*Eine Tourte ist ein runder Gemüsekuchen aus der ländlichen französischen Küche
und wird mit den für die jeweilige Region typischen Zutaten gefüllt. In dieses Rezept kommen
Gemüse und Kräuter aus dem Süden Frankreichs.*

Zubereitungszeit: **40 Minuten + 30 Minuten Ruhezeit
+ 40 Minuten Kühlzeit**

Back- und Garzeit: **1 Stunde 10 Minuten**

Für 6 Personen

4 kleine Zucchini, in 1 cm dicke Scheiben geschnitten

230 g Auberginen, in 1 cm dicke Scheiben geschnitten

1 TL Salz

150 ml Olivenöl

1 große Zwiebel, in Ringe geschnitten

3 Schalotten, gehackt

2 EL Tomatenmark

**400 g reife Tomaten, geschält, entkernt, in 2 cm große
Würfel geschnitten**

2 Knoblauchzehen, zerdrückt

Salz und Pfeffer, nach Geschmack

1 kleine Prise Cayennepfeffer

2 EL frische Basilikumblätter, zerkleinert

2–3 Zweige frischer Rosmarin, nur die Blätter

400 g Tiefkühlblätterteig, aufgetaut

etwas Butter, zerlassen

2 Eier

125 ml Crème double oder Schlagsahne

100 g Gruyère oder eine andere feste Käsesorte, gerieben

1 Prise Muskat, gemahlen

1 Ei, leicht verquirlt

1 Zucchini und Auberginen mit dem Salz vermengen und 30 Minuten in einem Durchschlag abtropfen lassen. Abspülen, damit das Salz entfernt wird und auf Küchenpapier trocknen lassen.

2 1/3 des Öls in einem großen Topf auf mittlerer Stufe erhitzen, Zwiebel zufügen und 3 Minuten kochen lassen. Auf höchste Stufe schalten, das zweite Drittel des Öls, Schalotten, Zucchini und Auberginen zugeben und weitere 3 Minuten kochen lassen. Tomatenmark einrühren und 1–2 Minuten weiter rühren. Das restliche Öl, Tomaten und Knoblauch zugeben. Abgedeckt 10 Minuten bei geringer Hitze köcheln lassen. Mit Salz, Pfeffer und Cayennepfeffer würzen und Basilikum und Rosmarin einrühren. Das Gemüse darf nicht zu weich werden, da es später noch einmal gekocht wird. Beiseite stellen.

3 2/3 des Blätterteigs auf einer leicht bemehlten Arbeitsfläche 4 mm dick ausrollen. Mit dem Ring einer runden Springform (Ø 18 cm) einen Kreis aus dem Blätterteig schneiden, der dem Innendurchmesser des Rings entspricht. Blätterteig auf einen mit Backpapier ausgelegten Teller legen und kalt stellen. Springformring mit zerlassener Butter bepinseln und auf ein eingefettetes oder mit Backpapier ausgelegtes Backblech legen. Das restliche Drittel Blätterteig ca. 2 mm dick ausrollen. Teig über das Nudelholz falten und so vorsichtig in den Backformring heben. Vom Nudelholz lösen und gut in der Form andrücken. Obere Kante so abschneiden, daß ca. 2 cm Teig über den Backformring hinausragen. 30 Minuten kalt stellen. Backofen auf 200 °C vorheizen.

4 Eier und Crème double oder Schlagsahne in einer Schüssel mit Käse, Gemüsemischung und Muskat vermengen. Füllung in die Backform geben, den Blätterteigkreis darüber legen und mit dem verquirlten Ei bestreichen. Überstehende Teigränder nach innen einschlagen und mit den Fingern andrücken. In die Mitte des Teigkreises ein kleines Loch schneiden und mit einem Ring aus Alufolie verstärken, damit Dampf entweichen kann. 10 Minuten kalt stellen. 15 Minuten backen. Temperatur auf 180 °C herunterschalten und weitere 30 Minuten backen. Die fertige Tourte sollte goldbraun aussehen und ein in die Mitte gesteckter Spieß sauber wieder herausgezogen werden können. Ca. 5 Minuten abkühlen lassen. Aluring entfernen, Tourte wenden und mit der Unterseite nach oben heiß oder kalt servieren.

Bunte Paprika-Quiche

Diese farbenfrohe Quiche schmeckt warm serviert am besten. Es können auch nur rote oder nur grüne Paprikaschoten verwendet werden, wobei die roten das feinere Aroma haben.

*Vorbereitungszeit: **45 Minuten***
*Zubereitungszeit: **1 Stunde 35 Minuten***
Für 4–6 Personen

FÜLLUNG
1 rote Paprikaschote
1 gelbe Paprikaschote
1 grüne Paprikaschote
weiche Butter, zum Einfetten
3 Eier
250 ml Crème double
Salz und Pfeffer
Muskatnuß
40 g Gruyèrekäse, gerieben

Mürbeteig (¹/2 Menge Rezept S. 678)
1 Ei, verquirlt

1 Für die Füllung die Paprikaschoten rösten (die einzelnen Arbeitsschritte sind auf Seite 683 näher beschrieben). Das Fruchtfleisch dann der Länge nach in Streifen schneiden.

2 Den Ofen auf 170 °C (Gasherd: Stufe 1–2) vorheizen. Eine Quicheform von etwa 20 cm Durchmesser mit Hebeboden leicht einfetten. Den Teig auf einer bemehlten Fläche etwa 3 mm dick ausrollen und die vorbereitete Form damit auslegen *(siehe S. 679)*. 25 Minuten blindbacken, bis der Teig fest ist. Die Backerbsen und das Papier entfernen und den Teigboden mit dem verquirlten Ei einpinseln. Weitere 7 Minuten backen *(siehe S. 679)*.

3 Die Eier mit Crème double verquirlen und mit Salz, Pfeffer und Muskatnuß würzen. Die Paprikastreifen auf dem gebackenen Teigboden verteilen und dann mit geriebenem Käse bestreuen. Die Eiermasse darüber gießen und 40 Minuten backen, bis sie gestockt ist und ein Messer, das in die Mitte gestochen wird, sauber bleibt. Die Quiche auf einem Kuchengitter etwas abkühlen lassen, aus der Fom lösen und bis zum Anschneiden 5 Minuten ruhen lassen.

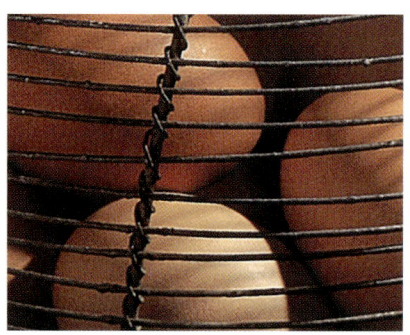

Quiche lorraine

Dieser Klassiker der französischen Küche wurde erstmals im 16. Jahrhundert in Lothringen (frz. »Lorraine«) zubereitet – daher der Name. Es gibt eine Vielzahl von Rezept-Variationen, die Hauptzutaten der traditionellen Quiche lorraine sind Sahne, Eier und geräucherter Speck.

Vorbereitungszeit: **30 Minuten**
Zubereitungszeit: **1 Stunde 5 Minuten**
Für 4–6 Personen

weiche Butter, zum Einfetten
Mürbeteig (¹/2 Menge Rezept S. 678)
1 Ei, verquirlt

FÜLLUNG
Öl, zum Anbraten
180 g geräucherter Speck, ohne Schwarte und in dünne Streifen geschnitten
3 Eier
Muskatnuß
Salz und Pfeffer
250 ml Sahne
80 g Gruyèrekäse, gerieben

1 Eine Quicheform von etwa 20 cm Durchmesser mit Hebeboden leicht einfetten. Den Teig auf einer leicht bemehlten Fläche 3 mm dick ausrollen und die vorbereitete Form damit auslegen *(siehe S. 679)*. Den Ofen auf 180 °C (Gasherd: Stufe 2) vorheizen. Etwa 25 Minuten blindbacken, bis der Teig fest ist. Die Backerbsen und das Papier entfernen und den Teigboden mit etwas verquirltem Ei einpinseln. Weitere 7 Minuten backen *(siehe S. 679)*.

2 Für die Füllung etwas Öl in einer Pfanne erhitzen. Den Speck anbraten, auf Küchenpapier abtropfen lassen und beiseite stellen. Die Eier mit Muskatnuß verquirlen und mit Salz und Pfeffer würzen. Sahne zugeben und die Mischung durch ein Sieb gießen.

3 Den Speck und den Käse über den Teigboden streuen. Die Eiermasse vorsichtig zugießen, bis die Form zu etwa drei Vierteln gefüllt ist. 20–30 Minuten backen, bis die Füllung gestockt ist und Farbe angenommen hat. Warm servieren.

Spinat-Brie-Quiche

Diese Blätterteigtorte ist mit sahnigem Brie, Zwiebeln, Tomaten und Spinat gefüllt. Am besten serviert man sie warm mit einem Tomatensalat oder einem knackigen grünen Salat.

Vorbereitungszeit: 25 Minuten
Zubereitungszeit: 1 Stunde
Für 6 Personen

weiche Butter, zum Einfetten
Blätterteig (¹/2 Menge Rezept S. 680)
1 Ei, verquirlt

FÜLLUNG
30 g Butter
1 Zwiebel, gehackt
3 große Frühlingszwiebeln, in 2 cm lange Stücke geschnitten
190 g tiefgefrorener Spinat, aufgetaut
Salz und Pfeffer
1 Ei
180 ml Crème double
250 g Brie, in dünne Scheiben geschnitten
2 reife Tomaten, in dünne Scheiben geschnitten und auf Küchenpapier getrocknet
2 EL Parmesan, gerieben

1 Eine Quicheform von etwa 20 cm Durchmesser mit Hebeboden einfetten. Den Ofen auf 200 °C (Gasherd: Stufe 3) vorheizen. Den Teig auf einer leicht bemehlten Fläche so dünn wie möglich ausrollen – etwa 1 mm dick, so daß man fast hindurchsehen kann. Die vorbereitete Form damit auslegen *(siehe S. 679)*.

2 15–20 Minuten blindbacken, bis der Teig goldgelb ist. Die Backerbsen und das Papier entfernen. Den Teig im Ofen weitere 5 Minuten backen und dann mit dem verquirlten Ei einpinseln *(siehe S. 679)*. Die Hitze auf 180 °C (Gasherd: Stufe 2) herunterschalten.

3 Für die Füllung die Butter in einer Pfanne zerlassen. Die Zwiebel zugeben und 3 Minuten dünsten, bis sie weich ist. Die Frühlingszwiebeln eine Minute mitdünsten und dann den Spinat zugeben. Mit reichlich Salz und Pfeffer würzen und alles gut vermischen. Anschließend bei großer Hitze etwa 7 Minuten kochen lassen, bis die Flüssigkeit verdampft ist.

4 In einer Schüssel Ei mit Crème double verquirlen und mit Salz und Pfeffer würzen. Die Spinatmischung auf dem Teigboden verteilen, mit einer Schicht Brie bedecken und die Tomaten gleichmäßig darauf verteilen. Die Mischung aus Ei und Crème double über die Tomaten gießen und den Parmesan darüber streuen. Etwa 25 Minuten backen, bis die Füllung gestockt und goldbraun ist. Die Quiche auf einem Kuchengitter etwas abkühlen lassen und anschließend aus der Form nehmen. Warm servieren.

Lauch-Brie-Flamiche

*Der Begriff ›Flamiche‹ leitet sich von dem flämischen Wort für Kuchen ab. Ursprünglich handelte es sich
tatsächlich um eine Art Kuchen aus Brotteig, der mit Butter gereicht wurde. Heute bezeichnet
›Flamiche‹ eine mit Gemüse oder Käse – oder auch mit beidem – gefüllte Pie.*

*Vorbereitungszeit: **1 Stunde 5 Minuten***
   + 30 Minuten Kühlzeit
*Zubereitungszeit: **55 Minuten***
Für 4–6 Personen

TEIG
250 g Weizenmehl
1 TL Salz
60 g Butter
1 Ei
1 Eigelb
2¹/₂ EL Wasser

FÜLLUNG
60 g Butter, in Würfel geschnitten
400 g Lauch, nur der weiße Teil, in dünne
   Scheiben geschnitten (s. S. 683)
150 g Brie
1 Ei
1 Eigelb
2¹/₂ EL Crème double

weiche Butter, zum Einfetten
1 Ei, verquirlt

1   Für den Teig Mehl mit Salz in eine Schüssel sieben. Mit
den Fingerspitzen die Butter in das Mehl reiben, bis es
feinkrümelig ist. In der Mitte eine Mulde bilden und Ei,
Eigelb und Wasser zugeben. Gut vermischen und eine
Teigkugel formen. In Frischhaltefolie eingewickelt 20 Minuten kalt stellen.

2   Für die Füllung die Butter in einer tiefen Pfanne zerlassen und den Lauch zugedeckt 5 Minuten dünsten. Offen
weitere 5 Minuten erhitzen, bis die Flüssigkeit vollständig
verdampft ist, der Lauch darf jedoch nicht bräunen. Den
Lauch in ein Sieb geben und zum Abkühlen beiseite stellen.

3   Den Ofen auf 170 °C (Gasherd: Stufe 1) vorheizen.
Eine Quicheform von 20 cm Durchmesser mit Hebeboden leicht einfetten. Den Teig halbieren und eine Hälfte
auf einer leicht bemehlten Fläche 3 mm dick ausrollen.
Die vorbereitete Form damit auslegen *(siehe S. 679)*, dabei
den Teig 1 cm überstehen lassen. Die zweite Teighälfte auf
einer leicht bemehlten Fläche zu einem Kreis von etwa
22,5 cm Durchmesser ausrollen und bis zur Verwendung
kalt stellen.

4   Die Rinde des Bries entfernen und den Käse in kleine
Würfel schneiden. Den Lauch auf dem Teigboden verteilen und mit dem Käse bestreuen. Ei, Eigelb und Crème
double verquirlen und über den Lauch und den Käse
gießen. Den Teigrand mit verquirltem Ei einpinseln und
die zweite Teigschicht darauflegen. Die beiden Teigschich-
ten auf die gleiche Größe bringen, fest zusammendrücken
und versiegeln. Den Teigrand mit dem Daumen begradigen und an den Rand der Form drücken. Die Oberfläche
mit Ei einpinseln und den Kuchen 10 Minuten kalt stellen.
Erneut mit Ei einpinseln und 40–45 Minuten backen, bis
der Teig goldbraun ist. Den Kuchen auf einem Kuchengitter etwas abkühlen lassen und aus der Form lösen. Bis
zum Anschneiden 5 Minuten ruhen lassen.

DESSERT

Rosa Grapefruit-Sorbet

*Ein edles Sorbet für ein erfrischendes Dessert
oder eine Pause zwischen den Gängen.*

Vorbereitungszeit: **30 Minuten + Zeit in der
Eismaschine oder zum Aufschlagen + Gefrierzeit**
Zubereitungszeit: **1 Minute**
Ergibt 6 Portionen

175 g feiner Zucker
175 ml Wasser
200 ml Grapefruitsaft (rosa oder gelb)
80 ml Zitronensaft
250 ml trockener Weißwein
75 ml Campari
6 Zweige Zitronenmelisse oder Minze, zum Garnieren

1 Zucker mit 175 ml Wasser in einem kleinen Topf bei
schwacher Hitze rühren, bis er geschmolzen ist. 1 Minute kochen lassen, vom Herd nehmen, abkühlen lassen.

2 Grapefruit- und Zitronensaft mischen und durch ein
Sieb in einen Krug gießen. Wein, Campari und
abgekühlten Zuckersirup zugießen.

3 30–40 Minuten in der Eismaschine zu einer dicken
cremigen Masse verarbeiten, in einen Edelstahlbehälter
umfüllen. Zunächst mit Frischhaltefolie, dann mit Alufolie abdecken und vor dem Verzehr 1 Stunde in den
Gefrierschrank stellen.

4 Ohne Eismaschine: die Masse ca. 3 Stunden in einem
Edelstahlbehälter einfrieren, dann in einer großen
Schüssel mit dem elektrischen Handrührer 1–2 Minuten
aufschlagen, bis das Sorbet dick und cremig ist. Wieder in
den Behälter füllen, weitere 3 Stunden einfrieren. Einfrieren und Aufschlagen noch zweimal wiederholen,
danach über Nacht in den Gefrierschrank stellen.

5 Vor dem Servieren ca. 20 Minuten im Kühlschrank
antauen lassen. Sorbet in gut gekühlte Gläser geben und
jeweils mit einem Zweig Zitronenmelisse oder Minze
garnieren.

Gewürzbirnen mit Orangenbutter

In diesem edlen Dessert werden die Birnen mit den Aromen von Vanille und Sternanis angereichert,
bevor sie in einer mit Cointreau verfeinerten Orangensauce serviert werden.

*Vorbereitungszeit: **1 Stunde***
*Zubereitungszeit: **1 Stunde***
Ergibt 4 Portionen

1 Zitrone
800 g Orangen
2 l Wasser
660 g Zucker
1 Vanilleschote, der Länge nach aufgeschlitzt
3 Zimtstangen
10 schwarze Pfefferkörner
4 Sternanis
3 Nelken
1 Prise Muskat
6 Birnen, ca. 1,5 kg
frische Minzeblättchen, zum Garnieren

ORANGENBUTTER
400 ml Orangensaft
120 g Butter, in Würfeln
2 EL Cointreau
160 ml Wasser

1 Zitrone und 1 Orange mit dem Gemüseschäler so schälen, daß die bittere weiße Haut nicht an der Schale haftet. Schale in einen großen Topf mit 2 l Wasser und 500 g Zucker legen. Gewürze in Mull wickeln und zusammen mit dem Muskat in den Topf geben. Bei geringer Hitze rühren, bis sich der Zucker aufgelöst hat, danach leicht köcheln lassen.

2 Birnen schälen, ohne die Stiele zu entfernen, und in die siedende Flüssigkeit legen. Ca. 20 Minuten leicht ziehen lassen, bis sie gar sind (die Spitze eines Messers gleitet dann leicht hinein). Vom Herd nehmen und in der Flüssigkeit abkühlen lassen.

3 Für die Orangenbutter Orangensaft in einem kleinen Topf aufkochen lassen, Hitze reduzieren und 30 Minuten köcheln lassen, bis die Flüssigkeit auf ein Drittel eingekocht ist. Vom Herd nehmen und nacheinander die Butterwürfel einrühren. Cointreau unterrühren, den Topf beiseite stellen.

4 Restliche Orangen schälen, dabei die weiße Haut vollständig von Schale und Fruchtfleisch entfernen. Schale in dünne Streifen schneiden und beiseite stellen. Oben und unten einen Deckel von den Orangen abschneiden und entsorgen. Orangen auf ein Schneidbrett legen und mit einem scharfen Messer von oben nach unten die Filets herauslösen. Beiseite stellen.

5 Orangenschalenstreifen in einen kleinen Topf geben und mit Wasser bedecken. Aufkochen lassen, in ein Sieb gießen und mit kaltem Wasser abspülen. Zusammen mit 160 ml Wasser und dem restlichen Zucker wieder in den Topf geben. Zucker bei geringer Hitze auflösen, danach aufkochen lassen. Temperatur reduzieren und Orangenschalen ca. 20 Minuten lang im Sirup langsam ziehen lassen. Durch ein Sieb gießen, die Flüssigkeit dabei in einer Schüssel auffangen. Flüssigkeit zur Orangenbutter gießen; die kandierte Orangenschale auf Backpapier abkühlen lassen.

6 Zwei abgekühlte Birnen halbieren. Kerne und Stiele entfernen, Birnenhälften in dünne Scheiben schneiden. Jeweils eine in Scheiben geschnittene Hälfte sowie eine ganze Birne auf einen Teller legen. Orangenbutter um die Birnen gießen und einige kandierte Orangenschalen auf die Birnen legen. Mit Orangenfilets und frischen Minzeblättchen garnieren.

Tip Die Birnen schmecken noch besser, wenn sie schon 1 bis 2 Tage im voraus zubereitet werden. Sie können bis zu 1 Woche im Sirup im Kühlschrank aufbewahrt werden. Die kandierten Orangenschalen erhalten eine intensivere Farbe, wenn der Zuckermischung 2 EL Grenadinesirup zugefügt werden.

Gefrorenes Himbeer-Soufflé

Dieses gefrorene Soufflé ist ein besonderer Augenschmaus. Da es schon Tage oder gar Wochen im voraus zubereitet und eingefroren werden kann, können Sie Ihre Gäste jederzeit mit dieser Köstlichkeit überraschen.

Vorbereitungszeit: 45 Minuten + 6 Stunden Gefrierzeit
+ 30 Minuten Auftauzeit
Zubereitungszeit: 10 Minuten
Ergibt 4–6 Portionen

550 g Himbeeren
250 g feiner Zucker
3 EL Wasser
5 Eiweiß
600 ml Schlagsahne
frische Himbeeren, zum Garnieren
frische Minzeblättchen, zum Garnieren

1 Die Himbeeren in der Küchenmaschine pürieren und durch ein feines Sieb passieren, um die Kerne zu entfernen. 300 g Himbeerpüree abwiegen und beiseite stellen.

2 Pergament- oder Backpapier zu einem ca. 25 x 9 cm großen Rechteck schneiden. Papier um die Außenseite einer 1-Liter-Souffléform (18 cm Durchmesser) herumlegen und an der Überlappungsstelle mit Klebestreifen oder Küchenband befestigen, so daß sich keine Falten bilden.

3 Zucker und Wasser in einem mittelgroßen guß-eisernen Topf langsam erhitzen, bis der Zucker aufgelöst ist. Sirup aufkochen und wie bei der Zubereitung von Baiser (*SIEHE S. 697*) verfahren.

4 400 ml Sahne in einer Schüssel halb steif schlagen.

5 Baisermasse mit einem Metallöffel vorsichtig unter das Himbeerpüree heben und gut vermischen. Auch die Schlagsahne unterheben, bis keine weißen Streifen mehr sichtbar sind. Nicht zu kräftig mischen, weil dadurch die Sahne zu fest wird oder gerinnt und das Soufflé dann körnig aussieht.

6 Masse bis zum oberen Rand des Papierkragens in die Souffléform füllen, die Oberfläche vorsichtig glatt-streichen. Mindestens 6 Stunden einfrieren. Kurz vor dem Servieren den Papierrand abziehen und das Soufflé 30 Minuten antauen lassen. Restliche Sahne steif schlagen, das Soufflé damit dekorieren. Mit frischen Himbeeren und Minzeblättchen garnieren.

Burgunder-Granita

Die italienische Granita ist eng mit dem Sorbet verwandt. Sie wird aus aromatischen Früchten zubereitet und mit Wein oder Champagner angereichert. Durch den geringen Zuckergehalt entstehen beim Gefrieren kleine Kristalle, die dem Dessert den Namen geben: eine Granita sollte immer wie zerstoßenes Eis aussehen.

*Vorbereitungszeit: **10 Minuten + 3 Stunden Gefrierzeit***
*Zubereitungszeit: **5 Minuten***
Ergibt 8 Portionen

170 g feiner Zucker
4 EL Orangensaft
2 EL Limettensaft
1 EL Zitronenmelisse oder Minze, gehackt
130 ml Wasser
750 ml Burgunder oder anderer Rotwein
Zitronenmelisse oder Minze, zum Garnieren

1 Acht Serviergläser in den Kühlschrank stellen. Zucker, Orangensaft, Limettensaft, Zitronenmelisse oder Minze und Wasser in einem Topf bei mittlerer Hitze erwärmen. Die Flüssigkeit darf nicht kochen; rühren, bis sich der Zucker aufgelöst hat. Aufkochen, die Hitze reduzieren und weitere 2–3 Minuten köcheln lassen.

2 Sirup durch ein feines Sieb gießen, gut abkühlen lassen, den Wein zufügen. Gut verrühren und in einen flachen Tiefkühlbehälter gießen. 3 Stunden einfrieren, bis die Granita fest geworden ist.

3 Wenn die Granita vollständig gefroren und kristallisiert ist, mit einem Metalllöffel in die gekühlten Gläser füllen. Jedes Glas mit einem Zweig Zitronenmelisse oder Minze garnieren und sofort servieren.

Apfel-Früchte-Charlotte

Dieses berühmte Dessert soll nach der Ehefrau des berüchtigten englischen Königs Georg III. benannt sein.
Traditionell wird es in einer Charlottenform zubereitet.

*Vorbereitungszeit: **30 Minuten + 1 Stunde Kühlzeit***
*Zubereitungszeit: **1 Stunde 20 Minuten***
Ergibt 6 Portionen

14 dünne Scheiben Weißbrot, ohne Rinde
170 g Butter
500 g Äpfel (Granny Smith), geschält, entkernt und feingehackt

FÜLLUNG
500 g Backäpfel, geschält, entkernt und feingehackt
100 g brauner Zucker
1 Prise Zimtpulver
^{1}/$_2$ TL Muskatpulver
50 g Walnüsse, feingehackt
50 g Sultaninen oder andere Trockenfrüchte
2 EL Orangenmarmelade (wenn gewünscht)
Zitronenschale, gerieben (wenn gewünscht)
3 EL Aprikosenmarmelade (siehe Tip)
1 EL Wasser

1 Eine Charlottenform mit einem Fassungsvermögen von 1,25 l mit Butter ausfetten. Sechs Brotscheiben zu Rechtecken halbieren; fünf Scheiben diagonal zu Dreiecken schneiden. Restliche drei Brotscheiben beiseite legen.

2 Die Form umdrehen, Brot-Dreiecke so daraufflegen, daß sich die Ränder überlappen und die Form völlig bedecken. Festhalten und die Ränder mit einer Schere zurechtschneiden; sie müssen genau in den Boden der Form passen.

3 150 g Butter zerlassen, die Brot-Dreiecke in die Butter tauchen und den Boden der Form damit bedecken. Nun die Rechtecke in Butter tauchen, und die Seiten der Form möglichst lückenlos damit auskleiden. Lücken mit Brotresten schließen. Die restlichen Brotscheiben in die Butter tauchen und beiseite stellen.

4 Für die Füllung restliche Butter in einem großen Topf zerlassen. Äpfel zufügen, Topf mit Backpapier und Deckel abdecken. Die Äpfel bei schwacher Hitze 15–20 Minuten zu Mus zerkochen. Zucker zufügen, bei starker Hitze ca. 5 Minuten geleeartig einkochen. Zimt, Muskat, Walnüsse und Sultaninen einrühren. Vom Herd nehmen. Orangenmarmelade und etwas geriebene Zitronenschale unterrühren. Abkühlen lassen.

5 Backofen auf 190 °C (Gasherd: Stufe 3) vorheizen. Die Hälfte der Füllung in die Form geben. Mit der Hälfte der beiseite gelegten Brotscheiben bedecken und fest andrücken, dann die restliche Füllung daraufgeben. Wenn die Füllung nicht genau mit den Brotscheiben abschließt, die Brotränder vorsichtig mit einem kleinen Messer oder einer Schere abschneiden. Mit dem restlichen Brot bedecken; es dürfen keine Lücken zurückbleiben. Vorsichtig andrücken und mit Alufolie abdecken.

6 Die Charlotte auf ein Backblech stellen und 45 Minuten bis 1 Stunde backen, bis sie goldbraun und fest ist. Wenn sie vollständig ausgekühlt ist (nach ca. 1 Stunde), auf eine Servierplatte stürzen.

7 Aprikosenmarmelade und Wasser in einem kleinen Topf bei schwacher Hitze schmelzen lassen. Die Charlotte damit glasieren.

Tip Sie können auch eine feuerfeste Souffléform oder eine Kuchenform verwenden.

Eine Marmelade mit sehr vielen Fruchtstückchen können Sie nach dem Erwärmen durch ein Sieb passieren, damit sie sich leichter verteilen läßt.

Wenn Sie es gerne exotisch mögen, ersetzen Sie die Sultaninen durch 1–2 EL gehackten kandierten Ingwer und den Muskat durch Ingwerpulver.

Als üppige Beigabe 150 ml Sahne mit 50 g Zucker steif schlagen und 2 EL Calvados unterrühren.

Sommerküchlein

Die perfekte Dessertidee für sommerliche Gartenfeste. Die ebenso dekorativen wie leckeren Küchlein müssen
1 Tag im voraus zubereitet werden, damit die Beeren ihr volles Aroma entfalten können.

*Zubereitungszeit: **30 Min. + 1 Nacht Kühlzeit***
*Garzeit: **5 Min.***
Für 6 Personen

18 dünne Scheiben altbackenes Weißbrot
1 kg gemischte Beeren, z. B. Blaubeeren,
   Himbeeren, Erdbeeren und schwarze
   Johannisbeeren, frisch oder TK
2 EL Wasser
100 g feiner Zucker
Eiscreme oder Schlagsahne,
   zum Servieren

1   Die Rinde vom Weißbrot schneiden und wegwerfen. Zwei oder drei Scheiben für die oberste Schicht beiseite stellen und aus den restlichen Scheiben Kreise und Streifen ausstechen oder -schneiden, mit denen sechs Ramequinförmchen (à 150 ml Fassungsvermögen) oder eine große Schüssel (1 l Fassungsvermögen) ausgelegt werden. Die Brotscheiben müssen dicht nebeneinander liegen; es dürfen keine Zwischenräume bleiben.

2   Erdbeeren halbieren oder vierteln, alle Beeren mit Wasser und Zucker nach Geschmack in einen großen Topf geben. Abdecken und bei mittlerer Hitze 5 Minuten köcheln lassen, bis die Beeren Flüssigkeit abzugeben beginnen.

3   Beeren mitsamt der Kochflüssigkeit in die Förmchen oder die Schüssel mit dem Brot geben. Die Beerenmischung so hoch aufhäufen, bis sie fast bis an die Oberkante des Brotes reicht. Die restliche Beerenmischung aufbewahren. Mit den beiseite gestellten Brotscheiben belegen und diese der Form der Küchlein anpassen. Förmchen oder Schüssel auf ein Tablett stellen. Mit Tellern abdecken und mit einem Gewicht (z. B. Konservendosen) beschweren. Über Nacht kalt stellen.

4   Vor dem Servieren die Gewichte entfernen und die Küchlein vorsichtig stürzen. Kalt mit der aufbewahrten Beerenmischung und Eiscreme oder Schlagsahne servieren.

Tip Eine kräftigere Farbe erhalten die Küchlein, wenn weniger Erdbeeren und mehr dunkle Beerensorten verwendet werden.

Überbackene Pfirsiche mit Mascarpone-Creme

Beim Öffnen der kleinen Pfirsich-Päckchen entfaltet sich ein Aroma,
das ahnen läßt, welche Gaumenfreude auf Sie wartet.

*Zubereitungszeit: **20 Minuten***
*Back- und Garzeit: **20 Minuten***
Für 4 Personen

20 g Butter
20 g feiner Zucker
1 Ei, leicht verquirlt
1 EL Mehl
20 g Mandeln, gemahlen
1 Tropfen Bittermandelaroma
2 frische Pfirsiche, geschält und halbiert oder
  4 Pfirsichhälften aus der Dose
10 g Mandeln, gehobelt
  und geröstet (s. Tip)
2 EL Cointreau, Grand Marnier
  oder Kirschlikör
Zimt, gemahlen,
  zum Bestäuben

MASCARPONE-CREME
250 g Mascarpone
125 ml Crème double
2 TL feiner Zucker
4 Tropfen Vanillearoma
4 Tropfen Cointreau

1 Vier Kreise von 6 cm größerem Durchmesser als die Pfirsichhälften auf Backpapier oder Alufolie aufzeichnen. Backofen auf 180 °C vorheizen. Für die Mandelfüllung Butter und Zucker glattrühren, die Hälfte der verquirlten Eimasse unterziehen, Mehl zugeben und zu einer glatten Mischung verrühren. Gemahlene Mandeln und Bittermandelaroma einrühren und ein wenig von dem restlichen Ei zufügen.

2 Die Pfirsichhälften mit der Schnittseite nach oben auf die Backpapier- oder Alufolienkreise legen. Mandelfüllung in einen Spritzbeutel mit glatter Lochtülle geben und die Pfirsichhälften damit füllen (oder einen Löffel dazu verwenden). Mit gehobelten Mandeln bestreuen, mit Likör beträufeln und mit Zimt bestäuben.

3 Papier um die Pfirsichhälften herum nach oben falten und an den Rändern zum Versiegeln nach innen drücken. Auf ein Backblech setzen und 15 Minuten backen, bis die Päckchen aufgegangen sind. Zum Servieren die Päckchen oben öffnen oder die Pfirsiche ganz herausnehmen.

4 Für die Mascarpone-Creme alle Zutaten zu einer glatten, dicken Creme verrühren. Mit den Pfirsichen servieren.

Tip Mandeln zum Rösten auf einem Backblech verteilen und bei 180 °C 1–2 Minuten im Ofen lassen.

Kirschauflauf

Ein rustikales Dessert aus der Region Limousin in Mittelfrankreich. Solche Aufläufe wurden traditionell im Verlauf des Tages für die Landarbeiter auf dem Feld gebacken.

*Zubereitungszeit: **25 Minuten***
*Backzeit: **30 Minuten***
Für 4 Personen

80 g Mehl
2 Eier
60 g feiner Zucker
200 ml Milch
500 ml Crème double
40 g Butter, zerlassen
400 g frische Kirschen, gewaschen und entsteint
Puderzucker, zum Bestäuben

1 Backofen auf 160 °C vorheizen. Mehl in eine Rührschüssel sieben und in die Mitte eine Vertiefung drücken. Eier zugeben und alles zu einem glatten Teig verrühren. Zucker, Milch, Crème double und zerlassene Butter hinzufügen; dabei nach jeder Zugabe gut verrühren. Durch ein Sieb streichen.
2 Eine feuerfeste Auflaufform (Fassungsvermögen 1½ l) einfetten. Kirschen auf dem Boden verteilen und den Teig darüber gießen. 30 Minuten backen, bis eine in die Mitte gestochene Messerspitze sauber wieder herausgezogen werden kann. Mit viel Puderzucker bestreut heiß servieren.

Tip Wenn Sie keine frischen Kirschen bekommen können, können Sie statt dessen auch Kirschen aus dem Glas verwenden. Abtropfen lassen und in ein wenig Butter anbraten, dazu 1–2 EL Kirschwasser geben. Weiter kochen lassen, bis das Kirschwasser verdampft ist.

Cremetörtchen mit Himbeersauce

Diese ebenso einfachen wie köstlichen Cremetörtchen aus Angers und Saumur können mit Himbeersauce oder frischen Himbeeren serviert werden. Traditionell bereitet man sie ohne Puderzucker zu und serviert sie mit frischer Schlagsahne und viel Zucker.

*Zubereitungszeit: **20 Minuten + 1 Stunde Ruhezeit***
Für 4 Personen

200 ml Schlagsahne
Eiswürfel und Wasser, zum Füllen einer Schüssel
300 g Frischkäse (s. Tip)
50 g Puderzucker
frische Minzeblätter, zum Garnieren
rote Beeren, zum Garnieren

HIMBEERSAUCE
400 g frische Himbeeren
80 g Puderzucker, nach Geschmack
einige Tropfen Zitronensaft, nach Geschmack

1 Vier runde Törtchenformen (Ø ca. 9 cm) so mit Küchenmusselin auslegen, daß der Stoff reichlich über die Oberkanten heraushängt. Schlagsahne in eine Rührschüssel gießen, diese in eine größere, mit Eiswürfeln und ein wenig Wasser gefüllte Schüssel stellen und die Sahne leicht schlagen, bis sich Spuren abzeichnen. Die Masse sollte aber noch beweglich sein, wenn die Schüssel geschwenkt wird. Frischkäse zugeben und alles cremig schlagen. Puderzucker einrühren und die Mischung in die Törtchenformen gießen. Überhängenden Küchenmusselin über die Törtchen falten und mindestens 1 Stunde kalt stellen.

2 Für die Himbeersauce die Himbeeren in der Küchenmaschine oder im Mixer zerkleinern, nach Geschmack Zucker und Zitronensaft zugeben und das Püree durch ein feines Sieb streichen. Wenn die Sauce eine tiefrote Färbung bekommen soll, dürfen Sie das Püree nicht zu lange im Mixer verrühren, denn so wird Luft eingeschlossen, die zu einem Farbverlust der Masse führt.

3 Küchenmusselin zurückschlagen und die Förmchen vorsichtig auf Dessertteller stürzen. Förmchen und Musselin entfernen. Etwas Himbeersauce um jedes Cremetörtchen herum verteilen und mit Minzeblättern und roten Beeren garnieren.

Tip Soll das Dessert besonders leicht und bekömmlich gelingen, verwenden Sie Frischkäse mit reduziertem Fettgehalt.

Früchteterrine

Das Geheimnis dieses farbenprächtigen, verführerischen Desserts liegt in seiner Zubereitung: zwei aufeinander gesetzte Kastenformen verhindern, daß die Früchte nach oben schwimmen, bevor das Gelee fest ist.

Vorbereitungszeit: 40 Minuten + 1–2 Nächte Kühlzeit
Zubereitungszeit: 5–10 Minuten

Ergibt 8 Portionen

100 g schwarze Johannisbeeren
120 g rote Johannisbeeren
120 g Blaubeeren
350 g Erdbeeren
220 g Himbeeren
4 Blatt Gelatine oder 2 TL Gelatinepulver
250 ml Wein (Rosé)
2 EL feiner Zucker
1 EL Zitronensaft
75 g Himbeerpüree (siehe Tip)

1 Früchte aussortieren, Stiele entfernen; alle Früchte vorsichtig mischen, ohne sie zu beschädigen. Blattgelatine oder Pulver einweichen *(siehe S. 697)*.
2 Früchte vorsichtig in eine 1 kg fassende Kastenform (13 x 24 x 7 cm) füllen, kleinere Früchte dabei auf den Boden der Form legen.
3 Die Hälfte des Weins in einem kleinen Topf zum Sieden bringen. Topf vom Herd nehmen, Zucker, Gelatine und Zitronensaft zufügen. Unter Rühren auflösen. Restlichen Wein und Himbeerpüree zugeben. 150 ml Flüssigkeit abnehmen, den Rest über die Früchte gießen. Mit Frischhaltefolie abdecken. Eine leicht beschwerte, 1 kg fassende Kastenform auf die Terrine stellen und mindestens 1 Stunde oder besser über Nacht im Kühlschrank fest werden lassen. Obere Kastenform abnehmen und Frischhaltefolie entfernen.
4 Restliche Flüssigkeit vorsichtig erwärmen und über die Terrine gießen. Wieder mit Frischhaltefolie abdecken und im Kühlschrank über Nacht fest werden lassen.
5 Kurz vor dem Servieren Boden der Kastenform kurz in heißes Wasser tauchen und die Früchteterrine auf eine Platte stürzen. In Scheiben schneiden und mit frischem Beerenobst und Crème fraîche servieren.

Tip Für das Himbeerpüree 150 g Himbeeren durch ein Sieb passieren.

Die Himbeeren nicht waschen; auch die anderen Früchte müssen nur gewaschen werden, wenn sie sehr sandig sind.

Kleine Erdbeeren eignen sich für diese Früchteterrine am besten; wenn aber nur große Früchte verfügbar sind, sollten sie halbiert werden.

Zitronenspeise

Ein herrlich leichtes Biskuitsoufflé, gefüllt mit fruchtiger Zitronensauce.

Zubereitungszeit: 25 Min.
Back- und Garzeit: 40 Min.
Für 4 Personen

60 g zimmerwarme Butter
100 g feiner Zucker
feingeriebene Schale
**   von 1 Zitrone**
2 EL Mehl
3 EL Zitronensaft
250 ml Milch
2 Eier, getrennt
1 Msp. Salz
Puderzucker,
**   zum Bestäuben**

1 Backofen auf 180 °C vorheizen. Eine Auflaufform (20,5 cm x 15 cm, 4,5 cm tief) mit Butter auspinseln.
2 Die Butter mit einem Holzlöffel oder dem elektrischen Handrührgerät weich rühren, dann den Zucker portionsweise zugeben und weiter schlagen, bis eine cremige Masse entsteht. Zitronenschale und Eigelbe un-

terrühren und alles gut vermischen. Vorsichtig das Mehl und dann den Zitronensaft einrühren.
3 In einem kleinen Topf die Milch auf mittlerer Stufe erhitzen und lauwarm unter die Zitronenmischung ziehen.
4 Eiweiße in eine große saubere Schüssel geben, Salz einstreuen und mit dem elektrischen Handrührgerät zu halbfestem Schnee schlagen. 1 Eßlöffel Eiweiß mit einem Holzlöffel unter die Zitronenmischung rühren, dann das restliche Eiweiß sehr vorsichtig unterziehen.
5 Die Mischung in die vorbereitete Form füllen. In einen Bräter oder eine feuerfeste Schüssel stellen und heißes Wasser zugießen, bis die Form zur Hälfte im Wasser steht. 30–35 Minuten goldbraun backen, bis die Oberfläche sich fest anfühlt. Zitronenspeise warm oder gekühlt servieren. Die kalte Speise mit ein wenig gesiebtem Puderzucker bestäuben.

Tip Wenn Zitronensaft und Butter verrührt werden, kann die Mischung ausflocken. Sobald jedoch die Milch zugegossen wird, wird die Flüssigkeit wieder glatt (die Milch muß lauwarm und darf auf keinen Fall zu heiß sein).

Obstpastete

Diese Pastete, deren Rezept aus den USA stammt, glänzt mit einer goldgelben Haselnuß-Aprikosendecke
über einer Obstfüllung mit Früchten des Spätsommers.

Zubereitungszeit: 1 Std. + 20 Min. Kühlzeit
Back- und Garzeit: 40 Min.
Für 6 Personen

BELAG
300 g Mehl
2 TL Backpulver
75 g Butter, gekühlt und gewürfelt
50 g feiner Zucker
2 Eier, verquirlt
3 EL Milch
100 g Haselnüsse, feingehackt
75 g getrocknete Aprikosen, feingehackt

OBSTFÜLLUNG
50 g feiner Zucker
3 EL Wasser
25 g Butter
2 ganze Nelken
1 Zimtstange
½ Vanilleschote, längs aufgeschnitten
2 Äpfel, geschält, ohne Kerngehäuse und geachtelt
2 reife Birnen, geschält, ohne Kerngehäuse und
in 2 cm große Stücke geschnitten
3 frische Aprikosen, halbiert und entsteint, oder
6 Aprikosenhälften aus der Dose
2 frische Pfirsiche, halbiert, entsteint und geachtelt,
oder 4 Pfirsichhälften aus der Dose, in Scheiben
geschnitten
3 frische Pflaumen, halbiert und entsteint
feingeriebene Schale von 1 Zitrone
feingeriebene Schale von ½ Orange
1 Msp. gemahlene Nelken
1 Msp. gemahlener Muskat
1 Msp. gemahlener Zimt
1 Eigelb

1 TL Wasser
Puderzucker, zum Bestäuben
Sahne oder Eiscreme, zum Servieren

1 Eine runde Auflaufform (21 cm Ø, 4 cm tief) mit zerlassener Butter auspinseln.

2 Für den Belag Mehl und Backpulver in eine Schüssel sieben. Butter mit den Fingern mit dem Mehl vermischen, bis ein krümeliger Teig entsteht. Zucker einrühren, in die Mitte eine Vertiefung drücken und Eier und Milch hineingeben. Mit einem Holzspatel grob vermengen. Haselnüsse und Aprikosen zugeben und alles zu einem Teig verkneten. Zu einer Kugel formen, in Klarsichtfolie wickeln und 20 Minuten kalt stellen.

3 Für die Obstfüllung zunächst aus feinem Zucker und Wasser eine Karamelmasse zubereiten *(siehe S. 685)*. Wenn die Masse fest ist, wieder auf den Herd stellen und den Karamel auf mittlerer Stufe erneut schmelzen, dann Butter, Nelken, Zimtstange, Vanilleschote und Äpfel einrühren und abgedeckt 5 Minuten köcheln lassen. Birnen, Aprikosen, Pfirsiche und Pflaumen zugeben und abgedeckt weitere 5 Minuten köcheln lassen, dabei gelegentlich umrühren. Zimtstange, Vanilleschote und Nelken entfernen, Zitronen- und Orangenschale und gemahlene Gewürze einrühren und die Obstfüllung in die vorbereitete Schüssel geben.

4 Backofen auf 200 °C vorheizen. Teig auf einer leicht bemehlten Arbeitsfläche 1,5 cm dick ausrollen und mit einem runden Ausstecher (6 cm Ø) Kreise ausstechen. Die Teigkreise leicht überlappend auf der Obstfüllung verteilen.

5 Eigelb und Wasser verquirlen und über die Pastete streichen. Nicht auf die Schnittkanten streichen, sonst wird das Ei fest, und die Pastete geht nicht auf. 15 Minuten goldbraun backen. Vor dem Servieren 5–10 Minuten abkühlen lassen, dann mit gesiebtem Puderzucker bestäuben und mit Sahne oder Eiscreme servieren.

Bayrische Vanillecreme

Eine Eiercreme, mit geschlagener Sahne verfeinert und mit Schokolade, Kaffee, Nougat
oder Früchten angereichert – so wurde die »Bavarois« international berühmt.

Vorbereitungszeit: **1 Stunde + 1 Stunde Kühlzeit**
Zubereitungszeit: **10 Minuten**
Ergibt 4 Portionen

3 Blatt Gelatine oder 1 ¹/₂ TL Gelatinepulver
2 Eigelb
3 EL feiner Zucker
250 ml Milch
1 Vanilleschote, der Länge nach aufgeschlitzt
2 Eiweiß
125 ml Crème double, leicht geschlagen

1 Vier Förmchen (Fassungsvermögen: 250 ml) leicht einfetten; die Gelatine einweichen *(siehe S. 697).*
2 Eigelb und Zucker in einer Schüssel dickschaumig schlagen. Die Milch mit der Vanilleschote langsam zum Kochen bringen.
3 Creme zubereiten *(siehe S. 697).* Eingeweichte Gelatine in die heiße Creme rühren, bis sie vollständig aufgelöst ist, die Creme durch ein Sieb in eine Schüssel gießen und über einer Schüssel mit Eiswasser unter gelegentlichem Rühren nahezu fest werden lassen. Ständig überprüfen.
4 Eiweiß steif schlagen. Mit einem Metallöffel die leicht geschlagene Crème double unter die erkaltete Creme rühren, das steifgeschlagene Eiweiß vorsichtig unterheben.
5 Masse in die Förmchen füllen und mindestens 1 Stunde im Kühlschrank fest werden lassen. Um die Creme von den Förmchen zu lösen, diese entweder schräg halten und leicht schwenken oder kurz in kochendes Wasser tauchen. Creme stürzen.

Tip Das Eiweiß sollte nicht im voraus steifgeschlagen werden; wenn es zu lange steht, fällt es zusammen, und die Konsistenz der Creme wird dadurch trockener und körniger. Durch Zugabe einer Prise Zucker stabilisiert sich der Eischnee und läßt sich leichter steif schlagen.

Die Creme muß völlig ausgekühlt sein, bevor die Sahne zugegeben wird: wenn die Sahne schmilzt, verliert die Creme an Volumen.

Zuccotto

Unter einer dicken Schokoladenschicht verbirgt sich likörgetränktes Biskuit
und eine doppelte Schicht Schokoladenfüllung mit Kirschen und Nüssen.
Ein italienischer Dessertklassiker.

Zubereitungszeit: 45 Minuten + Kühlzeit
Back- und Garzeit: 30 Minuten
Für 8 Personen

BISKUIT
3 Eier
125 g feiner Zucker
100 g Mehl
25 g Kakaopulver
25 g Butter, zerlassen und wieder abgekühlt

2 EL Maraschino oder Kirschlikör
2 EL Weinbrand
300 ml Crème double
50 g Puderzucker
50 g Mandeln, geröstet und feingehackt (s. Tips)
50 g Haselnüsse, geröstet und feingehackt
  (s. Tips)
40 g Zartbitterschokolade, gehackt
50 g Belegkirschen, gehackt
330 g Zartbitterschokolade, geschmolzen (s. Tips)
25 g weiße Schokolade, gehackt

1 Backofen auf 180 °C vorheizen. Eine Schüssel (1 l Fassungsvermögen) mit Klarsichtfolie auslegen. Zwei Bräter (ca. 25 x 25 cm und 15 x 15 cm) mit Backpapier auslegen.

2 Den Biskuitteig nach den Angaben auf S. 698 zubereiten und die Mischung in die Formen gießen. Ca. 10 Minuten backen. Auf einem Kuchengitter auskühlen lassen und das Backpapier abziehen.

3 Mit Hilfe eines Tortenrings oder Tellers einen Kreis von 25 cm Ø aus dem größeren Biskuit schneiden. Ei-

nen schmalen Keil herausschneiden, damit das Biskuit leichter der Schüsselform angepaßt werden kann. Schüssel mit Biskuit auslegen (am Schüsselrand leicht andrücken) und überstehende Ränder abschneiden. Aus dem kleineren Biskuit einen Kreis von derselben Größe wie die Schüssel ausschneiden. Weinbrand und Likör mischen und beide Biskuits damit tränken.

4 Für die Füllung Crème double und Puderzucker steif schlagen und auf zwei Schüsseln aufteilen. In die eine Schüssel Nüsse, gehackte Schokolade und Kirschen geben. Auf den Biskuit in der Schüssel geben und mit einer Löffelrückseite alles gleichmäßig dick verstreichen. 30 Minuten kalt stellen.

5 Ein Drittel der geschmolzenen Schokolade in die andere Schüssel mit Crème double geben – zunächst die Crème double nur mit ein wenig Schokolade verrühren, dann den Rest zugeben. In die Schüssel mit gekühltem Zuccotto geben, mit einem Teigschaber glattstreichen und den zweiten Biskuitkreis fest darauf andrücken. 30 Minuten kalt stellen.

6 Zuccotto auf ein Kuchengitter stürzen. Restliche geschmolzene Zartbitterschokolade verrühren, bis sie etwas abgekühlt ist und den Zuccotto gleichmäßig damit überziehen. Kalt stellen, bis der Überzug fest ist. Weiße Schokolade schmelzen und mit einer Gabel über den Zuccotto verspritzen. Bis zum Servieren kalt stellen.

Tips Mandeln und Haselnüsse zum Rösten auf einem Backblech verteilen und bei 180 °C 3–5 Minuten rösten.

Schokolade zum Schmelzen in einer Schüssel über einem zur Hälfte mit kochendem Wasser gefüllten Topf (nicht auf dem Herd) rühren. Die Schokolade schmilzt durch den Wasserdampf.

Crème brûlée

Übersetzt heißt dieses üppige Dessert »Verbrannte Creme«. Kurz vor dem Servieren wird die Vanillecreme mit Zucker bestreut und zum Karamelisieren kurz unter den heißen Grill gestellt. Die Karamelschicht bildet einen köstlichen Kontrast zum zarten Schmelz der Creme.

*Vorbereitungszeit: **20 Minuten + 1 Nacht Kühlzeit***
*Zubereitungszeit: **55 Minuten***

Ergibt 6 Portionen

4 Eigelb
2 ¹/₂ EL feiner Zucker
300 ml Crème double
300 ml Sahne
5 Tropfen Vanillearoma
12 TL Zucker

1 Backofen auf 150 °C (Gasherd: Stufe 1) vorheizen. Sechs Portionsförmchen (à 100 ml) bereitstellen.
2 Eigelb in einer großen ofenfesten Schüssel mit dem Zucker schaumig rühren. Beiseite stellen. Crème double, Sahne und Vanillearoma in einem gußeisernen Topf zum Kochen bringen, Hitze reduzieren, ca. 8 Minuten köcheln lassen. Topf vom Herd nehmen; Creme langsam auf die Eimasse gießen, dabei kräftig rühren, damit das Ei nicht stockt. Um sie gut portionieren zu können, Creme zunächst in einen Krug passieren und daraus in die vorbereiteten Portionsförmchen gießen.

3 Förmchen in eine Backform stellen, heißes Wasser einfüllen, bis die Förmchen bis ca. 1 cm unter ihrem Rand im Wasserbad stehen. Im Ofen 40–45 Minuten backen. Die Creme ist fertig, wenn sie sich fest anfühlt. Aus dem Backofen nehmen, abkühlen lassen, abdecken und über Nacht in den Kühlschrank stellen.
4 Zum Karamelisieren je 1 Teelöffel Zucker sehr vorsichtig auf der Oberfläche jeder Creme verteilen, ohne die Haut zu beschädigen. In gleicher Weise eine zweite Zuckerschicht auftragen. Am Innenrand der Förmchen anhaftenden Zucker abstreifen, weil er sonst anbrennt. Förmchen auf ein Backblech stellen und unter dem Grill auf höchster Stufe 2–3 Minuten bräunen, bis der Zucker geschmolzen ist. Karamel vor dem Servieren hart werden lassen.

Tip Dieses wundervolle Dessert schmeckt noch köstlicher, wenn es mit Früchten verfeinert wird. Dazu zunächst einige Erdbeeren, Himbeeren oder in Armagnac eingeweichte Backpflaumen in die Förmchen legen, dann die Vanillecreme darüber gießen.

Schokoladenfondue

Nach alter Sitte muß man sein Gegenüber küssen, wenn das Fruchtstückchen in die Schokolade fällt.

Vorbereitungszeit: **15 Minuten**
Zubereitungszeit: **10 Minuten**
Für 4 Personen

300 ml Sahne
50 ml Milch
1 Vanilleschote
500 g hochwertige Bitterschokolade, feingehackt
1 Banane
3 Äpfel
3–4 Scheiben Ananas, frisch oder aus der Dose
150 g Erdbeeren

1 Sahne und Milch in einen kleinen Topf gießen. Die Vanilleschote längs aufschneiden und das Fruchtmark herausschaben. Schote und Mark in die Flüssigkeit geben und diese langsam bis zum Siedepunkt erhitzen. Den Topf von der Kochstelle nehmen, die Vanilleschote herausnehmen und die feingehackte Schokolade unterrühren. Das Schokoladenfondue im handwarmen Wasserbad warm halten.

2 Die Banane in Scheiben, Äpfel und Ananasscheiben in mundgerechte Stücke schneiden. Die Erdbeeren ganz lassen.

3 Verschiedene Fruchtstückchen aufspießen und zusammen mit einem Schälchen Schokoladenfondue jedem Gast auf einem Extrateller servieren; oder das Fondue und die vorbereiteten Früchte in die Mitte des Tisches stellen, so daß sich jeder selbst bedienen kann.

Tip Variieren Sie die Obstsorten je nach Jahreszeit und probieren Sie auch exotische Früchte.

Weißer Karamel

Dieser süße Weichkaramel wird mit zart schmelzender weißer Schokolade zubereitet.

*Vorbereitungszeit: **15 Minuten + 2 Stunden Kühlzeit***
*Zubereitungszeit: **7 Minuten***
Ergibt etwa 50 Stück

weiche Butter, zum Einfetten
350 g feiner Zucker
30 g Butter
1 Prise Salz
125 ml Kondensmilch
1 Vanilleschote
300 g hochwertige weiße Schokolade, gehackt
80 g Pistazien

1 Eine quadratische Kuchenform von 18 cm Seitenlänge einfetten. Zucker, Butter, Salz und Kondensmilch in einen Topf geben. Vanilleschote längs aufschneiden, das Fruchtmark mit einem Messer herausschaben und Schote und Mark in den Topf geben. Die Mischung bei mittlerer Hitze zum Kochen bringen, dabei ständig mit einem Holzlöffel rühren; 5 Minuten unter ständigem Rühren köcheln lassen.
2 Den Topf von der Herdplatte nehmen und die Vanilleschote mit einer Gabel herausfischen. Die gehackte Schokolade unterrühren, bis sie vollständig geschmolzen ist. Pistazien einstreuen und den Weichkaramel in die Kuchenform füllen. Etwa 2 Stunden in den Kühlschrank stellen, bis die Masse erstarrt ist.
3 Den Weichkaramel in kleine Quadrate schneiden und in Pralinenpapierförmchen servieren. Im Kühlschrank hält sich er sich bis zu einer Woche.

Tip Gehackte Haselnüsse sind ein guter Ersatz für die Pistazien.
   Die ganze Vanilleschote mitsamt Fruchtmark verleiht dem Weichkaramel ein besonders köstliches Aroma. Wen jedoch die schwarzen Körnchen stören, der kann sie durch einige Tropfen Vanillearoma ersetzen.

Schokoladeneistrüffel

Diese scheinbar herkömmlichen Trüffel sind eine raffinierte Köstlichkeit: Kugeln aus Schokoladeneis, von gehaltvoller Schokoladenganache umhüllt und in Kakaopulver gewälzt.

Vorbereitungszeit: **30 Minuten + 1 Stunde Gefrierzeit**
Zubereitungszeit: **5 Minuten**
Ergibt 12 Stück

250 ml Schokoladeneis

GANACHE
250 g hochwertige Bitterschokolade, gehackt
250 ml Crème double
2 ¹/₂ EL feiner Zucker

Kakaopulver, zum Bestäuben

1 Ein Backblech mit Backpapier auslegen. 12 kleine Kugeln mit einem Eisportionierer oder einem Teelöffel von der Eiscreme abstechen, auf das Blech setzen und mindestens 1 Stunde gefrieren.
2 Für die Ganache gehackte Schokolade in eine Schüssel geben. Crème double und Zucker in einen mittelgroßen

Topf geben und den Zucker bei geringer Hitze unter Rühren auflösen. Die Sahnemischung über die Schokolade gießen und einige Minuten stehen lassen, bis die Schokolade geschmolzen ist; dann behutsam glattrühren. In der nächsten Stunde alle 10 Minuten kräftig durchrühren, bis die Masse abgekühlt ist.
3 Kakaopulver in eine kleine Schale sieben. Sobald die Eiskugeln erstarrt sind, jeweils einige aus dem Gefriergerät nehmen. Sie zuerst in die erkaltete Ganache tauchen, dann sofort im Kakaopulver wälzen. Zurück ins Gefriergerät legen und den Vorgang mit den übrigen Kugeln wiederholen.

Tip Die Ganache darf nicht warm sein, da die Eiscreme sonst schmilzt. Sie darf aber auch nicht zu kalt sein, damit die Creme nicht zu fest wird, so daß die Kugeln nicht sauber überzogen werden können.

Die fertigen Trüffel können nach dem Festwerden bis zu einem Monat in geeigneten Gefrierbehältern aufbewahrt werden. Gegebenenfalls vor dem Servieren noch einmal in Kakaopulver wälzen.

Schokoladensorbet

Die meisten geben sich mit einer Kugel dieses Sorbets zufrieden – nur echte ›Chocoholics‹ schaffen mehrere.

*Vorbereitungszeit: **30 Minuten + Gefrierzeit (über Nacht)***
*Zubereitungszeit: **5–10 Minuten***
Für 6 Personen

175 g feiner Zucker
50 g Kakaopulver
125 g hochwertige Bitterschokolade, gehackt

HIMBEER-SAUCE
1 kg frische Himbeeren
2 EL Puderzucker
ein paar Tropfen Zitronensaft

1 500 ml Wasser mit Zucker in einem Topf unter Rühren langsam erhitzen, bis der Zucker aufgelöst ist; zum Kochen bringen. Von der Herdplatte nehmen, Kakaopulver und Schokolade zugeben und gleichmäßig verrühren.

2 Die Masse noch einmal aufkochen lassen. Sobald die ersten Bläschen aufsteigen, den Topf für mindestens 10 Minuten in eine Schüssel mit Eiswasser stellen, bis die Mischung abgekühlt ist. Die Masse in einer Eismaschine 20 Minuten körnig gefrieren lassen, in einen Gefrierbehälter von 1 l Fassungsvermögen umfüllen und über Nacht gefrieren; oder die Sorbetmasse direkt in einem Gefrierbehälter von 1 l Fassungsvermögen 3 Stunden gefrieren, bis die Masse halbgefroren ist. In eine große Schüssel umfüllen und mit einem elektrischen Handrührgerät 1–2 Minuten zu einer dicken, glatten Masse schlagen. Wieder in den Behälter füllen und 3 Stunden gefrieren. Diesen Vorgang noch zweimal wiederholen, dann das Sorbet im Gefrierbehälter über Nacht gefrieren.

3 Für die Himbeer-Sauce Früchte mit Puderzucker und Zitronensaft im Mixer fein pürieren. Durch ein Sieb streichen, um die kleinen, harten Kerne zu entfernen.

4 Das Sorbet mit der Fruchtsauce auf gut gekühlten Tellern servieren.

Heißes Schokoladensoufflé

Ein schön aufgegangenes, luftig-zartes Soufflé zählt zu den Glanzstücken eines guten Küchenchefs. Die größte Schwierigkeit besteht darin, das Soufflé zu servieren, bevor es abkühlt und zusammenfällt.

Vorbereitungszeit: 20 Minuten
Zubereitungszeit: 20–25 Minuten
Für 6 Personen

50 g hochwertige Bitterschokolade, grobgehackt
250 ml Milch
60 g Butter
3 EL Weizenmehl
weiche Butter, zum Einfetten der Förmchen
feiner Zucker, zum Ausstreuen der Förmchen
4 Eier, getrennt
2 1/2 EL feiner Zucker
1 EL Kakaopulver, gesiebt

Puderzucker, zum Bestäuben

1 Den Backofen auf 180 °C (Gasherd: Stufe 2) vorheizen. Die Schokolade in eine Schüssel geben. Die Milch bis zum Siedepunkt erhitzen. Über die Schokolade gießen und rühren, bis sie geschmolzen ist. Butter in einem Topf schmelzen und Mehl einstreuen. Bei geringer Hitze 1 Minute anschwitzen. Die Schokoladenmilch nach und nach zugießen, dabei ständig mit einem Holzlöffel rühren. Die Flüssigkeit aufkochen lassen, dann von der Herdplatte nehmen und abkühlen lassen.

2 Sechs Souffléförmchen von 250 ml Fassungsvermögen (10 x 5 cm) vom Boden zu den Seiten hin mit Butter einfetten. In den Kühlschrank stellen, bis das Fett erstarrt ist, dann den Vorgang wiederholen. Eines der Förmchen zur Hälfte mit feinem Zucker füllen und vorsichtig drehen und rütteln, bis die Oberfläche gleichmäßig mit Zucker überzogen ist. Überschüssigen Zucker abklopfen und die restlichen Förmchen wie das erste damit ausstreuen.

3 Die Eigelbe unter die Schokoladenmischung rühren. In einer separaten Schüssel die Eiweiße zu steifem Schnee schlagen. Zucker einrieseln lassen und 30 Sekunden weiterschlagen. Kakaopulver unterheben. Zunächst ein Drittel der Baisermasse unter die Schokoladenmischung rühren, um sie zu lockern, dann behutsam, aber rasch den Rest unterheben. Nicht zu lange rühren, da die Soufflémasse sonst an Volumen verliert.

4 Die vorbereiteten Förmchen randvoll mit der Soufflémasse füllen und die Oberfläche mit einem Palettenmesser glattstreichen. Mit gesiebtem Puderzucker bestreuen, dann mit dem Daumen am Rand der Form entlangfahren, so daß eine kleine Rinne entsteht. Diese bewirkt, daß das Soufflé beim Backen gut aufgeht. Die Soufflés etwa 15 Minuten im vorgeheizten Ofen backen, bis sie eine schöne goldbraune Kruste bekommen haben. Sie sollten sich bei leichtem Fingerdruck so eben fest anfühlen. Die Soufflés mit Puderzucker bestäuben und sofort servieren.

Warmer Schokoladenschaum mit Pistaziensauce

Dieses schokoladige Dessert wird mit süßer Pistaziensauce und pochierten Birnen serviert und ist genau das Richtige für kalte Wintertage.

*Vorbereitungszeit: **20 Minuten***
*Zubereitungszeit: **35 Minuten***
Für 8 Personen

PISTAZIENSAUCE
20 g Pistazien, gehackt
250 ml Milch
3 Eigelb
2 1/2 EL feiner Zucker
1–2 Tropfen Vanillearoma

weiche Butter, zum Einfetten
185 g hochwertige Bitterschokolade, gehackt
150 g weiche Butter
3 1/2 EL Kakaopulver, gesiebt
6 Eier, getrennt
225 g feiner Zucker

pochierte Birnen, in Scheiben geschnitten, zum Servieren

1 Für die Pistaziensauce Pistazien 1–2 Minuten unter dem heißen Backofen-Grill rösten, dabei ständig wenden, dann in der Küchenmaschine zerkleinern. Milch in einem Topf langsam bis zum Siedepunkt erhitzen. Inzwischen Eigelbe mit Zucker zu einer hellgelben Creme aufschlagen. Die Milch unter die Eischaummasse rühren. In einen Topf umfüllen und bei geringer Hitze ständig rühren, bis die Sauce eindickt und am Löffel haftet. Von der Herdplatte nehmen, in eine Schüssel abseihen und mit Vanillearoma abschmecken. Die Pistazien unterrühren und die Sauce kalt stellen.

2 Den Backofen auf 160 °C (Gasherd: Stufe 1–2) vorheizen. Acht Souffléförmchen (8 x 3,5 cm) à 150 ml einfetten. Schokolade in eine Schüssel geben. Einen Topf zur Hälfte mit Wasser füllen und zum Kochen bringen. Von der Kochstelle nehmen und die Schüssel auf den Topf stellen, darauf achten, daß sie das Wasser nicht berührt. Schokolade in der Schüssel schmelzen. Butter mit einem Holzlöffel schaumig rühren, Kakaopulver unterrühren, dann die geschmolzene Schokolade vorsichtig untermischen.

3 In einer separaten Schüssel Eigelbe mit 125 g Zucker aufschlagen, bis die Masse ihr Volumen verdoppelt hat, und unter die Schokoladenmischung heben. Eiweiße zu steifem Schnee schlagen. Restlichen Zucker einrieseln lassen und weiterschlagen, bis der Eischnee sanfte Spitzen bildet. In drei Portionen behutsam unter die Schokoladenmischung heben. Die Förmchen jeweils zu drei Viertel mit der Masse füllen. 25 Minuten im Ofen backen, bis der Schokoladenschaum fest geworden ist, und auf Servierteller stürzen. Mit der gekühlten Pistaziensauce umgießen und sofort servieren. Die pochierten Birnen getrennt reichen.

Früchte im Schokoladenmantel

So müssen Früchte ursprünglich gedacht gewesen sein: süß und saftig, umhüllt von edler Bitterschokolade. Die Auswahl und Zusammenstellung der Früchte bleibt einzig und allein Ihrer Phantasie überlassen.

Vorbereitungszeit: 20 Minuten + 15 Minuten Kühlzeit
Zubereitungszeit: 10–15 Minuten
Für 4–6 Personen

540 g Erdbeeren
2 Clementinen oder Mandarinen
185 g Zartbitterschokolade, gehackt
1 EL Speiseöl (z. B. Sonnenblumen- oder Erdnußöl)

1 Ein Backblech mit Backpapier auslegen. Erdbeeren mit einem trockenen Backpinsel behutsam säubern oder kurz in einer Schüssel mit kaltem Wasser schwenken und dann gründlich auf mehreren Lagen Küchenpapier abtropfen lassen. Alle Beeren mit Druckstellen aussondern und wegwerfen. Die Clementinen oder Mandarinen schälen und dabei möglichst viel von der weißen, pelzigen Fruchthaut entfernen, dann die Früchte in Spalten zerteilen.

2 Die Schokolade in eine Schüssel geben. Einen Topf zur Hälfte mit Wasser füllen und dieses zum Kochen bringen. Den Topf von der Kochstelle nehmen und die Schüssel über den Topf stellen; darauf achten, daß sie nicht mit dem heißen Wasser in Berührung kommt. Die Schokolade schmelzen und das Öl gründlich unterrühren. Die Schüssel vom Topf nehmen und mit einem Geschirrtuch abdecken, um die Masse warmzuhalten

3 Die Erdbeeren am Stiel fassen und zu etwa drei Viertel in die warme Schokolade tauchen, so daß vom Rot der Beeren noch etwas zu sehen ist. Überschüssige Schokolade vorsichtig am Schüsselrand abstreifen und die überzogenen Erdbeeren auf das vorbereitete Blech legen. Den Tauchvorgang mit den Clementinen- oder Mandarinenspalten wiederholen, die Spalten jedoch zuvor mit Küchenpapier trockentupfen.

4 Die Früchte nach dem Tauchbad 15 Minuten in den Kühlschrank stellen, bis die Schokolade erstarrt ist. Schokoladenfrüchte nicht direkt aus dem Kühlschrank servieren, denn die Kälte beeinträchtigt nicht nur das Aroma der Früchte, die Schokolade ist auch viel zu hart.

Tip Alle Früchte sind zum Überziehen mit Schokolade geeignet, allerdings erzielt man die besten Ergebnisse mit solchen, die ganz bleiben oder eine trockene Oberfläche haben.

Falls die Erdbeerstiele zu kurz sind, kann man sich beim Überziehen mit Zahnstochern behelfen.

Zum Eintauchen der Clementinen- oder Mandarinenspalten empfiehlt sich eine kleine Gebäckzange. Auf Zahnstocher sollte man in diesem Fall verzichten, da beim Einstechen der Fruchtstückchen Saft austreten würde, der wiederum verhindert, daß die Schokolade gleichmäßig an den Früchten haftet.

Mousse au chocolat

Diese raffinierte Mousse au chocolat ist so duftig und cremig, daß sie auf der Zunge zergeht. Besonders edel sieht es aus, wenn Sie die Mousse in Schälchen aus Schokolade servieren.

*Vorbereitungszeit: **1 Stunde + 1 Stunde Kühlzeit***
*Zubereitungszeit: **15 Minuten***
Für 6 Personen

140 g hochwertige Bitterschokolade
3 EL feiner Zucker
2 Eiweiß
1 1/2 Blatt Gelatine oder 3/4 TL Gelatinepulver
1 EL Instantkaffee
500 ml Schlagsahne

1 Von der Schokolade 15 g abwiegen, reiben und bis zur Weiterverwendung kühl und trocken aufbewahren. 60 ml Wasser mit Zucker in einem kleinen gußeisernen Topf erhitzen und nach den Anweisungen auf S. 694 Zuckersirup herstellen. Sobald der Sirup aufkocht, die Eiweiße in eine Schüssel geben und mit dem Handrührgerät zu lockerem Schnee schlagen, bis weiche Spitzen stehenbleiben. Unter Rühren den Sirup langsam zu dem Eischnee gießen. Weiterschlagen, bis die Masse abgekühlt ist.
2 Die Blattgelatine einige Minuten in kaltem Wasser einweichen, dann herausnehmen und gut ausdrücken oder das Gelatinepulver mit 1 Eßlöffel Wasser anrühren und quel-

len lassen. Instantkaffee in einen kleinen Topf geben und in 1 Eßlöffel heißem Wasser auflösen. Die ausgedrückte Blattgelatine oder das angerührte Pulver zugeben und bei geringer Hitze erwärmen, bis die Gelatine aufgelöst ist. Die Flüssigkeit nicht aufkochen lassen, weil die Gelatine sonst Fäden zieht. Die Gelatinemischung zu dem Eischnee gießen und kräftig verrühren.
3 Die restliche Schokolade grob hacken und in eine Schüssel geben. Einen Topf zur Hälfte mit Wasser füllen und dieses zum Kochen bringen. Den Topf von der Kochstelle nehmen und die Schüssel über den Topf stellen; darauf achten, daß sie nicht das Wasser berührt. Sobald die Schokolade geschmolzen ist, die Schüssel vom Topf nehmen und die flüssige Schokolade unter die Baisermasse heben.
4 Die Sahne steif schlagen, bis der Schneebesen deutliche Spuren in der Sahne hinterläßt, und behutsam unter die Schokoladenmischung heben. Die Mousse in einen Spritzbeutel mit 15-mm-Lochtülle füllen und in sechs Gläser spritzen. Eine Stunde in den Kühlschrank stellen, bis die Masse erstarrt ist. Zum Servieren die Mousse nach Belieben verzieren, z. B. mit Sahnerosetten, Schokoladenblättern, geriebener Schokolade oder Schokoladenlocken.

Schokoladenfondant-Soufflés

Beim Anschneiden des Fondants erscheinen in diesem Soufflé köstliche Leckereien –
heiß, süß, unwiderstehlich.

Zubereitungszeit: **35 Min.** *+ 5 Min. Kühlzeit*
Back- und Garzeit: **20 Min.**
Für 6 Personen

125 g Zartbitterschokolade, gehackt
125 g zimmerwarme Butter
2 Eier
2 Eigelb
100 g feiner Zucker
2 TL Kakaopulver
60 g Mehl
¾ TL Backpulver
Kakaopulver, zum Bestäuben
Himbeeren und Schlagsahne,
   zum Servieren

1 Sechs Ramequinförmchen (à 150 ml Fassungsvermögen) mit zerlassener Butter auspinseln, mit feinem Zucker bestreuen und den überschüssigen Zucker abschütteln. Backofen auf 180 °C vorheizen.

2 Einen Topf halbvoll Wasser füllen, zum Kochen bringen und dann vom Herd nehmen. In eine feuerfeste Schüssel, die so groß ist, daß sie über den Topf gestellt werden kann, ohne das Wasser zu berühren, Schokolade und Butter geben und über den Topf mit dampfendem Wasser stellen. Schokolade und Butter unter Rühren schmelzen, bis eine glatte Mischung entstanden ist. Schüssel vom Dampf nehmen und 5 Minuten ruhen lassen.

3 Eier, Eigelbe und Zucker eine andere Schüssel geben und zu einer dickflüssigen Masse verquirlen. Mit einem großen Löffel unter die Schokoladenmischung ziehen (noch nicht vollständig verrühren).

4 Kakaopulver, Mehl und Backpulver auf die Mischung sieben und mit einem Holzlöffel vorsichtig unterziehen. Die Masse auf die vorbereiteten Förmchen verteilen und 15–18 Minuten backen.

5 Fertige Soufflés 2 Minuten ruhen lassen, dann stürzen und mit Kakaopulver bestreuen. Sofort servieren, und Himbeeren und Schlagsahne dazu reichen.

Tip Das geschmolzene Innere dieser Soufflés hängt von einer exakten Backzeit ab. Da alle Backöfen leicht unterschiedlich garen, empfiehlt es sich, das Rezept vor festlichen Anlässen zunächst einmal auszuprobieren.

Reispudding

Dieser cremige Reispudding ist ganz einfach zubereitet.
Er muß nur bei mittlerer Temperatur lange genug im Backofen garen.

*Zubereitungszeit: **5 Min. + 30 Min. Ruhezeit***
*Back- und Garzeit: **2 Std.***
Für 4 Personen

750 ml Milch
25 g feiner Zucker
2 Tropfen Vanillearoma
75 g Milchreis
etwas Butter
frisch gemahlener Muskat, nach Geschmack

4 TL Erdbeermarmelade, Beeren oder Pflaumen,
nach Geschmack, zum Servieren

1 Milch, Zucker, Vanillearoma und Milchreis in eine Auflaufform füllen und 30 Minuten ruhen lassen. Backofen auf 180 °C vorheizen.

2 Butter über die Mischung verteilen, mit etwas Muskat bestreuen und mit Alufolie bedecken. Auf ein Backblech stellen und auf mittlerer Schiene 1 Stunde backen; dabei einmal mit der Gabel durchrühren.
3 Alufolie entfernen und die Hitze auf 150 °C reduzieren. Soll der Pudding kalt serviert werden, weitere 45 Minuten backen, abkühlen lassen und bis zum Servieren kalt stellen. Soll er warm verzehrt werden, 1 Stunde backen, bis die Oberfläche sich bräunt. Warm mit 1 Teelöffel Erdbeermarmelade oder kalt mit Beeren oder Pflaumen servieren.

Tips Wenn der Reispudding zu trocken gerät, einfach vor dem Servieren ein wenig kalte Milch zugeben.

Als geschmackliche Variation kann statt des Vanillearomas und Muskats Zimt verwendet oder einige Rosinen oder Orangeat vor dem Backen in den Reis eingestreut werden.

Orientalischer Reispudding

Kardamom verleiht diesem cremigen Reispudding eine orientalische Note. Servieren Sie dazu eine aromatische Feigen-Konfitüre.

Vorbereitungszeit: **5 Minuten**
Zubereitungszeit: **25 Minuten**
Für 4 Personen

Samen aus 4 Kardamomkapseln, zerstoßen
400 ml Sahne
400 ml Milch
75 g feiner Zucker
75 g Milchreis

1 Die zerstoßenen Kardamom-Samen, Sahne und Milch in einen mittelgroßen Topf geben. Aufkochen lassen, vom Herd nehmen und dann etwas abkühlen lassen. Anschließend Zucker und Reis einrühren. Die Reismischung kann nun entweder über Nacht kalt gestellt oder aber sofort gekocht werden.

2 Die Reismischung aufkochen lassen, dann die Temperatur reduzieren und, sobald die Masse dick zu werden beginnt, unter ständigem Rühren 20–25 Minuten kochen, bis der Reis gerade weich und die Flüssigkeit cremig geworden ist. Der Milchreis sollte zu dem Zeitpunkt dickflüssig sein. Ein Löffel, der über den Topfboden gezogen wird, sollte eine Spur hinterlassen, die sich jedoch rasch wieder schließt. Denken Sie daran, daß der Reis beim Abkühlen noch mehr eindicken wird. Mit getrocknetem Obst oder mit Konfitüre servieren.

Rhabarberkompott mit Ingwer

Dieses würzige Kompott wird durch den Johannisbeergelee verfeinert und erhält durch das Aroma des Ingwers eine besondere Note.

Vorbereitungszeit: **10 Minuten**
Zubereitungszeit: **20 Minuten**
Für 4 Personen

3 EL Johannisbeergelee
4 EL Wasser
1 kg Rhabarber
30 g kandierter Ingwer, feingehackt
etwas feiner oder brauner Zucker

1 Den Johannisbeergelee mit einem Löffel in einer kleinen Schüssel glattrühren, dann mit 4 Eßlöffeln Wasser in einen breiten Topf geben.

2 Die Blätter und unteren Enden von den Rhabarberstangen abschneiden, den Rhabarber dann in 2,5 cm große Stückchen schneiden und in nur einer Schicht in den Topf legen.

3 Aufkochen lassen und die Hitze sofort reduzieren, so daß die Masse nur noch köchelt. Mit einem Deckel oder mit Alufolie gut abdecken und 10–15 Minuten weich dünsten. Vorsicht: Der Rhabarber sollte seine Form bewahren, also behutsam dünsten, da er sonst zerfällt.

4 Den Rhabarber in eine Schüssel umfüllen, Ingwer zugeben und abschmecken; nach Belieben etwas feinen oder braunen Zucker darüber streuen und warm servieren. Das Kompott kann auch schon am Vortag zubereitet und über Nacht kühl gestellt werden.

Tip Der Säuregehalt von Rhabarber kann erheblich schwanken. Süßen Sie ihn nach Belieben. Den Rhabarber allein oder mit Joghurt servieren.

Orientalischer Reispudding (oben) und
Rhabarberkompott mit Ingwer

Zitronen-Lavendel-Reissoufflés

Die leichten Soufflétörtchen verbinden frischen Zitronengeschmack mit feinem Lavendelaroma.

Zubereitungszeit: 15 Min. + Kühlzeit
Back- und Garzeit: 1 Std. 15 Min.
Für 6–8 Personen

75 g Langkornreis
750 ml Milch
feingeriebene Schale von 1 Zitrone
½ TL getrockneter Lavendel, feingehackt
½ Vanilleschote, längs aufgeschnitten
1 Eiweiß
50 g feiner Zucker
1 EL Milch, nach Bedarf
Beeren und Schlagsahne, zum Servieren

1 Reis in ein Sieb geben und unter fließendem Wasser gründlich abspülen. Abtropfen lassen.

2 Milch in einen großen Topf gießen, Zitronenschale, Lavendel, Vanilleschote und Reis zugeben und zum Kochen bringen. Hitze reduzieren und unter häufigem Rühren ca. 40 Minuten köcheln lassen, bis die Mischung cremig wird. Zum Abkühlen beiseite stellen.

3 Backofen auf 180 °C vorheizen. Acht Ramequinförmchen (8 cm x 4 cm) oder eine ovale Auflaufform (24 cm x 4 cm) mit zerlassener Butter auspinseln.

4 Eiweiß in eine trockene und saubere Schüssel geben und mit dem Handrührgerät zu halbfestem Schnee schlagen. Die Hälfte des Zuckers zugeben und weiter schlagen, bis eine feste, glänzende Masse entsteht. Mit dem restlichen Zucker bestreuen und mit einem großen Löffel vorsichtig unterziehen. Wenn nötig, zum Reis noch 1 Eßlöffel kalte Milch zugeben, dann die Vanilleschote entfernen und die Baisermasse unterziehen.

5 Die vorbereiteten Förmchen zu drei Vierteln füllen, auf ein Backblech stellen und 20–25 Minuten goldbraun backen. Mit Beeren und Schlagsahne servieren.

Zabaione mit Löffelbiskuits

Die herrlich leichte Zabaione sollte sofort verzehrt werden. Die Zubereitung erfordert nur einige Minuten, daher eignet sich Zabaione ideal für unerwartete Gäste.

*Zubereitungszeit: **15 Minuten***
*Back- und Garzeit: **20 Minuten***
Für 4–5 Personen

LÖFFELBISKUITS
2 Eier, getrennt
50 g feiner Zucker
50 g Mehl
Puderzucker, zum Bestäuben

ZABAIONE
4 Eigelb
100 g feiner Zucker
4 EL Marsala

1 Backofen auf 200 °C vorheizen. Ein Backblech mit Pergamentpapier auslegen und einen Spritzbeutel mit Lochtülle (1 cm Ø) bereit legen.

2 Für die Löffelbiskuits Eigelbe und Zucker in einer Schüssel cremig schlagen. In einer anderen Schüssel Eiweiße steif schlagen. Mit einem großen Löffel oder Spatel ein Drittel des Eiweißes unter die Eigelb-Mischung ziehen. Die Hälfte des Mehls in die Mischung sieben und vorsichtig unterrühren. Ein weiteres Drittel Eiweiß zugeben und mit dem restlichen Eiweiß und Mehl den Vorgang wiederholen. Nicht zu stark rühren. Mischung in den Spritzbeutel geben und Stränge von 8 cm Länge mit ein wenig Abstand auf ein Backblech spritzen. Mit viel gesiebtem Puderzucker bestäuben und 5 Minuten bei Zimmertemperatur ruhen lassen, damit sich der Zucker ganz auflösen kann. 10 Minuten goldbraun backen. Löffelbiskuits mit dem Papier vom Blech nehmen und so umgedreht auf eine Arbeitsfläche legen. Das Papier von oben mit etwas Wasser besprenkeln, so daß sich das Papier leichter abziehen läßt. Papier abziehen, Löffelbiskuits wenden und auf einem Kuchengitter abkühlen lassen.

3 Für die Zabaione einen zur Hälfte mit Wasser gefüllten Topf zum Kochen bringen und auf unterste Stufe schalten. Eigelbe und Zucker in einer feuerfesten Schüssel verquirlen. Marsala einrühren. Schüssel über das dampfende Wasser halten und rühren, bis die Mischung auf ca. vierfaches Volumen anwächst und fest wird. Auf vier Chiantigläser verteilen und sofort mit Löffelbiskuits servieren.

Tip Zabaione ist ein hervorragendes Schnell-Dessert für unerwartete Gäste. Statt des Marsala kann auch Madeira verwendet werden.

Tiramisu

Den Erfolg verdankt dieses außerordentlich beliebte italienische Dessert mit Kaffee und Kahlúa getränkten Biskuitschichten, sahniger Mascarpone-Creme und einem kräftigen Überzug aus Kakaopulver.

Zubereitungszeit: **35 Minuten + Kühlzeit**
Garzeit: **keine**
Für 4–6 Personen

3 Eigelb
120 g feiner Zucker
180 g Mascarpone
300 ml Schlagsahne
3 EL Kahlúa (Mokkalikör)
500 ml starker Kaffee, abgekühlt
36 Löffelbiskuits
Kakaopulver, zum Bestäuben

1 Eigelbe und Zucker verquirlen, bis der Zucker sich vollständig aufgelöst hat. Mascarpone zugeben und gut verrühren. Schlagsahne steif schlagen und vorsichtig unter die Mischung ziehen, dann eine dünne Schicht Mascarpone-Creme auf dem Boden einer tiefen feuerfesten Auflaufform (ca. 35 cm) verstreichen.

2 Kahlúa mit dem Kaffee vermischen. Löffelbiskuits gut mit der Mischung tränken. Eine Schicht Löffelbiskuits dicht nebeneinander in die Auflaufform legen – nach Bedarf die Löffelbiskuits zerbrechen. Mit einer weiteren Schicht Mascarpone-Creme bedecken, dann eine weitere Schicht Löffelbiskuits (in Gegenrichtung zur ersten Schicht) darauf arrangieren. Vorgang wiederholen und mit einer Schicht Mascarpone-Creme beenden. Oberfläche glätten und bis zum Servieren kalt stellen. Kurz vor dem Servieren mit viel Kakaopulver bestäuben. Tiramisu schmeckt am besten, wenn es einige Stunden im voraus zubereitet wird, damit der Geschmack aller Aromen sich voll entfalten kann.

Panna cotta mit Kaffee-Granita

Seidenweiche Sahnecreme und körniges Eis sind ein erfrischender Start in den Tag.

*Vorbereitungszeit: **1 Stunde + Kühlzeit über Nacht***
*Zubereitungszeit: **20 Minuten***
Für 4 Personen

675 ml Wasser
235 g feiner Zucker
15 g dunkel geröstetes Instant-Kaffeepulver
1 1/2 EL Kaffeelikör, nach Belieben
4 Blätter Gelatine oder 2 TL Gelatinepulver
2 Vanilleschoten, längs aufgeschnitten
250 ml Milch
250 ml Crème double

1 175 ml Wasser und 175 g Zucker 10 Minuten in einem Topf köcheln lassen. Das Kaffeepulver mit etwas Wasser verrühren, einrühren und abkühlen lassen.

2 500 ml Wasser und evtl. Likör zugeben, in eine flache Gefrierdose gießen und über Nacht einfrieren.

3 Die Gelatineblätter einzeln in Wasser einweichen bzw. das Pulver in 2 Eßlöffeln heißem Wasser auflösen. Die Vanillesamen in einen Topf schaben, die Schoten, Milch, Crème double und den restlichen Zucker zugeben und aufkochen lassen. Die Flüssigkeit durch ein Sieb in eine Schüssel gießen und die Schoten entfernen.

4 Die Gelatine zur heißen Milchmischung geben (bei Blattgelatine Wasser zuvor auspressen) und unter Rühren auflösen. Die Schüssel in Eiswasser stellen, bis die Gelatine fest wird (ein durchgezogener Löffel sollte am Schüsselboden eine Linie hinterlassen). In 4 Förmchen mit jeweils 100 ml Fassungsvermögen gießen und über Nacht kalt stellen.

5 Die Förmchen mit einem heißen Tuch umwickeln und die Creme auf 4 gut gekühlte Teller stürzen. Mit einem Metallöffel die Granita aus der Gefrierdose schaben und zur Creme servieren.

Früchtebaiser

Dieses traditionelle Dessert aus England stammt aus dem 19. Jahrhundert. Es besteht aus je einer Schicht Vanillepudding, Beerenpüree und knusprig gebackenem Baiser.

Zubereitungszeit: 25 Min.
Back- und Garzeit: 35 Min.
Für 6 Personen

BEERENPÜREE
400 g Himbeeren oder Erdbeeren
Zitronensaft, nach Geschmack
Puderzucker, nach Geschmack

75 g Butter
150 g frische Semmel- oder Biskuitbrösel
150 g feiner Zucker
feingeriebene Schale von 1 Zitrone
6 Eigelb
100 g frische Himbeeren
100 g frische Erdbeeren, geviertelt
100 g frische Heidelbeeren
100 g Himbeermarmelade
4 Eiweiß
Puderzucker, zum Bestäuben
Schlagsahne, zum Servieren

1 Backofen auf 180 °C vorheizen. Eine Auflaufform (25 cm x 18 cm) mit zerlassener Butter auspinseln.
2 Für das Beerenpüree die Himbeeren oder Erdbeeren im Mixer oder in der Küchenmaschine zerkleinern. Zi-

tronensaft und Puderzucker nach Geschmack zugeben, und das Beerenpüree durch ein feines Sieb streichen.
3 In einem kleinen Topf die Butter zerlassen. Vom Herd nehmen. Semmel- oder Biskuitbrösel, 2 Eßlöffel feinen Zucker und Zitronenschale in einer Schüssel mischen. In die Mitte eine Vertiefung drücken und das Beerenpüree, die zerlassene Butter und die Eigelbe zugeben und alles mit dem elektrischen Handrührgerät zu einer glatten Masse verrühren.
4 Himbeeren, Erdbeeren und Heidelbeeren in die vorbereitete Form geben und die Eimischung darüber gießen. 25 Minuten backen. Aus dem Backofen nehmen und kurz abkühlen lassen. Backofentemperatur auf 200 °C erhöhen.
5 Himbeermarmelade erst in einer Rührschüssel mit einem Holzlöffel verrühren und dann über die Vanille- und Beerenschicht in der Auflaufform streichen.
6 Eiweiße in eine trockene und saubere Schüssel geben und mit dem Handrührgerät zu halbfestem Schnee schlagen. Restlichen feinen Zucker portionsweise zufügen und nach jeder Zugabe gut verquirlen, bis eine feste, glänzende Masse entsteht. In einen Spritzbeutel mit Sterntülle füllen.
7 Die Baisermasse um den Rand der Form spritzen. Mit gesiebtem Puderzucker bestäuben und 3–5 Minuten backen, bis der Baiser goldbraun ist. Warm oder kalt mit Schlagsahne servieren.

Œufs à la neige

In einer reichhaltigen Vanillesauce schwimmen zartschmelzende Baisers,
die mit Karamelsauce beträufelt sind – wahre »Schnee-Eier«!

*Vorbereitungszeit: **40 Minuten***
*Zubereitungszeit: **40 Minuten***
Ergibt 6–8 Portionen

SIRUP
180 g Zucker
2 l Wasser

VANILLESAUCE
2 l Eiswasser
500 ml Milch
1 Vanilleschote, der Länge nach aufgeschlitzt
6 Eigelb
125 g feiner Zucker

BAISER
6 Eiweiß
125 g feiner Zucker

KARAMELSAUCE
100 g Zucker
50 ml Wasser
Zitronensaft, nach Geschmack
2 l Eiswasser

1 Für den Sirup Zucker in 2 l Wasser bei schwacher Hitze auflösen. Aufkochen, Hitze reduzieren und leicht köcheln lassen.

2 Für die Vanillesauce eine große Schüssel mit Eis oder Eiswasser füllen, eine kleinere Schüssel hineinstellen. Die Milch mit der Vanilleschote in einen gußeisernen Topf geben und zum Kochen bringen. Vanillesauce wie -creme zubereiten *(siehe S. 697)* und durch ein Sieb in die kleinere gekühlte Schüssel gießen. Unter gelegentlichem Rühren abkühlen lassen.

3 Für das Baiser Eiweiß in einer Schüssel steif schlagen. Zucker zufügen und weiterrühren, bis die Masse glatt und glänzend ist. Zwei große Löffel in Wasser tauchen und damit die Baisermasse zu ovalen »Eiern« formen. Diese »Schnee-Eier« im schwach siedenden Sirup 3 Minuten ziehen lassen. Nicht zu viele Schnee-Eier gleichzeitig in den Topf geben. Mit einem Schaumlöffel wenden und weitere 3 Minuten ziehen lassen. Auf einem Küchenhandtuch abtropfen und abkühlen lassen.

4 Für die Karamelsauce Zucker, Wasser und einige Tropfen Zitronensaft in einen gußeisernen Topf geben. Bei schwacher Hitze rühren, bis der Zucker aufgelöst ist. Ca. 4–5 Minuten sieden lassen, bis der Karamel eine goldbraune Farbe angenommen hat: die Sauce sollte dick und sirupartig sein. Den Topf sofort einige Sekunden lang in eine große, ofenfeste Schüssel mit Eiswasser tauchen. Herausnehmen und den Karamel warm halten, da er sonst hart wird.

5 Zum Servieren eine flache Schale mit Vanillesauce füllen und die Baiser-Eier daraufsetzen. Mit Karamel beträufeln. Restliche Sauce dazu reichen.

„Eton Mess"

Dieses einfache Dessert, das nach der berühmten englischen Eliteschule benannt ist, eignet sich besonders gut für die Sommerzeit, in der die Erdbeeren reif sind.

Zubereitungszeit: 25 Min.
+ 4 Std. Marinierzeit
Für 4 Personen

600 g Erdbeeren, geputzt
4 EL Grand Marnier
1 Vanilleschote, längs aufgeschnitten
50 g feiner Zucker
30 g küchenfertige Baisers
400 ml Crème double oder Schlagahne

1 Vier große und dekorative Erdbeeren zum Garnieren beiseite stellen. Restliche Erdbeeren in eine große Schüssel geben und mit einer Gabel grob zerdrücken. Grand Marnier, Vanilleschote und Zucker zugeben, mit Klarsichtfolie abdecken und mindestens 4 Stunden kalt stellen. Vanilleschote herausnehmen und wegwerfen. Dann ein Drittel der Mischung auf vier Weingläser verteilen. Baisers grob in ca. 1,5 cm Stücke zerteilen.
2 Sahne in eine Rührschüssel geben und mit dem elektrischen Handrührgerät halb steif schlagen.
3 Sahne zu den restlichen zwei Dritteln Erdbeermischung geben und mit einem Holzlöffel unterziehen. Zwei Drittel Baiserbruch zugeben und kurz verrühren.
4 Baisermischung auf die zerdrückten Erdbeeren in den Weingläsern geben. Restlichen Baiser etwas kleiner brechen und darüber streuen und jeweils mit einer ganzen Erdbeere garnieren.

GEBÄCK

Apfelstrudel

In Wien sagt man, daß der Teig für einen perfekten Apfelstrudel so dünn ausgezogen sein muß,
daß man durch ihn hindurch einen Liebesbrief lesen kann.

*Vorbereitungszeit: **40 Minuten + 30 Minuten Ruhezeit***
*Zubereitungszeit: **50 Minuten***
Ergibt 6–8 Portionen

180 g Mehl
1 Prise Salz
1 Ei, leicht verquirlt
75 ml warmes Wasser
120 g Butter
100 g frische Semmelbrösel
3 EL feiner Zucker
2 TL Zimtpulver
600 g Backäpfel oder sehr säuerliche Äpfel
60 g Sultaninen
Puderzucker, zum Bestäuben

1 Mehl und Salz in eine große Schüssel sieben. In die Mitte eine Vertiefung drücken, verquirltes Ei und Wasser zufügen und mit den Händen zu einem glatten Teig verkneten. Dazu die Schüssel schräg halten und den Teig mit gespreizten Fingern fest kneten. Der Teig ist fertig, wenn er sich vom Schüsselrand löst und sich nur noch schwer kneten läßt. In eine leicht bemehlte Schüssel geben und abgedeckt an einem warmen Ort 15 Minuten gehen lassen.

2 Die Hälfte der Butter in einem Topf zergehen lassen. Semmelbrösel darin langsam bräunen, dann in einer Schüssel abkühlen lassen. Zucker und Zimt in einer kleinen Schüssel mischen. Backofen auf 180 °C (Gasherd: Stufe 2) vorheizen.

3 Ein großes Küchenhandtuch auf einer Seite gut mit Mehl bestäuben, Teig darauflegen und mit den Fingern vorsichtig zu einem Rechteck (ca. 50 x 60 cm) ausziehen; mit einem Küchenhandtuch abdecken und 15 Minuten ruhen lassen. Restliche Butter zerlassen und beiseite stellen.

4 Äpfel schälen, vierteln, Kerngehäuse entfernen, Viertel in dünne Scheiben schneiden. Mit Semmelbröseln, Zimtmischung und Sultaninen mischen. Teig großzügig mit zerlassener Butter bestreichen, die Apfelmischung gleichmäßig darauf verteilen. Rand mit einer Schere abschneiden.

5 Küchenhandtuch an der kürzeren Seite anheben, den Strudel damit aufrollen. Strudel vorsichtig mit der Naht nach unten oder seitlich auf ein Backblech gleiten lassen und leicht halbmondförmig biegen. Den Teig mit der restlichen Butter bestreichen.

6 35–45 Minuten knusprig goldbraun backen. Leicht abkühlen lassen, mit Puderzucker bestäuben und warm mit Vanillecreme, Eiscreme oder Schlagsahne servieren.

Apfelküchlein

*Die Äpfel in diesem beliebten Klassiker
lassen sich durch Bananen, Ananas
oder Birnen ersetzen.*

Vorbereitungszeit: **35 Minuten**
Zubereitungszeit: **20 Minuten**
Ergibt 6–8 Portionen

1 kg Äpfel (Golden Delicious)
140 g feiner Zucker
100 ml Calvados
300 g Mehl
2 EL Speisestärke
1 Prise Salz
2 Eier sowie 4 Eiweiß
250 ml Bier
Öl, für den Teig und zum Fritieren
50 g Puderzucker, zum Bestäuben

1 Äpfel schälen, entkernen und in 1 cm dicke Ringe schneiden, 100 g Zucker mit Calvados mischen, die Äpfel darin wälzen. Beiseite stellen.

2 Mehl, Stärke und Salz in eine große Schüssel sieben. In die Mitte eine Vertiefung drücken, die beiden Eier, das Bier und 1 EL Öl unterrühren. Zu einem glatten Teig verrühren und ruhen lassen (der Teig sollte sehr dick sein, damit die Äpfel gleichmäßig bedeckt werden). Großen tiefen Topf oder eine Friteuse zu einem Drittel mit Öl füllen, auf 170 °C vorheizen.

3 Eiweiß steif schlagen, restlichen Zucker zufügen. Weiterschlagen, bis der Eischnee glatt und glänzend ist. Mit einem großen Metalllöffel unter den Teig heben.

4 Äpfel abtropfen lassen. Die Scheiben nacheinander in den Teig tauchen und von beiden Seiten goldbraun fritieren. Herausnehmen und abtropfen lassen. Heiß oder leicht abgekühlt mit Puderzucker bestäubt servieren.

Orangen-Ziegelchen

Diese feinen, knusprigen Kekse mit ihrem köstlichen Orangen-, Mandel- und Grand-Marnier-Geschmack passen ausgezeichnet zu Vanilleeis oder zu einem frischen Fruchtsorbet.

Vorbereitungszeit: **15 Minuten**
Zubereitungszeit: **5 Minuten pro Blech**
Ergibt 60 Stück

Butter, zum Einfetten
3 1/2 EL Orangensaft
Schale von einer unbehandelten Orange, feingerieben
2 1/2 EL Grand Marnier
250 g feiner Zucker
100 g Butter, zerlassen, dann abgekühlt
200 g Mandeln, feingehackt
125 g Weizenmehl

1 Den Ofen auf 190 °C (Gasherd: Stufe 2–3) vorheizen. Zwei Backbleche einfetten und kalt stellen.
2 Orangensaft und -schale, Grand Marnier und Zucker in eine Schüssel geben. Zerlassene Butter, gehackte Mandeln und Mehl einrühren.
3 Aus der Masse die Ziegelchen nach der Anleitung auf S. 695 formen und backen. Nur jeweils ein Backblech in den Ofen schieben und 5 Minuten backen, bis die Ziegelchen zartbraun sind. Den Rest des Teiges ebenso verarbeiten; die Bleche erneut wie in Schritt 1 beschrieben vorbereiten.

Tip Die Ziegelchen können in einer luftdicht schließenden Dose bis zu einer Woche aufbewahrt werden.

Kokos-Ziegelchen

Die Form dieser Kekse soll an die leicht gerundeten, einander überlappenden Dachziegel erinnern, die man auf vielen Dächern in Europa und besonders am Mittelmeer findet.

Vorbereitungszeit: **15 Minuten**
Zubereitungszeit: **5 Minuten pro Blech**
Ergibt 40 Stück

Butter, zerlassen, zum Einfetten
3 Eiweiß
80 g Kokosflocken
100 g feiner Zucker
20 g Weizenmehl
70 g Butter, zerlassen, dann abgekühlt

1 Den Ofen auf 190 °C (Gasherd: Stufe 2–3) vorheizen. Zwei Backbleche einfetten und kalt stellen.
2 Die Eiweiße mit einer Gabel leicht verquirlen. Kokosflocken, Zucker, Mehl und Butter zugeben und alles verrühren.
3 Aus der Masse die Ziegelchen nach der Anleitung auf S. 695 backen und formen. Nur jeweils ein Backblech in den Ofen schieben und 5 Minuten backen, bis die Ziegelchen leicht goldbraun sind. Den Rest des Teiges ebenso verarbeiten; die Bleche erneut wie in Schritt 1 beschrieben vorbereiten.

Tip Zur Herstellung von Mandel-Ziegelchen anstelle der Kokosflocken 80 g feingehackte Mandeln verwenden.

Die Ziegelchen können in einer luftdicht schließenden Dose bis zu einer Woche aufbewahrt werden.

Bananentörtchen Tatin

Dieses Rezept ist eine Variation der klassischen Apfeltorte der beiden Schwestern Tatin.

Vorbereitungszeit: *35 Minuten + 20 Minuten Kühlzeit*
Zubereitungszeit: *40 Minuten*
Ergibt 4 Stück

weiche Butter, zum Einfetten
160 g feiner Zucker
2 Tropfen Zitronensaft
4 Bananen
Mürbeteig (¹/2 Menge Rezept S. 678)

1 Den Backofen auf 170 °C (Gasherd: Stufe 1–2) vorheizen. Vier 3 cm tiefe, gut eingefettete Pie-Förmchen von 10 cm Durchmesser auf ein Backblech legen und in den Kühlschrank stellen.

2 Eine flache Pfanne mit kaltem Wasser füllen und neben den Herd stellen. Zucker mit 2 Eßlöffeln Wasser in einem gußeisernen Topf unter Rühren auflösen. Zum Kochen bringen, Zitronensaft zugeben und ohne umzurühren kochen lassen, bis die Masse goldfarben ist. Den Topf in die Pfanne stellen und sofort wieder herausnehmen, wenn der Inhalt nicht mehr kocht. Das Karamel zügig auf die Förmchen verteilen und diese dabei drehen, damit die Böden gleichmäßig bedeckt werden. Vorsicht: Die Förmchen können sehr heiß werden.

3 Die Bananen schälen, in 2 cm dicke Scheiben schneiden, die Endstücke wegwerfen. Mit der Schnittseite nach unten so dicht wie möglich nebeneinander in die vorbereiteten Förmchen legen.

4 Den Teig 3–4 mm dick ausrollen und vier Kreise im Durchmesser der Förmchen ausschneiden. Einen Teigkreis auf jedes Törtchen legen und mit einer Gabel einstechen, dann 20 Minuten kalt stellen. Den Teig anschließend etwa 30 Minuten backen. Die Törtchen auf Teller stürzen und heiß servieren.

Apfeltaschen

Diese Taschen schmecken heiß oder kalt zu jeder Tageszeit. Entsprechend dem französischen Originalrezept besteht die Füllung aus Äpfeln, sie kann aber auch mit jedem anderen Obstkompott zubereitet werden.

Vorbereitungszeit: **40 Minuten**
Zubereitungszeit: **35 Minuten**
Ergibt 8–10 Stück

Blätterteig (Menge Rezept S. 680)
I Ei, verquirlt
60 g feiner Zucker

APFELKOMPOTT
30 g Butter
30 g feiner Zucker
2 Äpfel, geschält und entkernt, in kleine Würfel geschnitten
Saft von 1/4 Zitrone
I Prise Vanillezucker (siehe Tip)
I Prise Zimt, gemahlen

1 Den Blätterteig etwa 5 mm dick ausrollen. Mit einem Teigrädchen 8–10 Kreise von 12 cm Durchmesser ausschneiden und jeden Kreis zu einer ovalen Form ausrollen (etwa 12 x 20 cm). Auf ein mit Butterbrotpapier ausgelegtes Backblech legen und kalt stellen.
2 Für das Apfelkompott Butter zusammen mit Zucker bei mittlerer Hitze in einer gußeisernen Pfanne zerlassen und leicht bräunen. Die Äpfel zufügen und 2 Minuten schmoren lassen. Dann Zitronensaft, Vanillezucker, Zimt und 2 1/2 EL Wasser zugeben. Aufkochen und unter gelegentlichem Rühren 5 Minuten köcheln lassen, bis das Wasser verdunstet ist. Zum Abkühlen auf einem Teller verteilen.
3 Den Backofen auf 200 °C (Gasherd: Stufe 3) vorheizen. Die ovalen Blätterteigstücke auf eine bemehlte Fläche legen, die Ränder mit Ei einpinseln und das Apfelkompott auf die Teigstücke verteilen. Den Teig einmal über der Füllung zu Taschen zusammenklappen und die Ränder durch Andrücken verschließen. Die Taschen auf ein Backblech legen, die Oberseite mit Ei einpinseln und dann mit einem kleinen Messer leicht einritzen.
4 Zucker mit 3 Eßlöffeln Wasser in einem kleinen Topf bei mittlerer Hitze unter Rühren aufkochen lassen, dann den Sirup vom Herd nehmen und abkühlen lassen.
5 Die Taschen 5 Minuten backen, die Temperatur dann auf 180 °C (Gasherd: Stufe 2) herunterschalten und weitere 15–20 Minuten backen. Danach die Taschen mit dem Sirup bepinseln und auf einem Kuchengitter abkühlen lassen. Warm oder kalt servieren.

Tip Vanillezucker kann man selbermachen, indem man einfach eine frische Vanilleschote in ein Glas mit Zucker legt und gut verschließt.

Mürbeteigtörtchen mit Sahne und frischen Früchten

Dieses leicht zuzubereitende Dessert besticht durch die Verbindung von süßen roten Früchten und üppiger Schlagsahne zwischen zitronig schmeckendem Mürbeteig.

*Vorbereitungszeit: **45 Minuten + Kühlzeit***
*Zubereitungszeit: **20–25 Minuten***
Für 4–6 Personen

Butter, zerlassen, zum Einfetten

MÜRBETEIG
300 g Butter, zimmerwarm
150 g Puderzucker
Schale von 1 unbehandelten Zitrone, feingerieben
einige Tropfen Vanillearoma
1 Ei, leicht verquirlt
450 g Weizenmehl, gesiebt

FÜLLUNG
200 ml Crème double
5 Tropfen Vanillearoma
feiner Zucker, nach Geschmack
400 g gemischte rote Früchte, z. B. Erdbeeren,
**   Himbeeren und rote Johannisbeeren**

40 g Puderzucker, zum Bestäuben

1 Zwei Backbleche mit Butter einpinseln und kalt stellen. Den Backofen auf 160 °C (Gasherd: Stufe 1–2) vorheizen.

Für den Teig Butter und Puderzucker schaumig rühren, dann Zitronenschale und Vanillearoma einrühren. Nach und nach das Ei zugeben. Das gesamte Mehl auf einmal untermischen, bis der Teig weich und klebrig ist.

2 Den Teig halbieren. Jede Portion schnell zwischen zwei Lagen eingefettetem Backpapier 2,5 mm dick ausrollen. Den Teig mit dem Papier auf die Bleche legen und im Kühlschrank fest werden lassen.

3 Den Teig von den Blechen auf eine Arbeitsfläche gleiten lassen. Das obere Papier entfernen, ein gewelltes Teigrädchen mit Mehl bestäuben und drei Scheiben von 8 cm Durchmesser aus jeder Teigplatte schneiden. Die Scheiben vom unteren Papier auf die Backbleche gleiten lassen und mit einer Gabel einstechen. In 20–25 Minuten goldbraun backen. Kurz auf dem Blech, dann auf einem Kuchengitter vollständig abkühlen lassen.

4 Für die Füllung Crème double und Vanillearoma in eine Schüssel geben und mit Zucker abschmecken. Schlagen, bis weiche Spitzen stehenbleiben, jedoch nicht zu lange. Die Sahne in einen Spritzbeutel mit Sterntülle geben.

5 Etwas Sahne in die Mitte einer Scheibe spritzen und einige Früchte drumherum anrichten (nicht am Rand). Eine Scheibe auflegen, den Vorgang wiederholen und mit einer dritten Scheibe abdecken. Das andere Törtchen zusammensetzen und dabei einige Früchte aufheben. Mit Puderzucker bestäuben und mit Früchten dekorieren.

Windbeutel-Schwäne

Diese eleganten Windbeutel-Schwäne sind ein leichtes und sehr eindrucksvolles Dessert. Die Himbeeren können je nach Jahreszeit durch anderes Obst ersetzt oder ergänzt werden.

Vorbereitungszeit: **1 Stunde**
Zubereitungszeit: **50 Minuten**
Ergibt 4 Stück

Brandteig (Menge Rezept S. 682)
weiche Butter, zum Einfetten
1 Ei, verquirlt, zum Glasieren
frische Himbeeren, zum Garnieren
Puderzucker, zum Bestäuben

CHANTILLY-SAHNE
400 ml Schlagsahne, abgekühlt
100 g Puderzucker
5 Tropfen Vanillearoma

1 Den Backofen auf 180 °C (Gasherd: Stufe 2) vorheizen. Den Brandteig in einen Spritzbeutel mit großer Lochtülle füllen. Etwa eigroße, ovale Teigbällchen auf ein eingefettetes Backblech spritzen (die Körper der Schwäne). Die Bällchen mit etwas verquirltem Ei einpinseln, dann 35–40 Minuten backen, bis der Teig goldbraun ist.

Die Bällchen vom Blech nehmen und auf einem Kuchengitter abkühlen lassen.

2 Mit einem Spritzbeutel mit einer 5 mm-Lochtülle große »S« auf ein mit Backpapier ausgelegtes Backblech spritzen (die Hälse der Schwäne). Die Papierecken herunterdrücken oder mit etwas Teig festkleben. Die Hälse etwa 10–15 Minuten backen, bis der Teig goldbraun ist. Er muß trocken sein, damit die Hälse beim Zusammensetzen der Schwäne nicht zusammenfallen. Auf einem Kuchengitter abkühlen lassen.

3 Für die Chantilly-Sahne die Sahne in eine Schüssel gießen und Puderzucker und Vanillearoma zugeben. Die Sahne mit einem Schneebesen oder Rührgerät schlagen, bis weiche Spitzen stehen bleiben.

4 Das obere Drittel der Körper abtrennen und ungebakkenen Teig aus dem Inneren herauskratzen. Die Deckel diagonal durchschneiden, so daß zwei Dreiecke entstehen. Die Chantilly-Sahne in einen Spritzbeutel mit mittelgroßer Sterntülle geben und in die Körper spritzen. Auf jeder Seite ein Teigdreieck als Flügel befestigen und die Hälse in den Körper drücken. Mit Beeren garnieren und mit gesiebtem Puderzucker bestäuben.

Zarte Momente

*Wie der Name schon sagt: Dieses auf der Zunge zergehende Gebäck mit seiner weichen Füllung aus
Buttercreme und Marmelade ist einfach unwiderstehlich.*

Vorbereitungszeit: **45 Minuten**
Zubereitungszeit: **20 Minuten pro Blech**
Ergibt etwa 30 Stück

Butter, zerlassen, zum Einfetten
250 g Butter, zimmerwarm
100 g Puderzucker, gesiebt
1 TL Schale einer unbehandelten Zitrone, feingerieben
2 Eigelb
300 g Weizenmehl
2 EL Himbeermarmelade, glattgerührt
Puderzucker, zum Bestäuben

BUTTERCREME
80 g feiner Zucker
1 Eiweiß
80 g Butter, zimmerwarm

1 Den Backofen auf 180 °C (Gasherd: Stufe 2) vorheizen.
2 Backbleche mit zerlassener Butter einfetten. Butter, Puderzucker und Zitronenschale mit einem Holzlöffel oder einem Handmixer schaumig rühren.

2 Die Eigelbe zugeben und gut einrühren. Mehl hineinsieben und die Mischung mit einem Holzlöffel zu einem glatten, geschmeidigen Teig verarbeiten. In einen Spritzbeutel mit mittlerer Sterntülle geben.

3 Auf die Backbleche Rosetten von 1,5–2 cm Durchmesser spritzen; dazwischen ausreichend Abstand lassen *(siehe S. 695)*. 10–12 Minuten backen, bis die Ränder goldfarben sind, und auf einem Kuchengitter abkühlen lassen. Mit dem Rest des Teiges ebenso verfahren und die Bleche erneut wie in Schritt 1 beschrieben vorbereiten.

4 Für die Buttercreme in einem kleinen Topf 60 g Zucker und 1 Eßlöffel Wasser langsam zum Kochen bringen, dabei umrühren, damit sich der Zucker gleichmäßig auflöst. Sobald die Lösung kocht, nicht mehr rühren. Damit der Zucker nicht kristallisiert, mit einem in Wasser getauchten Pinsel am Topfrand entlangstreichen. Die Zuckerlösung 3–5 Minuten köcheln lassen. In der Zwischenzeit das Eiweiß steif schlagen, bis der Eischnee seidig glänzt und sich beim Anheben des Schneebesens Spitzen bilden. Dann den köchelnden Sirup in dünnem, gleichmäßigem Strahl zugießen. Weiterschlagen, bis die Mischung kalt ist, dann die weiche Butter portionsweise zugeben und unterrühren.

5 Die Kekse in Paaren anordnen und die flache Seite je eines von zwei Keksen mit Marmelade bestreichen. Auf den zweiten Keks mit kleiner Lochtülle etwas Buttercreme spritzen, beide zusammendrücken und mit gesiebtem Puderzucker leicht bestäuben.

Florentiner

Diese wunderbare Kreation aus Zucker, Butter, Sahne, Mandeln und Orangeat wird oft österreichischen Bäckern zugeschrieben, hat ihren Ursprung jedoch in Italien. Zum knusprigen Florentiner gehört traditionell ein verlockender Schokoladenboden, den man aber auch weglassen kann.

Vorbereitungszeit: **20 Minuten + 10 Minuten Ruhezeit**
Zubereitungszeit: **15 Minuten pro Blech**
Ergibt 25–30 Stück

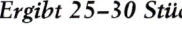

Butter, zerlassen, zum Einfetten
120 g Butter
125 g feiner Zucker
100 g Orangeat oder je 50 g Orangeat und Zitronat, feingehackt
30 g Belegkirschen (kandiert), in jeweils 8 Stückchen geschnitten
60 g Mandelblättchen
120 g abgezogene Mandeln, gehackt
1 1/2 EL Sahne
250 g Zartbitter-Kuvertüre, zerkleinert

1 Den Ofen auf 180 °C (Gasherd: Stufe 2) vorheizen. Zwei Backbleche mit zerlassener Butter bestreichen.
2 Die Butter in einem kleinen Topf zerlassen, Zucker einrühren, langsam zum Kochen bringen und vom Herd nehmen. Orangeat, evtl. auch Zitronat, Kirschen und Mandeln zugeben und gut untermischen. Die Sahne halbsteif schlagen und behutsam in die Mischung rühren. Etwa 10 Minuten beiseite stellen, bis die Mischung kühl und fest ist.

3 Pro Florentiner einen gehäuften Teelöffel der Masse auf die Backbleche setzen, aber nicht zu eng, da die Häufchen noch auseinandergehen *(siehe S. 695)*. Etwa 5 Minuten backken. Die auseinandergegangenen Plätzchen mit Hilfe eines am Rand gefetteten Glases in Form bringen, indem man sie mit kreisenden Bewegungen etwas zusammenschiebt. Weitere 4 Minuten in den Ofen stellen, dann nochmals in Form bringen. 3 Minuten abkühlen lassen, dann vorsichtig mit einem Palettenmesser vom Blech heben und auf einem Kuchengitter abkühlen lassen. Mit der restlichen Masse ebenso verfahren. Falls sie zu kalt geworden ist, um gelöffelt zu werden, leicht erwärmen. Die Bleche wie in Schritt 1 beschrieben vorbereiten.
4 Für den Schokoladenboden die zerkleinerte Kuvertüre im Wasserbad schmelzen, dann auf Raumtemperatur abkühlen lassen. Mit einem Palettenmesser auf die glatte Unterseite der Florentiner streichen. Zurück auf das Kuchengitter legen. Mit einer Gabel Wellenlinien durch die Schokolade ziehen und bei Zimmertemperatur fest werden lassen.

Tip Um Florentiner als Petits Fours zu servieren, nimmt man pro Stück nur 1/2 Teelöffel der Masse. Das Gebäck kann in einer luftdicht schließenden Dose bis zu 1 Woche aufbewahrt werden, ebenso überschüssige Rohmasse.

Englische Rout Biscuits

Dieses dekorative Spritzgebäck paßt ausgezeichnet zu Tee, Kaffee oder auch einem Glas Wein.

Vorbereitungszeit: **15 Minuten + 1 Nacht Trocknen**
Zubereitungszeit: **10 Minuten**
Ergibt etwa 24 Stück

50 g feiner Weizengrieß oder gemahlener Reis
120 g Mandeln, gemahlen
120 g Puderzucker
1/4 TL Zimt, gemahlen
1 Eiweiß
Belegkirschen (kandiert) oder Mandeln, halbiert, zum Dekorieren
50 g Aprikosenmarmelade

1 Zwei Backbleche mit dem Grieß oder gemahlenen Reis bestreuen. Mandeln, Zucker und Zimt in eine Schüssel sieben, das Eiweiß zugeben und alles zu einer sehr festen Masse verrühren.

2 Den Teig in einen Spritzbeutel füllen und mit einer großen Tülle Rosetten von 3 cm Durchmesser bzw. 3 cm lange Fleurs-de-lis auf die vorbereiteten Backbleche spritzen *(siehe S. 695)*. Jeweils in die Mitte eine halbe Belegkirsche oder eine halbe Mandel setzen. Über Nacht unbedeckt trocknen lassen.

3 Den Ofen auf 240 °C (Gasherd: Stufe 4–5) vorheizen. Dann 8–10 Minuten backen, bis die Kekse an den Rändern leicht angebräunt sind.

4 Die Marmelade zusammen mit 1 Eßlöffel Wasser in einem kleinen Topf erhitzen und durch ein Sieb streichen. Die Plätzchen damit bepinseln.

Tip Der Teig sollte sehr steif und sogar recht schwer zu spritzen sein, damit die Kekse schön knusprig werden.

Eine Fleur-de-lis ist ein heraldisches Symbol in Form einer stilisierten Lilie mit drei Blütenblättern.

Dänisches Plundergebäck

Dieses blättrige Hefegebäck ist zwar zeitaufwendig herzustellen, frisch zubereitet
schmeckt es dafür aber einzigartig.

*Vorbereitungszeit: **2 Stunden 15 Minuten** + **Kühlzeit***
+ 30 Minuten Ruhezeit
*Zubereitungszeit: **30 Minuten***
Ergibt 28 Stück

weiche Butter, zum Einfetten
Mehl, zum Bestäuben
I kg Weizenmehl
90 g feiner Zucker
20 g Salz
30 g frische Hefe oder 15 g Trockenhefe
700 ml Milch, erwärmt
450 g Butter, gekühlt

CREMEFÜLLUNG
500 ml Milch
1/2 Vanilleschote, längs aufgeschnitten
5 Eigelb
125 g feiner Zucker
2 EL Weizenmehl
2 EL Stärke

3 x 425 g Aprikosen aus der Dose, abgetropft
I Ei, verquirlt
50 g Mandelblättchen
2 EL Aprikosenkonfitüre

1 Ein Backblech einfetten und mit Mehl bestäuben. Mehl, Zucker und Salz in eine Schüssel sieben und in die Mitte eine Mulde drücken. Die Hefe mit 21/2 EL der Milch vermischen, in die restliche Milch rühren und in die Mulde zu den trockenen Zutaten gießen. Mit den Fingern unterheben, bis ein weicher Teig entsteht, diesen auf einer bemehlten Fläche glatt und geschmeidig kneten. Mit Klarsichtfolie zudecken und 10 Minuten in den Kühlschrank stellen.

2 Für die Cremefüllung die Milch mit der Vanilleschote in einem Topf aufkochen. In einer Schüssel Eigelbe und Zucker schaumig schlagen. Mehl und Stärke hineinsieben und gut verrühren. Die Vanilleschote aus der kochenden Milch nehmen, die Hälfte der Milch in die Eimasse gießen, gut verrühren und wieder zurück in den Topf geben. Aufkochen und unter ständigem Rühren etwa 1 Minute kochen lassen. Dann die Creme auf einem Blech verteilen und rasch abkühlen lassen, die Oberfläche dafür mit Backpapier abdecken, damit sich keine Haut bildet.

3 Den Teig auf einer bemehlten Fläche zu einem 3 mm dicken Rechteck ausrollen (etwa 3 mal so lang wie breit). Die Butter zwischen Klarsichtfolie zu einem Rechteck ausrollen, das so breit wie der Teig ist, aber nur zwei Drittel der Länge hat. Die Butter auswickeln und oben auf den Teig legen, das untere Drittel über die Butter klappen und das obere Drittel mit der Butter darüber falten.

4 Den Teig so drehen, daß er wie ein Buch auf der Arbeitsfläche liegt, dessen Bindung links ist. Erneut zu einem Rechteck ausrollen und in drei Teile übereinander falten. Zweimal wiederholen und zwischen jedem Ausrollen in Klarsichtfolie einwickeln; 20 Minuten kalt stellen.

5 Den Teig auf einer bemehlten Fläche in ein 3 mm dickes Rechteck ausrollen, dann in 10 cm große Quadrate schneiden und auf das Backblech legen. Den Backofen auf 200 °C (Gasherd: Stufe 2) vorheizen.

6 Die Cremefüllung in die Mitte der Quadrate füllen und jeweils zwei Aprikosenhälften darauf anrichten. Eine Ecke mit etwas Ei bepinseln und diese Ecke zusammen mit der gegenüberliegenden über den Aprikosen zusammenschlagen. Die Mitte fest andrücken. Dann an einem warmen Ort 30 Minuten gehen lassen. Mit Ei bepinseln und mit Mandeln bestreuen. In etwa 15–20 Minuten goldbraun backen. Auf einem Kuchengitter abkühlen lassen.

7 Die Aprikosenkonfitüre mit 1 Eßlöffel Wasser schmelzen und durch ein Sieb streichen. Die Oberfläche der Aprikosen mit dem Sirup bestreichen und servieren.

Rum-Rosinen-Kekse

Die klassische Kombination von Rum und Rosinen verleiht diesen dünnen, knusprigen Keksen eine besondere Note. Sie schmecken köstlich zu einer Tasse Tee oder Kaffee und passen auch gut zu Vanilleeis.

Vorbereitungszeit: **15 Minuten + 1 Stunde Einweichzeit**
Zubereitungszeit: **7 Minuten pro Backblech**
Ergibt etwa 25 Stück

30 g Rosinen, gehackt (siehe Tip)
2 EL Rum
Butter, zimmerwarm, zum Einfetten
50 g Butter, zimmerwarm, zusätzlich
40 g Puderzucker
1 Tropfen Vanillearoma
1 Ei, leicht verquirlt
50 g Weizenmehl

1 Die Rosinen in einer kleinen Schüssel mit Rum übergießen, abdecken und mindestens 1 Stunde ziehen lassen. Den Ofen auf 190 °C (Gasherd: Stufe 2–3) vorheizen. Zwei Backbleche mit der weichen Butter bestreichen und kalt stellen, bis die Butter fest ist. Dann mit einer zweiten Schicht bestreichen und wieder kalt stellen.

2 Die zusätzliche Butter in einer großen Schüssel mit einem Handmixer geschmeidigrühren. Den Puderzucker nach und nach zugeben; weiterrühren, bis die Mischung schaumig ist. Das verquirlte Ei nach und nach in die Buttermischung geben und gut verrühren, damit sich die Zutaten nicht trennen bzw. die Mischung nicht flockig wird.

3 Das Mehl in die Buttermischung sieben und alles zu einem glatten Teig verarbeiten. Die eingeweichten Rosinen mit dem Rum einrühren und gut vermengen.

4 Den Teig in einen Spritzbeutel mit großer Lochtülle füllen und Kreise von 2,5 cm Durchmesser auf die vorbereiteten Backbleche spritzen; zwischen den Kreisen mindestens 3 cm Abstand lassen, da sie während des Backens noch aufgehen.

5 Die Bleche einmal kräftig auf die Arbeitsfläche schlagen, damit der Teig leicht verläuft. 6–7 Minuten backen, bis die Kekse an den Rändern goldbraun, in der Mitte aber noch hell sind. Vom Backblech heben und auf einem Kuchengitter abkühlen lassen. Den restlichen Teig ebenso verarbeiten; die Bleche erneut wie in Schritt 1 beschrieben vorbereiten.

Tip Falls die Rosinen beim Zerhacken am Messer kleben bleiben, kann man sie mit ein wenig Mehl aus den Zutaten bestäuben.

Durch die Zugabe von 10 g gehackten kandierten Belegkischen und gehackter Angelika (kandierte Blattstiele der Engelwurz) werden die Kekse noch dekorativer.

Amaretti

Die traditionell in Italien verwendeten bitteren
werden hier durch süße Mandeln ersetzt.

Vorbereitungszeit: **10 Minuten**
Zubereitungszeit: **15 Minuten pro Blech**
Ergibt etwa 40 Stück

75 g abgezogene Mandeln, halbiert oder gehackt
75 g feiner Zucker
1 Eiweiß
3 TL Amaretto
1 Tropfen Bittermandelaroma
Puderzucker, zum Bestäuben

1 Den Ofen auf 180 °C (Gasherd: Stufe 2) vorheizen.
Zwei Backbleche mit Backpapier auslegen.
2 Mandeln und Zucker in eine Küchenmaschine geben
und sehr fein vermahlen. Eiweiß, Amaretto und Bittermandelaroma zugeben und alles zu einem weichen Teig
verarbeiten.
3 Die Masse in einen Spritzbeutel mit großer Lochtülle
füllen und runde Häufchen von etwa 2,5 cm Durchmesser
mit ausreichendem Abstand zueinander auf die Backbleche spritzen. 12–15 Minuten backen, bis die Kekse
goldgelb sind. Auf einem Kuchengitter abkühlen lassen.
Mit gesiebtem Puderzucker bestäuben, solange sie noch
warm sind. Den restlichen Teig ebenso verarbeiten; die
Bleche erneut wie in Schritt 1 beschrieben vorbereiten.

Tip Um ein gutes Ergebnis zu erzielen, müssen Mandeln
und Zucker wirklich sehr fein gemahlen sein.

Wollen Sie die Amaretti auf traditionell italienische Art
servieren, legen Sie jeweils zwei mit den Unterseiten
aneinander und wickeln sie, wie ein Bonbon, in farbiges
Seidenpapier. Dann dekorativ auf einer großen Platte oder
einem Serviertablett stapeln.

Als Variation setzen Sie vor dem Backen eine halbe
Mandel auf jeden Keks.

Biscotti

Biscotti heißt wörtlich übersetzt »doppelt gebacken«. Die würzigen kleinen Kekse passen sehr gut zu Milch- und Fruchteis, warmem Obstkompott oder auch zu einer Tasse Kaffee; traditionsgemäß werden sie aber zu einem lieblichen Wein gereicht und darin eingetaucht.

Vorbereitungszeit: **25 Minuten**
Zubereitungszeit: **1 Stunde 10 Minuten**
Ergibt etwa 40 Stück

Butter, zerlassen, zum Einfetten
etwas Mehl, zum Bestäuben
3 Eier
275 g feiner Zucker
1 TL Salz
2–3 Tropfen Vanillearoma
Schale von 1 unbehandelten Orange, feingerieben
Schale von 1 unbehandelten Zitrone, feingerieben
425 g Weizenmehl
2 TL Backpulver
1/2 TL Gewürznelken, gemahlen
100 g abgezogene Haselnüsse, leicht geröstet und grobgehackt (siehe Tip)
50 g abgezogene ganze Mandeln, leicht geröstet und grobgehackt (siehe Tip)
1/2 Ei, leicht verquirlt
100 g feiner Zucker, zum Wälzen
2 TL Gewürznelken, gemahlen, zum Wälzen

1   Den Ofen auf 160 °C (Gasherd: Stufe 1–2) vorheizen. Eine quadratische Backform mit 20 cm Seitenlänge einfetten (falls nicht vorhanden, auf einem Backblech durch Hochfalzen von Pergamentpapier an zwei Seiten die angegebene Fläche begrenzen). Den Boden mit Backpapier auslegen und die Wände mit einer sehr dünnen Mehlschicht überziehen. In den Kühlschrank stellen, bis die Butter fest ist. Einen Topf zur Hälfte mit Wasser füllen, dieses aufkochen lassen und vom Herd nehmen. Eier, Zucker, Salz, Vanillearoma und Orangen- sowie Zitronenschale in eine Schüssel geben. Die Schüssel auf den Topf über das dampfende Wasser setzen, ohne daß sie es berührt. Die Zutaten mit einem Handmixer verrühren, bis die Masse cremig ist und dickflüssig vom Rührbesen tropft. Die Schüssel vom Topf nehmen und die Masse weiterschlagen, bis sie locker und schaumig ist.

2   Mehl, Backpulver und gemahlene Gewürznelken mischen, durchsieben und nach und nach unter die Ei-Mischung ziehen. Kurz bevor die Mehlmischung ganz eingerührt ist, Nüsse und Mandeln zugeben und unterziehen, bis alles vollständig vermengt ist. Den Teig gleichmäßig auf dem Boden der Form verteilen und mit dem verquirlten Ei bestreichen. Etwa 40 Minuten goldbraun backen. Aus der Form nehmen und das Backpapier abziehen. Auf einem Kuchengitter abkühlen lassen.

3   Die Ofentemperatur auf 140 °C (Gasherd: Stufe 1) reduzieren. Wenn die Biscotti abgekühlt sind, in drei gleichgroße Stücke und diese wiederum in ungefähr 1,5 cm breite Stücke schneiden. Mit der Schnittfläche nach unten auf ein Backblech legen und dann weitere 30 Minuten backen, bis die Biscotti goldbraun sind und sich trocken anfühlen.

4   Den Zucker auf einem Tablett oder einem großen Stück Backpapier mit den gemahlenen Gewürznelken vermischen. Die Biscotti vom Blech nehmen und in dem aromatisierten Zucker wälzen.

Tip Die Haselnüsse und Mandeln zum Rösten auf ein Backblech geben und bei 180 °C (Gasherd: Stufe 2) für 3–5 Minuten in den Ofen schieben; achtgeben, daß die Nüsse nicht verbrennen.

   Sie können auch 100 g gehackte, getrocknete Aprikosen zu den Mandeln und Nüssen geben.

   Den Zucker zum Wälzen statt mit gemahlenen Nelken mit gemahlenem Zimt aromatisieren.

Ingwerkekse

Wenn diese würzig duftenden Kekse aus dem Ofen kommen, wird Ihre Willenskraft auf die Probe gestellt:
Es ist nicht leicht zu warten, bis sie so fest und knusprig sind, wie sie sein sollten.

Vorbereitungszeit: **15 Minuten +**
    1 Stunde 30 Minuten Kühlzeit
Zubereitungszeit: **15 Minuten pro Blech**
Ergibt etwa 40 Stück

70 g Butter, zimmerwarm
200 g Zucker
1 Ei
70 g dunkler Sirup
2 TL Weißweinessig
240 g Weizenmehl (Type 405 oder 1050)
1 1/2 TL Natron
1/2 TL Ingwer, gemahlen
1 Prise Zimt, gemahlen
1 Prise Gewürznelken, gemahlen
1 Prise Kardamom, gemahlen
Zucker, zum Wälzen

1 Den Ofen auf 190 °C (Gasherd: Stufe 2–3) vorheizen. Zwei Backbleche mit Backpapier auslegen.

2 Butter und Zucker mit einem Holzlöffel oder einem Handmixer schaumig rühren. Das verquirlte Ei nach und nach zugeben und gut verrühren; dann Sirup und Essig zugeben. Alles gut vermischen.

3 Mehl mit Natron, Ingwer, Zimt, Gewürznelken und Kardamom mischen, durchsieben und in die Buttermischung einrühren. Den Teig mit den Händen zu einer Kugel formen, diese in Frischhaltefolie einwickeln und etwa 1 1/2 Stunden in den Kühlschrank stellen.

4 Den Teig in vier Portionen aufteilen und jede davon mit den Händen zu einer Rolle formen. Die Rollen jeweils in 10 gleich große Stücke schneiden und diese zu Bällchen rollen. Den Zucker auf einem Brett verteilen und alle Bällchen darin wälzen. In ausreichendem Abstand zueinander auf die Backbleche setzen und leicht flachdrücken. Den restlichen Teig bis zur Weiterverarbeitung in den Kühlschrank stellen. Die Kekse 10–15 Minuten goldbraun backen. Den restlichen Teig ebenso verarbeiten; die Backbleche erneut wie in Schritt 1 beschrieben vorbereiten.

Tip Dieser Teig kann gut auf Vorrat zubereitet werden. Vor dem Einfrieren Bällchen formen und im Zucker wälzen, dann einzeln in Folie wickeln. Zum Backen die gefrorenen Bällchen auf ein mit Backpapier ausgelegtes Blech setzen und bei 190 °C (Gasherd: Stufe 2–3) 20 Minuten backen.

Wenn Sie keinen Umluftofen haben und zwei Bleche mit Keksen backen, vertauschen Sie die Bleche nach der Hälfte der Backzeit, um sicherzugehen, daß alle Kekse gleichmäßig gebacken werden.

Ingwerbrot

Ob in Scheiben oder in große Würfel geschnitten – Ingwerbrot schmeckt herrlich zu Kaffee oder Tee. Ingwerbrot-Scheiben mit einem Kompott aus frischen Früchten und mit Schlagsahne sind ein köstliches Dessert.

Vorbereitungszeit: **25 Minuten**
Zubereitungszeit: **50 Minuten**
Für 8 Personen

weiche Butter, zum Einfetten
etwas Mehl, zum Bestäuben
125 g Butter
90 g Zucker
250 g heller Sirup
1 EL Orangenmarmelade
2 Eier
125 ml Milch
125 g Mehl
1 1/4 TL Backpulver
1/2 TL Natron
1 TL Ingwer, gemahlen
1 TL Gewürzmischung
1 Prise Salz
125 g Vollkorn-Weizenmehl
Puderzucker, zum Bestäuben

1 Den Ofen auf 170 °C (Gasherd: Stufe 1–2) vorheizen. Anschließend eine quadratische Kuchen- oder Gratinform (etwa 20 x 20 cm) mit Backpapier auslegen *(siehe S. 698)*. Das Papier einfetten und mit Mehl bestäuben.

2 Butter, Zucker, Sirup und Marmelade in einem Topf langsam erhitzen und rühren, bis sich der Zucker aufgelöst hat. Vom Herd nehmen und etwas abkühlen lassen. Eier und Milch in eine Schüssel geben und verquirlen, dann in die Sirupmischung rühren. Mehl, Backpulver, Natron, Ingwer, Gewürzmischung und Salz mischen und in eine Schüssel sieben. Das Vollkorn-Weizenmehl untermischen. Die Sirup-Mischung zugießen und alles zu einem geschmeidigen Teig verarbeiten; nicht zu stark rühren, da das Ingwerbrot sonst zu fest wird.

3 Den Teig in die vorbereitete Backform füllen und etwa 45 Minuten backen, bzw. bis die Stäbchenprobe positiv ausfällt *(siehe S. 698)*. Das fertige Ingwerbrot in der Backform abkühlen lassen.

4 Das Ingwerbrot mit Hilfe eines Messers ringsum von der Wand der Backform lösen, dann mit gesiebtem Puderzucker bestreuen und in Würfel oder Scheiben schneiden.

Madeleines

Diese bekannten Küchlein in Muschelform werden traditionellerweise so, wie sie sind, zu Kaffee oder Tee gereicht. Sie passen aber auch gut zu Desserts wie z. B. in Rotwein pochierten Birnen.

Vorbereitungszeit: **15 Minuten + 10 Minuten Ruhezeit**
Zubereitungszeit: **10 Minuten**
Ergibt 12 Stück

weiche Butter, zum Einfetten
etwas Mehl, zum Bestäuben
2 Eier
50 g feiner Zucker
2 TL brauner Zucker
1 1/2 TL flüssiger Honig
90 g Weizenmehl
1 TL Backpulver
1 Prise Salz
60 g Butter, zerlassen, abgekühlt
Puderzucker, zum Bestäuben

1 Den Ofen auf 180 °C (Gasherd: Stufe 2) vorheizen. Eine Madeleine-Backform mit 12 Mulden mit Butter ausstreichen. In den Kühlschrank stellen, bis die Butter fest ist, dann ein zweites Mal leicht einbuttern und wieder kühl stellen. Mit Mehl ausstäuben.

2 Die Eier trennen. Die Eigelbe mit der Hälfte des feinen Zuckers, dem braunen Zucker und dem Honig in eine Schüssel geben und schlagen, bis die Mischung das dreifache Volumen erreicht hat. Die Eiweiße halbsteif schlagen, dann den restlichen Zucker zugeben und weiterschlagen, bis ein steifer, schnittfester Schnee entsteht. Ein Drittel des Eischnees unter die Eigelbmischung ziehen.

3 Mehl, Backpulver und eine kleine Prise Salz mischen und in eine Schüssel sieben. Die Hälfte davon unter die Eigelbmischung ziehen, gefolgt von einem weiteren Drittel des Eischnees. Dann den Rest der Mehlmischung und danach das letzte Drittel des Eischnees unterziehen. Sobald alles vermengt ist, die Butter zugießen und sehr vorsichtig unterziehen; nicht rühren. Die Masse in die Mulden der Form löffeln, bis diese zu zwei Drittel gefüllt sind. Beiseite stellen und 10 Minuten ruhen lassen.

4 8–10 Minuten backen, bis die Madeleines goldgelb sind. Bei leichtem Druck sollte ihre Oberfläche zurückfedern; zur Sicherheit auch die Stäbchenprobe machen *(siehe S. 698)*. Die Madeleines aus der Form stürzen und auf einem Kuchengitter abkühlen lassen. Die Seiten mit dem Muschelmuster mit gesiebtem Puderzucker bestäuben.

Tip Sie können dieses Rezept variieren, indem Sie die feingeriebene Schale einer unbehandelten halben Zitrone zur Eimischung geben.

Schnelle Haferplätzchen

Die Zutatenliste dieser kernigen, buttrigen Kekse mit einer Spur Orange und Vanille kann noch um Nüsse, Schokoladensplitter und Sonnenblumenkerne erweitert werden.

Vorbereitungszeit: **15 Minuten**
Zubereitungszeit: **12 Minuten pro Blech**
Ergibt etwa 36 Stück

125 g Weizenmehl
1/2 TL Natron
1/2 TL Backpulver
1/2 TL Salz
100 g brauner Zucker
125 g Zucker
125 g Butter
1 Ei, leicht verquirlt
2–3 Tropfen Vanillearoma
1 EL Milch
1 TL unbehandelte Orangenschale, feingerieben
160 g Haferflocken
125 g Rosinen

1 Den Ofen auf 180 °C (Gasherd: Stufe 2) vorheizen. Zwei Backbleche mit Backpapier auslegen. Mehl, Natron, Backpulver und Salz mischen und durchsieben.

2 Die beiden Zuckersorten und die Butter schaumig rühren. Ei, Vanillearoma und Milch zugeben und alles cremig rühren. Die gesiebte Mehlmischung einrühren und gut untermischen. Zuerst die geriebene Orangenschale, dann Haferflocken und Rosinen einrühren.

3 Mit einem Eßlöffel Teigbälle abnehmen und in Abständen von etwa 5 cm auf die Backbleche gleiten lassen *(siehe S. 695).* 10–12 Minuten backen, bis die Plätzchen leicht gebräunt sind. Sofort vom Backblech nehmen und auf einem Kuchengitter abkühlen lassen. Den restlichen Teig ebenso verarbeiten; die Backbleche erneut wie in Schritt 1 beschrieben vorbereiten.

Tip Wenn Sie keinen Umluftofen haben und zwei Bleche mit Keksen gleichzeitig backen möchten, vertauschen Sie die Bleche nach der Hälfte der Backzeit, um sicherzugehen, daß alle Kekse gleichmäßig durchbacken.

Éponges

Der französische Name »éponge« (Schwamm) wurde diesen Mandelkeksen vermutlich aufgrund ihrer äußeren Ähnlichkeit mit Seeschwämmen gegeben. Der knusprige Mandelüberzug bildet einen guten Kontrast zum locker-schaumigen Inneren dieser Kekse.

Vorbereitungszeit: **20 Minuten**
Zubereitungszeit: **10 Minuten**
Ergibt etwa 20 Stück

Butter, zerlassen, zum Einfetten
etwas Mehl, zum Bestäuben
2 Eiweiß
25 g feiner Zucker
50 g Puderzucker
50 g abgezogene Mandeln, gerieben
150 g Mandeln, feingehackt
75 g Himbeergelee
Puderzucker, zum Bestäuben

1 Den Ofen auf 190 °C (Gasherd: Stufe 2–3) vorheizen. Zwei Backbleche einfetten und mit Mehl bestäuben; überschüssiges Mehl abklopfen.

2 Die Eiweiße und eine Prise des feinen Zuckers mit einem Schneebesen oder einem Handmixer 2 Minuten schlagen, bis sich weiche Spitzen bilden. Langsam den restlichen feinen Zucker einstreuen und weiterschlagen. Puderzucker und geriebene Mandeln mischen und unterziehen, bis alles gut vermengt ist. Dann die Masse in einen Spritzbeutel mit mittlerer Lochtülle füllen. Kleine, runde Häufchen von 3 cm Durchmesser in gleichmäßigen Abständen auf die vorbereiteten Backbleche spritzen. Mit den gehackten Mandeln bestreuen und 7–10 Minuten goldbraun backen. Vom Blech heben und auf einem Kuchengitter abkühlen lassen.

3 Die ausgekühlten Éponges in Paaren anordnen. Jeweils die Unterseite eines Kekses mit etwas Gelee bestreichen, dann mit dem anderen Keks zusammendrücken. Mit gesiebtem Puderzucker bestäuben.

Tip Wenn Sie keinen Umluftofen haben und zwei Bleche mit Keksen gleichzeitig backen, vertauschen Sie die Bleche nach der Hälfte der Backzeit. Auf diese Weise können Sie sicherstellen, daß alle Kekse gleichmäßig gebacken werden.

Schoko-Zimt-Plätzchen

Wenn schon eines dieser süßen Plätzchen ein Genuß ist, wie gut müssen dann erst zwei davon – bestrichen mit feiner Himbeermarmelade – schmecken?

*Vorbereitungszeit: **15 Minuten + 20 Minuten Kühlzeit***
*Zubereitungszeit: **10–15 Minuten***
Ergibt etwa 30 Stück

2 Eigelb
2–3 Tropfen Vanillearoma
150 g weiche Butter
100 g Puderzucker
300 g Weizenmehl
1/2 TL Backpulver
1 gute Prise Salz
1 1/2 TL Zimt, gemahlen
80 g Schokoladenraspel
150 g Himbeermarmelade

1 Eigelbe mit Vanillearoma und 30 ml Wasser in einer kleinen Schüssel verquirlen. In einer großen Schüssel Butter und Puderzucker mit einem elektrischen Handrührgerät oder einem Holzlöffel zu einer hellgelben, lockeren Masse aufschlagen. Nach und nach die verquirlten Eigelbe zugeben.

2 Mehl mit Backpulver, Salz und Zimt sieben und zu dem Teig geben. Die Mehlmischung gründlich einrühren, dann die Schokoladenraspel behutsam unterheben – nicht zu lange rühren. Den Teig mit den Händen zu einer Kugel formen, in Frischhaltefolie wickeln und 20 Minuten oder länger im Kühlschrank ruhen lassen. Den Backofen auf 180 °C (Gasherd: Stufe 2) vorheizen.

3 Den Teig auf einer leicht bemehlten Arbeitsfläche 4 mm dick ausrollen. Runde Plätzchen von 3 cm Durchmesser ausstechen, auf ein Backblech mit Backpapier setzen und in 10–15 Minuten goldgelb backen. Die Plätzchen auf einem Kuchengitter auskühlen lassen.

4 Die Hälfte der Plätzchen mit Himbeerkonfitüre bestreichen und jeweils ein unbestrichenes Plätzchen darauf legen.

Tip Ungefüllte Plätzchen halten sich luftdicht verschlossen bis zu einer Woche. Mit Füllung verkürzt sich die Haltbarkeit auf 1–2 Tage.

Paris-Brest-Kränze

Dieses kreisrunde Brandteiggebäck wurde von einem sportbegeisterten Patissier anläßlich eines Radrennens zwischen Paris und Brest an der bretonischen Küste kreiert.

Vorbereitungszeit: **45 Minuten**
Zubereitungszeit: **45 Minuten**
Ergibt 4 Stück

weiche Butter, zum Einfetten
Brandteig (Menge Rezept S. 682)
1 Ei, verquirlt
50 g Mandeln, gehackt, oder Mandelblättchen

CREMEFÜLLUNG
250 ml Milch
5 Tropfen Vanillearoma
2 Eigelb
60 g feiner Zucker
1 1/2 EL Weizenmehl
1 1/2 EL Stärke
40 g Schokoladen-Nuß-Aufstrich
100 g Butter, zimmerwarm

1 Den Backofen auf 180 °C (Gasherd: Stufe 2) vorheizen. Ein Backblech mit Backpapier auslegen, einfetten und in den Kühlschrank legen. Sobald die Butter fest ist, mit einem leicht bemehlten Teigrädchen vier 10 cm große Kreise einzeichnen, dabei jeweils einen Abstand von ungefähr 5 cm lassen.

2 Den Brandteig mit Hilfe eines Spritzbeutels mit einer 1 cm-Loch- oder Sterntülle auf die Markierungen spritzen. Mit etwas verquirltem Ei bepinseln, es darf jedoch nicht herunterlaufen, da der Teig sonst nicht gleichmäßig aufgeht. Falls nötig, die Nahtstellen der Ringe mit einem Küchenpinsel verschließen und die Ränder begradigen. Mit Mandeln bestreuen und in etwa 35 Minuten knusprig goldbraun backen. Sofort vom Backblech nehmen und auf einem Kuchengitter abkühlen lassen.

3 Für die Cremefüllung Milch und Vanillearoma in einem Topf aufkochen lassen. Die Eigelbe mit Zucker in einer Schüssel verquirlen, Mehl und Stärke untersieben und gut verrühren. Die Hälfte der kochenden Milch in die Eimasse gießen, gut vermischen und zurück in den Topf geben. Unter ständigem Rühren aufkochen, etwa 1 Minute weiterkochen lassen und die Masse auf einem Blech verteilen und abkühlen lassen. Die Oberfläche mit Backpapier abdecken, damit sich keine Haut bildet. Erst den Schokoladen-Nuß-Aufstrich, dann die Butter unter die abgekühlte Masse mischen und glattrühren, bis eine helle und schön lockere Creme entstanden ist. Dann beiseite stellen.

4 Die Kränze halbieren, dann die Cremefüllung in einen Spritzbeutel geben und auf die unteren Hälften spritzen. Anschließend die oberen Teile wieder aufsetzen und die Kränze servieren.

Schokoladen-Éclairs

Im Französischen bedeutet »éclair« Blitz. Dieses längliche Brandteiggebäck ist so verführerisch gefüllt, daß man es einfach »blitzschnell« verspeisen muß.

*Vorbereitungszeit: **1 Stunde***
*Zubereitungszeit: **1 Stunde 15 Minuten***
Ergibt 12 Stück

weiche Butter, zum Einfetten
Brandteig (Menge Rezept S. 682)
I Ei, verquirlt, zum Glasieren

CREMEFÜLLUNG
250 ml Milch
5 Tropfen Vanillearoma
2 Eigelb
60 g feiner Zucker
I 1/2 EL Weizenmehl
I 1/2 EL Stärke

SCHOKOLADENKUVERTÜRE
75 g Schokolade, zerkleinert
4 EL Sahne

1 Den Backofen auf 180 °C (Gasherd: Stufe 2) vorheizen. Ein Backblech mit weicher Butter einfetten und in den Kühlschrank stellen.

2 Den Brandteig in einen Spritzbeutel mit einer mittelgroßen Lochtülle füllen. Die Masse in 8–10 cm langen Streifen auf das Backblech spritzen. Mit etwas verquirltem Ei bepinseln, es darf jedoch nichts an den Seiten herunterlaufen, damit der Teig gleichmäßig aufgeht. Vorsichtig mit einer Gabel Längsstreifen einziehen. In etwa 30–35 Minuten knusprig und goldfarben backen. Sofort vom Backblech nehmen und auf einem Kuchengitter abkühlen lassen.

3 Für die Cremefüllung Milch und Vanillearoma in einem Topf langsam zum Kochen bringen. Eigelbe und Zucker in einer Schüssel verquirlen und das gesiebte Mehl und die Stärke gut unterrühren. Die Hälfte der kochenden Milch zu der Eimasse gießen, verrühren und zurück in den Topf geben. Unter ständigem Rühren aufkochen und dann etwa 1 Minute weiterkochen lassen. Die Creme vom Herd nehmen, auf einem Blech verstreichen und rasch abkühlen lassen. Die Oberfläche mit Backpapier abdecken, so daß sich keine Haut bildet. Die Cremefüllung vollständig abkühlen lassen.

4 Für die Kuvertüre die Schokolade in eine kleine Schüssel geben. Die Sahne in einem kleinen Topf aufkochen lassen und dann über die Schokolade gießen. Nach einigen Sekunden vorsichtig umrühren, bis die Schokolade vollständig geschmolzen ist.

5 Mit einem kleinen Messer an einem Ende jedes Éclairs auf der Unterseite ein Loch bohren. Die abgekühlte Füllung in einer Schüssel glattrühren und dann in einen Spritzbeutel mit kleiner Tülle füllen. Die Spitze in eines der Löcher stecken und das gesamte Innere mit der Cremefüllung ausspritzen. Das Éclair dabei in der Hand halten und mit dem Einspritzen aufhören, sobald es sich ausdehnt. Nach dem Herausziehen der Tülle austretende Füllung abwischen.

6 Die Kuvertüre vorsichtig mit einem schmalen Messer oder Teigschaber auf die Éclairs verstreichen, dann an einem kühlen Platz fest werden lassen.

Mandel-Kokos-Törtchen

*Es macht nicht nur Spaß, diese Törtchen zu backen,
sie schmecken auch köstlich – warm oder kalt zu
einer Tasse Tee serviert.*

Vorbereitungszeit: **30 Minuten + 10 Minuten Kühlzeit**
Zubereitungszeit: **20 Minuten**
Ergibt 18 Stück

Butter, zerlassen, zum Einfetten
süßer Mürbeteig (1/2 Menge Rezept S. 678)

FÜLLUNG
250 g feiner Zucker
150 g Mandeln, gemahlen
1 1/2 EL Reismehl oder feines Griesmehl
1 Prise Zimt, gemahlen
3 Eiweiß
70 g Kokosraspel
Schale von 1/2 unbehandelten Zitrone, feingerieben
3 EL Himbeerkonfitüre

1   18 tiefe Tortelettförmchen von je 6,5 cm Durchmesser
(40 ml Fassungsvermögen) mit Butter einpinseln. Den
Backofen auf 200 °C (Gasherd: Stufe 3) vorheizen.
2   Den Teig auf einer leicht bemehlten Fläche 4 mm dick
ausrollen. 18 Kreise von 7 cm Durchmesser mit einem
gewellten Teigrädchen ausschneiden und in die Förmchen
legen. Auf einem Backblech 10 Minuten kalt stellen.
3   Für die Füllung Zucker, Mandeln, Reis- oder Griesmehl
und Zimt in eine große Schüssel sieben. In einer zweiten
Schüssel die Eiweiße schaumig schlagen, anschließend die
gesiebten Zutaten unterheben. 50 g der Kokosraspel und
die Zitronenschale einrühren.
4   Etwas Konfitüre auf jeden Teigboden geben, ohne sie
zu verstreichen. Jeweils bis zu drei Viertel mit der Ei-
mischung auffüllen und die restlichen Kokosraspel darüber streuen. In etwa 20 Minuten goldbraun und fest
backen, anschließend die Törtchen in den Formen abkühlen lassen.

Malkasten-Kekse

Kaufen Sie sich einige Pinsel und machen Sie die Kekse zu Ihrer Leinwand!

Vorbereitungszeit: **25 Minuten + 1 Stunde Kühlzeit**
Zubereitungszeit: **12 Minuten pro Blech**
Ergibt etwa 36 Stück

Butter, zerlassen, zum Einfetten
300 g Butter, zimmerwarm
375 g feiner Zucker
2 Eier
5 Tropfen Vanillearoma
375 g Weizenmehl
1/2 TL Natron
1 TL Salz
4 Eigelb
4 verschiedene Lebensmittelfarben

1 Den Ofen auf 180 °C (Gasherd: Stufe 2) vorheizen. Zwei Backbleche mit Butter einfetten.

2 Butter und Zucker schaumig rühren. Eier und Vanillearoma einrühren. Mehl, Natron und Salz auf die Mischung sieben und einarbeiten. Den Teig in Frischhaltefolie wickeln und etwa 1 Stunde in den Kühlschrank stellen. Falls er zu fest wird, etwa 20 Minuten bei Zimmertemperatur stehen lassen.

3 Jedes Eigelb in einem separaten Schüsselchen mit je einem Teelöffel Wasser verquirlen; jeweils einige Tropfen Lebensmittelfarbe zugeben.

4 Den Teig teilen und die eine Hälfte weiterkühlen, die andere zwischen zwei Lagen Backpapier etwa 3–4 mm dick ausrollen *(siehe S. 695)*. Den Teig mit verschiedenen Formen ausstechen und auf die Backbleche legen. Mit kleinen Pinseln die Plätzchen bemalen. Die »Malerei« vor dem Backen trocknen lassen.

5 Die Kekse 10–12 Minuten backen, bis sie goldgelb sind. Auf einem Kuchengitter abkühlen lassen. Den restlichen Teig ebenso verarbeiten; die Backbleche erneut wie in Schritt 1 beschrieben vorbereiten.

Makronen

Das außen knusprige Gebäck ist im Inneren überraschend weich und saftig. Die Makronen können mit verschiedenen Füllungen – Marmeladen oder geschmolzener Schokolade – zusammengesetzt werden.

Vorbereitungszeit: **15 Minuten**
Zubereitungszeit: **20 Minuten pro Blech**
Ergibt 40 Stück

125 g Mandeln, gemahlen
250 g Puderzucker
4 Eiweiß
1 Tropfen Vanillearoma
1 Prise feiner Zucker
125 g Zartbitter-Kuvertüre

1 Zwei Backbleche übereinanderstellen und das obere mit Backpapier auslegen; dieses nun doppelt so dicke Backblech verhindert, daß die Böden der Makronen beim Backen zu dunkel werden. Den Ofen auf 160 °C (Gasherd: Stufe 1–2) vorheizen.

2 Gemahlene Mandeln und Puderzucker in eine Schüssel geben und gründlich vermengen. Die Eiweiße mit Vanillearoma und feinem Zucker in einer anderen Schüssel zu steifem, seidig glänzendem Eischnee schlagen, so daß Spitzen stehen bleiben.

3 Die Mandel-Zucker-Mischung vorsichtig mit einem Metallöffel unter den Eischnee heben, dabei achtgeben,

daß der Eischnee nicht zusammenfällt. Die Masse sollte glänzend und weich, aber nicht flüssig sein.

4 Die Masse in einen Spritzbeutel mit mittlerer Lochtülle füllen. Runde Häufchen von 3 cm Durchmesser mit etwas Abstand voneinander auf das vorbereitete Backblech spritzen. Etwa 15–20 Minuten backen, bis die Makronen goldbraun und knusprig sind; während des Backens öfters nachsehen. Die Makronen einige Minuten auf dem Backblech abkühlen lassen und dann auf ein Kuchengitter legen. Den restlichen Teig ebenso verarbeiten; die Bleche erneut wie in Schritt 1 beschrieben vorbereiten.

5 Einen Topf halb mit Wasser füllen, aufkochen lassen und vom Herd nehmen. Die Kuvertüre in eine feuerfeste Schüssel geben und über das dampfende Wasser setzen. Umrühren, bis die Schokolade geschmolzen ist. Die Makronen paarweise anordnen, jeweils die Unterseite einer Makrone mit der geschmolzenen Kuvertüre bestreichen, dann mit der zweiten Makrone zusammendrücken. Anschließend abkühlen lassen.

Tip Wenn Sie keinen Umluftofen haben und zwei Backbleche mit Makronen gleichzeitig backen, vertauschen Sie die Bleche nach der Hälfte der Backzeit, um sicherzugehen, daß alle Makronen gleichmäßig durchbacken.

Weihnachtsplätzchen

Die dekorativen kleinen Plätzchen mit ihren leuchtend bunten Fruchtstückchen sind außerordentlich beliebt.
Hübsch verpackt in einer Geschenkdose, sind sie ein ideales Weihnachtsgeschenk.

Vorbereitungszeit: **25 Minuten + 20 Minuten Kühlzeit**
Zubereitungszeit: **10 Minuten**
Ergibt 12 Stück

Butter, zerlassen, zum Einfetten
150 g Butter, zimmerwarm
150 g feiner Zucker
1 Ei, verquirlt
Schale von 1/2 unbehandelten Zitrone, feingerieben
Schale von 1/2 unbehandelten Orange, feingerieben
50 g Angelika (kandierte Blattstiele der Engelwurz)
**   oder grüne Belegkirschen (kandiert),**
**   gehackt**
50 g rote Belegkirschen (kandiert), gehackt
50 g Orangeat und Zitronat, gehackt
250 g Weizenmehl
1/2 TL Muskatblüte, gemahlen
1/2 TL Zimt, gemahlen
1/2 TL Gewürznelken, gemahlen
1/2 TL Muskatnuß, gemahlen

1 Den Ofen auf 180 °C (Gasherd: Stufe 2) vorheizen. Zwei Backbleche mit Butter bestreichen und kalt stellen.
2 Butter und Zucker mit einem Holzlöffel oder einem Handmixer schaumig rühren. Das verquirlte Ei nach und nach zugeben und gut einrühren. Zitronen- und Orangenschale, Angelika oder grüne und rote Belegkirschen sowie Orangeat und Zitronat unterrühren.
3 Mehl und die gemahlenen Gewürze auf die Mischung sieben und einarbeiten. Den Teig auf ein Stück Frischhaltefolie geben und mit der Hand leicht flachdrücken. Einwickeln und 20 Minuten in den Kühlschrank stellen.
4 Den Teig zwischen zwei Lagen Backpapier legen und 3 mm dick ausrollen *(siehe S. 695).* Mit verschiedenen Ausstechformen von etwa 5 cm Durchmesser Kekse ausstechen und mit etwas Abstand zueinander auf die Backbleche legen. Die Kekse mit einer Gabel mehrmals einstechen. 10 Minuten backen, bis sie goldbraun sind und sich fest anfühlen. 1 Minute auf dem Blech, dann auf einem Kuchengitter abkühlen lassen.

Tip Sie können die Kekse auch mit einer Eiweißglasur bestreichen: 1 Eiweiß leicht verquirlen und mit so viel gesiebtem Puderzucker verrühren, daß eine dicke, zähflüssige Paste entsteht. Als Dekoration eignen sich z. B. Mandelblättchen oder -stifte; vor dem Backen auf der Glasur verteilen. Statt der Gewürzmischung können Sie auch ein einziges Gewürz, z. B. Zimt, verwenden.

Die Kekse in einer luftdicht schließenden Dose aufbewahren. Ein dazugelegtes Stück Weißbrot verhindert, daß sie altbacken werden.

KUCHEN

Paradieskuchen

Wie schon der Name ahnen läßt: Hier werden Äpfel verwendet, die unter dem leichten Biskuit und den goldgelben Mandeln zur paradiesischen Versuchung werden.

Zubereitungszeit: **25 Min.**
Back- und Garzeit: **45 Min.**
Für 6 Personen

APFELFÜLLUNG
50 g weiche Butter
75 g feiner Zucker
2 ganze Nelken
½ TL gemahlener Zimt
1 Vanilleschote, längs aufgeschnitten
750 g Golden-Delicious-Äpfel, geschält, ohne Kerngehäuse und geachtelt

MANDELBELAG
125 g zimmerwarme Butter
125 g feiner Zucker
feingeriebene Schale von 1 Zitrone
5 Tropfen Vanillearoma
3 Eier, verquirlt
25 g Mehl
1 Msp. Salz
120 g gemahlene Mandeln, gesiebt
75 g Mandelblättchen
2 EL Aprikosenmarmelade
2 TL Wasser

Puderzucker, zum Bestäuben
Schlagsahne, zum Servieren

1 Eine Auflaufform (1,5 l Fassungsvermögen, 2 cm tief) mit zerlassener Butter auspinseln.
2 Für die Apfelfüllung Butter und Zucker in einen großen Topf geben und auf unterer Stufe rühren, bis Butter und Zucker gelöst sind. Nelken, Zimt und Vanilleschote einrühren, die Äpfel zugeben und alles mit der Butter verrühren. Abdecken und auf unterer Stufe 5 Minuten köcheln lassen. Vanilleschote und Nelken herausnehmen und wegwerfen. Die Mischung gleichmäßig auf dem Boden der vorbereiten Form verteilen. Zum Abkühlen beiseite stellen. Backofen auf 180 °C vorheizen.
3 Für den Mandelbelag Butter, Zucker, Zitronenschale und Vanillearoma in einer Schüssel verquirlen und mit dem Handrührgerät cremig schlagen. Die verquirlten Eier portionsweise zufügen und nach jeder Zugabe gut verrühren. Mehl und Salz darüber sieben, mit gemahlenen Mandeln bestreuen und vorsichtig verrühren. Apfelmischung darauf geben, Oberfläche glattstreichen und Mandelblättchen darauf verteilen. 30–35 Minuten backen.
4 In einem Topf Aprikosenmarmelade und Wasser zum Kochen bringen. In eine Schüssel geben und auf dem Kuchen verstreichen. 1 Minute ruhen lassen. Mit gesiebtem Puderzucker bestäuben. Mit Schlagsahne servieren.

Birnenkuchen

Der goldgelbe Kuchen mit eingebackenen karamelisierten Birnenstückchen und mit der durch eine Aprikotur appetitlich glänzenden Oberfläche ist ein Hochgenuß zu Tee oder Kaffee.

Vorbereitungszeit: **20 Minuten**
Zubereitungszeit: **50 Minuten**
Für 8 Personen

weiche Butter, zum Einfetten
etwas Mehl, zum Bestäuben
30 g flüssiger Honig
220 g weiche Butter
220 g feiner Zucker
2 Birnen, geschält und in kleine Würfel geschnitten
3 Eier, verquirlt
190 g Weizenmehl
75 g Aprikosenmarmelade

1 Den Ofen auf 180 °C (Gasherd: Stufe 2) vorheizen. Eine Springform von 18 cm Durchmesser mit Backpapier auslegen *(siehe S. 696)*, einfetten und mit Mehl bestäuben.
2 Den Honig zusammen mit je 30 g Butter und Zucker in einem kleinen Topf langsam erhitzen und so lange rühren, bis die Butter geschmolzen ist und der Zucker sich aufgelöst hat. Die Temperatur erhöhen und die Mischung kochen, bis sie blaßgolden ist. Die Birnenstücke zugeben und erhitzen, bis sie leicht gebräunt sind und fast keine Flüssigkeit mehr im Topf ist. In einem Sieb abtropfen lassen und zum Abkühlen beiseite stellen.
3 Nach der Anleitung auf S. 699 (»Gerührter Teig«) die restliche Butter und den restlichen Zucker schaumig rühren und nach und nach die Eier einrühren.
4 Das Mehl durchsieben und zusammen mit den abgetropften Birnenstücken locker unter die Mischung ziehen, bis alles gut vermengt ist. Den Teig in die Kuchenform füllen und 30–40 Minuten backen, bis der Kuchen goldbraun ist und seine Oberfläche bei leichtem Druck zurückfedert oder bis die Stäbchenprobe positiv ausfällt *(siehe S. 698)*. Den Kuchen 5–10 Minuten in der Backform abkühlen lassen, dann auf ein Kuchengitter stürzen und das Papier abziehen. Wieder umdrehen und ganz auskühlen lassen.
5 Die Marmelade in einem kleinen Topf glattrühren und erhitzen; je nach Konsistenz der Marmelade noch etwas Wasser zufügen. Die Oberfläche des ausgekühlten Kuchens damit bestreichen; so wird er schön glänzend und bleibt saftiger.

Früchtekuchen

Dieser saftige und lockere Früchtekuchen schmeckt noch besser, wenn man ihn
nach dem Backen über Nacht stehen läßt.

Vorbereitungszeit: **30 Minuten**
Zubereitungszeit: **1 Stunde 30 Minuten**
Für 6–8 Personen

weiche Butter, zum Einfetten
etwas Mehl, zum Bestäuben
1 TL Milchpulver
325 g Weizenmehl
250 g feiner Zucker
1 TL Backpulver
1/2 TL Gewürzmischung
1 TL Salz
190 g Butter, gekühlt und in kleine Stückchen zerteilt
175 ml warmes Wasser
1 1/2 EL dunkler Sirup
3 Eier
250 g Kuchenbrösel
40 g brauner Zucker
175 g Korinthen
100 g Sultaninen
50 g kandierte Belegkirschen, grobgehackt
1 Stück kandierter Ingwer, feingehackt

1 Den Ofen auf 180 °C (Gasherd: Stufe 2) vorheizen. Eine Springform von etwa 20 cm doppelt mit Backpapier auslegen *(siehe S. 696)*, einfetten und anschließend mit Mehl bestäuben.

2 Milchpulver, Mehl, Zucker, Backpulver, Gewürzmischung und Salz mischen und in eine große Schüssel sieben. Die Butter zugeben und mit den Fingerspitzen in das Mehl reiben, bis die Mischung krümelig ist.

3 Warmes Wasser mit dunklem Sirup in einer Schüssel glattrühren. Die Eier zugeben und gut untermischen.

4 Die Kuchenbrösel in einer Küchenmaschine fein zerkleinern und in eine große Schüssel füllen. 15 g des braunen Zuckers sowie Korinthen, Sultaninen, Belegkirschen und Ingwer zugeben und alles vermengen. Mit der Mehl-Butter-Mischung verrühren. Eine Mulde in die Mitte drücken, die Sirupmischung hineingießen und alles zu einem glatten Teig verrühren.

5 Den Teig in die Form füllen und die Oberfläche glattstreichen *(siehe S. 699)*. Mit dem restlichen braunen Zucker bestreuen und 1 1/2 Stunden (evtl. bis zu 2 Stunden) backen, bis sich die Oberfläche fest anfühlt. Machen Sie die Stäbchenprobe *(siehe S. 698)*, um festzustellen, ob der Kuchen durchgebacken ist.

Tip Für dieses Rezept lassen sich Reste von »trockenem« Kuchen (z. B. Biskuit oder Sandkuchen) verwenden. Falls diese eingefroren waren, vor der Verarbeitung auftauen lassen.

Karottenkuchen

*Die geriebenen Karotten verleihen diesem Kuchen
ein ganz besonderes Aroma und machen ihn
zugleich schön saftig. Servieren Sie ihn mit
Puderzucker.*

Vorbereitungszeit: **25 Minuten**
Zubereitungszeit: **1 Stunde**
Für 6 Personen

250 g Weizenmehl
2 TL Backpulver
2 TL Zimt, gemahlen
1/2 TL Salz
250 ml Pflanzenöl
250 g feiner Zucker
3 Eier
300 g Karotten, gerieben
Puderzucker, zum Bestäuben

1 Den Ofen auf 180 °C (Gasherd: Stufe 2) vorheizen.
Eine rechteckige Kuchenform von etwa 28 x 23 cm
Größe mit Backpapier auslegen *(siehe S. 698)*. Das Papier
2 cm über den Rand der Form hinausragen lassen.
2 Mehl, Backpulver, Zimt und Salz mischen und in eine
Schüssel sieben. Öl, Zucker und Eier in einer großen
Schüssel mit einem Handmixer gründlich verquirlen. Die
durchgesiebten Zutaten nach und nach einrühren und
alles zu einem glatten Teig verarbeiten.
3 Die nicht zu grob geriebenen Karotten unterziehen.
Den Teig in die Kuchenform füllen und 50–60 Minuten
backen. Machen Sie die Stäbchenprobe *(siehe S. 698)*, um
festzustellen, ob der Kuchen durchgebacken ist. Den
Kuchen in der Form 5 Minuten abkühlen lassen. Herausnehmen und mit Puderzucker bestäuben.

Tip Sie können noch 120 g gehackte Walnüsse oder 100 g
Korinthen oder 175 g abgetropfte und zerkleinerte Ananas
zugeben.

Brioche-Pflaumen-Torte

Diese köstliche Torte wird aus einem weichen Briocheteig hergestellt und mit Vanillecreme und frischen reifen Pflaumen gefüllt. Sie schmeckt wunderbar zum Kaffee oder zum Abschluß einer Sommerparty.

Vorbereitungszeit: **45 Minuten + Kühlung über Nacht**
Zubereitungszeit: **45 Minuten**
Für 6 Personen

BRIOCHETEIG
weiche Butter, zum Einfetten
165 g Weizenmehl
1/2 TL Salz
3 TL feiner Zucker
2 TL Milch
1 1/2 TL frische Hefe oder 1 TL Trockenhefe
2 Eier, leicht verquirlt
60 g Butter, zimmerwarm

CREMEFÜLLUNG
500 ml Milch
1/2 Vanilleschote, längs aufgeschnitten
5 Eigelb
125 g feiner Zucker
2 EL Weizenmehl
2 EL Stärke

3–5 Pflaumen (etwa 250 g), halbiert und entkernt
50 g Aprikosenkonfitüre

1 Eine 2,5 cm tiefe Obstkuchenform mit Hebeboden von 20 cm Durchmesser einfetten und beiseite stellen.
2 Für den Briocheteig Mehl mit Salz in eine große Schüssel sieben, Zucker einrühren und in die Mitte eine Mulde drücken. Milch in einem Topf etwas erwärmen und dann vom Herd nehmen. Die Hefe zugeben, unter Rühren auflösen und die Milch dann zu den trockenen Zutaten gießen. Eier zugeben und alles zu einem geschmeidigen Teig kne-

ten, entweder mit den Händen oder mit den Knethaken eines Rührgeräts. Butter mit einem Holzlöffel in einer Schüssel geschmeidig rühren und in drei oder vier Portionen zum Teig geben. Weiterrühren, bis der Teig glatt ist und glänzt, und ihn dann in eine große mit Mehl bestäubte Schüssel umfüllen. Lose mit eingefetteter Klarsichtfolie abdecken und über Nacht oder mindestens 8 Stunden in den Kühlschrank stellen. Anschließend aus der Schüssel nehmen und auf einer leicht bemehlten Fläche 1 Minute verkneten. Zu einem 3–4 mm dicken Kreis ausrollen, die Form damit auslegen *(siehe S. 679)* und 20 Minuten abkühlen lassen. Den Backofen auf 165 °C (Gasherd: Stufe 1–2) vorheizen.
3 Für die Cremefüllung die Milch mit der Vanilleschote in einem Topf langsam zum Kochen bringen. Eigelbe und Zucker in einer Schüssel verquirlen, Mehl und Stärke untersieben und gut einrühren. Die Vanilleschote herausnehmen, dann die Hälfte der kochenden Milch zu der Eimasse gießen, gut verrühren und zurück in den Topf mit der restlichen Milch geben. Unter ständigem Rühren aufkochen und noch etwa 1 Minute weiterkochen lassen. Die Creme vom Herd nehmen, auf einem Blech verstreichen und rasch abkühlen lassen. Die Oberfläche mit Backpapier abdecken, damit sich keine Haut bildet. Anschließend glattrühren.
4 Die Cremefüllung auf dem Briocheboden verteilen und die Pflaumenhälften mit der flachen Seite nach unten darauf anrichten. Etwa 40 Minuten backen, bis der Teig schön knusprig und goldfarben ist. Die Torte vor dem Auslösen aus der Form zunächst auf einem Kuchengitter abkühlen lassen. Die Aprikosenkonfitüre mit 1 Eßlöffel Wasser erhitzen, bis sie geschmolzen ist. Dann kurz aufkochen lassen, durch ein Sieb streichen und anschließend die Pflaumen damit glasieren.

Aprikosentorte

*Diese klassische Torte besticht durch die Kombination von Obst und Mandelcreme. Statt frischer Aprikosen
können auch Dosenfrüchte verwendet werden. Das Ergebnis kann sich in jedem Fall sehen lassen.*

Vorbereitungszeit: **25 Minuten + Kühlzeit**
Zubereitungszeit: **1 Stunde 10 Minuten**
Für 6–8 Personen

Butter, zerlassen, zum Einfetten
1 Platte tiefgekühlter Blätterteig, aufgetaut
30 g Mandelblättchen, geröstet
180 g Aprikosenhälften, frisch oder
   aus der Dose (dann gut abgetropft)
2 EL Aprikosenmarmelade

MANDELCREME
50 g Butter, zimmerwarm
50 g feiner Zucker
1 Ei, leicht verquirlt
50 g Mandeln, gemahlen
1 EL Weizenmehl
1–2 TL Rum

1 Eine flache Obstkuchenform mit Hebeboden von
20 cm Durchmesser mit Butter einpinseln. Den Backofen
auf 220 °C (Gasherd: Stufe 4) vorheizen.
2 Den Blätterteig auf einer bemehlten Fläche zu einem
dünnen Kreis ausrollen und die Form damit auslegen

(siehe S. 679) dann 30 Minuten kalt stellen. Anschließend
20 Minuten blindbacken, die Backerbsen und das Papier
entfernen und den Teig weitere 8 Minuten backen *(siehe
S. 679)*. Den Teig während des Abkühlens vorsichtig mit
einem Geschirrtuch herunterdrücken. Die Ofentemperatur auf 180 °C (Gasherd: Stufe 2) herunterschalten.
3 Für die Mandelcreme Butter und Zucker mit einem
Holzlöffel oder einem elektrischen Handrührgerät schaumig schlagen. Das Ei in drei Portionen zugeben und gut
unterrühren. Mandeln, Mehl und den Rum einrühren.
4 Die Mandelblättchen auf den Teigboden streuen. Die
Mandelcreme darauf verteilen und die Oberfläche mit
einem in Wasser getauchten Löffel glattstreichen. Die Aprikosenhälften mit der Schnittfläche nach unten auf der
Mandelcreme anrichten.
5 35–40 Minuten backen, bis die Mandelcreme leicht
goldfarben und aufgegangen ist. Die Torte aus der Form
lösen und auf einem Kuchengitter abkühlen lassen.
6 Die Aprikosenkonfitüre mit einem Eßlöffel Wasser in
einem kleinen Topf schmelzen, dann durch ein Sieb streichen. Die Glasur in einer dünnen Schicht oben auf die abgekühlte Torte pinseln. Die Torte kalt servieren.

Tip Durch die Mandelplättchen auf dem Teigboden
weicht dieser nicht auf und bleibt knusprig.

Rhabarbertorte

*Der leichte und knusprige Blätterteigboden dieser Torte ist mit einer köstlichen Kombination
aus säuerlichem Obst und süßen Streuseln belegt.*

Vorbereitungszeit: **30 Minuten + 20 Minuten Kühlzeit**
Zubereitungszeit: **1 Stunde 20 Minuten**

Für 6 Personen

Blätterteig (Menge Rezept S. 680)
I Ei, verquirlt
I EL Honig
300 g frischer oder tiefgefrorener Rhabarber, gehackt
2 EL feiner Zucker
I Prise Zimt, gemahlen
Puderzucker, zum Bestäuben

STREUSEL
55 g Butter
80 g Weizenmehl
2 EL feiner Zucker

MANDELCREME
75 g Butter, zimmerwarm
75 g feiner Zucker
Schale von 1/2 unbehandelten Zitrone, feingerieben
I Ei, leicht verquirlt
75 g Mandeln, gemahlen
I EL Weizenmehl

1 Zwei Drittel des Blätterteigs auf einer leicht bemehlten Fläche zu einem ungefähr 24 cm großen Quadrat ausrollen. Auf ein mit Backpapier ausgelegtes Backblech legen und überstehende Ränder mit einem scharfen Messer abtrennen. Den restlichen Blätterteig zu einem Rechteck (etwa 23 x 9 cm groß und 4–5 mm dick) ausrollen und in vier 22 x 2 cm große Streifen schneiden. Die Oberfläche des Quadrats mit verquirltem Ei einpinseln, dieses darf jedoch nicht an den Seiten herunterlaufen, da der Teig sonst während des Backens nicht gleichmäßig aufgeht. Die Streifen vorsichtig auf das Quadrat legen, so daß sie eine Art Saum bilden, die Streifen dabei aber nicht dehnen. Mit der Rückseite eines Messers die Streifen kreuzweise einritzen, leicht mit Ei einpinseln und 20 Minuten in den Kühlschrank stellen.

2 Den Honig bei mittlerer Hitze in einer Pfanne schmelzen. Rhabarber, Zucker und Zimt zugeben und dann ohne Deckel bei schwacher Hitze kochen lassen, bis der Rhabarber soeben weich ist. Die Pfanne dabei gelegentlich schwenken, damit er nicht am Boden ansetzt. Er sollte nur leicht säuerlich schmecken, daher bei Bedarf noch etwas Zucker zufügen. In der Pfanne abkühlen lassen. Den Backofen auf 200 °C (Gasherd: Stufe 3) vorheizen.

3 Den Teig aus dem Kühlschrank nehmen. Das Quadrat innerhalb der Streifen mit einer Gabel einstechen, damit der Teig beim Backen nicht zu sehr aufgeht. 10–15 Minuten backen (der Saum soll aufgehen, die Mitte aber möglichst flach bleiben).

4 Für die Streusel die Butter mit den Fingerspitzen in das Mehl reiben, bis der Teig krümelig wird, dann den Zucker zugeben. Die Streusel sollten rauh und körnig sein.

5 Für die Mandelcreme Butter, Zucker und Zitronenschale mit einem Holzlöffel oder elektrischen Handrührgerät zu einem hellen Teig verarbeiten. Nach und nach das Ei zugeben und jeweils gut unterrühren, dann Mandeln und Mehl einrühren. Die Mandelcreme auf dem vorgebackenen Teigboden verstreichen und die abgekühlte Rhabarbermischung mit einem Löffel darauf verteilen. Die Streusel über den Rhabarber streuen und 40 Minuten backen. Die Torte zum Abkühlen vorsichtig vom Backblech auf ein Kuchengitter gleiten lassen. Kurz vor dem Servieren mit gesiebtem Puderzucker bestäuben.

Sussexer Zitronenkuchen

In dem leichten Kokosfettgebäck verbergen sich eine ganze Zitrone, Zucker und Butter, die den Kuchen beim Anschneiden mit einer fruchtigen Zitronensauce tränken.

Zubereitungszeit: 30 Min. + 20 Min. Ruhezeit
Garzeit: 3 Std.
Für 4–6 Personen

FÜLLUNG
250 g weiche Butter
125 g brauner Zucker
125 g Zucker
1 Zitrone, abgespült und dünn geschält

ÜBERZUG
175 g Mehl
1½ TL Backpulver
1 Msp. Salz
feingeriebene Schale von 1 Zitrone
75 g Palmin, gerieben
75 ml Milch
60 ml Wasser

Zitronensorbet, Eiscreme oder Sahne, zum Servieren

1 Eine Dampfpuddingform (1 l Fassungsvermögen) zum Dämpfen vorbereiten *(siehe S. 694)*.
2 Für die Füllung Butter und Zucker in eine Schüssel geben und mit dem elektrischen Handrührgerät cremig schlagen. Die Zitrone mit einem dicken Metallspieß überall einstechen.
3 Für den Überzug Mehl, Backpulver und Salz in eine Schüssel sieben. Zitronenschale und Palmin einstreuen, dann in die Mitte eine Vertiefung drücken und die Milch und das Wasser hineingießen. Das Mehl vorsichtig unter die Mischung ziehen, bis ein weicher Teig ent-

steht. Eine Arbeitsfläche mit Mehl bestäuben, den Teig darin wälzen und ca. 5 Sekunden glattkneten. Dann ein Viertel der Teigmenge abschneiden und beiseite stellen.
4 Die restlichen drei Viertel des Teigs zu einem Kreis ausrollen, der groß genug ist, um die vorbereitete Dampfpuddingform ganz auszulegen. Den Teig in die Form legen, so daß er etwas über den Rand der Form hinaushängt, und leicht andrücken.
5 Sofort ein Drittel der Füllung auf den Teig geben und die Zitrone in die Mitte setzen. Restliche Füllung um die Zitrone herum hineingeben und die hinausragenden Teigränder darüber falten. Das beiseite gestellte Teigviertel auf die Größe der Puddingform ausrollen, die Kanten glätten und als Teigdeckel auf die Füllung legen. Die Teigkanten fest zusammendrücken und den Kuchen 3 Stunden dämpfen *(siehe S. 694)*.
6 20 Minuten ruhen lassen, dann Schnur, Alufolie und Backpapier entfernen und den Kuchen auf eine tiefe Servierschüssel stürzen, damit die austretende Zitronensauce beim Anschneiden aufgefangen wird.
7 Zum Servieren einen Teil des Überzugs abschneiden und mit etwas Füllung auf einen Servierteller legen. Die Zitrone vorsichtig aus dem Kuchen herausnehmen und in 4–6 Stücke schneiden. Ein Stück davon zu jeder Portion Kuchen servieren. Dazu Zitronensorbet, Eiscreme oder Sahne reichen.

Tips Statt der Zitrone kann auch eine Orange oder eine Limone verwendet werden. Ein Limonenkuchen dieser Art kann in vier einzelnen Portionsförmchen mit je einer ganzen Limone serviert werden.

Der Überzug kann anstatt mit Zitronenschale auch mit gemahlenem Zimt oder Ingwer bestreut werden.

Englischer Rosinenkuchen

Dieser gedämpfte Kuchen mit zwei Rosinensorten
ist in England ein wahrer Klassiker und besonders
bei Kindern beliebt.

Zubereitungszeit: 15 Min. + 1 Std. Einweichzeit
Garzeit: 2 Std.
Für 6–8 Personen

100 g Korinthen
125 g Rosinen
2 EL Weinbrand
250 g Mehl
½ Pckg. Backpulver
1 Msp. Salz
125 g Palmin, gerieben
feingeriebene Schale von 1 Zitrone
1 Msp. gemahlener Muskat
50 g feiner Zucker
150 ml Milch
Vanillesauce, zum Servieren

1 Korinthen, Rosinen und Weinbrand in eine Schüssel geben, mit Klarsichtfolie abdecken und mindestens 1 Stunde (besser über Nacht) marinieren.

2 Mehl, Backpulver und Salz in eine Schüssel sieben und dann Palmin, Zitronenschale, Muskat und Zucker einstreuen. Marinierte Rosinen und Weinbrand zugeben, dann die Milch, und mit einem Holzlöffel zu einem festen Teig verrühren.

3 Ein Blatt Backpapier auf eine Arbeitsfläche legen und die Mischung darauf zu einer 20 cm langen Rolle formen. Das Papier ganz herumschlagen und die Enden zudrehen. Nicht zu fest einrollen, da der Kuchen beim Dämpfen noch aufgeht.

4 Kuchenrolle in ein Geschirrtuch wickeln, auf einen Topf mit Dämpfaufsatz legen und abgedeckt 2 Stunden dämpfen. Während des Dämpfens reichlich neues Wasser zugießen; niemals trocken kochen lassen. Danach aus dem Papier wickeln, in Scheiben schneiden und mit Vanillesauce servieren.

Tip Wenn der ganze Kuchen nicht in Ihren Dämpfaufsatz paßt, formen Sie die Rolle ein wenig kürzer und dicker und dämpfen Sie sie dafür ca. 15–20 Minuten länger.

Siruptorte

Dieses klassische Dessert eignet sich als glamouröser Abschluß einer Mahlzeit. Die Torte kann warm oder kalt serviert werden und schmeckt am besten mit warmer Vanillesauce oder mit Vanilleeis.

Vorbereitungszeit: **40 Minuten + 30 Minuten Kühlzeit**
Zubereitungszeit: **1 Stunde**
Für 8 Personen

warme Butter, zum Einfetten
Mürbeteig (Menge Rezept (s. S. 678)
1 Ei
1 Eigelb

FÜLLUNG
300 g heller Sirup
150 ml Crème double
1 Ei
Schale von 1 unbehandelten Zitrone, feingerieben
50 g Mandeln, gemahlen
75 g frische Brotkrumen

1 Eine 2,5 cm tiefe Obstkuchenform mit Hebeboden von 20 cm Durchmesser einfetten.

2 Zwei Drittel des Teigs auf einer bemehlten Fläche zu einem 2–3 mm dicken Kreis ausrollen. Die Form damit auslegen *(siehe S. 679)* und etwa 30 Minuten in den Kühlschrank stellen. Den Backofen auf 200 °C (Gasherd: Stufe 3) vorheizen. 10–15 Minuten blindbacken, bis der Teig fest ist. Die Backerbsen und das Papier entfernen *(siehe S. 679)* und den Teig abkühlen lassen. Die Ofentemperatur auf 180 °C (Gasherd: Stufe 2) reduzieren.

3 Für die hellen Streifen des Gittermusters auf der Torte den restlichen Teig 3 mm dick ausrollen. 1,5 cm breite Teigstreifen schneiden, deren Länge der Größe der Torte entspricht.

4 Für die Füllung den Sirup vorsichtig in einer Pfanne erwärmen. In einer Schüssel Crème double und Ei verrühren und Zitronenschale und den warmen Sirup zugeben. In einer zweiten Schüssel Mandeln und Brotkrumen mischen und in die Mitte eine Mulde drücken. Die Sirupmischung langsam in die Mulde gießen und vorsichtig verrühren. Die Masse auf den Teigboden gießen und bis kurz unter den Rand füllen.

5 Das restliche Ei mit dem Eigelb verquirlen und damit den Teigrand einpinseln. Spritzer auf der Obstkuchenform wegwischen, da sie kleben und das Auslösen der Torte erschweren. Die Hälfte der Teigstreifen mit jeweils 2,5 cm Abstand parallel auf die Tortenoberfläche legen, dabei von der Mitte nach außen arbeiten. Überhängenden Teig abschneiden und die Ränder leicht andrücken. Die zweite Lage Streifen in einem Gittermuster diagonal darüber legen, wiederum von der Mitte nach außen arbeiten. Anschließend mit der restlichen Eiermischung bepinseln und in 25–35 Minuten goldbraun backen. Vor dem Auslösen aus der Form leicht abkühlen lassen.

Genueser Schokoladen-Biskuit

*Von einem normalen Biskuitkuchen unterscheidet sich dieser herrlich lockere Schokoladen-Biskuit dadurch,
daß Eiweiß und Eigelb nicht getrennt, sondern die ganzen Eier verarbeitet werden.*

Vorbereitungszeit: **15 Minuten**
Zubereitungszeit: **30 Minuten**
Für 6 Personen

weiche Butter, zum Einfetten

etwas Mehl, zum Bestäuben

4 Eier

100 g feiner Zucker

80 g Weizenmehl

20 g Kakaopulver

**20 g geklärte Butter oder Butterschmalz, zerlassen
    und abgekühlt (siehe Tip)**

120 g Himbeermarmelade

Puderzucker, zum Bestäuben

50 g frische Himbeeren, zum Garnieren

1 Den Ofen auf 180 °C (Gasherd: Stufe 2) vorheizen.
Eine Springform mit etwa 20 cm Durchmesser einfetten
und mit Mehl bestäuben.
2 Nach der Anleitung auf S.699 (»Warm geschlagene Masse«) Eier und Zucker in eine große Schüssel geben. Einen
Topf zur Hälfte mit Wasser füllen und erhitzen, bis das
Wasser zu dampfen beginnt. Vom Herd nehmen und die
Schüssel auf den Topf setzen, ohne daß sie das Wasser berührt. Die Zutaten 5–10 Minuten schlagen, bis die Masse

cremig ist und ihr Volumen verdoppelt hat. Die Mischung
sollte nur warm, niemals heiß sein. Die Schüssel vom Topf
nehmen und die Masse weiterschlagen, bis sie kalt ist.
3 Mehl und Kakaopulver mischen, durchsieben und vorsichtig unter die Masse ziehen; aufpassen, daß sie nicht an
Volumen verliert. Die Butter behutsam, doch schnell
unterziehen. Die Masse in die Form füllen und 25–30 Minuten backen, bis die Kuchenoberfläche bei leichtem
Druck zurückfedert und der Rand sich von der Wand der
Backform löst *(siehe S. 678)*. Den Kuchen auf ein Kuchengitter stürzen und wieder umdrehen. Auskühlen lassen.
4 Den Kuchen mit einem Sägemesser horizontal in der
Mitte durchschneiden, so daß zwei gleich dicke Platten
entstehen. Die untere Hälfte mit Himbeermarmelade bestreichen. Die obere Hälfte aufsetzen, dann die Oberfläche mit Puderzucker bestreuen und mit Himbeeren
garnieren. Den Kuchen auf eine Kuchenplatte heben.

Tip Für geklärte Butter werden Milcheiweiß und Milch-
zucker durch Erhitzen von der Butter getrennt. Sie benötigen 40 g Butter, um 20 g geklärte Butter zu erhalten. Die
Butter langsam bei geringer Hitze und ohne zu rühren in
einer kleinen Pfanne zerlassen; sie darf nicht braun werden. Köcheln lassen, bis sich am Boden eine helle Schicht
absetzt. Die klare Butter vorsichtig abgießen und abkühlen
lassen. Verschlossen ist sie bis zu 4 Wochen haltbar.

Schokoladenbiskuitrolle

Dieser duftige Schokoladenbiskuit wird mit Schlagsahne und frischen Himbeeren gefüllt. Aber auch mit anderem Frischobst, zum Beispiel mit Erdbeeren oder Pfirsichen, schmeckt er köstlich.

*Vorbereitungszeit: **25 Minuten + 20 Minuten Kühlzeit***
*Zubereitungszeit: **8–10 Minuten***

Für 6 Personen

SCHOKOLADENBISKUIT

2 Eier
3 EL feiner Zucker
4 EL Weizenmehl
2 TL Kakaopulver

FÜLLUNG

150 ml Schlagsahne
2 1/2 EL Puderzucker
200 g frische Himbeeren

Kakaopulver und Puderzucker, zum Bestäuben

1 Für den Biskuit den Backofen auf 200 °C (Gasherd: Stufe 3) vorheizen. Eine rechteckige Kuchenform in der Größe 23 x 30 cm oder ein Backblech mit Backpapier auslegen. Eier und Zucker in eine große Schüssel geben. Einen Topf zur Hälfte mit Wasser füllen und dieses zum Kochen bringen. Von der Kochstelle nehmen und die Schüssel auf den Topf stellen; darauf achten, daß sie nicht das heiße Wasser berührt. Eier und Zucker mit einem elektrischen Handrührgerät 5–7 Minuten schlagen, bis die cremige Masse bandartig von den Quirlen fließt. Die Masse sollte niemals heiß, nur warm werden. Die Schüssel vom Topf nehmen und weiterschlagen, bis die Masse abgekühlt ist.

2 Mehl und Kakaopulver sieben und mit einem großen Metallöffel vorsichtig unter die Eischaummasse heben. Nicht zu lange rühren, da die Biskuitmasse sonst an Volumen verliert. Die Masse in die vorbereitete Form oder auf das Backblech gießen, mit einem Palettenmesser glattstreichen und 6–8 Minuten backen, bis der Teig in der Mitte bei leichtem Fingerdruck zurückfedert. Den Biskuit noch heiß mitsamt dem anhaftenden Papier aus der Form oder vom Blech nehmen und auf Pergamentpapier oder ein sauberes Geschirrtuch stürzen. Vorsichtig das Backpapier abziehen, dann den Biskuit sofort mit der Unterlage zusammenrollen und auskühlen lassen.

3 Für die Füllung Sahne und Puderzucker steif schlagen. Die geschlagene Sahne auf dem entrollten Schokoladenbiskuit verstreichen und mit Himbeeren belegen. Die Teigplatte wieder behutsam einrollen. Dazu das Pergamentpapier oder das Küchentuch an der Breitseite hochziehen: Der Biskuit rollt sich so fast von selbst ein. Die Naht sollte später unten liegen. Die Enden der Biskuitrolle sauber abschneiden und die Rolle 20 Minuten in den Kühlschrank stellen. Zum Servieren die Biskuitrolle mit etwas gesiebtem Kakaopulver und Puderzucker bestäuben.

Genueser Biskuittorte

Obwohl diese Biskuittorte zu den französischen Torten-Klassikern zählt, kommt sie – wie bereits ihr Name sagt – ursprünglich aus Genua. Die Rezepte wie auch die Füllungen variieren je nach Geschmack und Verfügbarkeit der Zutaten.

*Vorbereitungszeit: **20 Minuten***
*Zubereitungszeit: **35 Minuten***
Für 6 Personen

weiche Butter, zum Einfetten
etwas Mehl, zum Bestäuben
4 Eier
120 g feiner Zucker
120 g Weizenmehl
20 g Butter, zerlassen, abgekühlt
300 ml Sahne, steif geschlagen, zum Garnieren
200 g frische Himbeeren, zum Garnieren
20 g Mandeln, gehobelt, zum Garnieren

BUTTERCREME
250 g feiner Zucker
3 EL Wasser
3 Eiweiß
250 g weiche Butter

LIKÖRSIRUP
40 g feiner Zucker
2 1/2 EL Wasser
1 1/2 EL Himbeer- oder Erdbeerlikör

HIMBEERKOMPOTT
120 g Himbeeren
120 g feiner Zucker
Saft von 1/2 unbehandelten Zitrone

1 Den Ofen auf 180 °C (Gasherd: Stufe 2) vorheizen. Eine Springform von etwa 20 cm Durchmesser mit Backpapier auslegen *(siehe S. 696)*. Das Papier einfetten und mit Mehl bestäuben.

2 Einen Topf zur Hälfte mit Wasser füllen, aufkochen lassen und vom Herd nehmen. Nach der Anleitung auf S. 699 (»Warm geschlagene Masse«) Eier und Zucker in eine Schüssel geben, auf den Topf setzen und schaumig schlagen. Die Schüssel vom Topf nehmen und weiterschlagen, bis die Masse abgekühlt ist. Das Mehl hineinsieben und unterheben. Die zerlassene Butter am Schüsselrand hinab zugießen und behutsam unterziehen. Die Masse in die Backform füllen. Ungefähr 20 Minuten backen, bis sich der Kuchen von der Wand der Backform löst und seine Oberfläche bei leichtem Druck zurückfedert *(siehe S. 698)*. Den Biskuit auf ein Kuchengitter stürzen und mit Hilfe eines zweiten Gitters wieder umdrehen. Auskühlen lassen.

3 Für die Buttercreme Zucker und Wasser erhitzen und rühren, bis sich der Zucker aufgelöst hat. Aufkochen lassen und ohne zu rühren auf 115–120 °C erhitzen (als Test etwas Zuckersirup in Eiswasser gießen; er sollte sich zwischen den Fingern leicht zu einer kleinen Kugel formen lassen. Die Eiweiße steif schlagen, bis sich sehr feste Spitzen bilden. Während des Schlagens den Zuckersirup in gleichmäßigem Strahl zugießen. Weiterschlagen, bis die Masse abgekühlt ist. Dann die Butter in kleinen Portionen unterschlagen.

4 Für den Likörsirup Zucker und Wasser erhitzen und rühren, bis sich der Zucker auflöst. Aufkochen lassen, vom Herd nehmen und abkühlen lassen; den Likör einrühren.

5 Für das Kompott Himbeeren und Zucker in einen Topf geben. Bei schwacher Hitze vorsichtig umrühren, bis sich der Zucker aufgelöst hat. Zitronensaft nach Geschmack zugeben. Aufkochen lassen, bis das Kompott marmeladenartig eingedickt ist. Abkühlen lassen.

6 Den Biskuit horizontal durchschneiden. Auf die untere Platte den Likörsirup streichen, dann eine Schicht Himbeerkompott und eine Schicht Buttercreme. Mit der oberen Biskuitplatte bedecken. Die Oberfläche mit Buttercreme bestreichen, mit Himbeeren und Mandeln garnieren.

Schwarzwälder Kirschtorte

Diese berühmte Torte wird traditionell mit Sauerkirschen gefüllt. Bei dieser Variante dagegen werden dunkle Süßkirschen verwendet.

*Vorbereitungszeit: **1 Stunde + Kühlzeit***
*Zubereitungszeit: **30 Minuten***
Für 8 Personen

3 Eigelb
3 Eier
130 g feiner Zucker
100 g Weizenmehl
30 g Kakaopulver
100 g Raspel-Schokolade, zartbitter
600–750 ml Sahne
1–2 Tropfen Vanillearoma
1 Prise feiner Zucker
Puderzucker, zum Bestäuben

KIRSCHFÜLLUNG

2 TL Speisestärke
425 g (Abtropfgewicht) dunkle Süßkirschen, entsteint, 100 ml vom Kirschsaft zurückstellen

KIRSCHSIRUP

60 g feiner Zucker
3 EL Wasser
2 EL Kirschwasser

1 Den Ofen auf 180 °C (Gasherd: Stufe 2) vorheizen. Eine Springform von etwa 20 cm Durchmesser mit Backpapier auslegen *(siehe S. 696)*.

2 Einen Topf zur Hälfte mit Wasser füllen. Aufkochen lassen und vom Herd nehmen. Nach der Anleitung auf S. 699 (»Warm geschlagene Masse«) Eigelbe, Eier und Zucker in eine hitzebeständige Schüssel geben und diese auf den Topf mit heißem Wasser stellen; sie darf die Wasseroberfläche nicht berühren. Die Zutaten kräftig schlagen, bis die Mischung dicklich und lauwarm ist. Vom Topf nehmen und die Masse weiterschlagen, bis sie kalt ist. Mehl und Kakaopulver mischen, durchsieben und behutsam unter die erkaltete Mischung ziehen; nicht rühren. Die Masse in die Form füllen und etwa 20 Minuten backen, bis die Oberfläche bei leichtem Druck zurückfedert *(siehe S. 698)*. Den fertigen Boden zum Abkühlen auf ein Kuchengitter stürzen.

3 Für die Kirschfüllung die Speisestärke mit etwas Kirschsaft verrühren. Den restlichen Saft in einem kleinen Topf aufkochen lassen. Vom Herd nehmen, die Stärke einrühren, dann wieder auf den Herd stellen und unter Rühren aufkochen lassen. Wieder vom Herd nehmen, die Kirschen (bis auf 8 Stück für die Garnierung) zugeben und abkühlen lassen.

4 Für den Kirschsirup den Zucker mit dem Wasser in einem kleinen Topf langsam erwärmen und den Zucker unter Rühren auflösen. Kurz aufkochen lassen, vom Herd nehmen und das Kirschwasser zugeben. Abkühlen lassen.

5 Die Sahne in einer großen Schüssel halbsteif schlagen; Vanillearoma und feinen Zucker zugeben und weiterschlagen, bis die Sahne steif ist. Ein Viertel davon beiseite stellen.

6 Den Biskuitboden zweimal durchschneiden. Den obersten Boden mit der Oberfläche nach unten auf eine Platte legen und etwas Sahne darauf verstreichen. Den mittleren Boden daraufsetzen. Dünn mit Sahne bestreichen und rundherum am Rand eine dickere Sahnekante ziehen. Die Kirschfüllung innerhalb dieser Kante verteilen. Mit dem dritten Boden bedecken. Die Torte dünn mit Sahne einstreichen, 10 Minuten kühl stellen. Wiederholen, bis ein gleichmäßiger Sahneüberzug entstanden ist. Die Raspel-Schokolade ringsum an den Tortenrand drücken und mit der beiseite gestellten Sahne Rosetten auf die Oberfläche spritzen. Mit den Kirschen garnieren; die Rosetten mit Raspel-Schokolade bestreuen und mit Puderzucker bestäuben.

Pralinentorte

Die in dieser Torte verwendeten Pralinen sind ursprünglich eine Spezialität aus Montargis in Frankreich.
Auf Rummelplätzen werden sie in Frankreich auch heute noch in Kupferpfannen zubereitet.

Vorbereitungszeit: **45 Minuten + 15 Minuten**
    Kühlzeit
Zubereitungszeit: **45 Minuten**
Für 6–8 Personen

weiche Butter, zum Einfetten
süßer Mürbeteig (Menge Rezept S. 678)
1 Ei, mit einigen Tropfen Wasser verquirlt
300 ml Crème double
350 g Französische Mandeln (Pralinen), feingehackt
Puderzucker, zum Bestäuben

1 Den Backofen auf 180 °C (Gasherd: Stufe 2) vorheizen. Eine Obstkuchenform mit Hebeboden von 22 cm Durchmesser einfetten und kalt stellen. Den Teig zu einem großen, etwa 2–3 mm dicken Kreis ausrollen. Die Obstkuchenform damit auslegen *(siehe S. 679)* und dann noch einmal etwa 15 Minuten in den Kühlschrank stellen.
2 10 Minuten blindbacken, bis der Teig fest ist. Die Backerbsen und das Papier herausnehmen, den Teig mit verquirltem Ei bepinseln, trocknen lassen und dann noch einmal bestreichen. Weitere 10 Minuten backen, bis der Teig gleichmäßig gebräunt ist *(siehe S. 679)*.
3 Eine flache Pfanne mit kaltem Wasser füllen und neben den Herd stellen. In einem gußeisernen Topf die Crème double mit den Französischen Mandeln mischen und bei mittlerer Hitze kochen, gelegentlich umrühren, damit sie nicht anbrennen. Die Mischung auf 120 °C erhitzen (mit einem Zuckerthermometer ablesen), dann den Topf sofort in die Pfanne mit dem Wasser stellen.
4 Die Mischung 1 Minute stehen lassen, damit die Luftbläschen an die Oberfläche steigen, dann auf den gebackenen Teigboden gießen und bei Zimmertemperatur abkühlen lassen. Vor dem Servieren mit gesiebtem Puderzucker bestäuben.

Tip Sobald die Mischung anfängt, einzudicken und dunkler zu werden, muß sie sorgfältig beobachtet werden (insbesondere wenn Sie ohne Zuckerthermometer arbeiten) – sie erhitzt sich schnell und darf nicht zu lange kochen. Stellen Sie das kalte Wasser rechtzeitig bereit.

Den Zucker der Französischen Mandeln beim Erhitzen vorsichtig verteilen und nicht mit den Fingern berühren!

Madeira Cake

Dieser beliebte englische Kuchen basiert auf einem einfachen, aber reichhaltigen Teig, der kurz vor dem Backen mit kandierter Zitronenschale bestreut wird. Er wird üblicherweise zu einem Glas Madeira serviert, daher sein Name. Manche beträufeln auch den gebackenen Kuchen mit Madeira, bevor er abkühlt.

Vorbereitungszeit: **30 Minuten**
Zubereitungszeit: **1 Stunde 25 Minuten**
Für 6 Personen

weiche Butter, zum Einfetten
etwas Mehl, zum Bestäuben
1 unbehandelte Zitrone
275 g feiner Zucker
35 ml Wasser
225 g weiche Butter
4 Eier, verquirlt
250 g Weizenmehl

1 Den Ofen auf 150 °C (Gasherd: Stufe 1) vorheizen. Eine Kastenform (20 cm) mit Backpapier auslegen *(siehe S. 698)*. Das Papier einfetten und mit Mehl bestäuben.
2 Die Zitrone mit einem Gemüseschäler schälen, dann mit einem kleinen Messer von der Innenseite der abgeschälten Streifen Reste der weißen Haut abschaben. Die Streifen flach auf ein Brett legen und mit einem langen, scharfen Messer in dünne, feine Streifen schneiden. Diese in einen kleinen Topf geben, mit Wasser gut bedecken und zum Kochen bringen. 1 Minute kochen lassen, abseihen und mit kaltem Wasser abspülen. Diesen Arbeitsgang wiederholen. In einem zweiten kleinen Topf 50 g des Zukkers mit dem Wasser verrühren; unter Rühren auflösen und langsam aufkochen lassen. Die Schalenstreifen zugeben und 5 Minuten köcheln lassen, bis sie glasig aussehen. Mit einer Gabel aus dem Zuckersirup heben und zum Abkühlen auf Pergamentpapier ausbreiten.
3 Nach der Anleitung auf S. 699 (»Gerührter Teig«) die Butter und den restlichen Zucker schaumig rühren und nach und nach die Eier einrühren.
4 Das Mehl auf die Masse sieben und behutsam unterziehen. Den Teig in die vorbereitete Backform füllen und die Oberfläche glattstreichen *(siehe S. 699)*. Die kandierte Zitronenschale gleichmäßig auf der Oberfläche des Kuchens verteilen. 1 Stunde 15 Minuten backen, bzw. bis die Stäbchenprobe positiv ausfällt *(siehe S. 698)*.
5 Den Kuchen aus der Form nehmen und auf einem Kuchengitter auskühlen lassen. Das Backpapier erst kurz vor dem Servieren abziehen, damit der Kuchen schön saftig bleibt.

Trüffeltorte

Zu diesem opulenten Schokoladendessert servieren Sie am besten einen starken Espresso, auch eine Schüssel mit frischen Erdbeeren ist eine gute Ergänzung. Diese Schlemmertorte ruft garantiert Bewunderung hervor.

Vorbereitungszeit: **1 Stunde 30 Minuten + Kühlzeit**
Zubereitungszeit: **20 Minuten**
Für 8 Personen

SCHOKOLADENBISKUIT
weiche Butter, zum Einfetten
Mehl, zum Ausstreuen
2 Eier
2 1/2 EL feiner Zucker
4 EL Weizenmehl
I EL Kakaopulver
30 ml Rum

530 g hochwertige Bitterschokolade, gehackt
2 Blatt Gelatine oder I TL Gelatinepulver
65 g Glukosesirup
500 ml Schlagsahne
Kakaopulver, zum Bestäuben

1 Für den Biskuit den Backofen auf 170 °C (Gasherd: Stufe 2) vorheizen. Eine Springform von 20 cm Durchmesser und 5,5 cm Höhe einfetten und mit Mehl ausstreuen. Einen Topf zur Hälfte mit Wasser füllen und dieses zum Kochen bringen, dann den Topf von der Kochstelle nehmen. Eier und Zucker in eine große Schüssel geben und diese über den Topf stellen; darauf achten, daß sie nicht das heiße Wasser berührt. Die Mischung 5–10 Minuten mit dem Handrührgerät zu einer dicken Masse aufschlagen, die bandartig von den Quirlen fließt. Schüssel vom Topf nehmen und weiterschlagen, bis die Masse abgekühlt ist. Mehl und Kakaopulver sieben und mit einem Plastikspatel vorsichtig unter den Eischaum heben. Die Biskuitmasse in die Springform gießen, glattstreichen und 15 Minuten bakken, bis der Biskuit in der Mitte bei leichtem Fingerdruck zurückfedert und am Rand etwas geschrumpft ist. Auf ein Kuchengitter stürzen und erkalten lassen.

2 Die trockene Oberfläche des Biskuits mit einem großen Sägemesser abschneiden, so daß ein 1,5 cm dicker Tortenboden übrigbleibt. Diesen entweder auf eine Kartonunterlage von 20 cm Durchmesser setzen und in die Springform legen oder den Boden direkt in die Form gleiten lassen. Den Biskuit mit Rum tränken.

3 Gehackte Schokolade wie in Schritt 1 schmelzen. Sobald die Schokolade geschmolzen ist, die Schüssel vom Topf nehmen. Blattgelatine in kaltem Wasser einweichen oder Gelatinepulver mit 1 Eßlöffel kaltem Wasser anrühren und über einem Topf mit siedendem Wasser quellen lassen. 100 ml Wasser in einen Topf gießen, Glukosesirup zugeben und zum Kochen bringen. Den Topf von der Herdplatte nehmen. Gequollene Gelatineblätter gut ausdrücken und in den warmen Glukosesirup geben oder das gequollene Pulver zufügen und unter Rühren auflösen. Die warme Flüssigkeit über die Schokolade gießen und mit einem kleinen Schneebesen untermischen. Bei Klümpchenbildung die Mischung behutsam über Wasserdampf erwärmen und glattrühren, dann erkalten lassen.

4 Die Sahne schlagen, bis weiche Spitzen stehenbleiben, und behutsam unter die erkaltete Schokoladenmischung heben. Nicht zu lange rühren. Die Springform bis zum Rand mit der Trüffelmasse füllen und die Oberfläche mit einem Palettenmesser glattstreichen. Die Trüffeltorte im Kühlschrank fest werden lassen (dauert mehrere Stunden).

5 Ein feucht-heißes Geschirrtuch 30 Sekunden um die Springform legen, um die Torte besser aus der Form lösen zu können. Dann die Trüffeltorte mit Kakaopulver bestäuben und mit dem Messerrücken gitterartig verzieren. Die restliche Schokolade wie oben beschrieben zum Schmelzen bringen. Die flüssige Schokolade auf ein Stück Backpapier gießen und mit einem Palettenmesser 2 mm dick verstreichen. Die Schokolade im Kühlschrank erstarren lassen, dann große Stücke davon auf dem Papier abbrechen und an die Seitenränder der Torte drücken. Die Torte zum Servieren auf eine Tortenplatte umsetzen.

Pekan-Pie

Diese klassische Pie ist eine Spezialität aus den Südstaaten der USA und verdankt ihren nussigen Geschmack der Verwendung von Maissirup und braunem Zucker. Traditionell wird sie mit einem Löffel Schlagsahne

*Vorbereitungszeit: **20 Minuten + 30 Minuten Ruhezeit***
*Zubereitungszeit: **50 Minuten***
*Für **6–8 Personen***

süßer Mürbeteig (³/4 Menge Rezept (s. S. 678)

FÜLLUNG
2 Eier
1 Prise Salz
35 g Butter, zerlassen
150 g heller Maissirup
125 g brauner Zucker
5 Tropfen Vanillearoma
125 g Pekannüsse, grobgehackt

1 Den Backofen auf 160 °C (Gasherd: Stufe 1–2) vorheizen. Den Teig 2,5 mm dick ausrollen und eine 2,5 cm tiefe Obstkuchenform mit Hebeboden von 22 cm Durchmesser damit auslegen *(siehe S. 679)*.

2 Für die Füllung Eier in einer Schüssel verquirlen. Salz, Butter, Maissirup, Zucker und Vanillearoma zugeben und gut mischen.

3 Pekannüsse auf dem Teigboden verteilen und dann die Füllung darüber gießen. 45–50 Minuten backen, bis die Füllung gerade fest ist. Die Ofentemperatur auf 150 °C (Gasherd: Stufe 1) herunterschalten, falls die Füllung zu stark aufgeht.

4 Die Pie etwa 5 Minuten in der Form stehen lassen, dann herausnehmen und auf einem Kuchengitter vollständig abkühlen lassen.

Tip Die Pekannüsse können durch fast alle anderen Nußsorten ersetzt werden, so durch Walnüsse, Haselnüsse, Macadamianüsse und natürlich auch durch Pinienkerne.

Pithiviers

Dieser Kuchen stammt aus der französischen Stadt Pithiviers. Er enthält eine eingebackene Bohne und wird in Frankreich, verziert mit einer goldenen Krone, zum Dreikönigsfest serviert. Wer die Bohne in seinem Kuchenstück findet, ist an diesem Tag König bzw. Königin.

*Vorbereitungszeit: **45 Minuten + Kühlzeit***
*Zubereitungszeit: **40 Minuten***
Für 4–6 Personen

Blätterteig (Menge Rezept S. 680)
1 Ei, verquirlt
30 g feiner Zucker

MANDELCREME
50 g weiche Butter
50 g feiner Zucker
50 g Mandeln, gemahlen
1 Ei
1/2 EL Weizenmehl
2 EL Rum

1 Den Backofen auf 200 °C (Gasherd: Stufe 3–4) vorheizen. Den Blätterteig halbieren und in zwei 20 cm große Quadrate ausrollen. Auf mit Backpapier ausgelegte Backbleche legen und in den Kühlschrank stellen.

2 Für die Mandelcreme Butter und Zucker verrühren, Mandeln und Ei zugeben und gut mischen. Erst das Mehl, anschließend den Rum einrühren. In den Kühlschrank stellen.

3 Ein Backblech mit Teig aus dem Kühlschrank nehmen. Einen Teller leicht auf den Teig drücken (etwa 14 cm Durchmesser). Um den Abdruck etwas verquirltes Ei pinseln, die Mandelcreme in der Mitte aufhäufen und glattstreichen, den eingepinselten Rand dabei freilassen. Das zweite Stück Blätterteig über das erste legen und die Ränder festdrücken, um sie zu verschließen.

4 Mit der Spitze eines Teelöffels gleichmäßige Halbkreise auf den Teigrand drücken, um den wellenförmigen Effekt zu erzeugen. 10 Minuten in den Kühlschrank stellen, dann mit einem kleinen Messer den Teig entlang der Linien abschneiden.

5 In einem kleinen Topf bei mittlerer Hitze den feinen Zucker mit 1 1/2 EL Wasser unter Rühren auflösen, dann aufkochen lassen. Zum Abkühlen den Topf vom Herd nehmen.

6 Das verquirlte Ei auf den Teig pinseln, ohne daß es an den Seiten herunterläuft, da der Teig sonst nicht mehr gleichmäßig aufgeht. Mit einem kleinen Messer ein spiralförmiges Muster in die Teigoberfläche ritzen. 10 Minuten backen, die Hitze dann auf 180 °C (Gasherd: Stufe 4) herunterschalten und den Kuchen weitere 25 Minuten backen, bis er goldbraun ist. Dann aus dem Backofen nehmen und die Oberfläche sofort mit dem Sirup bepinseln, damit sie glänzt. Warm servieren.

Großmutters Torte

Diese karamelisierte Torte wird mit ihrem nussigen Aroma Freunde und Familie beeindrucken – egal, ob sie als Dessert oder zum Kaffee serviert wird.

Vorbereitungszeit: **50 Minuten + 15 Minuten Kühlzeit**
Zubereitungszeit: **1 Stunde 20 Minuten**
Für 6–8 Personen

Butter, zerlassen, zum Einfetten
Mürbeteig (Menge Rezept (s. S. 678)

FÜLLUNG
30 g Butter
2 EL Zucker
1 großer Apfel (etwa 200 g), geschält und gewürfelt
60 g Pistazienkerne
60 g Walnüsse, gehackt
1 Prise Zimt, gemahlen
3 Eigelb
2 EL feiner Zucker
1 EL Vanillezucker (siehe Tip)
150 ml Sahne
Puderzucker, zum Bestäuben
zusätzliche Walnüsse, gehackt, zum Garnieren

1 Den Backofen auf 180 °C (Gasherd: Stufe 2) vorheizen. Eine 2,5 cm tiefe Obstkuchenform mit Hebeboden von 22 cm Durchmesser mit Butter einpinseln. Den Teig auf einer leicht bemehlten Fläche 3 mm dick ausrollen.

Die Form damit auslegen *(siehe S. 679)* und 15 Minuten in den Kühlschrank stellen.

2 Butter und Zucker bei mittlerer Hitze in einer beschichteten Pfanne schmelzen. Wenn sich die Flüssigkeit leicht färbt, die Apfelstückchen zugeben und 3 Minuten schmoren lassen. Die Nüsse zufügen, dann die Masse in eine Schüssel füllen und mit Zimt bestreuen. Zum Abkühlen beiseite stellen.

3 In einer Schüssel Eigelbe mit Zucker und Vanillezucker mischen. Die Sahne unterrühren und alles durch ein Sieb gießen.

4 Die ausgelegte Obstkuchenform aus dem Kühlschrank nehmen und den Teig 10 Minuten blindbacken, bis er fest ist. Die Backerbsen und das Papier entfernen und die Torte im Backofen weitere 15 Minuten backen *(siehe S. 679)*. Auf einem Kuchengitter abkühlen lassen.

5 Die Apfelmischung auf dem Teigboden verstreichen und die Eimasse darüber gießen. 40–45 Minuten backen, bis sie goldbraun und gestockt ist. Vor dem Auslösen aus der Form auf einem Kuchengitter etwas abkühlen lassen. Mit gesiebtem Puderzucker bestäuben und mit den zusätzlichen Walnußstückchen bestreuen. Warm servieren.

Tip Vanillezucker kann man gut selbermachen. Einfach eine frische Vanilleschote in ein Glas mit Zucker legen und gut verschließen.

Schokoladenkuchen ohne Mehl

Mit einer Haube aus Chantilly-Sahne und Mandelblättchen ergibt dieser Schokoladenkuchen ein reizvolles Dessert, schmeckt aber auch zu anderen Gelegenheiten.

Vorbereitungszeit: **30 Minuten**
Zubereitungszeit: **50 Minuten**
Für 8 Personen

weiche Butter, zum Einfetten
150 g brauner Zucker
225 g weiche Butter
4 Eier, getrennt
200 g hochwertige Bitterschokolade, grobgerieben
230 g Mandeln, gemahlen
2 1/2 EL feiner Zucker
2 EL Mandelblättchen

CHANTILLY-SAHNE
300 ml Schlagsahne
einige Tropfen Vanillearoma
2 EL Puderzucker

1 Eine runde Kuchenform von 23 cm Durchmesser leicht einfetten und den Boden mit Backpapier auslegen. Den Backofen auf 150 °C (Gasherd: Stufe 1–2) vorheizen.
2 Braunen Zucker und Butter in einer großen Schüssel zu einer hellen, lockeren Schaummasse aufschlagen. Die Ei-

gelbe jeweils einzeln einrühren. Geriebene Schokolade und gemahlene Mandeln zugeben und sorgfältig unterrühren. Die Eiweiße in einer separaten Schüssel zu steifem Schnee schlagen, feinen Zucker einstreuen und den Eischnee in vier Portionen vorsichtig unter die Schokoladenmischung heben. Den Eischnee jedoch nicht zu lange einrühren, sonst fällt die Masse zusammen. Sobald keine weißen Streifen mehr zu sehen sind, die Masse in die vorbereitete Form gießen und 50 Minuten backen, bis der Teig bei leichtem Fingerdruck auf die Kuchenmitte zurückfedert. Den Kuchen erst nach dem Abkühlen aus der Form nehmen.
3 Für die Chantilly-Sahne die Sahne in eine Schüssel gießen und mit Vanillearoma und Puderzucker steif schlagen, bis feste Spitzen stehenbleiben. Bis zur Weiterverwendung im Kühlschrank aufbewahren.
4 Zum Servieren den Kuchen in Tortenstücke schneiden. Jedes Stück mit einer Sahnehaube garnieren und Mandelblättchen aufstreuen.

Tip Zur Abwechslung den Kuchen in einer quadratischen Form backen.
Die Schokolade läßt sich problemlos und schnell in einer Küchenmaschine mit grober Raspelscheibe zerkleinern.

Kaffee-Walnuß-Torte

Ein leichter Kuchen mit feinem Aroma und knackigen Walnüssen, der zum Schluß mit einer feinen, cremigen Glasur überzogen wird. Er paßt ausgezeichnet zu einer Tasse Tee oder Kaffee.

Vorbereitungszeit: **40 Minuten**
Zubereitungszeit: **45 Minuten**
Für 8 Personen

weiche Butter, zum Einfetten
etwas Mehl, zum Bestäuben
150 g weiche Butter
150 g feiner Zucker
3 Eier, leicht verquirlt
1 Eigelb, leicht verquirlt
1 1/2 EL Kaffee-Extrakt oder starker Bohnenkaffee
150 g Weizenmehl
1 TL Backpulver
125 g Walnüsse, gehackt und leicht geröstet

EIWEISSGLASUR
1 Eiweiß
100 g feiner Zucker
100 ml Wasser und 1/2 TL zusätzlich
1/2 TL Instant-Kaffeepulver

1 Den Ofen auf 180 °C (Gasherd: Stufe 2) vorheizen. Eine Springform von etwa 20 cm Durchmesser mit Backpapier auslegen *(siehe S. 696)*. Das Papier einfetten und mit Mehl bestäuben.

2 Nach der Anleitung auf S.699 (»Gerührter Teig«) Butter und feinen Zucker schaumig rühren; Eier und Eigelb nach und nach in sechs Portionen zugeben. Kaffee-Extrakt unterrühren.

3 Mehl und Backpulver mischen, durchsieben und mit 100 g der Walnüsse in die Buttermischung einrühren, bis das Mehl vollständig eingearbeitet ist. Den Teig in die Backform füllen und 30 Minuten backen, bzw. bis die Stäbchenprobe positiv ausfällt *(siehe S. 698)*. Auf einem Kuchengitter abkühlen lassen.

4 Für die Glasur das Eiweiß in eine kleine Schüssel geben. Den Zucker mit 100 ml Wasser in einem kleinen Topf vorsichtig erhitzen und rühren, bis sich der Zucker auflöst. Die Temperatur erhöhen, die Masse aufkochen lassen und ohne Rühren bis auf 120 °C erhitzen (als Test etwas Zuckersirup in Eiswasser gießen; er sollte sich zwischen den Fingern leicht zu einer kleinen Kugel fomen lassen). Kurz bevor der Zucker die gewünschte Temperatur erreicht, das Eiweiß steif schlagen. Den kochenden Zuckersirup in dünnem, gleichmäßigem Strahl vom Rand her auf den Eischnee gießen. Weiterschlagen, bis die Masse erkaltet ist. Das Kaffeepulver in 1/2 Teelöffel warmem Wasser auflösen und zugeben. Wenn der Kuchen vollständig ausgekühlt ist, die Glasur auf der Oberfläche verstreichen. Anschließend mit den restlichen gehackten Walnüssen bestreuen.

Reispuddingtorte

*Nach Frankreich ist der Reis mit den Kreuzrittern gekommen,
und im 17. Jahrhundert begannen die Franzosen selbst mit dem Reisanbau,
der sich in der Camargue zu einer blühenden Industrie entwickelte.*

*Zubereitungszeit: **40 Minuten + 45 Minuten Ruhezeit***
*Back- und Garzeit: **1 Stunde***
Für 6–8 Personen

250 g Mehl
75 g gekühlte Butter, gewürfelt
4 EL Milch
12 g frische Hefe oder 6 g Trockenhefe
¹/₂ EL Öl
1 Ei

500 ml Milch
Zimt, gemahlen,
    nach Geschmack
100 g feiner Zucker
70 g Milchreis
2 Eigelb
3 Eiweiß
Puderzucker, zum Bestäuben

1 Für den Teig den Backofen auf 160 °C vorheizen. Mehl in eine große Schüssel sieben, Butter zufügen und rasch mit den Fingerspitzen einkneten, bis die Mehlmasse eine körnige Konsistenz annimmt. Milch in einem kleinen Topf erwärmen und die Hefe einrühren. In die Mitte der Mehlmasse eine Mulde drücken und Milch-Hefe-Mischung, Öl und Ei zugeben. Vermengen, bis ein fester Teig entsteht und glattkneten. In eine leicht eingefettete Schüssel geben, mit einem Geschirrtuch abdecken und an einem warmen Ort 45 Minuten gehen lassen, bis sich das Volumen etwa verdoppelt hat.

2 Milch mit Zimt und 70 g Zucker in einer Pfanne erhitzen. Reis zugeben und bei schwacher Hitze 15 Minuten unter Rühren köcheln lassen, bis der Reis weich ist. Vom Herd nehmen; Eigelbe sorgfältig unterrühren und beiseite stellen.

3 Teig auf einer leicht bemehlten Arbeitsfläche zu einem Kreis von ca. 2–3 mm Dicke ausrollen und in eine eingefettete Springform mit geriffeltem Rand (Ø 24 cm) legen. Überstehende Ränder abschneiden und bis zum weiteren Gebrauch in den Kühlschrank stellen.

4 Eiweiß steif schlagen und den restlichen Zucker einrühren, bis er vollständig aufgelöst ist und eine glatte Masse entsteht. Unter die Reismasse heben.

5 Reismischung in die Springform füllen und 35–40 Minuten goldbraun backen, bis ein in die Mitte gestochenes Messer sauber wieder herausgezogen werden kann. Mit gesiebtem Puderzucker bestreuen. Die Torte kann heiß oder kalt serviert werden.

Französischer Schokoladenkuchen

Dieser reichhaltige und saftige Kuchen schmeckt besonders gut, wenn er noch warm serviert wird.

Vorbereitungszeit: **30 Minuten**
Zubereitungszeit: **35 Minuten**
Für 8 Personen

weiche Butter, zum Einfetten
etwas Mehl, zum Bestäuben
125 g weiche Butter
125 g gute Zartbitter-Schokolade, zerkleinert
3 Eier, getrennt
125 g feiner Zucker
75 g Weizenmehl
Puderzucker, zum Bestäuben

1 Den Ofen auf 180 °C (Gasherd: Stufe 2) vorheizen. Eine Springform von 18 cm Durchmesser mit Backpapier auslegen *(siehe S. 696)*, einfetten und mit Mehl bestäuben.
2 Die Butter in einer Schüssel schaumig rühren. Einen Topf zur Hälfte mit Wasser füllen, aufkochen lassen und dann vom Herd nehmen. Die Schokolade in eine Schüssel geben und diese auf den Topf mit dem heißen Wasser setzen, ohne daß sie das Wasser berührt. Unter gelegentlichem Umrühren schmelzen lassen. Die Schüssel vom Topf nehmen, die Schokolade abkühlen lassen und die Butter einrühren. Beiseite stellen. Die Eigelbe mit dem Zucker in einer Schüssel cremig schlagen, zur Schokoladenmischung geben und untermengen. Die Eiweiße in einer großen Schüssel steif schlagen und den Eischnee in drei Portionen unter die Schokoladenmischung heben. Das Mehl durchsieben und behutsam unter die Mischung ziehen, bis alles gut vermengt ist.
3 Den Teig in die Form füllen und 30 Minuten backen. Vorsichtshalber Stäbchenprobe machen *(siehe S. 698)*. 10 Minuten in der Form abkühlen lassen, dann herausnehmen und noch warm mit gesiebtem Puderzucker bestäuben.

Engelskuchen

Leicht zu backen und dennoch ein außergewöhnlicher Genuß: Die locker-luftige amerikanische Spezialität
läßt sich am besten mit zwei Gabeln zerteilen.

Vorbereitungszeit: **10 Minuten**
Zubereitungszeit: **50 Minuten**
Für 6 Personen

375 g feiner Zucker
125 g Weizenmehl
12 Eiweiß, zimmerwarm
1 Prise Salz
1 EL Wasser
1¹/2 TL Weinstein-Backpulver
4 Tropfen Vanillearoma
2 Tropfen Bittermandelaroma
Puderzucker, zum Bestäuben
Erdbeeren, halbiert, zum Garnieren

1 Den Ofen auf 180 °C (Gasherd: Stufe 2) vorheizen. Eine Springform mit 24 cm Durchmesser bereit stellen. Den Rand mit doppelt gelegtem Backpapier so auslegen, daß er 10 cm hoch ist.

2 125 g von dem Zucker mit Mehl mischen und durchsieben. Das Durchsieben noch sechsmal wiederholen, dann beiseite stellen. Die Eiweiße in einer großen Schüssel schaumig schlagen, bis der Eischnee weiche Spitzen bildet. Salz, Wasser, Weinstein-Backpulver sowie Vanille- und Bittermandelaroma zugeben. Sobald sich Blasen bilden, den restlichen Zucker eßlöffelweise zugeben. Gründlich unterschlagen, bis er sich aufgelöst hat und die Eischneemasse sehr steife Spitzen bildet.

3 Das gesiebte Mehl mit dem Zucker zugeben und sorgfältig unterziehen, bis alles gut vermengt ist. Den Teig in die Backform füllen. Ein Palettenmesser aufrecht in die Form stellen, so daß es den Boden berührt, und kreisförmig durch den Teig ziehen; dadurch werden Luftblasen entfernt.

4 Den Kuchen 50 Minuten backen, bis die Kuchenoberfläche bei leichtem Druck zurückfedert *(siehe S. 698)*. Die Backform mit der Öffnung nach unten auf ein Kuchengitter stellen und den Kuchen vollständig in der Form auskühlen lassen, damit er sich leicht herausnehmen läßt. Evtl. den Rand mit Hilfe eines Messers vorsichtig von der Formwand lösen. Den Kuchen auf eine Kuchenplatte legen, mit dem gesiebten Puderzucker bestäuben und mit Erdbeeren garnieren.

Tip Der Kuchen kann, wie er ist, mit Schlagsahne und Erdbeeren serviert werden oder aber vorher mit geschmolzener Schokolade verziert werden. Man kann ihn auch mit einem Überzug aus Schlagsahne und Kaffee-Extrakt oder aus geschmolzener Schokolade bestreichen.

Beschwipster Kapuziner

Der „beschwipste Kapuziner" stammt aus Österreich. Diese Version enthält allerdings nur den nötigen Rum fürs Aroma – nicht genug für einen echten Schwips!

Zubereitungszeit: 45 Min. + 30 Min. Einweichzeit
+ 30 Min. Ruhezeit + 4 Std. Einweichzeit
Back- und Garzeit: 40 Min.
Für 6 Personen

KUCHEN

50 g Rosinen
2 EL Rum
4 Eier, getrennt
100 g feiner Zucker
feingeriebene Schale von 1 Orange
100 g Semmelbrösel
50 g gemahlene Mandeln
2 EL Milch
2 TL Kakaopulver

SIRUP

150 ml Wasser
250 g Zucker
1 Vanilleschote
1½ EL Mokkalikör oder 2 TL Instantkaffeepulver,
in 2 TL heißem Wasser gelöst
1½ EL Rum
feingeriebene Schale von 1½ Orangen
2 kleine Zimtstangen
3 Nelken

Schlagsahne, zum Servieren

1 Rosinen und Rum 30 Minuten in einer Schüssel marinieren. Backofen auf 180 °C vorheizen. Eine Gugelhupf- oder Kranzform (1 l Fassungsvermögen) mit zerlassener Butter auspinseln, abkühlen lassen und noch eine Schicht Butter auftragen.

2 Eigelbe in einer großen Schüssel mit dem elektrischen Handrührgerät und der Hälfte des Zuckers sowie der Orangenschale schlagen, bis eine lockere Creme entsteht. Rührbesen gründlich abspülen und trocknen und die Eiweiße in einer sauberen Rührschüssel zu steifem Schnee schlagen. Restlichen Zucker portionsweise zufügen und nach jeder Zugabe gut verrühren, bis eine glänzende feste Masse entsteht. Ein Drittel der Baisermasse mit einem Holzlöffel vorsichtig unter die Eigelbmischung ziehen. Dann jeweils die Hälfte der Semmelbrösel, Mandeln und Milch zugeben. Vorgang mit dem Rest wiederholen und den restlichen Baiser unterziehen. Ein Drittel der Masse in eine andere Schüssel umfüllen, darüber das Kakaopulver sieben und vorsichtig unterziehen.

3 Rosinen abtropfen lassen, den Rum aber aufbewahren. Die Hälfte in die Kuchenform geben und den Rest auf die helle Teigmischung streuen und sehr vorsichtig unterziehen. Helle und dunkle Teigmischung abwechselnd eßlöffelweise in die Kuchenform füllen und mit einem Löffel nur kurz umrühren, um eine Marmormischung zu erhalten. 30–35 Minuten goldbraun backen.

4 Für den Sirup alle Zutaten mit dem aufbewahrten Rum in eine Schüssel geben und auf mittlerer Stufe zum Kochen bringen. Dann vom Herd nehmen und 30 Minuten ruhen lassen.

5 Den Kuchen mit einem Messer vom Rand der Form lösen und auf eine Servierplatte oder ein Drahtgitter stürzen. Die Form wieder darüber legen und wenden, so daß der Kuchen wieder locker in der Form steht. Zwei Drittel des Sirups durch ein Sieb über den Kuchen streichen, abkühlen lassen, dann mit Klarsichtfolie bedecken und bei Zimmertemperatur 4 Stunden abkühlen lassen.

6 Kuchen stürzen und mit dem restlichen Sirup servieren. Dazu kann Schlagsahne gereicht werden.

PRAKTISCHE TIPS

Mürbeteig

Dieser köstliche Teig für Quiches und Torten ist nicht nur vielseitig verwendbar,
sondern auch einfach herzustellen.

Vorbereitungszeit: **10 Minuten + 20 Minuten Kühlzeit**
Ergibt 350 g

200 g Weizenmehl
1 gute Prise Salz
100 g Butter, gekühlt
1 Ei, leicht verquirlt
2–3 TL Wasser

1 Mehl zusammen mit Salz in eine große Schüssel sieben. Die Butter in 1 cm große Würfel schneiden und in das Mehl geben.

2 Die Butter mit den Fingerspitzen in das Mehl reiben, bis eine feinkrümelige Masse entsteht.

3 In der Mitte eine Mulde bilden und das mit dem Wasser verquirlte Ei zugießen.

4 Die Masse langsam mit einem Palettenmesser oder Teigschaber verarbeiten, bis sich eine Teigkugel gebildet hat. Falls der Teig klebrig ist, etwas zusätzliches Mehl zufügen. Auf eine leicht bemehlte, kalte Oberfläche stürzen und vorsichtig verkneten, bis die Masse gerade glatt ist (nicht länger als 20 Sekunden). In Frischhaltefolie einwickeln und vor der Verwendung mindestens 20 Minuten kühl stellen.

Tip Mit dieser Teigmenge kann man zwei 20 cm große Quicheformen auslegen. Bei der Zubereitung von nur einer Quiche oder Torte den Teig halbieren und separat in Frischhaltefolie einwickeln. Einen Teil verarbeiten, den anderen in einem luftdicht versiegelten Gefrierbeutel einfrieren und bei anderer Gelegenheit verwenden.

Die Butterwürfel zum Mehl und zum Salz geben und mit den Fingerspitzen in die Mischung reiben.

Mit dem Hineinreiben fortfahren, bis eine feinkrümelige Masse entsteht.

Eine Mulde bilden und das mit Wasser verquirlte Ei zugießen.

Die Masse mit einem Palettenmesser vorsichtig verarbeiten, bis sich eine Kugel formt.

Auslegen einer Form

Der Teig muß sehr vorsichtig behandelt werden, damit er sich nicht dehnt.

Den Teig über ein Nudelholz legen und über der Form wieder abrollen.

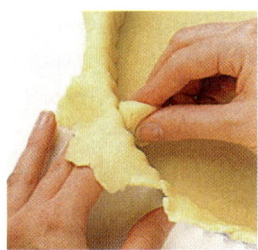

Die Teigränder mit einem kleinen Bällchen aus überschüssigem Teig in die Seitenrillen der Form drücken.

Mit einem Nudelholz vorsichtig, aber fest über die Form rollen, um überstehende Teigränder abzuschneiden. 10 Minuten in den Kühlschrank stellen.

Den Teigboden mehrmals mit einer Gabel einstechen, damit während des Backens Dampf entweichen kann.

Blindbacken

Das Vorbacken des Teiges ohne Füllung verhindert, daß diese ihn später durchweicht.

Pergamentpapier zerknüllen, auffalten und auf den Teigboden legen.

Auf dem Papier eine Lage Backerbsen oder Reis verteilen und vorsichtig festdrücken, damit sie eng an den Teigrändern anliegen.

Entsprechend der Rezeptangaben backen. Die Backerbsen oder den Reis und das Papier entfernen.

Falls im Rezept angegeben, den Teig weiterbacken, bis er trocken und gleichmäßig gebräunt ist.

Blätterteig

Dieser Teig benötigt relativ viel Arbeits- und Zeitaufwand, aber dafür ist das Ergebnis herrlich buttrig.
Wer es eilig hat, kann auch tiefgekühlten Blätterteig verwenden.

Vorbereitungszeit: **1 Tag**
Ergibt 530 g

GRUNDTEIG
250 g Weizen- oder Roggenmehl
1 TL Salz
2–3 Tropfen Zitronensaft
125 ml Wasser
40 g Butter, zerlassen

100 g Butter, gekühlt

1 Für den Grundteig Mehl und Salz auf eine Arbeitsfläche sieben und in der Mitte eine Mulde bilden. Den Zitronensaft zum Wasser gießen, dann zusammen mit der Butter in die Mulde geben und mit den Fingerspitzen mischen. Mit der Seite eines Palettenmessers oder Teigschabers von außen nach innen ziehen und die Mischung immer wieder zerteilen, bis das Mehl eingearbeitet und die Masse krümelig ist. Mit den Händen leicht verkneten und bei Bedarf noch etwas Wasser zusätzlich zugeben, bis der Teig glatt ist.

2 Den Teig oben kreuzförmig einschneiden. Eingewickelt in leicht bemehltes Pergamentpapier oder in Klarsichtfolie eine Stunde im Kühlschrank ruhen lassen – so läßt sich der Teig anschließend geschmeidiger ausrollen. Die gekühlte Butter zwischen Pergamentpapier oder Klarsichtfolie legen, mit der Seite eines Nudelholzes leicht klopfen und ein 2 cm großes Quadrat formen. Auf diese Weise wird die Butter geschmeidig, ohne zu schmelzen.

3 Den Teig auswickeln und auf eine leicht bemehlte Fläche legen. Von der Mitte her ausrollen, so daß eine Kreuzform entsteht, dabei den Teig in der Mitte etwas dicker lassen.

4 Die Butter auf die Mitte legen und den Teig darüber zusammenfalten, so daß sie völlig eingeschlossen ist.

Mehl und Salz auf eine Arbeitsfläche sieben und in der Mitte eine Mulde bilden. Zitronensaft, Wasser und Butter zugeben und mit den Fingerspitzen vermischen.

Die Teigoberfläche mit einem scharfen Messer kreuzförmig einschneiden.

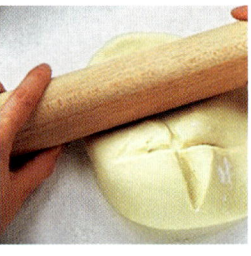

Den gekühlten Teig auswickeln. Auf einer leicht bemehlten Fläche von der Mitte her zu einer Kreuzform ausrollen, die Mitte dicker lassen.

Die Butter auf die dickere Mitte legen und durch das Umklappen der vier Teigseiten einschließen.

5 Mit dem Nudelholz über das Paket rollen, um die Ecken zu verschließen. Auf einer leicht bemehlten Fläche zu einem etwa 12 x 35 cm großen Rechteck ausrollen.

6 Überschüssiges Mehl abstreifen, dann den Teig auf ein Drittel der Größe falten, indem die äußeren beiden Drittel über das mittlere Drittel geklappt werden. Dazu mit dem Finger den ersten »Knick« markieren und so falten, daß die Kanten genau übereinanderliegen. In Klarsichtfolie eingewickelt 30 Minuten in den Kühlschrank stellen.

7 Den Teig so drehen, daß er wie ein Buch auf der Arbeitsfläche liegt, dessen Bindung links ist. Mit einem Nudelholz zusammendrücken, um die Seiten zu verschließen.

8 Die Schritte 5–7 noch dreimal wiederholen, dabei am Ende jedes Mal einen Fingerabdruck mehr in dem Teig hinterlassen, um die Anzahl zu markieren. Den Teig nach jedem Ausrollen 30 Minuten in den Kühlschrank legen. Der fertige Teig sollte 4 Fingerabdrücke haben. Durch das Rollen und Falten ist der Teig nun schön glatt. Dann den Teig nochmals 30 Minuten in den Kühlschrank legen. Sofort verarbeiten oder einfrieren.

Tip Bei der Herstellung von Blätterteig muß die Arbeitsfläche kalt sein, damit die Butter nicht schmilzt und der Teig zu schwer wird. Bei warmem Wetter muß der Teig zum Abschluß evtl. 15 Minuten länger im Kühlschrank bleiben, als oben angegeben.

Die Herstellung von Blätterteig ist nicht schwierig, aber zeitaufwendig. Es empfiehlt sich, gleich größere Mengen zuzubereiten und einzufrieren. Den Teig dann über Nacht im Kühlschrank auftauen lassen. Blätterteig hält sich im Kühlschrank 4 Tage, in der Gefriertruhe 3 Monate.

Die Teigkanten mit dem Nudelholz zusammendrücken und versiegeln. Den Teig zu einem Rechteck ausrollen.

Den Teig falten, indem die beiden äußeren Drittel jeweils über die Mitte geklappt werden.

Den gekühlten Teig wieder auf die Arbeitsfläche legen und so drehen, daß er wie ein Buch auf der Arbeitsfläche liegt. Die Kanten zusammendrücken, dann erneut ausrollen, falten und kühlen.

Das Ausrollen, Falten und die Kühlung wiederholen. Am Ende sollte der Teig gleichmäßig mit übereinanderliegenden Kanten gefaltet sein.

Brandteig zubereiten

Die kleinen Brandteigkugeln lassen sich mit Süßem oder Herzhaftem füllen.

Butter zerlassen und zum Kochen bringen. Das gesamte Mehl zugeben und ständig mit einem Holzlöffel rühren, bis die Mischung sich leicht von der Topfwand löst. Vom Herd nehmen und kurz abkühlen lassen.

Mischung in eine mittelgroße Schüssel geben. Eimasse in 6 Portionen zugeben; nach jeder Zugabe gut verrühren, bis die Mischung eindickt.

Filoteig schichten

Filoteig ist leicht zuzubereiten, solange man ihn nicht austrocknen läßt.

Teigplatten auf eine Arbeitsfläche legen und mit einem feuchten Geschirrtuch abdecken. Immer nur mit einer Platte arbeiten; den Rest stets abgedeckt halten.

Die erste Platte mit zerlassener Butter bestreichen. Eine andere Platte darüber legen und ebenfalls mit zerlassener Butter bestreichen. Vorgang wiederholen, bis die erforderliche Anzahl Schichten entstanden ist.

Frühlingsrollen aufrollen

Filoteig und Tiefkühlblätterteig sind empfindlich und sollten stets gut abgedeckt gehalten werden.

Chinakohl eng zusammenhalten und mit einem großen scharfen Messer fein schneiden.

Fertig-Teig halbieren. Füllung auf den vorhandenen Teig aufteilen und den Teig fest aufrollen. Die Enden mit Maismehlpaste versiegeln.

Fritieren

Die Friteuse nur zu einem Drittel mit Öl füllen. Die Zutaten vor dem Fritieren gründlich trocknen.

Öl in der Friteuse oder einem Topf auf 180 °C erhitzen. Zur Probe einen Weißbrotwürfel ins Öl geben; wenn er innerhalb von 15 Sekunden goldbraun wird, ist das Öl heiß genug.

Paprikaschoten rösten

Das Rösten erlaubt leichtes Abziehen der Haut und gibt der Frucht ein süßliches Aroma.

Den Grill vorheizen. Die Paprikaschoten halbieren und die Samen und Trennhäute entfernen.

Die Paprikaschoten rösten, bis die Haut Blasen wirft und sich schwarz färbt. In einem Gefrierbeutel abkühlen lassen, dann die Haut abziehen.

Gemüse abschrecken

Blanchiertes Gemüse behält durch Abschrecken seine kräftige Farbe.

Das Gemüse in kochendem Wasser zart kochen.

Abgießen und in eine Schüssel mit Eiswasser tauchen, um das Gemüse abzuschrecken und den Garvorgang zu stoppen. Dann erneut abgießen.

Tomaten vorbereiten

Das Schälen und Entkernen von Tomaten ist einfach und schnell gemacht.

Die Tomaten mit einem sehr scharfen Messer kreuzförmig einritzen.

Die Tomaten in einem großen Topf mit kochendem Wasser 10 Sekunden blanchieren. Herausnehmen und in einer Schüssel mit eiskaltem Wasser abschrecken. So bleibt das Fruchtfleisch fest.

Die Haut kann nun problemlos abgezogen werden. Falls für ein Rezept die Kerne entfernt werden müssen, die Tomaten halbieren und diese vorsichtig mit einem Teelöffel herauskratzen.

Lauch waschen

Lauch wird wegen seines einzigartigen Geschmacks für viele Rezepte verwendet.

Den Lauch unter fließendem Wasser vollständig von Schmutz und Sand befreien. Dazu das grüne Ende einschneiden, damit das Wasser durch die festgerollten Blätter fließen kann.

Fischbrühe

Verwenden Sie lieber mageren weißen Fisch als sehr fettigen. Augen und Innereien entfernen.

2 kg gehackte Fischreste 10 Minuten in Salzwasser legen, abgießen. Mit 2¹/₂ l Wasser, 12 Pfefferkörnern, 2 Lorbeerblättern, 1 gehackten Selleriestange, 1 gehackten Zwiebel und dem Saft von 1 Zitrone in einen Topf geben.

Zum Kochen bringen, dann Temperatur herunterschalten und 20 Minuten köcheln lassen. Schaum, der sich während des Kochens auf der Oberfläche bildet, mit einem großen Schaumlöffel abschöpfen.

Brühe portionsweise durch ein feines Sieb in eine Schüssel gießen. Die festen Zutaten vorsichtig mit einer Kelle ausdrücken und die Brühe in den Kühlschrank stellen. Ergibt 1¹/₂ l.

Hühnerbrühe

Eine kräftige hausgemachte Hühnerbrühe kann Grundstein einer echten Feinschmeckersuppe sein.

750 g Suppenhuhnknochen und -reste klein hacken und mit einer grobgehackten Zwiebel, Karotte und Selleriestange in einen Topf geben. 6 Pfefferkörner, Bouquet garni und 4 l Wasser zugeben.

Zum Kochen bringen und die Brühe 2–3 Stunden köcheln lassen. Schaum von der Oberfläche abschöpfen. Brühe durch ein Sieb in einen sauberen Topf gießen und abkühlen lassen.

Brühe über Nacht kalt stellen und das hart gewordene Fett abschöpfen. Wenn Ihnen keine Zeit zum Kühlen bleibt, das Fett direkt mit Küchenpapier von der Brühe abnehmen. Ergibt 1¹/₂–2 l.

Rinderbrühe

Die Knochen zu rösten, verleiht der Brühe eine kräftige Färbung und entfernt überschüssiges Fett.

1 1/2 kg Rinder- oder Kalbsknochen 40 Minuten bei 230 °C im Backofen rösten. Nach der Hälfte der Backzeit eine geviertelte Zwiebel, 2 gehackte Karotten, 1 gehackte Porreestange und 1 gehackte Selleriestange zugeben.

Alles in einen sauberen Topf geben. 4 l Wasser, 2 EL Tomatenmark, Bouquet garni und 6 Pfefferkörner zugeben. 3–4 Stunden köcheln lassen, dabei mehrmals abschöpfen.

Brühe portionsweise durch ein feines Sieb in eine Schüssel geben. Feste Zutaten mit der Kelle leicht ausdrücken. Zum Abkühlen in den Kühlschrank stellen. Fett abschöpfen. Ergibt 1 1/2–2 l.

Butter klären

Der Butter das Wasser und die festen Reststoffe zu entziehen, läßt sie weniger rasch anbrennen.

Für 100 g geklärte Butter 180 g Butter in kleine Würfel schneiden. In einen kleinen Topf geben, der in einem größeren Topf mit Wasser steht. Butter bei mittlerer Hitze zerlassen, ohne zu rühren.

Topf vom Herd nehmen und Butter etwas abkühlen lassen. Schaum von der Oberfläche abschöpfen; dabei darauf achten, die Butter nicht zu rühren.

Klare gelbe Flüssigkeit abgießen und den milchigen Bodensatz im Topf lassen. Bodensatz wegwerfen und geklärte Butter luftdicht verschlossen im Kühlschrank aufbewahren.

Brühe einfrieren

Brühe läßt sich bis zu 6 Monaten portionsweise tiefgefroren aufbewahren.

Fett von der Brühe abschöpfen. Kochen, bis sie auf 500 ml eingedickt ist. Abkühlen lassen und einfrieren. In einen Klarsichtbeutel geben und Beutel verschließen. Für 2 l Brühe 1 1/2 l Wasser auf 500 ml konzentrierte Brühe geben.

Bouquet garni

Verleihen Sie Ihrer Suppe mit hausgemachtem Bouquet garni das Aroma frischer Kräuter.

Ein Lorbeerblatt, einen Thymianzweig, einige Sellerieblätter und Petersilienzweige in das Grün einer Porreestange einwickeln und mit Garn zusammenbinden. An einem langen Faden in den Topf hängen.

Austern auslösen

*Verwenden Sie ein Auslösemesser mit Sicherheits-
schild und schützen Sie Ihre Hand mit einem Tuch.*

Austern in kaltem Wasser
säubern. Eine Auster mit der
abgerundeten Seite nach unten
auf einem doppelt gefalteten
Geschirrtuch in die Handfläche
legen.

Ein Austernmesser am spitzen
Ende der Auster ansetzen, an
dem Ober- und Unterschale zu-
sammenhängen. Das Messer
3 cm tief in die Auster einführen
und dann drehen, um die Schalen voneinander zu trennen.

Das Messer zwischen Auster
und Oberschale ansetzen, den
Gelenkmuskel durchtrennen
und die Schale entfernen.

Das Messer zwischen Auster
unter Unterschale ansetzen, die
Auster auslösen und die gesamte Flüssigkeit durch ein mit
Preßtuch ausgelegtes Sieb
abgießen. Die Flüssigkeit
aufbewahren.

Garnelen vorbereiten

*Bei rohen Garnelen den dunklen, nicht zum Verzehr
geeigneten Darm entfernen.*

Garnelen schälen, dabei das
Fleisch intakt lassen. Sofern im
Rezept angegeben, das
Schwanzende ganz lassen.

Mit einem kleinen Messer einen
flachen Schnitt entlang des
Rückens ansetzen, um den
dunklen Darm freizulegen.

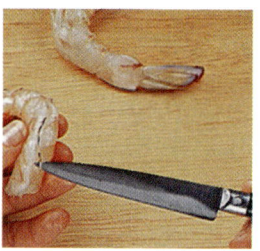

Den Darm mit einer Messerspitze entfernen und wegwerfen. Garnelen abspülen und mit
Küchenpapier trockentupfen.

Hummersuppe vorbereiten

Die Schale ist ein wichtiger Geschmacksträger für diese Suppe und wird mit dem Fleisch gekocht.

Hummer der Länge nach halbieren. Das Säckchen im Kopf und den Darm entlang der Schwanzmitte entfernen und wegwerfen.

Die Scheren durch Drehen ablösen und durch Schläge mit dem Nudelholz oder dem Boden eines kleinen schweren Topfs aufbrechen.

Den Schwanz mit einem langen scharfen Messer in drei oder vier Stücke schneiden.

Lebende Hummer vorbereiten

Den Hummer erst 2 Stunden ins Gefrierfach legen, um ihn gefühllos zu machen.

Den Hummerschwanz unter einem Geschirrtuch festhalten. Die Spitze eines scharfen Messers in der Kopfmitte ansetzen und zwischen den Augen rasch nach unten bis zum Schneidbrett durchstoßen.

Hummer américaine vorbereiten

Die Größe der Scheren variiert je nach verwendeter Hummerart.

Wenn erforderlich, die beiden großen Kopfscheren an der Verbindungsstelle zum Körper durch Drehen ablösen. Den Kopf vom Schwanz trennen. Scheren und Schwanz nach Rezept kochen.

Die flache Unterschale des Schwanzes an der Seite aufschneiden und abheben und so das Schwanzfleisch freilegen.

Das Fleisch mit den Fingern vorsichtig in einem Stück aus dem Schwanz lösen. Schale aufbewahren.

Den Kopf mit einem scharfen Messer längs halbieren. Rogen und Leber des Hummers entnehmen und aufbewahren. Den hinter dem Mund befindlichen Magensack wegwerfen. Die Kopfschale in große Stücke brechen.

Miesmuscheln säubern

Miesmuscheln müssen vorsichtig gesäubert und feucht abgedeckt im Kühlschrank aufbewahrt werden.

Sand von den Muscheln ab-
bürsten. Seepocken mit einem
Messer abschaben.

Den Bart komplett von den
Muscheln abziehen.

Alle Muscheln wegwerfen, die
beschädigt oder nicht fest geschlossen sind, und sich auch
durch leichtes Aufklopfen auf
die Arbeitsfläche nicht schließen.

Jakobsmuscheln säubern

Die Muscheln unter dem weißen Muskel und dem orangefarbenen Rogen aus den Schalen lösen.

Sand oder Schmutz von den
Muscheln abspülen. Den kleinen, glänzendweißen Muskel
und den Darm entfernen, dabei
den orangefarbenen Rogen
intakt lassen.

Plattfisch filetieren

Das Filetieren von Fisch ist einfach, wenn man weiß, wie. Verwenden Sie dafür ein gutes, scharfes Messer.

Den Fisch mit der dunklen Seite
nach oben hinlegen. Mit einem
Filetiermesser einen Schnitt am
äußeren Rand des Fischs ansetzen, an dem Fleisch und Brustflossen aufeinandertreffen.

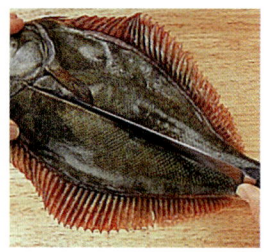

Mit einem scharfen Messer in
der Mitte des Fischs einen
Schnitt vom Kopf bis zum
Schwanz ansetzen, dabei bis zu
den Gräten durchschneiden.

Mit großen Schnitten ein Filet
von der Mitte ausgehend bis
zum Rand vollständig ablösen.
Mit dem anderen Filet ebenso
verfahren, dann den Fisch wenden und den Vorgang auf der
anderen Seite wiederholen.

Fisch häuten

Wenn der Winkel des Messers auf der Haut stimmt, geht das Häuten wie von selbst.

Den Fisch am Schwanz ein-
schneiden. Die Finger in Salz
tauchen, den Fisch am Schwanz
festhalten und das Messer mit
Schneidbewegungen vom ersten
Schnitt ausgehend in flachem
Winkel von sich wegführen.

Rundfisch filetieren

Kaufen Sie nur ganz frischen Fisch und filetieren Sie ihn selbst für ein perfektes Ergebnis.

Brustflossen und Kiemen hinter dem Kopf herausschneiden und wegwerfen.

Einen kleinen Schnitt unterhalb des Magens ansetzen, dann die Bauchseite bis fast zu den Kiemen aufschneiden. Innereien entfernen und wegwerfen. Bauchhöhle ausspülen.

Einen Schnitt hinter dem Kopf ansetzen, dann vom Kopf zum Schwanz entlang des Rückgrats schneiden. Fleisch im flachen Winkel mit großen Schnitten von den Gräten lösen und abheben.

Einzelne Gräten entfernen

Bei Lachs und anderen Fischsorten bleiben häufig kleine Gräten zurück, die einzeln entfernt werden müssen.

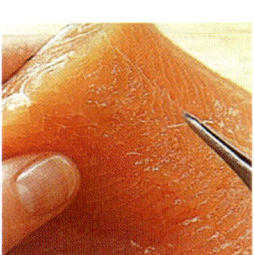

Finger mit leichtem Druck über das Fleisch streichen, um die Gräten zu ertasten. Diese mit einer Pinzette oder den Fingern herauszupfen.

Lachs servieren

Den gegarten Lachs vor Beginn des Filetierens auf ein Blatt Pergamentpapier legen.

Haut mit einem scharfen Messer unmittelbar hinter dem Schwanz, entlang des Rückens und hinter den Kiemen einschneiden. Haut vom Kopf zum Schwanz hin abziehen und wegwerfen.

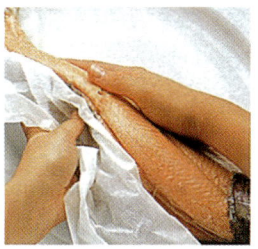

Einen Servierteller unter eine Seite des Papiers stellen, auf den der Fisch mit der anderen Seite gekippt wird. Restliche Haut abziehen und bei Bedarf den Kopf entfernen.

Alles dunkle Fleisch mit einem Messer abschaben. Das obere Filet in der Mitte teilen, die beiden Filetviertel vorsichtig abheben und zu beiden Seiten neben den Lachs legen.

Rückgrat vom Kopfende aus ablösen und mit einer Schere unmittelbar vor dem Schwanz abschneiden. Alle einzelnen Gräten entfernen und die beiden abgelösten Filetviertel wieder auf die untere Hälfte legen.

Artischocken vorbereiten

Sie können entweder die ganze Artischocke kochen oder nur das Herz. Beide schmecken köstlich.

Den Stiel der Artischocke unmittelbar unter dem Blütenkopf abbrechen, und die Fasern, die ihn mit dem Blütenboden verbinden, herausziehen.

Die äußeren Blätter abzupfen und die Artischocke zusammen mit dem Saft von 1 Zitrone in einen Topf mit kochendem Salzwasser geben. Mit einem Teller beschweren und 20–35 Minuten köcheln lassen.

Eines der Blätter abzupfen, um den Gargrad zu überprüfen. Läßt es sich leicht lösen, ist die Artischocke gar. Die obere Hälfte der Artischocke abschneiden und wegwerfen.

Das Heu vom Artischockenboden in der Mitte der Artischocke mit einem Löffel ablösen. Der Boden kann nun gefüllt werden.

Zum Backen dressieren

Durch das Dressieren behält das Huhn beim Backen seine Form.

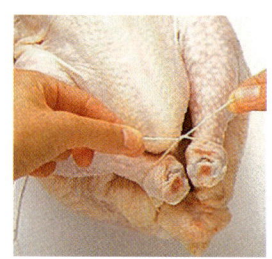

Das Huhn waschen und abtrocknen. Die Beine mit Küchengarn zusammenbinden; dabei den Faden zuerst unter dem Bürzel hindurchführen.

Das Garn zwischen Beinen und Körper zum Hals führen.

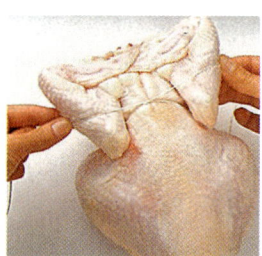

Das Huhn wenden und die Fäden unter den Flügeln kreuzen. Das Garn um die Flügel wickeln, um sie am Körper zu halten.

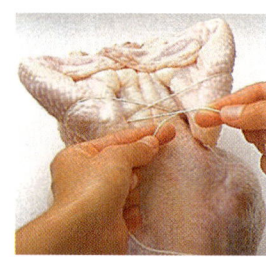

Das Garn mit einem Knoten oder einer Schleife zusammenbinden. Die Enden abschneiden, das Huhn ist nun zum Backen vorbereitet.

Ein Huhn tranchieren

Ein zerteiltes, ganzes Huhn schmeckt besser als einzeln gekaufte Teile.

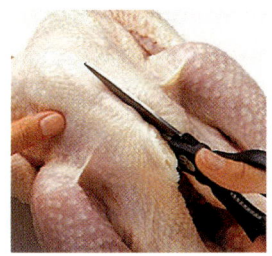

Mit der Geflügelschere längs durch das Brustbein schneiden, dann das Huhn wenden und beidseitig entlang des Rückgrats schneiden, um es vollständig entfernen zu können.

Das Rückgrat sollte sich in einem Stück lösen. Dann das Huhn, den natürlichen Konturen folgend, in vier Teile schneiden. Jetzt können Sie auch die Flügelspitzen abschneiden.

Für 8 Teile jede Brust halbieren, so daß jeweils ein Teil mit Flügel entsteht, und die Oberschenkel am Gelenk von den Unterschenkeln trennen.

Das Gabelbein entfernen

Ohne das Gabelbein läßt sich die Brust leichter tranchieren.

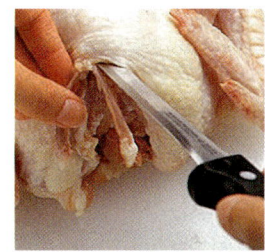

Die Haut von der Halsöffnung zurückziehen. Mit den Fingern nach dem Gabelbein tasten und es mit einem scharfen Messer freilegen, dann das Fleisch abschaben.

Das Gabelbein am Gelenk abtrennen und herausheben.

Unterschenkel auslösen

Das dunkle Beinfleisch eignet sich durch seinen kräftigen Geschmack gut für Pasteten und Füllungen.

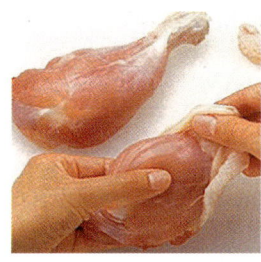

Das Ablösen des Fleisches vom Knochen kann schwierig sein. Die Haut vom dicken Ende des Unterschenkels her abziehen.

Das untere Ende des Beins festhalten, die Haut um den Knochen herum abschneiden und das Fleisch abschaben.

Pasta selbst zubereiten

Die für ein Pastateig-Rezept benötigte Menge an Mehl, Salz, Olivenöl und Eiern finden Sie in der entsprechenden Zutatenliste. Frische Pasta sollte am Tag der Zubereitung verzehrt werden.

Mehl, Salz, Olivenöl und Eier oder Eigelbe in der Küchenmaschine in kurzen Intervallen zu einer krümeligen Masse verarbeiten.

Teigrechteck zweimal falten und noch einmal mit der gröbsten Einstellung ausrollen. Vorgang zehnmal wiederholen, dabei den Pastateig und die Maschine leicht bemehlt halten, damit der Teig nicht klebt.

Mischung leicht zwischen Daumen und Zeigefinger verreiben. Wenn sie sich nicht ohne weiteres zu einem glatten Teig verbindet, noch mehrmals vermischen.

Den Pastateig ohne erneutes Falten immer dünner ausrollen, bis die feinste Einstellung erreicht ist. Alles mit den restlichen Teigstücken wiederholen.

Pastateig auf einer leicht bemehlten Arbeitsfläche 2 Minuten zu einem glatten Teig verkneten. In Klarsichtfolie wickeln und 20 Minuten kalt stellen. Die Nudelmaschine an der Tischkante befestigen.

Pastateig wie im Rezept angegeben in Portionen aufteilen. Den gerade nicht benötigten Teig inzwischen abgedeckt halten. Zu einem flachen Rechteck formen und mit der Nudelmaschine (gröbste Einstellung) ausrollen.

Pasta von Hand zubereiten

*Die traditionelle Methode der Pastaherstellung
ohne Nudelmaschine*

Mehl und Salz auf eine
Arbeitsfläche sieben. Mit der
Hand in die Mitte eine
Vertiefung drücken und Eier
oder Eigelbe und Olivenöl zuge-
ben.

Mit den Fingerspitzen das Mehl
mit den flüssigen Zutaten vermengen.

Mit den Händen oder einem
Schaber das Mehl in die Mitte
schieben und so einen Teig herstellen. 10 Minuten zu einem
glatten Teig verkneten. Wie im
Rezept angegeben in Portionen
aufteilen. In Klarsichtfolie
wickeln.

Pasta von Hand ausrollen

*Arbeiten Sie auf einer bemehlten Fläche, um den
Teig möglichst dünn ausrollen zu können.*

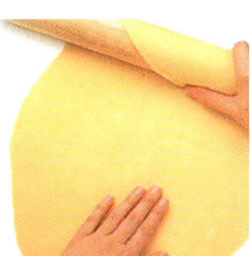

Teig mit einem Nudelholz dünn
ausrollen, falten und erneut ausrollen. Das schmale Ende über
das Nudelholz legen und leicht
daran ziehen. Vorgang zehnmal
wiederholen und den Teig zum
Schluß so dünn ausrollen, wie
im Rezept angegeben.

Ravioli selbst zubereiten

*Die Ravioli können zwischen Backpapierbögen im
Kühlschrank kaltgestellt oder tiefgekühlt werden.*

Ein wenig Wasser um jede
Füllung herum verstreichen.

Den zweiten Pastastreifen darüber legen und fest um die
Füllungen herum andrücken.
Ravioli mit einem Teigrädchen
oder Keksförmchen aus-
schneiden.

Alternativ den Raviolischneider
der Nudelmaschine einsetzen.
Dazu zwei Nudelteigstreifen in
die Maschine einlegen und in die
Mulde zwei Häufchen Füllung
setzen. Mit der Maschine zusam-
menpressen und ausschneiden.

Tagliatelle selbst herstellen

*Die Tagliatelle sollten auf einem bemehlten
Geschirrtuch ausgebreitet 1–2 Stunden trocknen.*

Einen Nudelteigstreifen mit
einer Nudelmaschine ausrollen
und mit dem Tagliatelle-
Schneider in Streifen schneiden
Oder Teigstreifen nach innen
einrollen und in Schleifenform
schneiden. Sofort kochen oder
in einer Lage trocknen lassen.

Dampfpudding zubereiten

Wenn Sie keine verschließbare Dampfpuddingform besitzen, verwenden Sie eine feuerfeste Schüssel.

Die Schüssel dick mit Butter einfetten und den Boden mit Backpapier auslegen.

Ein Blatt Alufolie auf die Arbeitsfläche legen und ein Blatt Backpapier darüber legen. Das Backpapier in der Mitte scharf falten und mit etwas zerlassener Butter einfetten.

Teigmischung in die Schüssel geben. Alufolie und Backpapier mit dem Backpapier nach unten über die Schüssel breiten und mit Schnur fest um den Schüsselrand binden. Die Enden zu einer Griffschlaufe verknoten.

Eine umgedrehte Untertasse oder einen Dreifuß in einen großen Topf stellen und die Schüssel darauf stellen. Topf zur Hälfte mit kochendem Wasser füllen. Deckel auflegen und so lange, wie im Rezept angegeben, köcheln lassen. Bei Bedarf kochendes Wasser dazugeben.

Zuckersirup

Vor dem Aufkochen muß sich der Zucker aufgelöst haben. Sobald der Sirup kocht, nicht mehr rühren.

Zucker und Wasser in einem Topf langsam erhitzen und den Zucker dabei unter Rühren auflösen.

Die sich am Topfrand absetzenden Zuckerkristalle mit einem feuchten Backpinsel abstreifen.

Sobald der Sirup kocht, auf keinen Fall mehr rühren. Den Sirup auf eine Temperatur von 116–118 °C bringen.

Wer kein Zuckerthermometer zur Verfügung hat, gibt etwa 1/4 Teelöffel kochenden Sirup in eine mit Eiswasser gefüllte Schüssel. Der Sirup sollte eine kleine, weiche Kugel bilden.

»Ziegelchen« (Tuiles)

»Ziegelchen« müssen nach dem Backen mit einem Nudelholz geformt werden, wenn sie noch warm sind.

Einen gehäuften Teelöffel Teig auf das vorbereitete Backblech gleiten lassen und mit einem Löffel leicht flachdrücken.

Den Teig mit einer in Wasser getauchten Gabel gleichmäßig auseinanderdrücken, bis er sehr dünn ist.

Die »Ziegelchen« noch heiß vom Backblech nehmen und mit Hilfe eines Nudelholzes leicht nach innen biegen. Zum Abkühlen auf ein Kuchengitter legen.

Plätzchen ausstechen

Wenn der Teig glatt ausgerollt wird, backen die Plätzchen schön gleichmäßig.

Den Plätzchenteig zwischen zwei Lagen Backpapier gleichmäßig dick ausrollen.

Das Backpapier entfernen und mit verschiedenen Formen die Plätzchen ausstechen. Anschließend auf das vorbereitete Backblech legen.

Spritzgebäck

Mit Spritzbeutel und Tülle aufgespritzte Kekse sind hübsch und gleichmäßig geformt.

Teig in einen Spritzbeutel füllen und mit einer großen Sterntülle Rosetten auf das vorbereitete Backblech spritzen.

Teighäufchen

Für Teighäufchen muß der Teig weich genug sein, um vom Löffel zu gleiten.

Mit einem Eßlöffel eine Portion Teig abnehmen und als Häufchen auf das vorbereitete Backblech gleiten lassen.

Eine Springform auslegen

So können auch andere Backformen ausgelegt werden, damit der Kuchen nicht haften bleibt.

Die Form auf ein Blatt Backpapier stellen und mit einem Stift einen Kreis rings um den Boden ziehen. Die nachgezogene Form knapp innerhalb der Linie ausschneiden.

Das Innere der Form mit zerlassener Butter bestreichen.

Das zugeschnittene Stück Backpapier auf den Boden der eingefetteten Form legen. Je nach Rezept auch die Wand der Form mit einem entsprechend breiten Streifen Backpapier auslegen.

Das Backpapier in der Form einfetten und mit Mehl bestreuen. Die Form schwenken, um Boden und Wände gleichmäßig mit Mehl zu überziehen; überschüssiges Mehl aus der Form klopfen.

Eine Form doppelt auslegen

Das doppelte Auslegen der Form verhindert, daß Kuchen mit langer Backzeit anbrennen.

Einen breiten Streifen Backpapier der Länge nach in der Mitte falten und um die Form legen: Er muß etwas breiter sein als der Rand der Form und an den Enden 2 cm überlappen.

Zwei Stück Backpapier in der Größe des Backformbodens ausschneiden und eins davon in die Form legen. Den doppelt gelegten Streifen für die Wand an der offenen Längskante in kurzen Abständen einschneiden.

Den Streifen mit den Einschnitten nach unten in die Form setzen. Den sich nach innen legenden Rand mit den Einschnitten mit dem zweiten Papierboden bedecken. Evtl. die Form noch mit Mehl bestäuben.

Ein Blatt Back-, Pack- oder Zeitungspapier der Länge nach in der Mitte falten und von außen um den Rand der Form wickeln. Mit Schnur oder Klebestreifen fixieren.

Vanillecreme

Die Creme muß bei schwacher Hitze langsam zubereitet werden, damit sie nicht gerinnt.

Eigelb und Zucker schaumig schlagen. Siedende Milch oder Sahne langsam einrühren. In einen anderen Topf füllen (Zutaten siehe S. 31).

Bei schwacher Hitze mit einem Holzlöffel ca. 10–15 Minuten vorsichtig rühren, bis die Creme am Rücken des Löffels haftet. Nicht kochen, da sonst die Eier gerinnen.

Warme Creme durch ein feines Sieb in einen sauberen Krug passieren, um Klümpchen zu entfernen.

Vorbereitung eines Soufflés

Ein erfolgreiches Soufflé hat eine hohe »Kappe«, die wie eine Kochmütze aussieht.

Mit dem Daumen an der Innenseite der Soufflé-Form entlang fahren. Durch die entstandene Vertiefung geht das Soufflé gleichmäßig auf.

Zubereitung eines Baisers

Dieses feste, glänzende Baiser hält auch vor dem Backen bis zu zwei Tage lang seine Form.

Ohne Rühren kochen, bis der Sirup große Blasen wirft. Probe: tropfen Sie $1/4$ TL Sirup in Eiswasser: er sollte seine Tropfenform behalten, aber sich weich anfühlen.

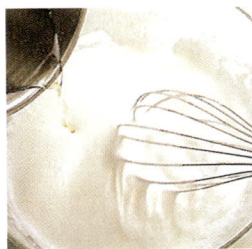

Eiweiß in einer großen ofenfesten Schüssel halb steif schlagen. Heißen Sirup gleichmäßig zugießen, dabei ständig rühren, bis das Baiser dick und glänzend ist. Schlagen, bis es kalt ist.

Verwendung von Gelatine

Blattgelatine wird luftiger und ist einfacher zu verwenden als Gelatinepulver.

Blattgelatine in eine Schüssel mit kaltem Wasser legen. Blätter einzeln zufügen, damit sie nicht aneinander kleben. Einige Minuten einweichen lassen.

Wenn die Gelatine weich ist, vorsichtig herausnehmen und gut ausdrücken. Bei Gelatinepulver jeweils 1 TL Gelatine in 1 EL Wasser entsprechend den Anweisungen des Herstellers auflösen.

Eine Kastenform auslegen

Das Backpapier verrutscht nicht, wenn Sie die Form zuerst leicht einfetten.

Die Form auf die Mitte eines Stücks Backpapier stellen. Das Papier von jeder Ecke aus in Richtung auf die Ecken der Backform diagonal einschneiden.

Zum leichteren Einlegen in die Form das Papier zwischen den eingeschnittenen Ecken knicken.

Das Papier in den Ecken übereinanderlegen und festdrücken. Falls im Rezept angegeben, die Form einfetten und mit Mehl bestäuben.

Biskuitrolle herstellen

Wenn Sie die folgenden Anweisungen beachten, ist es gar nicht so schwer.

Die Biskuitmasse gleichmäßig in die mit Backpapier ausgelegte Backform streichen.

Die gebackene Biskuitplatte auf ein Geschirrtuch oder ein Stück Backpapier stürzen und das Papier abziehen.

Die Füllung auf der Biskuitplatte verteilen, dabei an einer Längskante einen 2–3 cm breiten Rand freilassen. Den Biskuit von dieser Kante aus aufrollen, indem Sie das Geschirrtuch oder Backpapier anheben.

Garproben

Öfen arbeiten unterschiedlich. Kurz vor Ende der angegebenen Backzeit sollte man daher prüfen, ob der Kuchen durchgebacken ist oder eine längere Garzeit benötigt.

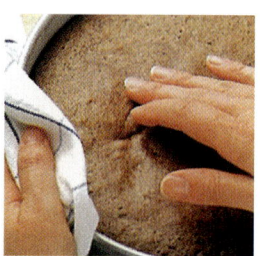

Mit den Fingerspitzen leicht die Mitte der Kuchenoberfläche eindrücken. Ist der Kuchen durchgebacken, sollte sie zurückfedern. Außerdem sollten sich die Ränder etwas von der Wand der Backform lösen.

Stäbchenprobe: Ein dünnes Stäbchen (Zahnstocher, Stricknadel) in die Mitte bzw. in die höchste Stelle des Kuchens stechen; beim Herausziehen dürfen keine Teigspuren daran hängen.

Warm geschlagene Masse

Diese Methode hat den Vorteil, daß der Zucker sich gut auflöst und sich besser mit den Eiern verbindet.

Eier und Zucker zusammen in eine hitzebeständige Schüssel geben. Sie muß absolut fettfrei sein, damit die Masse an Volumen zunehmen kann.

Auf einen Topf mit heißem Wasser setzen und die Masse schlagen, bis sie lauwarm und so dick ist, daß der herausgehobene Rührbesen eine Spur hinterläßt.

Die Schüssel vom Topf nehmen und die Masse weiterschlagen, bis sie kalt ist. Die gesiebten und gemischten Zutaten behutsam unterheben. Nicht schlagen oder rühren, da die Masse sonst an Volumen verliert.

Gerührter Teig

Alle Zutaten einschließlich der Eier sollten vor der Verarbeitung auf Zimmertemperatur gebracht werden.

Zunächst die Butter in einer großen Rühr- oder Glasschüssel geschmeidig rühren. Dann den Zucker einrühren.

Butter und Zucker schaumig schlagen. Dazu einen Schneebesen, einen elektrischen Handmixer oder die Küchenmaschine verwenden.

Evtl. Aromen zugeben, dann die Eier einzeln zufügen. Nach jeder Zugabe gut durchrühren, damit die Masse nicht flockig wird. Falls das doch einmal passieren sollte, etwas Mehl zufügen.

Glätten des Kuchenteigs

Wenn Sie einen Kuchen für den Ofen vorbereiten, wird der Teig meist mit einem in kaltes Wasser getauchten Löffel glattgestrichen; manchmal wird zusätzlich eine Mulde bzw. Senke in die Mitte gedrückt.

Um zu vermeiden, daß der Kuchen Spitzen bildet oder Risse bekommt, mit einem in kaltes Wasser getauchten Löffel eine Senke in die Kuchenmitte drücken.

Den Kuchenteig in die Form geben und die Oberfläche mit einem in kaltes Wasser getauchten Löffel glattstreichen.

REGISTER

Managing Editor: Kay Halsey

Series Concept, Design and Art Direction: Juliet Cohen

Der Verlag und Le Cordon Bleu danken Carole Sweetnam für ihre Hilfe bei dieser Reihe ebenso wie den 32 Meisterköchen der Cordon Bleu Schulen, deren Kenntnisse und Erfahrungen dieses Buch möglich gemacht haben, besonders: Cliche (MOF), Terrien, Boucheret, Duchêne (MOF), Guillut, Steneck, Paris; Males, Walsh, Hardy, London; Chantefort, Bertin, Jambert, Honda, Tokyo; Salembien, Boutin, Harris, Sydney; Lawes, Adelaide; Guiet, Denis, Ottawa.

© 2010 für die deutsche Ausgabe: Tandem Verlag GmbH h.f.ullmann ist ein Imprint der Tandem Verlag GmbH

Rezeptauswahl und Register für diese Ausgabe:
Kirsten E. Lehmann
Projektkoordination:
Anke Moritz

Gesamtherstellung:
h.f.ullmann publishing, Königswinter

Printed in China

ISBN 978-3-8331-5707-3

10 9 8 7 6 5 4 3 2 1
X IX VIII VII VI V IV III II I

Übersetzung aus dem Englischen
Karoline Apel, für Birgit Beyer (S. 182-183, 210-211, 240-243, 296-299, 320-333, 336-343, 356-357, 362-371, 430-433, 448-449, 476-477)
Petra Baron, für Kölner Grafik Büro (S. 68-69, 76-77, 80-81, 88-89, 130-131, 136-139, 152-153, 184-195, 200-205, 208-209, 212-213, 216-219, 226-227, 230-231, 236-237, 246-247, 436-437, 686-689)
Wolfgang Beuchelt (S. 8-13, 92-95, 126-127, 156-159, 162-165, 250-253, 256-283, 286-295, 300-307, 440-447, 450-463, 466-473, 478-479, 482-483, 690-691)
Karin Hirschmann, für Agents–Producers–Editors (S. 532-547, 608-609, 646-647, 656-657, 664-665)
Andreas Kellermann, für Agents–Producers–Editors (S. 20-21, 32-35, 42-43, 60-61, 82-83, 120-121, 160-161, 464-465, 552-553, 560-561, 574-575, 584-589, 592-599, 600-607, 616-621, 626-631, 644-645, 648-651, 654-655, 666-667, 670-673, 695-696, 698-699)
Susanne Lück (S. 14-19, 22-31, 38-41, 44-59, 62-67, 70-73, 78-79, 84-87, 96-119, 122-125, 128-129, 132-135, 140-151, 166-177, 196-199, 206-207, 214-215, 220-225, 244-245, 254-255, 284-285, 308-309, 312-319, 334-335, 344-355, 358-361, 372-373, 376-429, 434-435, 474-475, 490-491, 512-519, 522-525, 528-529, 548-551, 554-559, 562-563, 566-567, 624-625, 638-641, 668-669, 674-675, 682, 684-685, 692-694)
Petra Münch (S. 502-511, 520-521, 526-527, 530-531, 564-565, 570-573, 697)
Susanne Stielau, für Agents–Producers–Editors (S. 36-37, 74-75, 180-181, 228-229, 232-235, 238-239, 480-481, 484-489, 492-499, 576-583, 590-591, 610-615, 632-637, 642-643, 652-653, 658-663, 678-681, 683)

Um sich über Neuerscheinungen von h.f.ullmann zu informieren, fordern Sie bitte unseren Newsletter unter **www.ullmann-publishing.com** an.

h.f.ullmann, Im Mühlenbruch 1, 53639 Königswinter, Deutschland
newsletter@ullmann-publishing.com; Fax: +49(0)2223-2780-708

Wichtige Informationen

Hinweis: Bei unseren Gerichten verwenden wir Eßlöffel mit der Füllmenge von 20 ml (= 4 Teelöffel). Wenn Sie 15-ml-Eßlöffel benutzen, fügen Sie bei Backpulver, Mehl, Gelatine und Soda bitte einen zusätzlichen Teelöffel hinzu. Bei den meisten anderen Zutaten ist der Unterschied bedeutungslos.

Wichtig: Um einer eventuellen Salmonellen-Erkrankung vorzubeugen, sollten Sie für alle Gerichte stets frische Eier verwenden.